U0066427

艾雯全集9

小說卷四

池蓮

弟弟的婚禮

目次 Contents

池蓮

弟弟的婚禮

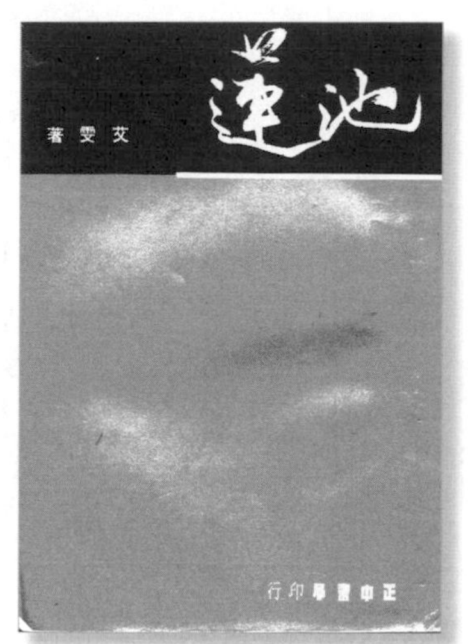

池蓮

艾雯全集 9

小說卷四

池蓮：台北市，正中書局，一九六六年五月台初版。三十二開，三五二頁。

◎正中書局版原目：

池蓮、花濺淚、虎子、卑微的生命、假期、愛情鳥、左右為難、復活、斑竹、義母、樂園外面的孩子、墊腳石、殞星、血緣、潭上風雨、苦海墜珠、十月芙蓉小陽春、殼、風雨之夕、生命的延續。

◎說明：

本集據正中書局台初版編入。

池蓮

一

晚飯後這一刻，整幢宿舍就像一艘甫抵岸的鴨船，充滿了一片囂譁聒噪，有揑著喉嚨唱青衣的，捲起舌尖唱洋歌的，不時更摻雜著一陣陣高談闊論，放肆大笑，那些嘈雜的聲浪幾乎震撼了屋頂。鄒翊晟沒有興趣捲入這聲浪裡，便悄悄地走下樓梯，一個人溜進了後園，習慣地在那口小池旁邊停下來，這口腰圓形的池子過去在花園蓬勃的茂盛的時代，顯然也曾有過它炫耀的光彩。如今隨著園子的荒蕪也快乾涸了。塵土，以及常年累月墜入池底的落葉，逐漸腐蝕成厚厚一層污泥，填塞了半池，淺淺的水面浮著枯葉殘枝，與污泥分不清顏色。唯一有點綠意的，是池心三五張瘦小的，自生自滅的荷葉，也許是對這一份綠意有偏愛，鄒翊晟就選中了池畔一角，做為他洗滌心頭塵垢，消除胸中塊壘之所。他喜歡倚坐石上，默默沉思，或小立坡岸，凝視看那一叢荷葉出神。這一刻性靈的澄清，情緒的寧靜，該是他生活中最可貴的一刻。

此刻他又佇立在池畔，他不快活，他的心情重過他的年齡。在涼爽的空氣中，他深深地做了幾次呼吸，鬱積在心內的濁氣彷彿舒吐了不少。傍晚最後一抹落日的光輝，把岸上幾株樹的倒影拉得長長地映在塘裡，也把他頎長的身影曳得更長了，頭部正好遮掩了那幾片荷葉。彷彿唯恐自己這剎那的遮掩便減少了它所能吸收的養料，他挪開二步，讓它重又沐浴在淡淡的光輝裡。對那幾莖瘦瘠而缺少光澤的荷葉，他有一種親切而摻著憐憫的感覺，他憐惜它生長在這一池污泥中，不能為生存而選擇這總有點悲哀的況味，他覺得它也有著和他相仿的一份矜持和落寞，風過處，一陣微微的悉索，不正是它的感歎！

夕陽下墜，倒影終於由模糊而至消失，只一抹彩霞映著淺淺的池水，光影絢爛，恍惚給黯淡的小池刷上一層光彩，連污泥都披上生動的光輝。

「晚霞一抹映池塘，那得者般顏色作衣裳……這是黃仲則還是誰的一首詞？……」鄒翊晟一時興來，默誦了這麼二句，卻再也思索不得，不禁苦笑了一下，自己嘲弄地揶揄著：「噢，一腦子盡填塞些工程力學什麼的，把什麼都生疏了，有時間實在應該溫習一下。」

他這麼自語著，立在池畔的腳卻沒有移動的意思。

彩霞淡去，園裡涵滿了陰影，池心的荷葉漸漸隱蔽在陰影裡。池與岸的界限模糊了，人與樹的影子混合了。

有的窗子裡亮了燈。像是霧裡的星星，空氣裡依舊傳來一陣陣鬧聲，那好像已經隔得很遠很遠了。

暮靄四合，輕輕地，悄悄地籠罩了園子。如同寂寞的網，無聲地，密密地包圍了鄒翊晟。

二

鄒翊晟年輕，有理想、有抱負，更有一份願把自身當做柴薪投入其中的工作熱忱。他以優異的成績畢業於大學，很想在社會上貢獻點什麼，他不會忘記當他甫被分派到現在這個國營事業機關，興孜孜地持著校長特別的推薦函謁見處長的情形。那位面圓圓的處長，帶著極適合他身分的禮貌笑容接待他，說了不少借重和恭維的話，把他安插在工務室裡面，名義是副工程師。

工程室裡同仁不少，有一位不苟言笑的總工程師，兩位工程師一個圓通，一副深通世故的樣子，一個一臉對一切漠不關心的冷漠神態，還有幾位技正和工務員。鄒翊晟的工作是輔助那位圓滑的章工程師，他對他很客氣，但永遠保持著一個距離。只是交付他做些瑣碎而不關重要的工作，使鄒翊晟始終得不到在工作上表現一手的機會。有時鄒翊晟貢獻一點意見，他總是笑著點頭嘉許。

「很有見地，很有見地！我們一定採納你這份寶貴的意見。」

鄒翊晟也就懷著一份等待的喜悅耐心地等著自己的建議被採用而發揮效能。就像一個農夫等著自己播下的種籽萌芽、成長、結實。但是，這種籽卻似落在石縫裡，沒有發芽便瘐死了，再沒有半點消息。

有時，鄒翊晟嘔盡心血擬了一個計畫呈上去，章工程師立刻流露出一臉讚佩的神色，大加讚賞：

「這計畫設計得很周密，很有價值，我們可以再研究付諸實現。」

於是，鄒翊晟充滿希望，如同考生期待著發榜。但是結果又是石沉大海，也不知是塞在哪只抽屜角裡發了霉，抑是在檔案櫥裡餵了蛀蟲。

鄒翊晟枉有無限的工作熱忱，卻似剛燃上的一爐火，不等它熾烈地燃燒，迸射出閃耀的火焰，便被關上了爐門。他遂漸感到苦悶，感到抑鬱，而更無一個知己可以洩宣自己這一份煩惱。眼看別的同事卻都是抱著做一天和尚打一天鐘的工作態度，打發掉二個半天算一天，實在是看不慣。跟他同一間寢室的老陸和小吳，也都是工務室的。因為作息常在一起，比較接近，但兩個人各有各的消遣方法，下班後常常在宿舍裡看不到人。當他苦悶不過時，也曾接受過兩人的邀約，一路去解悶。原來，老陸酷愛的是麻將、沙蟹，他一次嘗試：熬了半夜，輸掉半個月薪水，再提不起那份興趣。而小吳卻熱中於跳舞。他一度隨了他去開眼界，所謂地下舞廳竟開設在一家污穢的小裁縫店後面。小小的二間房間擠滿了不三不四的舞迷，情調惡劣，趣味低級，一股碳酸氣摻著劣等香水的味道，薰得人作嘔，鄒翊晟等不到散場就溜了，自然，不會有第二次嘗試，於是唯一剩下陪伴他的只是書籍，只是小池裡孤零零的一叢荷葉。

三

機關裡的辦公廳原來的地方嫌不敷用，計畫了許久的新辦公大樓，終於籌備完成，要開始動工了。新的工作任務派下來，鄒翊晟也被派任了一項任務——驗收工程材料。這項工作責任重，要謹慎，但並不需要高度的技能。因此，他就同接受其他委派的工作一樣；無所謂地接受下來，也預備同做別的工作一樣，盡力而為。但是，他感到辦公室裡顯然因此而起了陣騷動，有不少同事們都喜形於色，不啻聽到了任何有關加薪的消息，而也有少數一臉憤恚不平的神色，閃眨著妒嫉、輕蔑的眼光，有如一小支毒箭，暗暗向各處亂投。小吳就是其中一個，他走到鄒翊晟身邊，故意向他大聲說：

「嘿！恭喜你，得了好差使！」

鄒翊晟不禁一怔，瞠然問他。

「多負一點責任罷了，難道這還有什麼好恭喜的？」

但小吳只是聳聳肩膀走了，老陸過來拍了他一下，親暱地俯在他耳邊小聲說：

「別理他，酸葡萄作用。」

鄒翊晟還是不明白，小吳為什麼要妒嫉他這份工作，但顯然的他故意跟他疏淡了，而老陸卻同他特別親近起來，第二天下班後，他正預備去吃晚飯，老陸攔住他悄悄地遞給他一張請帖，他打開一看，主人的名字並不認識。他詫異地問老陸：

「這是怎麼回事，主人我不認識。」

「只要人家認識你不就行了。」老陸狡黠地眨了眨眼睛：

「那怎麼好意思！」

「告訴你，主人是建豐營造廠的老闆，馬上就要跟人家打交道了，這是他先來孝敬一番，認認公婆。」

「那我可不便去。」鄒翊晟立刻一口回絕了。

「這批工程他們不知賺我們處裡多少錢，吃他們一頓又有什麼關係？」

「不是那樣說，我跟他們只有業務上的接洽，並沒有私人交情。」

「就是那樣說，他們藉請客想同大家攀攀交情。這是他們做商人的規矩。」

「這個總是不大好，我不能去。」

「別那麼迂！人家又不只請你一個人，連總工程師他們統統都去，你不去，人家以為你搭架子哩。」

鄒翊晟原是決意不去，經不住老陸左說右說，極力慫恿著，最後還是被他半勸半拉地拖了去。但當他一走進那家食堂大門，馬上又懊惱此行，原來那是一家有酒女侍候的酒家。酒菜很豐盛，營造廠老闆十分殷勤，那些妖嬈的酒女更肉麻地偎貼在一個客人身畔敬酒布菜，弄得鄒翊晟很窘，起初大家還規規矩矩，只管吃喝，幾杯酒下肚，便漸漸放肆起來，他眼看那些同事興高采烈地跟酒女拉拉扯扯，摟摟抱抱，醜態百出，不堪入目，心裡直替他們羞慚。又禁不住老闆串同酒女想盡方法向他敬酒，挨不到席終，他就逃席了。回到宿舍裡嘔吐了一頓，昏昏睡去，也不知老陸是什麼時候回來的，翌日起來，只覺得頭昏腦脹，回想起昨宵那荒唐的一幕，不禁深深痛譴自己。他放了一臉盆冷水，把頭臉完全浸在水裡彷彿要洗滌那些沾上的污垢，只聽見老陸喚了他一聲，沒有理會，他已走到他背後，悄然地問：

「醇酒美人，其味如何？」

鄒翊晟忍不住厭惡地頂了他一句：

「胃口倒盡！」

那邊小吳一面披衣起牀，一面冷聲冷氣地自語著：

「十二月二十四送灶，哪個要貪污違法做壞事，只要先用餳糖封住灶神的嘴。」

老陸裝作沒有聽見，逕自吹著口哨走了。

四

上班後，隔夜在酒家相聚的那些人，又大部分出現在辦公室裡了。總工程師依舊拉了那張不苟言笑，嚴肅正經的鈔票面孔，兩個工程師一個還是對一切漠不關心，有哲學家的風度，一個一副精明能幹相。連老陸也若有其事地忙碌著。儘管這樣，鄒翊晟只要一閉上眼，昨晚他們摟著酒女，說些淫穢的話，做出種種噁心下流的樣子還歷歷在目。他懷疑著究竟是昨晚那種放浪形骸的樣子是他們的真面目，還是現在這副作古正經的樣子是他們的真面目？但是，無論如何，他對他們失去了的往日的尊敬，卻再也喚不回來了。

這以後接著又有好幾次邀請，不管老陸怎樣遊說，營造廠的老闆怎樣催請，鄒翊晟都一一謝絕了。

為了方便興建工程，臨時設立一個工地辦事處，鄒翊晟總是去得最早的一個。蓋房子用的木料、磚瓦、鋼筋已開始絡續運來，他得一一檢驗點收。這工作必須有高度的耐心和十分仔細，材料的好壞，與一幢房子的堅固與否是關係太大了。那天把一疊填的材料單整好，正預備上工廠去，門口有人喚「鄒先生，」進來了一個人。

「鄒先生你早！」那人點頭晃腦，恭恭敬敬地堆著一臉諂媚的笑，鄒翊晟從他那一口台灣國語和兩顆大金牙上，才隱約記起那是來請他吃過飯，被他謝絕了的一家營造廠的老闆，姓什麼都記不清了。

「鄒先生卡忙，太辛苦啦！」

「也沒有什麼，」鄒翊晟笑笑低頭弄著手裡的料單，心裡急著想走，「你有什麼事？」

「沒有事，沒有事，來看看鄒先生，還有，」那人把手裡一大包用報紙包著的東西恭敬地遞給鄒翊晟，「一點點禮物，表示個敬意。」

鄒翊晟的臉色陡然一沉，連忙用手擋了回去。

「謝謝，我不能平白無功地收你的禮。」

「噢，不能算禮，只是一點敬意，一點敬意，你先生太辛苦了。」

「跟公家做事，那是我應該盡的責任，說什麼我也不能收你的禮。」鄒翊晟感到有點不耐煩，聲音也僵硬了點。他不懂這個營造廠為什麼要這樣討好他，他也最討厭那種卑躬屈膝的諂媚相。但那個老闆卻像塊牛皮糖，還在說：

「這不是禮，只是幾件點心，算是慰勞，鄒先生不肯收，那是太不給面子了。」

鄒翊晟實在急著要去工廠，一時又實在沒有辦法摔走牛皮糖，他有意無意地瞥了一眼那包東西，那老闆還在那裡嘮叨不休：「真的只是幾件點心，你要看得起，就算抬舉我高攀一個朋友……」他覷出了鄒翊晟的不耐和猶豫，連忙趁機將包裹往桌上一放，一面連說：

「對不起，打攪，打攪！」便鞠躬如也地退了出去。

鄒翊晟望著桌上的包裹，頓覺不安起來，待要喊回包商又耽擱時間，他想等工作完了再回來處理這件事，但一個念頭又使他回轉身來，受莫名其妙的一個意念的驅使，他打開了那包裹，上面果然是一盒西點，只是盒子很高，點心卻只有薄薄的一層，襯紙下顯然有什麼墊著，他下意識地掀起一角，接著又猛然一掀，鋪得平平整整的半盒竟全是鈔票！他漲紅了臉又匆遽揭開第二隻盒子蓋，原來是一套西裝料。

「賄賂！」鄒翊晟像被毒蛇螫了一口般，深恨痛惡地在心裡喊出這二個齷齪的字。如同感到有人對他的自尊心投擲了一把匕首，連忙衝出門口，只見那包商已走得很遠了，喊他聽不見，正好有一個工人走過，他一把拉住他，要他馬上去追包商回來。

當那個老闆堆著一臉更卑微的笑，尷尬不安地又出現在門口時，鄒翊晟已把那包東西擊好，他很想把它向他臉上擲去，痛罵一頓。但他顧著自己的教養，只冷峻地指著他說：

「快把你的東西拿走！別污辱了我的人格。」

「鄒先生，那……我……」

「不用多說，不拿走我就送警察局！」

包商只有紅著臉，低著頭把東西提走了。

後來鄒翊晟氣憤地把這件事告訴了老陸，但老陸的反應卻很冷淡，只陰陽怪氣地說：

「好嘛，這件事應該報上去，嘉獎一番，再登登報紙，表揚表揚！」

五

鄒翊晟雖然不是太敏感的人，但他還是能夠感覺得到，自從他幾次不去赴宴，和拒賄那件事發生後，那些同事都逐漸對他冷淡起來，表面上果然還是嘻嘻哈哈，但無形中似乎有一層隔閡，有時他們三五個一群正聚在一起高談闊論，或是磋商什麼，看見他過去，立刻便住了嘴，裝得若無其事地榨出些話來瞎扯，等他一走開，他們又有說有笑的，唯獨對他好像有所忌諱，有所嫌厭，就連平常比較接近的老陸也對他顯得疏遠了，在這以前，老陸曾有好幾次暗示他一個人在社會上做事應該圓轉一點，要能夠變通，不要太耿直，太耿直了吃虧。而且人家會當你傻瓜。他總是跟他爭辯得頭紅面赤，不歡而散。也許就因為彼此觀念不同，志不同，道不合，人家要把他當傻瓜就當傻瓜吧，他寧可做一個問心無愧的傻瓜，不願做個昧良心的聰明人。

有過包商送禮這回事之後，反更提高了鄒翊晟的警覺。他驗收材料，半點都不肯馬虎。儘管自己累得要命，包商在後面詛咒，大熱的太陽底下，半個月下來曬得蛻了一層皮又一層皮。有一次，一家窯業公司在繳交來的十八萬塊一級紅磚裡，就摻了百分之十的二級紅磚抵充，雖然包商摻弄得很狡猾，卻逃不過鄒翊晟的眼光，他馬上指出來叫包商去掉換，包商還要狡辯：硬說那是一級磚，因為繳貨期限已屆，他自己窯裡來不及出貨，向同行購買的。鄒翊晟一生氣，索性不收他的磚，沒想到隔了一會，那包商卻弄來了一張條子，奸狡地笑著遞給他，鄒翊晟一看，竟是章工程師兼工程主任寫的，大意是說該窯業公司交來紅磚十八萬塊與合同所訂規格大致相符，可予驗收。

鄒翊晟看了氣得頭上冒火，一口氣衝到辦公室，連禮貌都忘了，衝著章工程師便責問：

「章工程師，這是你的條子？」

「唔。」章工程師看他來勢洶洶，臉上也不很好看。

「你看過那些磚了？」

「唔，兩個窯裡的出品總有點不同，我看只要合規格就收下算了。」這二句話說得很溫和婉轉，那表情多變的臉上又有了笑意，那點笑意的意思好像說，你老兄又何必太認真。

「何止有點不同？一級磚跟二級磚根本完全不同，一個是五角一塊，一個是三角五一塊，二萬塊磚相差三千元，那包商這樣狡猾，不但不能收他的磚，連合同都應該退掉。」

「好像這工程由你負責？」章工程師冷冷地說。

「我雖然直接對你負責，但也對公家，對自己負責，我不能說壞的是好的，就同我不能說黑的是白的一樣。」鄒翊晟理壯氣直地說。

章工程師望了他一會。要發作沒有發作，忽然把他手裡的便條拿過來撕得粉碎，丟在字紙簍裡，聳聳肩膀，嘴角曳著一絲深沉的笑，說：

「好吧，就算我沒有寫這張條子，你愛怎麼處理就怎麼處理。」

鄒翊晟終於把那二萬塊不合格的磚退了回去，第二天驗收木材時，又打下一批不合規格的木料，他深深感到對付一些唯利是圖，不守信約的奸猾包商，真是心力交瘁，他們那種種蒙蔽、欺騙的手法，教人難以想像，驗收了一天材料就像打了一次仗似的，他疲憊地從工地回到辦公室裡，一進門，他就嗅到一種奇特的氣氛，談話的嘈雜聲驟然中斷，一會兒大家又立刻裝出很忙碌的神氣，沒有一個人把視線投在他身上。他還沒有走到自己的座位上，就看見桌子中央擱著一張條子——又是一張條紙，這張上只有更簡單的幾個字：著鄒翊晟毋庸兼任材料驗收任務。

鄒翊晟並不稀罕這一份兼職，但他不明白上面為什麼一會兒派他兼，一會兒又收回成命，這很傷了他的自尊，他覺得那些同事雖然故意不看他，實際上都有偷窺他的表情，他極力抑制著自己內心的氣憤，忍不住去問章工程師。

「我真的一點都不知道，這完全是上面的意思。」章工程師一臉驚訝、惋惜的表情，誠懇地望著鄒翊晟說：「我看，絕對沒有什麼別的用意，也許是覺得你太辛勞了，減輕點你的責任。」

鄒翊晟一句話沒有說，把該交代的事弄好，來接替他的卻是同房間的小吳。

六

解卸了那份繁瑣的職務，不用再跟那些奸滑、狡詐的商人打交道，鄒翊晟又恢復了一身輕鬆，但是他的心情卻是沉重的塞滿了忿鬱、不平、失望、悲哀……像一艘載負過重的小舟，他覺得自己將被壓沉了。

這便是社會，便是他滿懷熱忱，預備獻身服務人群的社會，不是漠視、排擠、傾軋、妒嫉，處處受牽掣，壓抑個人的才能，不使有發展的機會，便是到處設下陷阱，運用種種有形無形的壓力，逼使你與他們同流合污。

平常老是向他和老陸冷言冷語，說嵌骨頭話的小吳，自接辦了他的職務以後，馬上轉變了態度，與老陸同出同進，一搭一擋，十分熱絡。小吳身上添了新西裝，老陸常常天亮了才紅著眼睛回來，顯然賭得更厲害，有時逢上兩個人一路回來時總是酒氣薰人，醉態狼狽，嘴裡淫言褻語，說一會，笑一會，就像在向獨自一個人躺在牀上看書的鄒翊晟示威。鄒翊晟看不慣這樣，也看不起他們，他知道在這醉生夢死，花天酒地的荒唐生活後面掩藏些什麼，一些最卑污齷齪的行為，一些人性的渣滓，在陰濕黑暗的角落裡腐化、發酵，他彷彿已嗅到了那股惡濁的腐臭，使他感到窒息，他逃避開來，他唯一能使耳目清靜的地方，就只有園裡那一口池畔。

他懷著沉重的心情，像一艘載負過重的小舟，又悄然飄進了後園，這晚有月亮，溶溶的月光有似清澈的流水，小舟便寂寞地浮動在水裡，浮近了池畔，忽然，鄒翊晟覺得眼前一亮，彷彿閃過了一顆彗星，噢，不，彗星還停在那裡，就在那積滿污泥的池心，那幾片不生不滅的荷葉中間，一朵白色的蓮花悄悄地綻開著，璀潔、矜傲，映著月色，更顯得一塵不染，晶瑩如玉，幽幽寂寞地散布著清香。鄒翊晟佇立池畔，屏住呼吸，一眼不瞬地凝視著那枝池蓮，一點不錯：一朵潔白的蓮花，開放在積滿污泥的小池裡，未沾半點污瑕。

他凝視著，恍然有所領悟，一絲寂寞的微笑漾開在他抿緊的嘴角、結實年輕的雙頰。心頭的重負驟然如釋，而又頓覺充沛了生意。

寂靜的夜空，如水的月色，白蓮孤傲地亭立在池心，幽幽地、悄悄地，散布著清香，晚風過處一陣陣飄散在夜的，清冷的空氣裡。

民國四十七年二月十五日

編註：本文原刊於《幼獅文藝》第八卷第三期，一九五八年四月，頁五～八。

花濺淚

喻景明坐在那張靠窗的書桌面前已快兩個小時了。桌上堆滿了已改未改的作文簿本，左右各一疊，恰好形成一個凹字狀。他那摻著幾莖白髮的頭便俯嵌在凹字中間，手裡那支紅筆一會兒劃上幾桿，一會兒圈上兩圈。也有時蹙眉沉吟，半天不落下筆去。窗外，透過那片鳳凰木的綠蔭，雖然不時有一陣陣微風吹送進來，但他摺疊著的頸脖子下和彎著的兩隻臂彎裡，還老是汗滋滋的，感到又癢又黏。大概是長了痱子，不時得拿起手帕來拭一下。這次他出的作文題目是「我的故鄉」，這個題目說起來應該是很平凡而比較容易寫的，然而他一路批改下來，卻無端的在心頭加添了一份淡淡的感觸，就像這燠熱的五月天那種瀰布在室內的氣氛，揮不開，抓不住，教人感到有點悒鬱，有點愁悶。自己的故鄉，在任何人筆底下總是可愛而被眷戀著的，在這些青年人直率而不善修辭的筆底下，很明顯的就分出了本省同學與來自大陸同學的不同。本省同學明朗而真切地勾劃出島上的椰樹蕉林，波光濤影的熱帶風光。大陸同學卻用充滿了感情的筆調，和最美麗動人的字句，描寫著故園景物，有的寫著：「我的故鄉在那遙遠的山海關外，山嶺上有終年不化的白雪，平原上長滿豐盛的青草，當春天裡跨一匹駿馬馳騁在一望無際的草原上，真有說不盡的風光……」有的寫著：「那號稱中國水都威尼斯的，山靈水秀的姑蘇，便是我生長的地方。全城似蛛網般布滿了曲折的小河，青石板鋪的街道整齊而乾淨，深靜的小巷裡常有從園牆內飄送出來幽幽的花香……哦，那詩一般美麗恬靜的故鄉，怎教人不日夜縈念……」也有寫著：「我誕生在全國最富足的天府之國——四川。在那巍峨的峻嶺崇山上，一幢幢的竹屋矗立在山腰裡，一層層的梯田直盤旋上雲霄，我們乘著滑杆上山，又驚險又好玩，彷彿在騰雲駕霧，還有美麗的溫泉，產鹽的自流井……」這些初三的學生，年齡最大的也不過只十四、五歲，就算是誕生在大陸的罷，那時只二三歲的孩提怎又懂得如許？可是他們寫來卻如此親切生動，美麗如繪。這還不是平時聽大人們講得多了，那份天生對出生之地的懷戀、憧憬，再加上自己的想像，遂織成這些情文並茂的佳作。喻景明難得逢上這般佳句，便興孜孜地蘸滿紅墨水，一連串的紅圈圈點下去……

忽然，一聲孩子的啼哭，像一個不協調的噪音，突破了他神思上的那份靜諧。接著，後面廚房裡他太太秀美的聲音在喊他：

「景明，小雄該餵牛奶啦，我一手的肥皀放不下手。」

「來啦！來啦！雄雄不哭，爸爸馬上給你沖奶奶。」喻景明嘴裡一面哄著，一面便擱下了筆硬把自己從那箍住他的凹中拉出來。他那剛滿一歲的兒子在小牀上一陣手舞腳蹈，早把蓋著的毛巾踢在一邊，閉著眼睛在擠眼淚。他抱起來抓住兩條肥嘟嘟的嫩腿在痰盂裡把了一把尿，然後洗清手將奶粉調注得不冷不熱地灌進奶瓶裡。正哭著的孩子嘴巴一觸到奶嘴，閉著的眼睛立刻睜開來了，黑長的睫毛上還沾著一排淚珠哩，晶瑩的眸子裡卻已閃爍著稚真的笑意。胖胖的雙手捧住了奶瓶，那樣專心而又滿足地一口一口吮著。

喻景明望著兒子滿足的神情，他自己心裡那份愉悅比孩子更深。他知道他吮吮玩玩，一瓶牛奶可以消磨半個小時，心裡惦著那篇未改完的作文，盡可以抽暇去把它改好，但身子卻黏住在小牀邊不動。他以無限愛心注視他每一個微小的動作，像一個專心的藝術家沉醉在他的一幅精心傑作中。是的，教書，是他生活中的一部分，而這個小小的嬰兒，卻是他生命中的一部分。他下意識地摸了摸下巴上扎手的鬍子樁。覺得人的思想隨著年齡變化太大了，想想十幾年前自己滿懷壯志，一股雄心，誰又會料到像今天這般心甘情願地羈絆在這小小平凡的家裡，又為一個懵懂的孩子付出了如許深摯的愛和期望！

牛奶喝光了，兒子把奶瓶一擲，又出了新花樣：將兩隻手臂向他伸著，喃喃地說著一個一個剛學會的單字：

「抱！抱！」

喻景明猶豫地回顧一下案頭，這班的作文簿該星期二發還——只有趕二個夜工罷。

他抱起了兒子，先在他頰上親了兩下，兒子也握住他的鼻子咯咯發笑。走出屋子，下午的陽光還是火灼灼的，不過比起屋裡來究竟透氣多了。他們這一帶教職員宿舍雖然排列在一起，但中間栽了扶桑什麼的，都自成一個小院落，他太太便用鐵絲網圈起一個角落養了幾隻土雞，柵架上牽著絲瓜，一株鳳凰木在中間替兩家遮著蔭。疏朗有致的枝葉很有韻律地輕輕搖擺著，偶爾隨著微風悄悄地飄落幾瓣紅豔的花瓣，孩子立刻伸出短而肥的手指著說：

「花花。」

「嗯，花花。好美麗的花花。」喻景明的視線隨著飛花飄落下來，地上不知何時已落了不少花瓣點綴在草叢間。他彎下腰去替兒子撿起一朵比較完整的花朵，他接著在自己鼻子上放放又觸觸他的鼻子。小臉蛋上的笑靨跟花一樣可愛。

他瞇著眼，望望枝頭紅豔照人的花朵，又看看地下的。那紅，紅得好不眼熟！不正像故鄉的石榴花麼？

「五月榴花紅似火」。石榴開花，也正是這個時候。故鄉老家的庭院裡，就栽了兩三株。花盛開時，火灼灼的紅得耀眼睛。妹妹總喜歡插二朵在辮梢上，隨著她跳跳蹦蹦，就如一雙紅蝴蝶追著她靈蛇似的二支黑辮子在飛舞。石榴花也在另外一個人鬢邊戴過，那個人，是那樣地親近而又那樣地陌生！

他本能地向廚房門口瞥了一眼：也不知是想到那個人對秀美感到慚愧，還是由於秀美的存在向那個人感到歉疚。但他曉得在這裡，只有他自己才知道那個陌生的親人。

「多多花花。」孩子掙扎著從他懷裡溜下來，蹲在地上自己去撿落花，撿起這朵又落掉那朵，小手掌總只能容納得那麼多。

他的心會比他的小手容納得多些嗎？——回憶像月光，要等現實的太陽沉落後才能發現，而他卻一分一秒都在現實的陽光下忙碌。生活的巨人站在他面前遮掉了心頭別的影子。但此刻是為那些鳳凰木花，抑是為改作文時那點激動的情緒竟又勾起了那個淡淡的影子？

那一年，他不會記錯；也是石榴花盛開時他最後一次回到故鄉。他的故鄉是江西×縣，地方比較偏僻，民風也比較樸實保守。那裡的女孩子很多生下來就送給別人做童養媳，男孩子唯一的任務就是守住一份祖業，早早結婚生子，繼承香煙。喻景明家薄有田地，他父親還經營一家布店，跑跑省城，思想比較算是開通，沒有替他先抱一個童養媳。只是他母親抱孫心切，在他十六歲念完縣立初中時就急著要跟他說親，他沒答應而去省城念了高中，高中畢業後，他又一再懇求等他上了大學再提親事，這樣一直拖延下來，那一年，他戴上了方帽子，沒作回鄉的打算，卻悄悄地跟二個同學約好了到首都去工作，不想家裡忽然拍來一通急電，爹爹數字只通知他母病危速返。這一個晴天霹靂，震駭得他立刻撇下一切，趕路回家，一路上憂心如焚，更不住譴責自己為著逃避婚事，放假都常找藉口不回家，以致承歡膝下的時間太少——當轎子在門口歇下。他的兩個小弟妹聞聲便歡呼著「大哥」迎將出來，他急著問母親怎樣了？兩人卻笑著不答，只簇擁著他轉過照壁，跨進開著石榴花的院子，便見雙親笑盈盈地早在客廳門前石階上站著等他了。他急遽地叫了一聲，心裡壓著的一塊石頭陡地落了地。看他母親時，比起去年暑假來，頭上雖然又多了些白髮，腰也佝僂了點，但卻看不出什麼病的跡象。

「你媽想你想得要命，最近又聽說你要遠走高飛，所以打那通電報哄你回家，沒把你嚇了吧。」父親一半嘲弄一半歉疚地向他解釋，他聽了很是慚愧，做長輩的不惜抑低自己的尊嚴，詛咒自己的健康來哄騙兒子，只為的想看看他——他無言地低下頭去聽母親絮絮地訴說著她的思念和關懷，忽然一陣悉索的腳聲，一個穿一身在他家鄉要過年做客時才穿的那種發著光、漿水漿得硬邦邦的藍布衫褲的陌生少婦，從裡面出來，她的下巴低得幾乎抵到胸前，只看得見鬢邊插一朵鮮紅的石榴花，襯得一頭齊頸的黑髮烏光的滑，她手裡托了一杯茶，怯怯地一直送到他面前，他惶惑而不知所措地站起來接著……

「這便是你媳婦淑貞——妳叫他明哥好了。」

什麼？他母親和悅的聲音卻像山崩一般，他猛地一震一杯熱茶潑翻了半杯，濺濕了那件藍衫和他的黃卡奇褲子。他懷疑自己耳朵聽錯了，大聲說：「這是不可能的！」

藍衣少婦的頭更低了，一轉身，響著漿硬的衣服，像隻受驚的兔子般閃了進去。

喻景明怎樣也料想不到母親哄他回家安排了這樣一個圈套，他氣憤地提出抗議、反對、拒絕，但是母親的勸說、眼淚、請求，傳統觀念的壓力和既成事實，這些那些，像一根柔韌的繩，編綴成一張無形的網罩住了他。他只是憤怒而無助地做著徒然的掙扎……

「爸……爸！」孩子的喚聲打斷了喻景明的回憶，只見他舉著兩隻握滿了花瓣的小手，身子靠在他腿上，仰起紅紅的小臉正望著他。他又把他抱了起來。這時，一聲啼聲驚破了小院的靜謐，立刻又引起了孩子的興趣，他尖起嘴巴含糊不清說著：「咯咯，咯咯。」兩隻小腳也同時懸空在他身上踢著，喻景明抱他到雞棚旁邊，他便半個身子俯在鐵絲網上，兩手一撒，花瓣全紛紛落在雞棚地上，那些正埋在土裡洗澡和東搜西爬的雞們馬上一擁上前，搶著啄著，等發覺並不是什麼好吃的東西，於是又懶洋洋地散了開來，那隻公雞彷彿為上了一次當的母雞們鼓舞似的，拍拍翅膀，又一聲引吭長啼。

「喔！喔！」孩子高興地學著雞啼，喻景明也附和著說：

「喔喔喔！公雞啼。」

那隻公雞卻全不理會他們的模仿，頂著重甸甸的紅冠、挺著厚厚的胸脯，墨綠色閃著金光的尾巴，翹得高高的，在牠的小天地中昂首闊步，儼然是一個君王巡迴於他的后妃群中。喻景明望著牠，覺得那形態恍惚似曾相識，猶如鳳凰木花引起了他對石榴花的懷念。時光又倒流回去，找還他剛才被孩子打斷的回憶。

……他陷入網裡徒自掙扎已是心疲力竭，而親族們一聽說他回來，按照習俗要宴請「新人」，不由他分說，每天你拖我拉地押了他去坐席。幾天下來，他成了隻慘敗的公雞，但是，雖敗卻不服輸。那天他一個人正懊喪地躲在後園裡徘徊，只見他弟弟曉明向他奔跑過來，後面緊追著一隻公雞，眼看牠伸長頭頸，張開雙翅要趕上，曉明一蹲身撿了塊石子丟過去，一面頓著腳喝罵著：

「壞公雞！你就忘記我抱著你坐轎了的光彩了。」

「跟雞還吵架？」景明皺著眉懶懶地說，他已發覺到正在愛玩時候的弟弟，幾乎亦步亦趨地常伴隨在他左右，好像派來監視他的。

「哥哥你不知道這隻公雞壞透了，見人就啄。」

「啄人的公雞養著幹什麼，還不殺掉。」

「嚇！殺掉！」曉明瞅著他翹起嘴角一笑，「媽說要養老牠哩！」

「為什麼？」

「牠是你的替身嘛，那天是牠披了紅，讓我抱著去把嫂子娶回家的。」

經弟弟這麼一說，喻景明也依稀記起兒時曾見過以公雞代替新郎娶親的婚禮，這是×縣的一種風俗——想起影響自己畢生幸福的終身大事，卻由一隻無知的畜牲代庖，不由得氣上加氣，眼看那隻公雞獨自在一株山茶樹卜悠然地抓泥扒土，順手便在地上撿起半塊殘磚擲了過去。不偏不斜，正好就「噗」的一聲打在公雞寬闊的背上，牠一聲驚啼，猛地往上一竄，狂撲著雙翅，接著便匍伏在地上，一動也不動。

「大哥你用這麼大的磚頭擲牠，會把牠打死的。」曉明責怪地望了他一眼，向公雞走去。聽到腳聲，牠又掙扎著爬起來，顛頓地躲進一叢草裡。垂頭倒冠，曳著尾巴，剛才那副軒昂的氣概已不知到哪裡去了。

一份歉疚之意，從喻景明心頭悄然泛起，他覺得自己太容易衝動了，那隻公雞不過是被養豢著的家畜，還不由著人擺布！而自己竟遷怒於一隻無知的畜牲，不亦太蠢了嗎？因此，他不禁又聯想到那個被自己憎恨著的小女人，她何嘗又不是舊禮教下的犧牲者！想她身不由主地被遣送到一個陌生的家庭中，把終身的命運交託在一個陌生男人的手裡，已經是夠惶悚惴慄的了，自己又怎忍心再委罪於她！接著，他眼前浮起了那個藍色的影子，怯怯地為他遞茶送水，鋪牀疊被，只望博得那指定給她仰望終身的人歡心。但是，幾天來，他不但不曾碰她一下，跟她說過一句話，連正眼也不曾看過她一眼。兩個犧牲者中，她該是更不幸的一個。

由於那一點憐憫，他軟下心來，妥協了。除了對她沒有愛情，她實在可算是一個好媳婦，柔順、賢淑、勤儉，在那一個月中，他被侍候得像一位王子，而一個月後，他遵守和同學的約定，說什麼也得走了，母親的眼淚留他不住，父親只得無可奈何地說：「小池子裡養不住大魚，讓他走吧。」他還記得走的那天，一家人送到門口，大家叮嚀個不完，只有她嘴裡含著手帕，脈脈地看著他，最後，他囑咐了她一句：「我走了，倆老跟前要妳替我多侍奉。」她喉嚨頭「嚶嚀」一聲，滿眶熱淚盈盈欲流，連忙低下頭去。又只讓他看到黑頭髮上一朵紅石榴花。

一頭黑髮，一朵石榴花。這一個不幸的婚姻，就只留給他這樣一個最初也是最後的印象。誰知他離家數月，紅禍便似山洪氾濫，大地變動，河山蒙辱，城市陷落，交通也完全阻斷。他再也無法與家裡聯絡。吃盡苦頭，才一個人輾轉逃出了鐵幕，在香港，他住在調景嶺上，敲過石子，販賣過豬肉，就在他好不容易申請到入台證的那一年，一個才從×縣逃出來的族人，替他帶來了家裡消息，共匪說他們是地主，給清算了。又說有一個有反動思想的兒子投奔了那邊，所以把他的媳婦配給一個幹部，而他的兒子卻被送進了國家托兒所——

他的兒子！他那個沒有見過面的大兒子不知道像他，還是像那小女人，如今也有十二、三歲了吧，要在身邊，怕不也念中學，要作「我的故鄉」的作文了。但現在他的生死存亡根本無從知曉，就算他尚活著，是不是又會知道自己這個做父親的？……

「嗨！你們父子倆看什麼看呆了，怎麼站在太陽裡光曬？」

「噢！」喻景明微吃一驚，秀美的聲音又把他拉回了現實，這才發覺太陽已西墜，自己原來站著的樹蔭，此刻已完全被左邊射過來的夕陽照著。他茫然向前移動了幾步，怔怔地望著他現在的這位本省籍太太挺著微微凸起的肚子，拖著木屐，端了一缽雞食緩緩地走進雞棚去倒在食槽裡。

「媽媽，抱抱，」孩子一看見母親出來，便伸出雙臂，半個身子向她撲去。做母親的放下缽子，二隻手在裙子上擦擦，笑著把孩子從丈夫懷裡接過去。一面將臉頰貼在他小臉蛋上輕輕摩挲。

「噯，臉上濕几几的，看你老子矖得你一頭的汗。」

「咯咯，飯飯。」孩子卻只顧看著雞，小手指指點點地學說話。

一群母雞圍住食槽你擠我啄地爭食著，唯有那隻公雞卻悠閒地在一旁讓步，偶爾啄到幾顆被母雞濺落在地上的飯粒菜屑，喉嚨頭便不住「咯咯」地喚叫著，有時又側著頭向天上望望，有時又撲撲翅膀引吭高啼一聲，好不優遊自在。

「姚太太說養雞種雞下蛋更多，她要送我一隻來亨公雞，過幾天等你生日，正好把這隻公雞殺掉。」

「嗯，」喻景明把視線從公雞身上收回來，迷惑地望著他太太：「妳說什麼？」

「我說等你過生日殺公雞。」秀美微嗔地重複了一遍。

「不，不要殺。」

「為什麼？」

「我說不要殺就不要殺。」喻景明不由自主地大聲說，顫抖的聲音裡充滿了悲愴和仇恨。他感到秀美正驚愕地盯著他，一種複雜的感情像兩股激流，在他胸中沖盪著、衝撞著，似潮水般直湧上他頭裡，他踉蹌地走進屋子，便雙手扶住頭，跌坐在椅子裡。半晌，眼前一片灰的綠的濃霧終於慢慢散開、澄清，而現出了攤開在桌上的作文簿，他深深地吸了口氣，本能地又抓起了擱著的筆，蘸蘸墨水，預備繼續改下去。忽然，在他落筆之先，一滴淚水——也不知道是額上的汗還是眼中的淚，正滴落在批改了的字句中，紅的墨跡立刻漾化開來，在他眼底恍惚又幻成片片鮮豔的花瓣，分不清是鳳凰木抑是石榴花……

編註：本文原刊於《民主憲政》第二十卷第七、八期合刊，一九六一年八月二十一日，頁二十一～二十二；第二十卷第九期，一九六一年九月五日，頁二十一。

虎子

一

「請你的弟兄們等一下解散，還有件事要交代。」張連長鄭重地把手裡一張證件交給來接防的徐連長，「這是補給證」。

「怎麼，有弟兄要留下來？」徐連長接過證件來，眼睛卻疑惑地從已經擠在「水鴨子」裡的一群戰士轉到張連長臉上。只見他笑而不答，卻用手罩在嘴上向空中拉長聲音喊著：

「虎……子！」

那悠忽的聲音迴盪在小島的空中，彷彿水上的漣漪，一圈圈散揚開來。喊聲甫畢，便見南邊遠遠的那一帶土丘叢草間，有什麼在竄跳著。身影忽隱忽現，映著陽光黃燦燦的，似飛箭一般向那邊筆直地射來，不一會便已跑到張連長跟前，那是一隻健壯的半狼狗，長長的腿腳跑起來像有彈性似的，一身光澤的、黃裡夾灰的短毛，緊緊地裹著結實的胴體。耳朵向前豎著，兩隻眼角上卻長著一小叢黑毛，使那雙眼睛在憨直中帶著幾分威嚴。此刻正熱切地望著張連長，口涎沿著掛出來的舌頭滴在地上，一面喘息一面搖著尾巴。

「這是虎子。」張連長拍著牠的頭，向徐連長介紹：「算得這小島的島主，也是勇敢的作戰同志……」

看到狗，站在烈日下的隊伍立刻起了陣騷動，有人驚喜地讚歎：

「噢，這便是虎子！」

「什麼虎子？畜牲罷了，簡直糟蹋人嘛！」

「嚇，你連虎子的故事都不知道？……」

說時，張連長已同著狗，走到隊伍頭上，對牠吩咐著：

「虎子，聞一聞，這都是同志。」

奉到命令，虎子就垂下尾巴，嚴肅地伸著鼻子從蒙灰的皮鞋，被潮水和汗水浸濕的褲腳，到隆起的行軍包，一個一個地輪流嗅過去。有怕狗的屏息著不敢動一動，也有向牠伸出手來，讓牠濡濕柔軟的鼻尖觸一觸；到最後一個完畢，牠又回到張連長身邊，望著他豎起尾巴來緩緩地搖動著。

「好，虎子，乖乖地啊！再見了。」張連長戀惜地拍拍牠的頭，然後向徐連長告辭，便匆遽地走向已經發動引擎的「水鴨子」上，虎子依依地跟在後面，眼看一艘艘小艇開動了。牠在艇上一片「虎子再見！」聲中，兀自沿著沙灘追奔了好一段路，直到小艇終於消失在雲水蒼茫中，這才巡逡著轉身上了岸，緩緩地向來時那一帶土丘回去。

二

虎子原來的主人是崔連長。

五年前，他們的部隊駐紮在南部，有一天到野外去出操，回來時在田岸上的草叢中發現一隻很小很小的小狗，一身黃黃的鬈毛，長得又厚又密，小耳朵緊緊貼在圓滾滾的頭上，正一本正經地用乳牙在啃一隻破皮鞋，崔連長在走過時撮著嘴唇輕輕喚了兩聲，小東西立刻機靈地側轉頭來半豎起耳朵，用兩隻漆黑發亮的眼睛望著他。忽然，牠毫不戀惜地丟棄了破鞋，站起來一撲一跳地奔到崔連長腳畔，便跟著他一起走。小腿又短又胖，走路還顯得有點蹣跚。但牠卻很專心地努力跟上步伐，走著走著漸漸落後了，馬上又蹤跳著奔上來。弟兄們看著牠滑稽而又可愛的動作發笑，全忘記了操練的疲勞。

小狗跟著奔跑嬉遊了好一會，全沒有離開的意思。

這時暮色四沉，天漸漸黑下來。而附近周圍依然不見一家人家，崔連長微微感到不安。

「這隻小狗盡跟著咱們走，怎麼辦？」

「報告連長，把牠帶回咱們連上去養算了。」傳令兵王剛在一邊建議。

「那不成！沒得到人家主人同意。」

「我看小狗準是貪玩走迷了路，這野地裡四不靠鄰的，又到哪去找牠主人？眼看著天就黑了，那麼小的狗，怕不凍死也要餓壞，撿了牠還是救牠的小命哩。」

「這麼看，等牠主人找來再還他好了。」楊排長也岔進來慫恿著。

崔連長低頭望著腳畔掙扎著跟上來的小狗，心裡也實在憐惜，沉吟了一下說：

「咱們暫時收養著，明天讓弟兄們問問，附近有沒有老百姓走失了狗的。」

小狗真像通靈性似的，聽說收養牠，捲尾巴搖得更起勁，連竄帶跑地走著小快步。

回到營房，趕在開飯前，王剛便用大鍋菜給拌了碗飯，小狗吃時把半個嘴臉都埋在飯裡，吃完飯成了個小花臉。他又找一隻子彈箱，鋪上軟軟的新稻草，就放在連長門口屋簷下，起初牠睡得很乖，可是到晚上人睡靜了，牠卻像個索奶的嬰兒般嗚哩嗚哩的哭鬧不休，崔連長幾次給吵醒，忍不住起來剛把門打開一條縫，腳跟邊刷溜一下，比一條蛇還快。等他回頭看時，小狗卻已伏在他牀前一雙大皮靴旁邊，偏著頭將嘴擱在伸直的短腿上，抬起那兩隻桂圓核似的眼睛朝他窺探著，擺出一副很乖的樣子。崔連長不禁笑了。

「好吧，你要不吵，不亂撒尿屎，就讓你睡在房裡。」

一晚上，小狗都睡得怪安穩的，而且顯得滿有教養，沒有弄髒屋子。

「小傢伙真懂事，這一點大就曉得愛乾淨。」崔連長早晨起來誇獎地拍拍小狗的頭，小狗也親暱地纏著他的腳一撲一跳地，好像說：「我是不是很乖！」這以後，牠就成了規矩，一直睡在連長屋子裡頭，白天守在門口，晚上睡在牀腳畔，比一個衛士還盡責。

崔連長起初還一直掛記著小狗的來源，但許多日子過去，始終不見有人來認領。看來是養穩了。要養，就得有個名字，「來富」，「阿黃」的太俗，洋裡洋氣的名字更無聊，端詳一番那身黃虎虎的毛，和奕奕有神的儀采，便決定取名為「虎子」。

虎子雖然很乖，但也有淘氣的時候。常常把誰的木屐皮咬斷了，又把誰的綁帶布悄悄地啣出來，書報不小心掉在地上給撕得一片片的，為追趕一隻野貓，又把桌上的墨水瓶碰翻……但當牠一天天長大，這些淘氣性子也便慢慢改掉，弟兄們一有空閒就愛逗著牠玩，教牠啣東西，教牠跳高打滾，跟牠捉對兒相撲——虎子不僅是崔連長的侍衛，也是弟兄們的寵物。

虎子隨著部隊調防，到過不少地方，在牠二歲那年，這一連調去駐防一個最前線的小島。這是一個小得在地圖上找不到的島嶼，島上沒有人家，也不出產東西，荒涼而又貧瘠，孤懸在大海一隅，像遺忘在那裡的一堆岩石。然而，它卻是拱衛金門的一顆衛星，反攻大陸最近的一塊跳板，一水之隔，遙遙相望。防守這蕞爾小島的責任可不輕。

三

虎子一來就似乎特別喜歡這小島，一則是牠活動的範圍不再受限制，島的面積雖然不大，卻盡夠牠撒野的。其次是不再受鎖鍊的束縛，只要是連長腳印所到的地方，也總有牠的蹤跡，形影相隨，須臾不離。每天晚上，崔連長都要親自出去繞著小島巡視一遍，虎子便是他唯一的侍從，日復一日，這工作竟也成為牠生活的一部分。到時候便被擺出一副待命出發的神氣，密切地注視著主人的一舉一動，有時，崔連長批公文或是看書忘了時間，突然會感到手背上涼冰冰的一下，原來是虎子正用牠濡濕的鼻子觸他提醒他哩。

「你真是個守時而又負責的好同志！」崔連長會拍拍牠的頭誇獎著，隨後便擱下書站起來。這時的虎子最高興了，牠先奪門而出一蹤一跳地跑幾步，又回轉身來繞著主人打兩個轉；這才放慢輕軟的腳步，跟隨著橐橐的皮靴聲，走進清涼微濕的夜霧中。在黑暗裡，牠熟悉那些高低不平的路徑，一路上伸長鼻子呼吸著、嗅著。每當他們走到正對大陸那邊的崖岸上時，崔連長總要停下來默默地凝望著，就在對岸那隱約有燈光閃現的方向，正是他生長的地方，鄉愁和憤恨一起在他心頭交織，虎子彷彿也體會到主人沉重的心情，這一刻牠便不再活潑跳躍，凝重地傍著他的腿蹲著。

有一天，崔連長忽然病了，他睡了一天，虎子便整天伏在他牀前。到晚上，大家都回房去休息，而虎子卻一直警覺地豎起耳朵，黑暗中瞪大了眼睛。時間一分一秒地過去，牠也彷佛感到不安。不只一次坐起來又伏下去，牠最後一次站起來忍不住走到牀前去，舐著崔連長擱在被子外面的手，崔連長含糊地呻吟了一聲，翻過身去，虎子躊躇著，凝視了主人片刻，終於毅然決然地離開牀邊，走到門口，伸著長嘴把虛掩著的房門拱開一條縫罅，獨自走了出去。

黝黑的夜，海浪翻騰不停，小島恍惚被震撼得微微動搖。風裡挾著細細的濕霧，不知是微雨還是浪沫。守望著的哨兵兀立在崖岸上，不住用那在黑暗裡看慣了的眼睛，靜靜地偵察。忽然，就在他底下的灘岸上，那些靜止中的岩石彷彿有一塊在移動；一點不錯，是一個灰色的影子正緩緩地沿岸前進，他本能地喊了一聲：

「口令！」

剛喊出口，他馬上想起連長臥病在牀，這一刻不可能出來查哨，而那團影子形跡可疑，有似匍伏進行……他驟然提高警覺，沒有得到預期的回答，他更厲聲喝道：

「口令！」

回答他的依然只有獷厲的風嘯和海濤。

「再不回答我開槍了！」吆喝著，他已端起步槍，瞄準目標，手指扣住扳機——就在同時，他聽見了生平第一次聽到的奇特的口令：一連串「汪！汪！汪！」的吠聲，壓過了風浪。

第二天，像一陣風吹遍小島，連上的人全知道了虎子獨個兒晚上出去巡查的新聞。

四

崔連長的病勢驟然嚴重。等台灣派飛機去接來醫治時，已經來不及了。他在彌留時還深深地為自己不死於火線而死於疾病感到憾恨。「就把我葬在小島上，」他囑咐弟兄們說：「也好讓我第一個聽見反攻的炮聲。」說完，他就闔上了眼睛。

那些天中，虎子早晚守護在牀前，不時抬起棕黑色的眼睛，默默地、憂悒地望著進出的弟兄，崔連長每次輾轉呻吟，更增加了牠的惶惑和不安，牠唯一能表示想減除他痛苦的動作，便是走過去輕輕地舐舐擱在被外的手。那隻平時常常拍牠愛撫牠的手，正一天比一天軟弱無力，最後終於像石頭一般冰冷了。但虎子卻還是不停地用牠潤濕的舌頭去舐著，彷彿想把自身的熱量和生命力，度傳到那失去了生氣的身軀中去——有人將牠帶出了屋子，等大殮後才讓牠進來，虎子一眼看見牀上沒有了主人，立刻驚惶失措，到處尋找，但循著牠熟悉的那股氣息，很快就找到了停放著的靈柩，牠環繞著那黑色的木盒子前前後後的直打轉，喉嚨頭嗚嗚地悲鳴著，又用腳爪在地上亂爬……直到王剛過去安撫了一番，牠才慢慢冷靜下來。含著無限哀痛，默默地俯伏在柩旁。第二天出殯時，牠還是默默地垂下了尾巴，一步不離地緊靠著靈車，隨送葬的行列抵達墳地。

墳地便擇在小島南端面向大陸的一角，當連指導員唸完祭文，舉行了落葬的儀式，靈柩在哀默肅穆的氣氛中徐徐升起，降落在墓穴中，副連長挖起第一鏟泥土，拋擲在棺蓋上，接著四五把鏟子一起動作——就在泥土紛紛撒下的剎那，一條灰黃色的身影如同一枚飛彈般倏地跳墜下去，那是虎子，一跳下去牠瘋狂地用腳爪去扒柩蓋上的泥土，一面扒一面慘厲地嘷叫，那摧肝裂腸的叫聲裡，滲溢著一種有靈性的動物所能表達的絕望的呼喚。牠這出於意外的舉動，使大家一時怔住了。還是王剛忍住了悲痛，解下身上的皮帶，下去把牠弄了上來。

葬禮結束，回到營房不久，已是吃午餐的時候了，王剛端了一碗拌好的飯，卻遍尋不見虎子的影子，一個弟兄忽然想起「不會是又去了剛才那裡？……」大家立刻理會到他說的「剛才那裡」是指什麼地方。有兩個弟兄願意伴王剛一起去找，不出他們所料，虎子果然伏在那裡，新堆築的墳墓泥土鬆鬆的，沒有一莖小草。虎子伸著前腿把身子拉得長長的伏在墳前，就同牠平時伏在崔連長牀前一樣。烈日毫無遮攔地直射在牠身上，曬得牠一條舌頭大半掛在嘴外，汗涎滴滴，急促地喘著大氣。

王剛蹲下去撫著虎子那一身曬得發燙的毛，不禁感動得閃著淚花，半天才拍拍牠的頭柔聲地說：

「虎子，該回去了。」他一半敦促一半勸慰地，摟著牠的頭頸站起來。「來吧，虎子，同我一起回家。」

平常服從慣了的虎子，雖然露出不願的神色，終於還是乖乖地跟了回去，只是牠對擱在那裡的午餐毫不感覺興趣，聞也不聞便掉頭走開了，王剛怕牠又走掉，找出許久不用的鍊子繫住了，一半天牠都悒悒地匐伏著，不動也不叫。當王剛給牠送晚飯去時牠還是不吃，卻不住舐他的手，眼睛裡流露出哀求的神情，彷彿請他釋放。晚上大家睡了，還聽見牠在低低地嗚咽著，抖得鍊子不住嘩啦嘩啦地作響。可是，第二天清早起來一看，繫虎子的地方，除了一盆飯還原封不動地擱著，連狗帶鍊子都不見了。

那晚上下過大雨，滿地泥濘。土鬆的地方更成了水窪，虎子頸上拖了一截鐵鍊，便緊貼著墓碑蜷縮在泥窪中，渾身上下一片黏濕。

任何方法都不能使虎子留在營房裡。二三天過去，牠已自動地回來吃飯，也會跟弟兄們盤桓一會，然而就像無形中有一股強大的力量牽引著牠：到時候便又回到墳地去，不管是烈日當空，或是風雨淩虐的夜晚，牠全不當作一回事。

弟兄們被虎子的忠誠深深感動，大家決定利用修築防禦工程的剩餘材料，在崔連長墳墓的下首，替牠蓋了一間遮風避雨的狗舍。

五

新連長來接任不久，部隊奉令調回金門本島，開拔那天，全連弟兄都穿佩得整整齊齊，去向崔連長墳前祭別。虎子自小在部隊長大，平時一看見大家忙著檢點行囊，整裝待發，牠也像曉得要換個新地方，總是高興的在人縫裡竄來竄去，一跳三蹤的，如同一個聽說要帶牠去旅行的孩子。可是那一天牠卻對這事毫不感到興趣，弟兄們去致祭，牠便一直默默地伏在墳旁，眼光露著愁苦，有如等待宣判的罪人。喊了牠好幾遍，牠也不動。最後還是繫上鍊子，才牽上了船。

船離岸了，大家不由得回頭向島上望了最後的一眼，儘管是那極寂寞荒涼的蕞爾小島，住久了，自然而然就產生了感情，一旦離開，都覺得有點留戀。虎子也把嘴擱在船舷上。一路上只凝望著小島慢慢地縮小、模糊，終於消失在海天渺茫中……

到了一個新地方，總免不掉要忙一陣子。等一切都安排停當，王剛才記起彷彿有半天不見虎子了。他一個營房找到一個營房，問弟兄們時都說上岸時曾看到，以後好像就沒見過。剛到一個新地方，虎子向來是不會獨個兒亂跑的。這附近總沒有吃香肉的罷？……一個下午過去了，晚上仍沒有消息。第二天也不見影子，王剛急得什麼似的，弟兄們也都擔著心，凡能找的地方全找遍了，就像大地忽然裂了個口子把虎子給吞了下去，這世上再無牠的影蹤。

虎子的失蹤，大家彷彿全感到生活中缺少了點什麼；吃飯時，下操後，總有人會想起牠提起牠來：「虎子不知怎樣了？……」

事隔一個多星期，有一位從小島來金門採辦，順便到連部看一個弟兄的戰士，言談間忽然問起連上是不是養過一條狗？

「養過一條。」

「毛色是黃裡夾灰的，很壯！」

「一點不錯，牠叫虎子，你在哪裡看到？」聽見有虎子的消息，大家立刻放下手裡的事，圍集在那友軍四周，你一句我一句興奮地爭著探詢。

「牠就在小島上嘛。」

「在小島上？」大家驚疑不已地搖頭，「那是絕不可能的，牠明明跟我們過了海一起上的岸。」

「我不能確定那是不是你們養的狗，但牠的來歷卻特別。」那位友軍弟兄賣弄地說：「就在我們駐紮小島的那天下午，一個弟兄忽然發現海水裡有什麼東西在掙扎著，不一會便沖上了沙灘，遠看像是一隻海豹，等他走近去才看出原來是一隻狗，牠一動不動地軟癱在那裡，眼睛緊閉著，一身冰涼透濕，就像死了一樣，摸摸胸口卻還在微跳，於是他就把牠抱回營房擦乾弄暖，過了好半天總算醒過來了。那模樣真可憐，從來不曾看到過一隻狗會衰弱得那樣。可是，誰曉得隔了半天，趁大家不注意的時候，牠卻搖搖晃晃地站起來開溜了。牠對島上的地勢似乎很熟悉，那個抱牠回來的弟兄悄悄跟著牠，只見牠掙扎著走到一座墳墓面前。便安安心心躺了下去，像是回到了自己的家……」

「噢，那一定是虎子！」大家激動地搶著說，卻又面面相覷，陷入極端的迷惘困惑中。

隔了那麼寬一道海，虎子怎麼能游泳過去？

這真教人難以相信，然而，確確實實地，牠又回到了小島，又守護在主人墓畔，這究竟是神的力量，還是愛的力量！

六

時間一年年過去，島上的駐軍也換防過好幾次，虎子儼然以島主的姿態，接待著每一個新的部隊。

隔著台灣海峽，對岸的匪軍有似一群瘋狂的餓狼，饞涎地覬覦著海這邊自由的土地，獸性發作時，便猛射一陣炮彈，接著又是死一般的沉寂。彷彿瘋狂過去後陷入虛弱的瘓癱中。而在沉寂中，說不定又正在醞釀著什麼陰謀。

小島挺立在海中，冷靜、堅定、固若磐石。偶然射中的炮彈，正好替不毛的砂石地開掘幾處耕地，而任何陰謀，總逃不過嚴密防守者的眼睛。

那正是瘋狂過後，無數個沉寂的黑夜中的一個。下弦月遲遲上升，清幽的光輝不時為浮雲遮住，掩映下的海水一會兒顯得黝黑，一會兒變成暗綠，比白天裡看來更深邃而壯闊。

荷著槍的哨兵肅立在岩岸上，傾聽著海浪拍擊岩石有規律的節奏，視線似電光般折射過無底無限的大海，就在視線收回來的剎那，他恍惚在眼角瞥見了伸出海中的岬角上有什麼在蠕動。他立刻提高警覺，盡力睜大眼睛朝那裡望著，月色朦朧中，果然隱隱約約有影子在移動，而且好像還不只一個……但還不曾等他看清楚，一片厚厚的雲正在這時遮住了月亮。他只急得在心裡詛咒，不知該等待著察看清楚，還是先鳴槍報警。正在急切間，忽然靜寂的夜空像被震裂了似的爆發了一陣嘈音，那是虎子的激亢的咆哮聲，正從那一個方向傳來。雲又散開了，哨兵這次看清了影子有三個，卻是向剛才相反的方向很快移動。他屏住了呼吸，舉槍瞄準目標——子彈尖叫著射出去，眼看其中一個黑影立刻仆倒了。而另外兩個便停止奔跑，停下來挾起倒下的那個再奔，子彈一顆接一顆射去，可是一塊斜斜凸出的岩石正好掩蔽了目標，他懊惱地暫停射擊正預備衝下去，驀地發現一條敏捷的身影，像射出的炮彈般直撲岩石後面，接著傳出了一片兇猛激烈的咆哮擾聲。

這時營房碉堡中的弟兄，早已聞警出動；全集中朝喧擾聲起處奔去，遠遠只見好幾個黑影糾纏成一堆，聽見人聲。有二條人影倏地捨棄了還在掙扎撕拚的一團，迅速地跳入海裡潛逃了。

電筒照射下，怵目驚心的一片殷殷的血跡，一身皮毛都被染紅了的虎子，猶自咬住一個也是血跡斑斑，身穿潛水衣的水鬼的肩膀不放，看見援兵，牠才好像交卸了任務似的，鬆開了牙齒。自己也就頹然地倒在地上。精神一鬆弛，那些創痛一齊發作，牠反而慘厲地呻吟起來。

兩架擔架抬回了虎子和俘虜，那個俘虜除了腿上中了一彈，肩膀和兩股上全是虎子咬傷的，虎子身上卻足足被戳了十幾刀，最深的一道傷痕在左胸，差點就戳到了心臟，醫生給牠縫了二十多針，連上把這事申報上去，虎子立刻獲得了光榮的嘉獎，並且牠的名字也列入戰鬥員。有人建議，為了紀念牠的功勳，應該把這無名小島叫作虎子島……

但是，虎子全不在乎這些，牠始終保持牠的習慣生活著，警戒、巡查、與弟兄們嬉遊，餘下漫長的時間，牠便安詳地伏在老主人墳前，墳畔的空地早已綠草如茵，栽植的樹苗也長得蔥翠了。浪潮不分日夜輕輕拍擊著小島，牠閉上眼睛，把頭擱在伸長的腿上，靜靜地享受著陽光和海風，彷彿那是老主人親切的愛撫……

編註：本文原刊於《幼獅文藝》第十三卷第六期，一九六〇年十二月十五日，頁四～七。

卑微的生命

一

銀幕上一片灰白，燈光倏地放明，戲院中立刻起了一陣騷動，觀眾從二小時的忘我狀態中重又恢復了自己，一個個匆遽離座，擁向出口處，在這一剎，彷彿大家都有急事待著去做似的，誰也不甘落後的擠著推著，好一會那嘈雜的聲浪終於氾濫到街心，旋即歸於靜寂，戲院裡的燈和電扇同時停歇了，將近黃昏的陽光從敞開的門窗中投射進來，照著一排排朽舊的空椅子，和滿地狼藉的煙蒂、果皮、紙屑，顯得空洞而又凌亂，一個懶洋洋的服務生，拿把掃帚東一掃西一掃地打掃著。

扁仔一個人還楞楞地坐在前面第三排座位的中間，這裡的票因為不容易賣出去，所以亦很少人來要他讓位，許久以來，幾乎就成為他的專座了。他獨自坐在那裡，已接連看完了下午的兩場電影，連前天和昨天的四場，同樣的一些片子他已經看過六遍了，但電影裡的故事、情節，從來就不會在他簡單的頭腦裡留下任何的印象，偶然，也有像普通人凝視了半天一樣有光彩的東西，停留在腦膜上的幻像一般，在他鉛板般鈍的腦膜上會抹上一點形象；那多半是一種屢次重複的、單純的動作鏡頭。這場電影的最後場面便是一對男女誤會釋然，擁抱熱吻的特寫鏡頭——這樣的鏡頭扁仔已不知看過多少次了，他自然不懂那是做什麼，但是，看起來好像很好玩似的，不然怎麼盡映不綴……

當扁仔這樣近於思索的沉默時，他那彷彿被車輛壓過的扁頭，顯得更沉重地向前俯衝著，兩隻生在狹窄的額角邊緣的，白多於黑的眼睛癡癡地凝望著虛空，食指含在嘴裡，厚厚的下唇翻了出來，額角與兩眼之間，那一片平坦的地方，像老人般疊起一條條皺紋，揚起的塵灰在他身旁旋舞著，但他只癡坐不動，在空敞的屋頂下，他渺小的存在，似乎不比一些空椅子更多具備生命的跡象。

「扁仔，該回家啦。」扁仔的母親，一個瘦小的中年婦人從戲院一角的小店櫃台後面走出來，她穿了件廉價的花布衫裙，拖著木屐，蒼白而憔悴的臉上，憂患所雕琢過的紋印，顯然比歲月的斧工更深刻，她約略點算過這一下午營業的收入，便推上薄薄的板門，離開那狹隘得只夠轉身的角落，喊著她那唯一的寶貝兒子。

如果說愚騃的心靈似昏暗的黑夜，那母親慈愛的聲音便是通過黑暗的黎明的一道曙光，扁仔終於離開座位，呆滯的臉上堆著憨笑，朝他母親走去。

母子倆走出戲院大門，街上這時匆匆來去的行人，都是放學和下班趕回家的，夕陽最後的一抹餘輝還殘留在屋脊上，這小鎮上唯一剛裝置了霓虹燈的一家藥房，已炫耀地讓著「女界寶」、「十靈丹」、「胖兒素」幾個廣告亮了起來。扁仔一眼看到那些閃爍不停的光彩，便像被吸住了似的，一眼不瞬地盯著看，腳步不知不覺便趑趄不前，就在這時，一輛自行車飛快地駛近，眼看剛要撞上，車上的人倏地伸出一隻手來把扁仔猛一推，還大聲叱責著：

「小鬼，走路怎麼不帶眼睛！」

扁仔的母親回過頭來一把抓扁仔沒抓住，他一個踉蹌已倒跌出去二三步，她氣惱地正想訓斥他兩句，卻見他已嚇白了臉，眼睛裡露出那種驚惶顫瑟的神情，彷彿是一隻剛從貓爪子下掉下來的小老鼠，她不禁心一酸，耐下那股氣憤，過去拍著他的肩，柔聲地說：

「扁仔，沒碰痛吧，走路要小心嘛！」

這次她牽住了他的手一起走，扁仔的頭已快挨著她的耳朵，孩子的智慧儘管是一片混沌，身子卻並未停止成長，母子倆拐了一個彎，便消失在那條被暮色罩住的小巷中。

二

除了在母腹中的十個月，扁仔一生下來，「不幸」就在他將生存的世界上等著他了。在十個月的潛伏期中，他雖然亦並未得到什麼特別營養，或特別照料，但可以推測到他是跟任何胎兒一樣正常的。只是當醫生的大鑷子把他從太小的骨盤中夾出來時，才弄成了現在這形狀，以致那位被痛苦折磨得衰弱不堪的小母親，第一眼看到自己生下來的畸形兒，一痛之下，幾乎又昏厥了過去——但女人天性中那份母愛是不可思議的，它能彌補一切缺憾，掩飾任何醜惡。當那柔嫩的嘴唇從母親貯藏生命最初源泉的乳房啜吸時，當那軟弱無助的小身軀偎在母親懷抱中時，母親的觀念便慢慢地改變了，她看熟了那尖削的頭，那斜眼，那塌鼻，也並不覺得奇醜不堪，男孩子醜一點本來也沒多大關係嘛。跟任何母親一樣，她餵他，照料他，歡喜時，親著他喃喃地喚著自己覺得最親熱的代名詞，她略為著點嘲謔地喚他是：「我的扁頭仔！」喊順了「扁仔」便成了他正式的名字，做父親的也沒有想到為這樣的孩子再取上了什麼「發」、什麼「財」、什麼「祿」呀、「福」的期待中的官名。

扁仔生長的過程，似乎與別的嬰兒沒有什麼不同，彷彿藤上結的冬瓜，在施肥灌溉下，看著一天一天長大起來，如果有什麼特別，那就是他除了與生俱備的唯一本能——哭，比任何孩子都來得沉默和嚴肅，他那多皺的臉總是毫無表情地拉長著，眼睛便楞楞地直視著前面。到了別的孩子會笑的時候，他嘴角的肌肉依然是僵硬的，到了別的孩子伊呀學語的時候，他除了哭便絕不作聲，到了別的孩子能爬、能起坐的時候，他還是很老實地仰臥在搖籃裡，視線停留在虛空中，不笑也不出聲，像是一個在思索人生問題的哲學家。起初，做父母的還抱著點希望，只想他也許智慧開得遲，但殘酷的事實終於使這點希望都摧毀了，扁仔是個低能兒，是個白癡。那幫忙他出世的大鑷子不僅損壞了他的外形，也損傷了他纖柔的腦神經。他舉止笨拙，反應遲鈍，對任何事物全不了解。表達自己的意思（如果說那也算意思的話），永遠只會說幾句單字或是破句——照料一個白癡，又何止比教養一個健全的孩子多費做母親的一倍精力和時間？而更不幸的是扁仔在六歲時沒有了父親，他母親除了照料他還得肩負起生活的重擔。

要出去做事，帶著扁仔這樣的孩子是一個累贅，因此他母親不得不讓他留在家裡。她請人在一塊小木牌上寫上扁仔的姓名住址，就掛在他胸前，防他萬一走了，警察可以送回來。扁仔從來分不清方向道路，一個人倒也不敢亂跑。只是只要一聽見巷子裡有孩子們的嬉鬧聲，他便在屋裡待不住，出去楞楞地站在一旁，望看那些跟他差不多大小的孩子們互相追逐，做遊戲，別人笑時，他也跟著莫名其妙地傻笑，沒有人願意同一個白癡玩，但孩子們都有惡作劇的天性，有時他們會猛撞他一下，一把搶下他手裡的寶貝——一隻齷齪的絨布兔子，舉得高高地，從一個手裡遞到另一個手裡，逗他發急，有時，他們讓他參加捉迷藏，用手帕緊緊繫住了他的眼睛，拖他站在中間。這個過去踢他一下，那個過去打他一記，還有扯他頭髮，拉他耳朵的，他只會怯怯地伸出兩隻手晃來晃去，像一個在風裡轉動的稻草人，笨拙的指頭永遠抓不到什麼。實在給弄痛了，逗惱了，便拉開嘴巴乾叫，卻從來也不知道自己扯掉蒙著的手帕。有時又叫他彎著腰做馬，一個孩子便騎在他身上與別的騎士對打，或是驅使他奔馳，不累得他精疲力竭不讓他停下。也有時派他蹲伏在地上，大家一個一個按著他的背跳過去又跳過來，直跳到他四肢軟癱才罷休。做母親的每次回家看見扁仔被人作弄得那副齷齪狼狽的樣子，心裡又是疼，又是氣，但她既不能阻止那些頑皮的孩子欺侮扁仔，又不能鎖住扁仔不能出去與他們接近，煞費苦心，她終算獲得了在電影院經營小店的機會。這樣，她上午在家料理家務隨時可以照看扁仔，下午便帶了他去電影院看兩場免費電影。而晚上，只要把肚子填滿了，腦子裡從來不存思想的扁仔很快就會睡去，睡得那麼酣沉。當他母親在散了夜場電影回家時，可能他不曾翻過一次身——沒有任何貪嗔、欲望和需求的生命，要比別人都容易獲致寧靜和安謐。

三

如果說教育工作是一把鑿子，那麼扁仔該是一塊無法雕鑿的頑石，當學齡兒童開始接受國民教育時，他也曾經進過學校大門，但立刻像剔除米裡的一粒稗子一樣，給剔了出來。似乎沒有誰能找到一把開啟他智慧之門的鎖鑰。只有做母親的，始終認為在他癡騃的傻笑中，含糊的破句裡，有時也會閃現一下慧光。

「你說他什麼也不懂吧，可是他看電影還看得挺起勁的，而且百看不厭。」

「看到好笑的地方，他也拍手大笑哩。」她向鄰居們提起扁仔的一點智慧，就像在砂礦中淘到了金屑似的。

上學的孩子已小學畢業了，扁仔便看了六年的電影，別人上了中學，扁仔也依舊接受著他的「電影教育」。這長期的教育，對扁仔彷彿還真有那麼一點成效。譬如有時他高興起來，一個人會在屋子裡亂蹦亂跳的，那樣子，猶如動物園關在籠裡的猩猩被激怒了，又像是喝得爛醉的醉漢。一個勁的跌跌衝衝，跳跳蹦蹦，嘴裡還咿咿唔唔連哼帶唱，碰翻了東西也不管，他母親喊他：

「扁仔你發瘋呀！」但扁仔全不理會，直到桌子角碰痛了頭，凳子絆倒了腳，這才用兩滴眼淚結束了這狂舞，他母親只說他「發瘋」，誰知道他不是看多了電影上的熱舞在模仿呢。

有時，扁仔忽然間跑到他母親背後，伸著手，大聲嚷著「砰！」「砰！」把正在煮飯的母親嚇了一跳。

「扁仔你這是幹什麼？」扁仔卻不答理，他母親一回頭，他又伸手抵在她胸前，叫著「砰！砰！」口水從牙縫裡直濺到她臉上。

「扁仔，敢情你是學開槍呀！」她母親有所領悟，高興地叫起來，扁仔的回答還是「砰！砰！」這一半天他只是重複著一個聲音，一個動作，像一些壞了的唱片。

還有一次，他母親正低著頭在洗衣服，忽然聽見扁仔喚她，一抬頭，卻見他不知怎麼爬上了櫃頂，正得意洋洋地俯視著她傻笑，她急得一句「扁仔不可以……」沒說完，他已雙手一伸，做了個大鵬展翅的姿勢，接著像一麻袋地瓜般墜下來，重重地跌在地上，半天不見響動，他母親摟著他哭著怨責：「這孩子，怎麼會越變越傻了。」她自然不會記得扁仔一連四天剛看過八場〈小飛俠〉的電影。

那一天，白天停電。母子倆都不曾去電影院，扁仔顯得百無聊賴地在屋子裡待了一會，便溜到門口去，小巷跟家裡一樣，沉沉寂寂，午後的驕陽烘焙著，猶如一只大蒸籠，薰得人昏昏悶悶的，連那隻帶著一群小雞不停搔爬的老母雞也都埋在一個泥坑裡打盹。扁仔走過去把牠們哄走了，巷子裡除了這些彷彿也再沒有任何生物，他踢踢路上的石子，一抬頭，卻看到巷口那座大宅子的後門石階上，正坐著一個三四歲的女孩子，在玩著洋娃娃，他不由得被吸引過去，站在階前，食指含在嘴裡楞楞地望著。

那女孩初見到他時，帶著點防禦性的把娃娃緊緊摟著，以那雙明亮的大眼睛還瞪著扁仔，後來見他沒有惡意，便又將洋娃娃捧起來向他炫耀著：

「看我娃娃漂不漂亮！」

扁仔只是傻笑著，沒有作答。

「她的眼睛還會眨哩。」洋娃娃豎立起來時，那雙閉著的藍眼睛也慢慢地睜開來，扁仔忍不住更走近一步，伸出手來想去摸——

「嗨！你的手髒死了，不許你碰！」小女孩嬌嗔著，猛地把娃娃收在懷裡，接著，像個小母親似的，輕輕地哼著拍著，又將自己的臉頰貼在娃娃臉頰上。扁仔怔怔地從金髮娃娃望到那長髮披肩的小女孩，這兩個都穿得精緻，長得可愛，在他眼裡沒有什麼分別——忽然，下意識地，他沒有把伸出的手放下，卻又伸出另外一隻，驀地捧住小女孩的頭，湊過自己的臉去……

「不要你！滾開！」小女孩猝不及防，憤怒地掙扎著，騰出一隻小拳頭來捶著扁仔的臉，由於她的抗拒，扁仔有點不知所措，雙手更笨拙地箍緊攏來，女孩只哭喊了半聲「媽……」便被按在他胸口出不出聲，扁仔的手按在女孩頭髮上，有一種柔滑溫軟的感覺，覺得很舒服，記得他曾被准許摸過一隻長毛白狗，但不及這個來得柔滑，他緊緊把頭按在胸前，手指插入頭髮裡，慢慢摸下去，觸到了嫩滑的頸子，他又捏弄著，像捏弄他那只絨布兔子，覺得怪好玩的，那個洋娃娃忽然跌落下來，小女孩的手腳停止了掙扎。他對這突來的沉靜感到困惑，想托起小女孩的臉來看個究竟——就在這時，一聲銳厲的叫喊像一架噴氣機從他耳畔掠過，彷彿整個天地都被銳聲震裂了，接著撕裂的天壁沒頭沒腦地打在他身上，兇猛地震撼著他，一下子什麼都糊塗了。當那一縷意識重新回來時，彷彿走進了蒼蠅麕集的魚市場，首先湧進他耳中的是一片嘈雜聲還夾雜著哭聲，哭的像是那小女孩也有他母親……

「……要不王嫂發現得早，我們珊珊就給他捏死了，看他長得人不像個人哩，倒會使壞，這樣的禍患還能留著！」

「太太，千萬請饒恕他只是個白癡，什麼都不懂……」

「哼！還說什麼都不懂！那是誰教他做這種下流事？只要碰壞了我們珊珊一根汗毛，諒你們也賠不起！這種小流氓、小土匪，要不判死刑，也該終身監禁，免得再害人。」

扁仔不知道她們在鬧些什麼，他醒過來弄清楚自己是躺在地上，剛一轉側，只感到頭上身上火辣辣地疼痛，他一咧嘴，便「哎喲，哎喲」地哭起來。

「禍首醒了，我看妳們講也講不清，大家一起到局裡去。」扁仔糊裡糊塗地被帶到這裡那裡，也不知帶了多少次，只看到總有許多人在講在問，有好幾個大人同著那小女孩，還有他一直哭哭啼啼的母親。最後，人家硬把他從哭得死去活來的母親身邊拖開，由二個大人押送到一幢大房子前，在等門裡的警衛打開鐵門那一刻，扁仔抬起那張被淚痕和灰土沾塗得污穢的臉，傻楞楞望鐵門上一串鐫刻的字，他並不認識那些字，但夕陽正好投射在字上，反射出耀眼的光，那「感化」兩字，彷彿真能感化那些頑劣、卑賤、愚昧的心靈為善良似的。鐵門開了，扁仔便懵懵懂懂地被帶了進去。

四

扁仔第一次生活在那樣的大環境中，一切對他都是陌生的。那裡有不少跟他差不多，和比他大或小的少年。他們在鐵一般的規律下一致操練、上課、學習手藝……每個人彷彿都成為一枚小小的齒輪，嵌入那巨輪中跟著不停地轉動。但是，扁仔卻例外，如同沒有一把鑿子能雕琢他這塊頑石一般，感化的力量也不能把他鑄成小齒輪納入軌道中運行——他不是夾在中間礙事，便是滑出了軌道。當操習時，他永遠跟不上其他人的動作，也分不出左右前後，別人蹲下時，他兀自屹立，別人前進時，他木樁似地釘住在地上，而當別人做律動時，他忽然像開動了發條的機器玩偶似的，手舞腳蹈，左衝右突，妨礙了整個隊形。教官也曾拖他叫出來獨單教過幾次，最後完全失去了耐心。

「我從來從沒有見過這樣的笨蛋！教隻熊教隻豬都可以進馬戲團了，你還屁都不會。」他氣咻咻地把扁仔推著搡著攆得遠遠地，叫他「別再在這裡現眼了」。

扁仔被搡得「唉，唉，」地乾哭了二聲，但立刻停止了，原來圍牆下正有一隻癩蛤蟆蹲著，肚皮一起一伏，他呆呆地看著看出了神，自己也跟牠對面對蹲了下去——在上課時，教官講的他一句不懂，書上印的他一字不識，傻楞楞地坐在位子上，不是東張西望，就是挖鼻孔，吮手指。再不猛然來一個噴嚏，或是放肆地打一個哈欠，破壞了教室裡那份肅靜的氣氛。教官屢次訓斥無效，也氣得拒絕上他的課，生產學習也是一樣，什麼也學不會，教他紡織，他一下就把紗弄得亂成一團，教他編工，藤呀篾的，到他手裡就斷裂，連隻火柴盒子都糊不連牽，教的人教得唇焦舌乾，他只瞪著你傻笑——到最後沒有一個教官願意他上課，他倒反成了這院裡最自由的一個人，滿園子徜徉，螞蟻搬家他會蹲下來看上半天，攪一堆濕泥也會一個人樂上半天。他從來不曉得去「想」，但有時也會感到少了些什麼似的，發上半天的怔，儘管院裡有那許多人，他是寂寞得像擲在路旁的一塊石頭，有時他跑到前院去，鐵門旁總有個輪值的警衛在那裡踱來踱去，也許跟扁仔一樣寂寞，看見他總喜歡嘲弄取樂。管他叫作「小傻蛋」。

「小傻蛋看你傻得連自己都認不清，怎會犯謀殺罪？還褻瀆女孩，誰教你的？」

「小傻蛋你想不想你媽，可曉得你媽是男人還是女人？」

「小傻蛋，你算哪一種蛋？」

扁仔也不答理，只是站在那裡含著手指瞪著人傻笑，突然間他拔出手指，大聲喊著。

「砰！砰！」

「什麼？」警衛困惑地望著他。

「砰！砰！」他走近去，把塗滿口水的手指觸著警衛腰際的槍盒。

「嚇！你還曉得這是槍，別的都不會，偏曉得這些，真是從骨子裡壞起！」警衛摔開他的髒手，直搖頭。

院子覺得讓扁仔成天在園裡遊蕩，既影響教學，又礙觀瞻，便上了個報告說這樣的少年已超出了他們感化的範圍，如果沒有精神病院那樣的白癡病院收容他，還不如發還他家裡去管教云云。

那天，扁仔一個人捉一條蜥蜴玩了半天，看看牠不再蠕動，便丟下了，站起來時，覺得臉上濕漉漉的發癢，順手一摸，手上的泥和著汗水抹了個大花臉。他茫然抬起頭來望望天空，強烈的陽光刺得他瞇上了眼睛，從教室裡傳來一片歌聲，他不知道他們在唱什麼，嘴裡卻也咿咿唔唔的一面哼著蹣跚地踱到前院來。

「嘿，小傻蛋，你可真是唱丑角不用化妝啦。」那個最喜歡逗扁仔的警衛正換下崗來，朝旁邊的休息室走去，一面鬆著衣扣和皮帶。扁仔跟他到門口，站著吮指頭。

「今天你媽要來領你回家去，樂不樂？」他回頭看看扁仔傻笑著無動於衷的樣子，不禁歎口氣嘲笑他：「你真是隻給了你翼膀也不會飛的笨鳥！可憐蟲！」說著，他把解下的槍盒連同上衣一起掛在牆上，端了只臉盆走出去。

扁仔一直站在門口，瞅著那只槍盒，眼睛眨都不眨，手指含在嘴裡忘了吮，口水直沿著手掌滴下來……忽然，他放下手指一腳跨進門檻，便直向牆邊放著的藤椅爬上去，伸手把槍盒除了下來，他不知道怎樣打開那皮盒子，亂扳亂扯了一陣「吧達」一聲，那支冰冷黑亮的槍滑了出來，正好重重地跌在他腳上，痛得他咧著嘴，眼淚迸流，但他哭了一聲便自己止住了，索性一屁股坐在地上，專心把玩起手槍來，他低俯著沉重的扁頭，來自額角邊緣的視線努力集中在一點，下唇翻開的嘴裡喃喃地重複著「砰！砰！」「砰！砰！」。

那警士端了一臉盆水回來，遠遠望見扁仔正伸腿坐在屋子中間地上，兩腿之間是一把手槍——槍把朝地，槍口向上，尖聳的扁頭俯得低低的，彷彿想從那黑管子裡窺探些什麼，雙手便在槍上按著扳著。

「小傻蛋，快放手！」警士驚懼地大聲遏阻，一撒手連盆帶水摔了一地，便飛奔進去。但他還是遲了一步，一隻腳剛跨進門裡，猛地「砰」然一聲巨響，空氣裡頓時充滿了硫磺氣息，當一小團硝煙輕輕消散時，露出了那張塗抹著淚、汗和泥的扁臉，白多於黑的眼睛茫然向前瞪視著，在那畸形的額角左側，一道鮮紅的血漿正汩汩地流出來……

在那巨響過後的一剎那，是出奇地靜，靜得彷彿連空氣都凝結了。只微風過處，園裡輕微的「拍搭」一聲，樹梢一只尚未長成便僵了的酸果，被吹墜塵埃。

這時，通向感化院的那條漫長的馬路上，一個瘦小的婦人正在炎熱的陽光下匆匆走著，她脅下夾著一個很小的包袱，手裡還握著一隻洗刷過了的絨布縫製的玩具兔子，艱辛的生活和憂愁在她臉上刻下了憔悴，但此刻那些皺紋裡卻充滿了期待和喜悅。她剛走完一段上坡路，那件褪色花布裙衫的背上全被汗水浸濕了。她舉手遮在額上，抬頭展望，已遠遠望見那灰牆鐵門，和門上在陽光下隱隱閃亮的一排銅字。連氣都不透一口，她更加緊腳步急急向前邁進。

編註：本文原刊於《亞洲文學》第十四期，一九六〇年十一月，頁十三～十九。

假期

丁委員懷著難得有的輕鬆心情走進玄關，笑孜孜地告訴正從房裡迎出來的太太。

「素韻，車票已經訂好了，決定明天上午十點鐘動身。」

「你請了幾天假？」丁太太笑盈盈地，接過公事包，讓丁委員換上拖鞋。

「按照預定計畫，五天。夠不夠？」

「唔，這下可以好好輕鬆幾天了。」

「我們那位主任祕書還向我嚕嚕嗦嗦，說這幾天有多少會要開，又有多少事要決定，要他一個人兼代忙不過來。我可不管那些，一年忙到頭，多少年才偷這麼幾天閒也不罪過。再說本來規定一年可以有十天休假，我這還是第一次享受哩。」丁委員將自己安逸地置在沙發裡，接過太太遞過來香噴噴新泡的香茗，眼睛順著那隻手背上起渦的小白手往上看了兩眼。只見太太跟平常一樣，梳了一個髻鬆鬆地貼在頸後，臉上薄施脂粉，戴一副晶瑩的獨珠耳環，一件藏青底子起白點的綢旗袍裹著稍稍發福的身材，腳上是一雙白緞繡黑花的便鞋，整潔、素淡中透著一抹大家閨秀溫婉嫻雅的韻致，不禁油然產生一股混合著憐惜和歉疚的情愫，為了忙不清的工作、會議、應酬，他一向冷落了這個比他小十六歲的續絃夫人，而她默默忍受，從來不出怨言。這次他的一個侄子在高雄結婚，請他主持婚禮，他想趁機陪同太太去玩玩南部的名勝，再去日月潭清清靜靜地享受兩天湖光山色、人間清福。

「素韻，這次去旅行希望妳會玩得高興，我們生活在一起三年，卻從沒有好好旅行過一次。」

丁太太聽出丁委員話裡的那份歉意，笑著提醒他。

「誰說沒有，前年新竹中山堂落成你去揭幕，我不是同你一起去的？」

「那還是帶著公事——我說的是指我們單獨兩人。」

「不像上次那樣在人群中失去了你！」丁太太還清楚的記得那時他們結婚不到一個月。她懷著度蜜月的心情，隨郎君第一次偕遊，車到目的地，他們立刻被一陣歡迎的人士包圍了，接著是不斷地介紹、握手、寒暄、道勞、恭維……她起初還以丈夫的顯赫感到驕傲愉悅，但慢慢地這一份感覺就完全消失了，那些陌生的面孔，不太真誠，也可以說有著太多誠意的聲音，像支潮流般把他們湧來湧去，丁委員必須八面周到地回答、寒暄、致詞、道謝、微笑，他們兩個人雖然行動一致，卻沒有機會交換一句說話，或是彼此相視一眼。她有點惶惑地覺得那個她信賴的人在一瞬間離她遠了，迷亂而不自由地被簇擁來簇擁去，像一個出會的菩薩——想到這裡，她雙眉微顰，臉上的笑意隱去了。

「不，這次絕對不會驚動那麼些人，我早已定了三個原則：一不讓任何人知道，二不做無謂的應酬，三不談公事。主要的，圖個清靜，平常我忙得煩，妳在家也憋得悶，兩個人出去散散心。」丁委員說得懇切而誠摯。丁太太臉上又現出了笑意，對他投去感激的一眼，感激他並不是不知道自己被疏淡的委屈，而是現實使他不能顧到。

「聽說日月潭很美，像杭州的西湖。」說到西湖，丁太太眼睛裡泛上一抹朦朧的光彩，聲音也被綺麗的憶念弄得更柔和了。「從前年輕的時候，我就最愛在西湖裡划船，常常盪到太陽下山，星星滿天，還捨不得上岸。」

「妳一個人？」

「和同學一起。我們靠在船裡，天南地北地亂扯，或者靜靜地仰望著雲天做夢。」

「做些什麼夢，還記不記得？」丁委員瞇著眼睛透過茶杯裡冒上的熱氣，很感興趣地望著太太。

「還不是少女們荒唐可笑的夢！」

「夢著英俊的湖中王子來向妳求婚，是嗎？」

對丈夫的玩笑，丁太太不否認也不承認地默默一笑。想那時正是她黃金般的日子，公主般年輕、美麗、驕傲，就因為她心目中的皇子條件太高，以致年華蹉跎，青春消逝，三十一歲才嫁給丁委員做續絃夫人……

「去日月潭，我做妳的湖上王子好吧。」丁委員隔著茶几向太太湊過去。丁太太不由得睨著他噗嗤一笑，這一笑含著佯嗔和嬌羞，兩人彷彿都卸下了世故、矜持、虛矯的外衣變得年輕了。連那布置得古色古香的客廳，彷佛也有了生氣。

平常很少出門的人，逢到第二天要有遠行時，神經往往會緊張得像拉滿了的弦，繃得直直的無法鬆弛下來。丁太太雖然早把要交代的事，要帶的東西，準備得妥妥貼貼，腦筋卻總不能安靜，她想著還有什麼需要的東西不要忘記帶了，想著應該告訴下女後門白天也要鎖，還有房裡那兩盆蝴蝶蘭不要忘記天天掛出去吃露水。她也想起他們結婚多年，休說相偕出遊，就連平常日子單獨相處的時間也不多。丁委員太忙，吃飯時候，不管丁太太怎樣盼待，一個電話便不回來吃了，晚上回家很遲，而且那樣子疲累得就像打敗的公雞，多說句話都怕費力氣，偶爾在家時，便川流不息的來客人拜訪求教。常常兩人一天還交談不到十句話，當初她願意嫁他，一半也由於他的地位能滿足她對榮譽的欲望、顯赫的要求，但是，精神生活卻被忽略了，世上就沒有兩全的事。這一次，去日月潭她不乘汽艇。一定要租一艘小艇，只他們兩人悠閒地盪漾在青山碧水間……她想得太多太遠了，不，實際上已不是她主動地在想，而是那些雜亂的思想潮水般湧進腦中。又像是管制開關失靈的輪軸，只是不停地轉動轉動，使她無法入睡，不住地翻覆輾轉，幾次驚動了酣睡的丁委員，矇矓地問一聲：「怎麼還不睡著？」又沉沉睡去。這使丁太太心裡更躁急，唯恐睡眠不好明天會影響精神，而且臉色也會顯得難看，她努力擠出思潮，數著山羊……但是，心裡彷彿就按著一只鬧鐘，似乎才睡熟。天亮，又是她第一個先醒過來，張羅這樣那樣的。丁委員笑她說：

「像妳這樣愛緊張，要換上我這份工作，怕不幾個月神經就要崩潰了。」

一早上來了幾次電話，由傭人接了，都是探詢丁委員幾點鐘動身的。

當他們乘上汽車抵達車站時，一群人迎了上來。全是丁委員的屬下，和有關單位的幾個主管，他們恭恭謹謹地陪他們進入月台，坐上座位，站在月台上一直恭送火車開走，丁太太這才轉過臉來瞍一眼丁委員。鬆口氣靠在椅背上。

「這都是部裡的同事，他們當然會知道我的行動，我也不能不許他們來送。」丁委員立刻解釋為什麼這第一著就與他昨行標榜的有出入，丁太太淡淡地笑了笑。

「他們倒是至誠得很！」

列車由緩而速地駛出車站，駛出市鎮，那些囂鬧擁擠的街道，那些陰暗狹隘的巷衖，以及那些高聳的大廈和給煤煙染污的村屋，一起都遺留在後面，展現在前面的是一片廣闊的藍天，一片青蔥的田野。陽光更把這渲染得金光燦燦，生意盎然。隨著視野擴展，胸襟也開闊了，一陣陣來自曠野的勁風更拂除了心頭的塵慮俗念，丁太太突然有著那種女學生出去遠足時的心情。不時欣喜地發出低低的歡呼，望著一群驚起的白鷺連聲讚說：

「噢，真好看！」或者指點著遠遠山嶺一片岫雲叫：

「看那個多美！」

丁委員也愉悅地附和著她不住讚美稱好。火車經過一座整潔的村子，但見叢叢綠竹，簇簇紫藤，掩映著一帶矮籬，數角粉牆，後面傍著滿栽茶樹的山麓，屋前一支曲折潺湲的清溪，丁太太看了不禁在心裡暗想：「有一天能在這樣幽靜的地方住上幾年，才是享盡人間清福！」

「到這樣的鄉下來住住還不錯！」丁委員在她耳畔讚賞地說。丁太太聽見他的想法竟與自己不謀而合，高興地按了按他擱在椅架上的手，那雙長長的鳳眼裡，流露出一抹柔和的光輝，脈脈地看了他一眼，丁委員開始變色的兩鬢映著車窗外的陽光彷彿更白了點。顯得精銳的眼睛凝視著遠方。「真會有那麼一天嗎？」丁太太懷疑著，他的生命二十多年來已跟政治生命鑄成一體，難道能割離！若當真有一天退隱林下，只怕他的生命也黯淡無光了。想到這裡，又不由得輕輕歎了口氣。

在車上吃過一頓火車快餐，填滿的腸胃，舒適的座位，很快就把丁委員帶入夢中。丁太太落入孤寂中，宵來失眠的困倦趁機侵襲，但她卻不習慣在車上睡覺，只是隨著車身搖晃迷迷糊糊，似睡非睡地打盹。等兩人清醒時，對窗外的景物已失去了新鮮的感覺，說話的興致也低落了。就像平時對坐在起居室裡一樣，偶然交換一言半語。擴音機裡反反覆覆總是那幾張音樂片，聽得也使人起膩……突然音樂倏地中斷，換了一口不太純粹的國語：

「前面台南站到了，要下車的旅客不要忘記東西……」

丁委員兩夫婦陡地精神一振，丁太太連忙摸出粉盒在臉上塗塗抹抹，丁委員整理一下服裝，便靠著太太扶在車窗上向外探望，站上有人在揮手，也有人跟著車子走小快步。

「陳××長、楊委員、趙主任，都在車站上，來接的人大概又不少，不曉得誰透漏的消息！」

丁太太沒有仔細聽丁委員話裡究竟是得意還是抱歉的成分多，只是急著檢點東西，他倆一下車，果然一群人擁前來爭著握手道勞，一疊聲「丁委員辛苦了！」「丁主任您好！」丁太太被介紹著不得不騰出一隻手來，習慣性地讓那些黏濕的、粗大的手握一握，馬上就被簇擁著坐上汽車開抵旅社。接著，還沒有時間洗去一身塵灰，又被簇擁去出席為他們接風的宴會。席間，一位分部的梁主任在敬酒時提出了一個請求，說是他們開辦了個訓練班明天上午成立，難得丁委員來了，一定要請他去主持並講幾句話，以示鼓勵。丁委員再三推辭不掉，只得允諾了。坐在一旁的丁太太聽了不由得心裡一陣不快。原來他們計畫明天一天遊覽名勝古蹟，下午去看一個她的老同學，後天下午參加婚禮，還有大半天可以觀光高雄市，這一來，豈不全攪亂了。

「真傷腦筋！說了這次出來不管公事，不想第一天就三條原則都破壞了。」回到旅館，客人走後，丁委員自嘲地說，這是下火車以後第一次與丁太太單獨講話。丁太太沒精打采地在卸妝，頓了一頓想說什麼，但又縮住了。這時門上篤篤二聲，丁委員開了門，原來是分部給他送口信來的。

「剛才台北來了電話，說是有點要緊事，最好能請你提早回去。」

丁委員打發了來人轉過身來，見太太一手按住卸了一半的耳環，正迫切地盯著自己。便故意做了個輕鬆姿態。

「不理它。」

第二天一個上午，便在那一套千遍一律的開會儀式，疲勞轟炸的講演、致詞中消磨掉了。丁太太無聊地坐在會場裡，惋惜著虛擲了的寶貴時間，中午是聚餐，又是鬧嘈嘈地，飯後聽說他們要遊覽，大家立刻以地主和嚮導自居，志願奉陪。吉普車、小汽車浩浩蕩蕩先訪赤崁樓，繼赴延平郡王祠，又奔安平古堡……每到一處，大家熱心地爭相介紹、解釋，並炫耀自己對這一方面的知識。丁太太只感到必須禮貌地應付耳朵的聆聽，而忽略了眼睛的領略、欣賞。身不由主地被簇擁來簇擁去，對當前景物只是走馬看花，浮光掠影。更跟她原來想的兩人懷著悠閒安適的心情，清靜地共享一片美景，仔細地推敲一處古蹟，興之所至，遊遊憩憩，不受一點拘束，完全是兩回事。「觀光」結束，她已經是又累又煩，偏偏晚上還得出席一處辭不掉的宴請，回到旅館裡，丁太太忙不迭把自己和皮包一起擲在牀上，丁委員一手扯掉領帶，一個身子便靠在沙發裡肆意地伸腿展腰，哈欠連連。

「過了明天就完全是屬於我們自己的時間了。那時間全由妳去支配。」丁委員像是自我寬解，又像是安慰太太。

過了明天，是的，過了明天他們便可以避開這些繁瑣無聊的俗事，徜徉於山水間，以一掬碧水，滌清胸中的塊壘，讓涼沁的山風拂除腦際的濁思。一想到那一幅遠景擺在前面，丁太太精神似乎一振，可是……

「你忘記了吃飯前趙主任告訴你，總部下午又來了催你回去的電話？」丁太太倏地坐起來，悻悻地提醒丁委員。「只怕不由得我支配了。」

「我不是說了不要管它！出來才二天有什麼大不了的事。」丁委員雖是不在乎地說，但聲音卻不怎麼堅決。他正在內心壓抑那蠢然欲起的責任感，儘管他曾拿那兩句話來寬慰自己，心頭卻總有那種黏住了蜘蛛網拂除不清的感覺，他預備用一笑來沖淡不愉快的情氛，一張嘴卻又打了個哈欠，「睡吧，明天早點去拜訪妳的老朋友，可以多盤桓一會。」他對太太說。

但第二天早上還是早不了，上一日做過主人的一早便來送行，那些消息得到遲的，趕來拜會。免不了又是客套一番，好不容易脫身出來，上午又去了一半。等找到丁太太那位老同學家裡，只來得及打攪了一頓午飯，便又匆匆趕去屏東。做為新郎的家長，總得早一點去。

自然，觀光高雄市、愛河和壽山公園的計畫也得作罷。丁委員的侄子也服務在他那機構的分部，那些部屬早便在恭候著，丁委員夫婦倆一到少不了又是一連串的寒暄，等他們剛剛在椅子上坐定透過一口氣來，那位主任遞給他一封電報，說是上午就來了。丁委員拆開匆匆一看，不覺憮然苦笑。

「這簡直是十二道金牌嘛。」

丁太太接過電報，只見上面寫著：星期一上午十時××院召開重要會議請即返。

星期一，不就是明天！丁太太拿著電報的手往下一沉，心也微微往下一沉，整個計畫都完了！盼望準備了許久，結果是徒勞往返一場，只聽丁委員無可奈何地在跟那位主任說：

「今天晚上一定要趕回去，我看臥鋪票恐怕很難買了。且帶張名片去試試看。」

「請放心，一定可以設法。」

二張頭等臥鋪票送來時，丁委員夫婦倆已在禮堂裡以家長的身分招呼來賓，接受道賀，笑得臉上肌肉發瘆，握得手指僵硬，禮堂太小，通風設備又差，加上人多，一擠一鬧，更是頭痛發暈。總算延遲了一小時的，冗長、乏味、耍猴戲似的婚禮在不莊嚴的氣氛中完成了，接著照相又擺布了半天，站久了，丁太太覺得連腳都彷彿腫脹了，塞在高跟皮鞋裡瘆痛難忍。好不容易挨到入席，坐下來椅子還不曾坐熱，就開始有人來敬酒，似乎不來舉杯做一做樣子，便不足表示自己的敬意，三三兩兩，絡續不斷，這樣丁委員夫婦倆便像按上了彈簧，不停地坐了又站起，席間新郎是傻里木瓜，新娘只惦著隔多少時候進去更一套新衣，幾位貴客更難得舉筷，眼看別桌上吃得稀里呼嚕，滿盆子上，空盆子撤下。這一桌幾乎沒有人吃，好在又熱、又累，加上早餓過了火，丁太太已失去了胃口，只盼著早點散席，好去旅館休息清靜一會。

把新人送入洞房，已快九點鐘了，北上的夜快車是十點半鐘開出，可是那些殷勤的「地主」唯恐丁委員夫婦在這一個多鐘頭內太寂寞，說什麼也要送到旅館再由旅館送上火車。他們兩人又只得勉強打起精神來奉陪著，更有一位仁兄向丁委員請教起工作上的幾個問題，喋喋不休，丁太太眼望著舒適的牀鋪不能橫一下，坐著眼皮盡往下蓋，只想找支篾片撐起來。看看丁委員嘴裡是是否否，那樣子也正在暗暗地與困倦掙扎。挨到十點一刻，一群人像去打老虎似地簇擁著去車站，不想車站上還有一小批人候著恭送，他們兩人又陪著大家圍集在車廂前的月台下，等車開前的那一短暫的時間，卻也是最冗長最難打發的時間，不知多少遍說著道謝，說著下次的邀請，說著招待不周的歉意，和打著「哈哈」，丁太太站著只覺得腳疼、腰痠、頭痛……渾身無一處舒服，恨不得把高跟鞋摔到軌道上，就在冰涼的水泥地上坐下來——但臉上仍得裝著笑容，嘴裡不得不說著毫無誠意的客氣話。總算站上鈴聲大作，大家都像獲得特赦似地搶著匆匆地握手，提高嗓子說著祝福和再見，丁家兩夫婦上了車兀自站在車門口一直揮著手，直到列車把車站留在黑影裡，兩人才踉踉蹌蹌地沿著甬道走進房間，挨著牀鋪，便同時癱了下去。誰也不想開一句口。

就那麼和著衣服，歪歪斜斜躺著迷糊了一會，丁太太才恢復了一點精神，卻又感到腹中飢餓，喉頭焦渴。她懶懶地坐起來喝著新泡的濃茶，想起參加了盛宴卻空著肚子，不覺好笑。看丁委員時腳上皮鞋未脫，身上上裝未卸，已自沉沉睡去。在昏暗的燈光下，他那疲憊的臉顯得更瘦削、委頓而缺少生氣。她不由得掏出手鏡來照了照自己，鏡子裡的她代替臉上敷著的脂粉的是一層油汗，肌肉鬆弛，眼角清晰地顯出魚尾，彷彿在這三天中便被風塵催老了一些，她頹然把手鏡擲進皮包，心想出來這三天，除了心理和身體上的疲倦，還獲得了些什麼？到處歡迎、宴請，眾星捧月似的被簇擁來簇擁去，這是顯赫，是榮耀，但亦多麼乏味而無聊！在她現在的生活圈裡，能有的也就是這些了，她預期著這次旅行的愉快，結果是成了泡影。她惆悵若失的視線落在車窗上，窗外是一片望不透的黝黑。也許，車正經過來時看到的那一處幽靜可愛，使她神往的田園，但是，她知道過那種恬淡自在的生活，在她將是永遠達不到的奢望。

她又望了一眼那酣睡著的，把自己與事業與政治生活凝結在一起的人，不覺浮上一份憐惜的感情，也不知是憐惜自己還是憐惜那終身依靠的伴侶，忽然她沉重地歎了口氣，懶得去打開盒子去拿點心充饑，也懶得換衣服，便又躺了下去，緊緊閉上了眼睛。

列車發出規律的節奏，像來時一樣循著軌道迅速行進，不管白天或黑夜，永遠載著人類的歡樂和憂鬱，願望和相待，不停地前進。

「好一個假期！這便是人生……」在被車身的搖晃催眠前的一瞬，丁太太還在迷茫而執拗地思索著。

編註：本文原刊於《文壇》第五號，一九五九年十月十日，頁一八四～一八七。

愛情鳥

一個喜歡養鳥的朋友送給何家小兩口兒一對愛情鳥，用極精緻的木籠裝著。籠裡左上角有一間開著圓門的雙層暖房，是牠們的臥室，中間架著一根支條，是牠們白天棲息的地方，還有好些隻顏色鮮明的塑膠小盒，懸在前面那層鐵絲網上，淺藍的裝著粟米，翠綠的盛著清水，一支粉紅色的長管裡插一株新鮮的青菜，另外還在旁邊拴了一根潔白的烏賊魚骨頭，供給鈣粉和給牠們啄磨小嘴，這真是個設備完善，溫暖安逸的香窠！

住在這溫暖窠裡的一雙伉儷，牠們的嬌貴確也配得上這份奢華，那一身美麗的彩羽，藍得比春天的晴空還要明豔，長長的尾巴，顯得優美而又莊嚴，細緻的金黃色腿腳像是珊瑚所雕刻，淺紫色的短喙堅韌而又銳利，黑珠子般晶瑩的眼睛後面拖了一抹長長的眉梢，更增添了幾分嫵媚，這實在是一對美麗可愛的小動物。

「牠們的學名本來叫石鸚鵡。」送他們鳥的朋友向他們解釋名字的來源：「愛情鳥是人們後來替牠們取的渾名，因為這種鳥一定要一對一起養，牠們恩愛逾常，彼此相依為命，平常那些親暱的小動作比起電影鏡頭來還要細膩溫柔，據說有的人家要是夫婦感情不好，只要養一對愛情鳥就會受牠們的影響變好的，感情本來好的，譬如像你們兩口子一樣，那更是錦上添花，蜜裡加糖，相得益彰了。」

何家兩口子聽說，脈脈地相視一笑，然後一同謝了那位朋友，收下那份禮物，做為他倆愛情生活中的一種點綴。

鳥籠被掛在小客廳靠窗的那邊牆上，望得見一叢綠樹，一角藍天，晴朗的日子，更不缺乏直射的陽光。每天，不會忘記在盃中注滿清水，裝滿粟米，插上鮮嫩的青菜，牠們安穩地住下來，生存在幸福的氣氛裡，生活在愛情的陶醉中，如同這家的主人一樣。

清晨，當黎明第一道玫瑰色曙光投射進玻璃窗時，愛情鳥便展開牠們婉轉的歌喉，頌揚著白日降臨，感謝上蒼賜牠們時光，每一分都將以愛情填充，雄鳥引吭高鳴，雌鳥曼聲附和，喚醒了好夢正甜的主人，一個吻，吻除了逗留在眼皮上的睡意。

……昨晚上睡得可安逸？

……唔，很安逸，像小船兒停歇在安全的避風港裡。

……這晴朗而寧靜的好天氣，小船兒該起碇了。

……嗯，你是舵手，我搖槳，我們只在愛河裡航行。

一曲晨光曲合唱完畢，愛情鳥愉快地開始牠們的早餐，對蹲在食盒上，短喙此起彼落地啄起一粒粒粟米，吐出殼皮嚥下去，吃乾了，便跳到水盂上，喝兩滴清水，潤一潤喉嚨。鮮嫩的青菜是餐後最佳的水果，一會兒站在架子上伸長脖子啄下一塊塊綠葉，一會兒又用硃紅的腳爪攀附在菜梗上啄食梗裡的汁水，有時這隻鳥含了一顆粟米。那隻便去牠嘴裡啄食，有時那隻鳥銜了一塊菜葉，這隻鳥也就從旁分食，彼此相讓著，喉頭還發出喜悅的啁唧聲！感謝這些食物和飲料滋養牠們的生命。而生命的存續，為的是相愛。

相愛中的主人，也同鳥兒一樣，每一餐總是歡歡喜喜地彼此相讓著。「哪，你吃這塊肝，最富營養。」一個挾了一塊菜放在那一個飯碗裡。「嗯，這是妳最愛吃的菜心，給妳。」一個挾著菜送到那一個嘴裡。佐餐的除了餚菜，還有一個微笑，一個眼神，一份融曳如蜜的氣氛，飯後，這個剝開橘子，仔細地撕了筋絡，你一瓣我一瓣餵著吃，那個削只蘋果，均勻地切成片，我一片你一片的餵來吃，他倆常常舉出所羅門的一句名言：「『愛情滿足，蔬食已佳；愛情缺憾，山珍海味亦無味。』哪怕每餐只有一味青菜，我們吃起來一樣也會津津有味。」

愛情鳥最珍惜的是牠們光澤華麗的羽毛，每天總要花費不少時間在整理上，短喙似梳子，一根根仔細地梳理潤沐，從不疏忽，也有自己搆不著的地方，另一隻馬上來幫忙，服務者伸出短喙在頭上輕輕地搔啄著，那樣地有耐心，那樣地專心一志，而承受者便低下頭，閉上眼，顯得這份享受無比的舒適。小肚子裡充滿了食物，儀容修飾得整潔煥發，鳥兒們乃有著最甜蜜的一段時辰。或是彼此唱和，一會兒歌聲吭揚激越，熱情洋溢，唱出心底的戀慕，一會兒婉轉低沉，纏綿曲折，傾訴著無限的柔情蜜意。或是彼此追逐嬉戲，從架子上跳向鐵絲網，又從鐵絲網跳上小小平台，一隻靈活地跳躍，一隻輕捷地旋飛，穿梭般不停地上下追撲，攪起籠底的粟皮絨毛，到處飛揚，似這般嬉耍倦了，便雙雙交頭疊翅，偎依著小憩。縱使是那樣小的天地，在牠們卻似最可愛的樂園！

如同鳥兒愛惜牠的羽毛，相愛的一雙人兒也注重自己的修飾，關心對方的儀容，她替他仔細地打好領帶，他為她殷勤地披上外衣，眉毛畫得是否入時，唇膏塗得是否勻均，他總在一旁端詳。衣服穿得是否夠暖，身上的雜物另件是否齊全，她總是為他安排妥貼，而相聚的時刻，每一分鐘都以柔情編織，以恩愛串綴。有時他倆親暱地偎依在一起，不嫌其煩地重複著山盟海誓，細訴著綿綿情話：

「親愛的，有了妳，我才覺生命的充實。」

「有了你，我才感到人生的美麗。」

「妳便是我的希望，我的幸福，我的一切。我們的生命永遠聯結在一起。」

「我們的生命聯繫在一起，永不分離！」

有時，他為她唸一首熱情的詩，她像隻嬌慵的貓把頭枕在他膝上，聽著，並陶醉在他充滿感情的聲音中。有時，在有月亮的晚上，他倚著窗為她奏一支動人的曲子，她在他對面用愛慕的眼光凝視著他，整個心靈溶解在他指下撥出的旋律中。有時，在美好的黃昏，他倆攜手並肩，緩緩地披著晚霞散步，腳步合著腳步，心和脈息的跳躍也同著一致。有時，在恬靜的晚上，他們玩著以吻作賭注的蜜月橋牌，輸了的故意滿屋子躲閃、追逐，到最後，也不知是誰輸誰贏。他們的生活就像一首綺麗的詩，一篇雋永的散文，一曲歡樂妙曼的樂章，愛原與生命同時存在，在相愛中，人和小鳥是一樣的幸福。

春天的花朵開得繁盛，秋天裡便有豐碩的果實。生命產生了愛，愛又孕育了生命。年輕的女主人身體內開始起了變化，苗條纖細的腰身逐漸變得臃腫了。輕盈矯捷的步態逐漸變得沉緩了，而性情也變得更文靜、更溫柔。她最喜歡做的事便是用顏色鮮明的絨線編織精緻的小外套、小衫褲，用細軟柔滑的綢或布，縫製漂亮的襁褓、考究的小被褥。她在房中四壁掛滿了親手挑選的優美的圖畫，小天使的畫像，在唱片櫃裡貯滿了柔美典雅的音樂唱片，每當她有一點倦了，便舉起眼睛，仰望著牆上那些活潑的小天使，期待和祝福，使她臉上閃耀著一種純潔柔和的光輝，有如聖母像。男主人也沾染了她那份喜悅，顯得更殷勤體貼，兩人不時談起他們未來的孩子，興趣盎然。

「我希望是個男的，像你。」

「我希望是個女的，像妳。」

「不，要男的……」

「不，第一個要女的，像妳，第二個再是男的，像我，以後就都是一半像妳，一半像我。」

「哎！我又不是鳥，孵那麼多！……」兩人都笑了，笑著，同時看了一眼鳥籠，只見那隻雄鳥兀自跳上跳下，鑽進鑽出地忙碌著，牠這樣已經忙了幾天了，原來是雌鳥正在窠裡孵小鳥，而牠又忙於餵嬌妻食物哩。看牠不辭辛勞地進進出出，忙完一陣，便緊貼著小窠的一邊倚立著，儼然一個哨兵守衛著牠的宮殿，只要任何人伸過去一隻手指，牠便立刻發出尖厲的叫聲，豎起頸毛，急遽地撲著翅膀，一副準備與侵略者奮身一戰的雄姿，真不愧為一位盡責的保護人！

人和鳥都在期待著迎接新的生命。

那一天終於來臨了，年輕而缺乏經驗的女主人，在一個初冬的晚上，被送進了醫院。她一次一次地捱過陣痛，又抬起閃著淚光的眼睛，向旁邊的丈夫露出一絲微笑，感謝他的安慰和鼓勵。母性使一個女人變得勇敢得能欣然忍受世上最大的痛楚。但是，一個黑夜逝去了，白天又臨到邊緣，陣痛猶如浪潮，一陣陣升到了最高潮又降落下去。產婦已疲累不堪，雖然在半昏迷中猶自努力掙扎著，而那力量微弱得只似小小的浪花，醫生和護士的臉色由坦然轉成憂懼，誰也沒料到她的心臟如此衰弱，孩子卻又難產。從病房移進了手術室，又是一夜過去將要黎明，當那被摒棄在門外，焦憂得快要發瘋的丈夫被喚進去時，只看到露在白被單下一張慘白的臉，雙眼緊閉，幾絡頭髮被汗水黏在額上，他過去握住她軟垂著的手，熱淚忍不住奪眶而出，她似乎一驚，緩緩睜開深陷下去的眼睛，望著他，還努力想做出微笑，氣息微弱對他說：

「我們的孩子？」

「嗯，很好。」他忍住哽咽回答，她還不知道孩子生下來只對這煩惱的世界歎了口氣，便又悄然離去了。

「噢！」她放心地鬆了口氣，無限憐惜地看著他。「能夠……活著……愛……你……多好！」她終於噙著兩滴清淚，永遠地閉上眼睛。

他悲慟欲絕，不願獨自生存，待要追隨愛妻於地下，卻被親友竭力勸阻，他又跪伏在靈前，重申自己對她忠貞不變的愛情。縱使苟且活下去，他已把一切給了她，在他心靈上鍾愛的永遠只有她一個，絕對不會把這份感情再分給世界上任何一個人。他誓言旦旦，字字血淚，那片那種對亡妻的癡情，使任何人都感動得流下了熱淚。這以後那一串日子，對他完全失去了意義，終日他只對著愛侶的遺容，不言不語，也不知道冷熱飢渴。一頭亂髮，滿臉鬍鬚，彷彿太陽已從宇宙沉沒，形容憔悴不堪，世界已趨寂滅。屋子裡再聽不到溫柔的言語，歡樂的笑聲，悠美的音樂，唯一點綴這沉寂的，是那愛情鳥斷斷續續的啼鳴。

那隻喜唱的雄鳥，牠的歌聲也不像過去那樣婉轉美妙，娓娓動聽，而是一聲淒切的悲啼。當人們有一天聽見牠的啼聲，以為缺乏食物而去檢視時，打開那扇小窠的門。才發覺那隻雌鳥一動不動地俯伏在窠裡，已經死去多時了，僵硬的翅膀下露出一堆白皚皚的蛋，已為下一代的新生命耗盡了自己的精力，也不掙扎一下便默默地結束了自己的生命……

從此，孤獨的雄鳥不再引吭高歌，不再鼓翅歡躍，每天只是攀附在鐵絲網上，望著窗外那一角藍天啾啾哀啼，一聲聲呼喚愛侶來歸。也許牠還不清楚死亡的意義，只是悲悼嬌妻為何撒下牠遽然離去？牠的啼聲悲痛中猶摻有盼望，憂傷中仍含有祈求。也有時，牠會同過去一樣；低婉輕唱，滔滔不絕彷彿說不完的柔情蜜意，恩愛戀慕，這時牠多半是哀傷過甚，倦極睡去，也許夢中依然是比翼雙棲……驀地驚醒，卻又悲啼不休。缸裡盛滿的粟米，池裡注滿的清水，還有鮮嫩可口的青菜，對牠似乎都喪失了胃口。牠美麗的羽毛逐漸失去了光澤，黑珠子似的眼睛也不及以前明亮。鳥和人一樣的為情而憔悴了。

那曾經是充滿了幸福的溫暖香閨，如今淒涼黯愁，似不見陽光的深淵，終年雪封的冰山。熱情冰凍了，日子也凍結了。

在那冰凍的日子裡，也有人勸男主人稍事節哀，他只悲傷地搖頭：

「心靈上的創痛，是永遠平復不了的。感情上的斲傷，更無法治療。」

有人勸他為事業珍惜身體，他只沉痛地回答：

「沒有了她，我就沒有了未來，還談什麼事業！」

有人勸他免得觸景傷情，不如暫時離家出外轉換心情，他只黯然歎息：

「哪怕走到天涯海角，總也忘不掉這海樣深情。」

但是，不久他還是有一次旅行，算是被派出差到另外的城市，行前，他在亡妻靈前敬香默禱：

「以前出去，妳總伴在我身邊，而這次，妳長駐在我心裡。」

他更一再囑咐看家的下女，不要忘記每天以鮮花清香上供。

清冷的屋子裡只剩下孤單的愛情鳥，依舊天天倚著鐵絲網悲啼，望著藍天呼喚，一聲聲啼不盡悼念與悲懷。儘管屋子裡永遠寒冷如冰窟，島上的冬天畢竟短促，就在愛情鳥的悲啼聲中，窗外的樹上又增添了新葉，陽光也顯得更明燦了。有一天，那靜寂的屋子裡忽然起了騷動，下女同著另外的人進來忙碌，第一件事就是先搬走了那張供著女主人的靈桌，牆壁加以粉刷漆沐，綠色的簾布墊單全換上了粉紅的，連積滿塵垢的鳥籠也叨光加以打掃洗刷，盛滿粟米清水。但小鳥全不理會這些，牠只為人們打攪了牠深沉的懷念而有點煩躁。

懷著滿腔悲痛出去的男主人，又帶著早春的氣息回到這家裡，倚在他臂彎裡的是一個比女主人又更年輕的女人，她一進門就高興的讚美屋子的布置和情調。

「我知道妳喜歡粉紅色，這都是為妳安排的。」男主人殷勤地說。新的愛情使他又恢復了英俊，神采煥發，不留一點悲傷的痕跡。

「你真好！」女人嬌笑著吻了他一下，從這樣看到那樣，最後走到鳥籠底下，對鳥發生了興趣。

「這美麗的小鳥叫什麼名字？」

「愛情鳥。」男主人把朋友講的愛情鳥的出典娓娓地向她重述一遍。

「為什麼只養一隻呢？」

「那……」男主人頓了一頓：「我正預備給牠配對哩。」

「牠會不會唱？」

「會唱，唱得好聽極了！」他討好地撮起嘴唇吹著口哨，但愛情鳥只是不安地跳上跳下，牠認識男主人，卻討厭陌生人，對她伸出來逗引牠的指頭，撲著翅膀，喉嚨頭發出短促的叱聲。

「大概牠也認生。」男主人笑挽著那女人，裡裡外外參觀指點了一番，然後偎依在沙發裡，親密地訴說著綿綿不盡的甜言蜜語。

「……親愛的，有了妳，我才覺得生命的充實。」

「吾愛，有了你，我才感到人生的美麗……」

突然，愛情鳥尖聲悲啼起來。那啼聲劃破了恬美的氣氛，是那樣的淒厲，彷彿一把匕首剜著人的心，又像是無數針刺，戳著人的神經。

女人微微皺了皺眉頭。

「牠唱得並不好聽嘛。」

「也許因為是春天，牠渴望著愛情，明天就去替牠找個伴。」

男主人過去拍著籠子喝住了叫聲，又回到女人身畔。無限柔情百般溫存像隻善唱的鳥般，向她吟唱著自己堅貞的愛。

「……妳是我的希望，我的幸福，我的一切，我們的生命聯結在一起，永不分離……」

愛情鳥只被嚇住了一歇，立刻又不可遏止的悲啼起來，啼聲比上回更淒慘、悲愴，牠悲痛地呼喚著離去的愛侶，絕望地哀訴著無寄的癡情。那啼聲不是發自咽喉，而是一絲絲抽自破碎的心底，抽自衰弱的生命，聲聲泣血，肝腸摧裂。

男主人厭嫌地叫下女提出去。

「屋子裡有燈光，在黑地裡牠就不叫了。」

但園子裡有月亮，望著如水月色，愛情鳥依然悲啼不休，只是隔遠了，微弱的啼聲傳不進充滿了幸福的屋子，陶醉在愛情中的人兒更聽不到。

第二天早晨來得那麼靜悄悄的，沒有聽到愛情鳥黎明的前奏，卻發覺牠安靜地仰臥在籠底，黑珠子似的眼睛緊閉著，金黃色的腳爪蜷縮在胸前，牠已經啼盡了最後一絲生命，那纖小的，善良而單純的靈魂，終於溘然追隨愛侶去了。

男主人匆匆一瞥，似嫌不吉地皺起眉頭吩咐：

「趕快把牠丟掉！」說完，他馬上又轉身回到屋裡，回到新的愛侶身邊。

藍天更明朗，陽光更璀璨，春天來得很快，短暫而淒冷的冬天早就被善意的人們遺忘在腦後了。

左右為難

「我真後悔死了！先該買那塊白底子小藍花的，又素淨，又清爽。這一塊顏色那麼深，花式又呆板，越看越不好看！」尤瑜兩條弧形的眉毛緊緊一鎖，在鼻樑雕砌了一個川字，把那塊跑了十幾家布店決定買下的衣料揉成一團，使氣往牀上擲去，懊悔得什麼似的。

為了挑選這件衣料，她已經花去了半天工夫，這一懊悔，至少又得半天不愉快。正如一個作家所說的：「人類三分之二的生命消耗在猶疑上，而最後的三分之一則消耗在悔恨中。」這句話用來作尤瑜的寫照該是最恰當不過的了。在她一生中，似乎就很少有過痛快順遂的事，大至選擇配偶教養兒女，小至挑一塊手帕，看一場電影。她若選定了這一樣，總覺得被放棄的那一樣才是更好的，她若做了這一件，而另一件立刻對她形成一種遺憾。她不知道決定的結果究竟是好是壞，是凶是吉，是準確還是錯誤。因此，她遇事永遠舉棋不定，遲疑不決。這種品格上的弱點在她幾乎是先天性的，不說別的，就打從她開始降生時起，便打不定主意究竟要不要出世。大概又想出世開開眼界，又留戀著娘胎裡的溫暖和安逸，便足足折騰了她母親兩天兩夜，最後還是動了點小手術才把她請出了世，而她卻已懊悔得小臉蛋都氣紫了。

在姊妹行中，尤瑜排尾，上面有三個哥哥，這唯一的么女兒是家裡最受寵的一個。無論做什麼，她都比做哥哥的多占些便宜。大人給他們分糖果玩具什麼的，明明四份都差不多，她總愛嫌多嫌少，不是說哥哥得到的更好，就是嫌自己得的最少。小嘴巴翹得高高的，嘀嘀咕咕，鬧個不休。於是當做母親的再分什麼東西時，便吩咐那些男孩說：

「你們大一點，乖！讓妹妹先挑吧！」

這以後，成了慣例，樣樣都得讓「妹妹先挑」。

但是小尤瑜擁有了這份優先權似乎並不太滿足，必須抉擇對她稚嫩的腦筋實在是一種嚴重的考驗，她常常對著面前四只橘子，或四塊餡餅反覆審視，又仔細比較，總不能決定揀哪一份。急得幾個男孩子嚥著口水，一股勁的在旁邊催，她還不耐煩地說：

「急什麼嘛，就數你嘴饞！」

她放下這個，又拿起那個。好不容易算揀妥了，等男孩子們拿了各人的一份，她立刻又變了主意，嚷著：

「我不來，我的橘子有個疤。」

或是：

「我不要，我的餡子好少喲！」

「誰教妳自己挑的，活該！」

東西已經進了男孩子嘴裡，她追悔也只能換來他們的揶揄。眼看他們吃得津津有味，她氣鼓鼓地咬一口餅，狠狠地嚼著橘子，吞下去的也不知道是酸是甜，而是一肚子的懊惱。

尤瑜的天資比她幾個哥哥都高些，在學校裡功課也不錯，圖畫總在甲乙之間，音樂老師稱讚她聲音很好，參加演講比賽得過獎狀，做算術很少有紅×，只是平常嬌生慣養，體力較差。但成績最壞的卻不是體育，而是作文。

國文老師出作文題目總是出兩個，讓學生自由選擇。

兩堂作文課的時間，尤瑜至少有四分之一消耗在選擇題目上，然後，再來起頭重寫又得耗去四分之一。譬如老師寫在黑板上的題目一個是「春天」，一個是「我的家」。第一題剛寫出來，她就在心裡想這個不難，等第二題寫完，她又覺得那個更容易。把兩個題目都著實思量考慮了半天，才決定下來作第二題。她開始動小腦筋，打草稿，大半堂課過去了。她在一處節骨眼上停滯了一會，文思又忽然轉到了第一題上，隨便想一想就潮水般湧上來許多好句子，許多可以描寫的地方……「哎，我真笨！老早為什麼不揀第一題寫呢？春天裡花呀，草呀，有那麼多美麗的東西可以寫，我的家寫來寫去就是那幾個人，膩透了！」她越是後悔越覺得沒有什麼好寫的了。於是她決心放棄已擬了一段的草稿，重新再起頭，剛寫下春天是一年中最美麗的季節——第一堂下課鈴響了。這時同學都開始謄寫草稿到作文簿上去了。她忙不迭加緊絞動腦筋，筆下加油。但偏也作怪，方才還覺得有許多好寫的，一寫彷彿又沒有什麼，眼看著快要下課，已有同學繳卷。她只有把兩段草稿比較一下，看哪一段長一些，便急急忙忙繕寫到簿子上，下課鈴響時，她隨便草率地加上個結尾繳了上去。所以她的作文不是頭尾不能銜接，便是頭重腳輕。老師的評語是缺少重心，思想不一貫，要她以後注意用心。誰說她不曾用心來著，只怪老師總是出兩個題目！

因為自恃聰明，興趣又是多方面的，考大學時，尤瑜又遇上了難題。不知道究竟選哪一系，攻哪一門，如母親贊成她念經濟，她想將來做個銀行小姐也還不錯，只是成天寫數目字，打算盤，又太俗氣。她大哥主張她念物理，她想將來做個拿諾貝爾獎金的女科學家，確也了不起，不過一天到晚關在化驗室裡又太悶氣了。她二哥認為念外文系較好，她想將來在洋機關服務，拿美鈔，不也蠻抖嗎？只是她的英文底子不太好。她三哥說她的性格適宜念新聞系，她想將來做個很吃得開的名記者，什麼場合都要沾點光，倒也很神氣，只是，只是自己又想念藝術系，再到法國、義大利去跑上三年二載，回來開個畫展或獨唱會，那又多光榮、多帥！

她把全部志願全填上了，結果考取的是經濟系。

經濟系念了一個學期，她便厭煩透了，又轉新聞系。新聞系上了一年課，暑假有過一次實習，她又懊悔選了這一門：說是風裡雨裡，天熱天冷都得跑來跑去採訪新聞，還要眼明、手快、耳朵靈、嘴巴勤，才能搶得過人家。這工作實在太苦了。還不如安安逸逸在屋子裡畫幾筆，清清靜靜到野外去寫寫生來得悠閒。轉入藝術系的第一年，她專習西畫、油畫，穿上工作服，左手裡托著顏色盤，右手握著彩筆，在畫布上抹一片雲彩，又一道流水，抹著塗著。她又覺得畫不出個什麼名堂，而且油彩沾來沾去實在太髒，不如畫國畫來得清爽。她覺得穿上旗袍的東方女郎，嫻靜地伏在桌上畫一幅花鳥或一幀仕女，別具一種優雅而高貴的氣質。但是，當她放棄油畫，學習了一陣國畫以後，又覺得太單調，缺少創造力……離開學校，究竟什麼是她的專長，也許連她自己也攪不清楚。

一開始進入社會，尤瑜的機會還頂不錯的，有兩個機會等她：一個是美援機關，一個是公營事業。人都羨慕她運氣好，有辦法。但她卻反而像九頭鳥撿到了一頂帽子，不知道該戴在哪一個頭上。跟母親商量，同兄長討論，總拿不定主意，她覺得美援機關頭一個就是待遇好，其次呢，將來買點什麼美國化妝品、衣料，又便宜、又方便。她有個同學只在裡面做個打字員，平時上下班就像去赴宴會一樣，一身美式裝備，羊毛衣少說也有十幾套，手指甲總是染得紅紅的，踩著二寸高的高跟鞋。要在其他的機關裡服務，可就不能打扮得那麼帥了。只是聽說那份工作的範圍包括廣告插圖設計，和統計圖表的繪製。她認為畫廣告應該是廣告匠的事情，要一個正統藝術家去做豈不有失身分？而她又最討厭攪數目字，要她去繪製統計圖表也不是太勝任愉快的事，至於那個國營事業機構倒是歷史悠久，名氣很大，只要進得去，工作很有保障，職務也不會太繁忙。但是待遇卻比不上美援機關。尤瑜疑慮不決，就欠沒有去起卦問卜。事業機構是個懸缺，遲早幾天還沒有大變化，美援機關卻急需用人，是有限期的。一直到期限已屆，尤瑜才下了很大的決心，去美援機關。她花一上午匆促地填好那些表格、保證書什麼的，等下午自己送去時，不想人家告訴她上午已決定了錄用的人選，這一盆冷水，澆得她滿懷熱忱凍成冰塊，懊傷得什麼似的。只剩下唯一的機會，不需要再經過選擇，她便屈就了那家公營事業的職位。說是屈就，是尤瑜自己的看法。她總認為那個被延誤了的位置，至少比現在的要好上幾十倍。

因此，尤瑜一開始去上班，心裡早有了另圖發展的打算。何況一天天做下去，又發現了更多使她不滿意的地方。

使她不滿意的是那個機關的一切一切。都太老朽而腐化了。辦事不講效率，人事制度是一個死結。有那許多所謂元老占踞要位，就像一個蘿蔔埋一個坑，誰也沒辦法升遷。因為永遠沒有升遷的機會，大家做事就不會拿出全部精力來。因為不講求效率，三小時做得完的工作，至少拖上一兩天。在辦公室裡可以聊天，看報看小說，寫情書，打毛線，或者溜出去做一次頭髮，吃一頓點心。尤瑜一發起牢騷來，總是憤懣而不屑地說：

「哼，像這樣腐化的機關，簡直是埋沒人才嘛，年輕人怎麼能待下去！」

或者是：

「再待下去，可把我的前途都葬送了。我可得另求發展。」

可是，儘管她嘴上常常這麼表示，心裡也有這種思想，卻從來不曾以行動表現，她覺得「騎驢找馬」可以不受損失，但世上哪裡會有現成的優缺虛席以待。她也想另起爐灶，又似乎對那樣聊天、結毛線、寫情書生活還有點留戀。她考慮了一年、兩年、三年……這其間，有一位元老壽終正寢，引起一連串的擢升。上面也曾考慮尤瑜，可是當交給她一份考驗性的業務讓她處理時，她的猶豫卻使另外一個同事捷足先登了——她依然一肚子委屈地上班下班。毛衣編編又拆拆，情書的對象換了一個又一個。慢慢地，也就成了蘿蔔在小土坑裡生了根。要不有一股外來的力量，把她連根拔走，她可能也會成為元老之一哩。

那股外來的力量，是結婚。

比起選擇對象所做的考慮，那以前的種種猶豫不決、舉棋不定，都還得算是最敏捷果斷的了。

比起結婚後所感到的無限委屈，那以前的種種不如意、不滿足，也都算是最輕淡的了。

比起擇錯終身伴侶這件事所引起的一輩子的憾恨、懊悔，那以前種種悔恨真是太微不足道了。

追求過尤瑜的男士很多，彼此建立了感情的亦不少。但最後就像在米裡挑稗子一樣，尤瑜多少總會在他們身上挑出一點毛病和缺憾，隨著又分手了。譬如人家行動舉止稍微隨便一點，她就說是沒有好教養；人家嚴肅一點的，她又嫌人家裝腔作勢，像蠟人館裡跑出來的蠟人；人家要喜歡談談自己歷史和抱負，她說人家誇張自負，有失淺薄；人家要十分尊重她的意見，樣樣依她，她又說是應聲蟲，毫無男人的骨氣；服裝隨便的，說是想充藝術家；穿著很考究的，又說是時裝店的模特兒；生得瘦長一點，她說現在的蚊帳都是圓頂的，要細竹竿何用；生得肥壯一點，她又說像掌勺的廚司，看著胃口都起膩；南方人嫌太文弱；北方人又嫌太粗率；學工程的一腦子的公式；學文學的又沒有什麼大發展……千挑萬揀總算還挑出了兩個值得考慮的人選，一個章偉，一個沈穎。

章偉的外型很像一個運動家，熊腰虎背，皮膚微黑，方方的下顎，濃黑的眉毛，配著一對灼灼有神的眼睛，笑時露出雪白的牙齒，渾身有一股勁，一種略帶粗獷的，半原始的男性魅力。沈穎身材頎長，儀表不凡，態度溫文而舉止得體，俊秀的臉上，那雙深邃的眼睛似乎蘊藏著無限機智和無限柔情，含蓄而內斂，給人的印象是親切與文雅。

如同外型的歧異，兩人的性格也有著很大差別，章偉豪放、熱情、直率，這是尤瑜認為可愛的地方，只是容易衝動，有點粗忽，也有點魯莽，不懂女人心理，也不求了解，他跟尤瑜約會，常常一個電話搖過來直截了當地說：

「瑜，晚上看亞洲的電影，我在戲院門口等妳。」

「我想……」

「是部好片子，我最喜歡的寇克道格拉斯演的。」

「可是……」

「說定了，早點來，不見不散。」

電話掛斷了，尤瑜心裡有點氣惱，惱他的專斷，全不尊重她的意思。她怏怏地去赴約，但是一見面，她的氣惱就像一撮灰塵，被他旋風的熱情完全吹散了，也不讓她有猶豫的機會，只是毫無定見地由他出主意該怎麼玩便怎麼玩。看他喜歡看的電影，吃他喜歡吃的館子，走他喜歡走的路……有時，尤瑜不能決定穿哪件衣服好，徵求他意見，他便主觀地說：

「我喜歡妳穿那件大紅的裙子。」

有時尤瑜不能決定著高跟鞋，抑是平底鞋，他也毫不考慮地替她決定。

「當然著高跟鞋精神。」但他卻不會顧慮到那天他們是去郊外遠足，他自己走小路，爬山坡，吹口哨，精力充沛，全沒留意尤瑜腳痠趾痛，寸步難行。不過要是尤瑜真嚷累死了；如果在沒有人看到的地方，他也會一口氣把她抱上山頂。

沈穎像他溫文的外表一樣，他的感情是細緻的、含蓄的，沉著、鎮靜、有耐性，是他的長處，而且很知道揣摩別人的心意，他缺少那種磁性的吸力，卻使人從心裡喜歡他，邀約尤瑜出去或是做別的什麼，從來不以自我為中心，而是婉轉地提供自己的意見，強調其中之一，使尤瑜接受了還像是出於自己的主動。他會說：

「瑜，今天想去看電影，還是去愛河岸上散散步、划划船？這兩天好像沒有什麼好片子，倒是今天的天氣太好了。」

尤瑜準會回答：「那我們去划船罷。」

她取出新裝兩件，徵詢他的意見：

「紅的鮮豔耀眼，像一團烈火；綠的富有青春氣息，恰如穿它的人。」

於是尤瑜略一考慮便選穿了富有青春氣息的綠衫。

她對著兩雙皮鞋猶豫，高跟的怕累，平跟的不好看。沈穎又提供他的意見說是：

「高跟鞋好看是好看，走路還是平底鞋輕便。回頭怕要走一大截路哩。」

尤瑜想了一想便著了平底鞋。

沈穎不是那種很會獻殷勤的男人，但尤瑜可以感到他處處都在照顧著自己，一些小動作非常得體。同章偉在一起，她常常是他的聽眾，覺他侃侃地談自己，談其他；而與沈穎在一起，卻總是她說得多，一點極微小的事，一種傻念頭，她都會說給他聽，就像在學校裡跟要好的同學在一起一樣，很隨便，也很自然。

尤瑜覺得章偉似一團火焰，靠近他使她迷眩於那片閃熠的火光，融化於那股灼熱的熱力，但一不小心那繚繞的火舌也會灼痛她，逼她退縮。

沈穎卻如一道溪流，傍著他可以娓娓清談，也可以默默相對。溪畔的草地是憩息的好所在，安謐、悠舒、自在，但是，又似乎過於平淡，不夠刺激。

沒有兩顆石子、兩株樹木會完全一樣，但兩個人——章偉和沈穎，在尤瑜感情的天秤上卻是同等重量。她愛火焰的熱烈，也愛清溪的柔順。哪一頭也不比哪一頭落得低，哪一頭也不比哪一頭翹得高。有時，又像是蹺蹺板，你增一份優點，他減一份缺點。蹺來蹺去，還是平衡了。

已有不少次數，章偉向她提到婚事，沈穎向她暗示心意。她只能延宕著，推說還早，還需要考慮。兩者之間，她實在不知如何取捨。

被一個人愛是幸福，被兩個人愛就免不掉有煩惱，愛一個人是快樂，愛兩個人便成了痛苦。尤瑜很難把愛情和時間均勻地分派給兩個人，而不引起彼此間暗暗的敵意與妒嫉。隨著時間過去，感情增進，這情形越來越尖銳化了。尤瑜腳踏兩頭船，既不能順遂行進，又無法靠岸停泊，一直困惑而惶亂地在河心打著轉，莫知所趨。

又是一年的春天，章偉和沈穎同時向尤瑜展開了猛烈的春季攻勢，一個是急遽的，像疾風驟雨，步步緊迫，使她無法招架，一個是柔韌的，像撒布在四周的網，逐漸縮小包圍圈，使她束手無策。

章偉說：「妳一定要嫁給我，這世界上我只愛妳一個人。」

沈穎說：「讓我們生活在一起，如果沒有妳，我的生命失去了意義。」

章偉說：「妳已經考慮得太久了，我不能再等待。」

沈穎說：「妳已經考慮了許久，辜負了大好青春時光。」

她母親勸她：「妳眼看再過兩年就是三十歲了，妳應該拿定主意，選一個終身伴侶。我看沈穎這孩子倒蠻柔順，蠻可靠的。」

她哥哥也建議：「妳要不是抱獨身主義，實在該結婚了。我覺得章偉還不錯，很有辦法。」

尤瑜深深地陷入苦惱中。她覺得自己的心像被兩匹馬繫著，向左右奔馳，幾乎要分裂成一片片，又像被兩股衝力前後壓榨，馬上就會碎成齏粉。她曾把兩個名字寫在紙上，搓成紙團，然後閉上眼睛拈一個。她又把兩人的照片夾在字典中，看先翻到哪一張，但這些依舊不能幫助她做最後的決定。

那天，章偉又為了這事跟尤瑜起了點爭執，他賭氣走了，尤瑜十分氣惱。第二天章偉沒來，沈穎來了。他一提婚事，她咬一咬牙，立刻答允了他。

允諾的話一出口，尤瑜頓時覺得壓在心頭許久的重負被卸下了。身心彷彿輕了許多，但又似乎太輕了，輕得有點空虛，有點悵然，像是失落了什麼。她在沈穎激動的擁吻下，卻流了滿臉熱淚。

大事一經決定，接著又是一連串煞費尤瑜考慮的瑣事，像新房裡的色調應採取綠色還是粉紅色，結婚的禮服穿白紗的還是東方古典式的，婚禮在教堂還是在飯店舉行，蜜月旅行是去中部還是去北部，需要添製些什麼新裝，請同學還是表妹做伴娘……這些數不清的事情，沒有不使尤瑜左右為難，大傷腦筋的，幸虧這是大喜事，眾人幫著給拿主意，雖然不一定稱心如意，也都扯過去了。

從尤小姐變成了沈太太。又從職業婦女變成了主婦、母親，日常生活中使她費考慮，猶豫不決的事，有增無減。上菜場總不能決定買魚還是買肉，買了豆腐又覺得青菜好。生了孩子不能決定自己餵奶還是吃奶粉，又怕影響自己的身段，又怕奶粉不夠營養。孩子大了，又不能解決對他的管教應該從嚴還是從寬。所有種種為選擇、下決斷引起的煩惱，和決定後又引起的悔恨，在尤瑜似乎是一輩子都不會完結的。

婚後，隨著時日俱增的，不是彼此間的了解和愛情，而是尤瑜像一個贗幣鑑定者一樣，發覺那發亮的不是金子而是銅。她逐漸把原來看成是沈穎的優點的，都當作他的缺點了。她嫌含蓄不露的感情太冷淡，太不解風情，對著他有如對著喜馬拉雅山終年積雪冰峰。相處在一起就似生活在大戈壁沙漠之中。她嫌他溫文沉靜的態度像一杯不冷不熱的溫吞水，冬天喝時不夠燙，夏天飲時又不冰，比什麼都讓人煩膩。她討厭他的柔順，什麼都依她，由她作主，毫無一點男子氣概。她輕視他一味眷戀著家，做事保守不知道求進取，求發展，她一直未能忘情於章偉——儘管他也兒女成群，常常在心裡把他與沈穎比較，每在沈穎身上發掘到一點新的缺點，便在心中那無形的偶像上加一分光輝。原來兩人的價值和分量是相等的，但一個拉長了距離，撲朔迷離中，更顯得那隱約中的形相是如此軒昂而完美；一個朝夕相處，在庸瑣的生活中，只覺得平凡傖俗，全無長處。她怨恨自己當初怎麼會閉上眼睛，揀上了沈穎。

對丈夫既不滿意，而兩個孩子又使她嘔氣，對他們的管教也是她最頭痛的事。她有時認為對孩子應該聽其自然，由著他們的個性去發展，父母是不應該採取高壓手段抑制他們的。因此，當她看見那個頑皮的男孩子小穎用彈弓打破了窗戶玻璃，也不曾說他一句，當她發現小穎爬上圍牆偷摘鄰家的果子，也只當不知道，當別人告訴她小穎在外面交結一些壞學生遊蕩闖禍，她也不曾責備阻止，最後，家裡少了兩筆款子，證實都是小穎偷的，她氣得發昏，才狠狠地揍了小穎一頓，但是，由於她平時放縱慣了，這一頓打，孩子不但不服，反而變本加厲，偷了更多的一筆款子逃走了，幾乎做了小太保。因此，有一個時候她又認為對孩子必須嚴加管教，她的小女兒小瑜一點不對，就動輒遭受指責，她不許她和小朋友擺姑姑酒，說是要弄髒衣服，不許跑到鄰家去，說是女孩子跑散了腳不好。坐要坐得端莊，不許架起腿來或是縮起來像個元寶似的，走要走得穩重，不許輕佻跳蹦。功課差一點固然要責備，聽熱門音樂，身子跟著扭扭擺擺更要挨罵。但是，倒不是孩子不聽管教，似乎尤瑜對自己的管教方式常常不能貫徹，往往第一次、第二次犯錯，她會很嚴厲的責備一頓，第三次、第四次她就顯得無可奈何的向沈穎或友人搖頭：「你看，孩子真沒有辦法！」到第五次、第六次，她可能視而不見，充耳不聞。小瑜不僅不曾教養成那種嫻靜文雅的淑女典型，和同學在一起咭咭呱呱，不是談貓王狗王，就是批評哪個女明星美不美，哪部電影好不好，功課卻每況愈下。

尤瑜的寬容政策既不能感化，嚴格教育又未能收效。孩子反而越來越跟她疏遠，使她嘔氣，最後，她又把一切歸咎於做父親的。她說，平常總是說嚴父慈母，當她寬縱孩子時，做父親的為什麼不拿出威嚴來，好好管教。但反過來她又怪沈穎一點都不懂得教育心理，當她責罰孩子的時候，他就應該出來勸阻，再暗地裡細細開導一番，人家唱戲還有紅臉黑臉，而他就連個慈父也不會扮演。

在尤瑜心中，沈穎既算不得是理想的丈夫，標準的父親。孩子又不是柔順聽話的乖孩子。她一直一肚子的委屈、悔恨，覺得自己是個犧牲者，但又不甘於這種犧牲，因此她終日悒鬱不歡，怨天尤人，對生活不感興趣，對未來覺得空虛，一天天變得精神委靡，身體羸弱……

那些有著宗教信仰的親友、鄰居，看到這種情形，便都來勸她信教，說是精神上有個寄託，心靈上有種皈依，世俗的一切煩惱自然就不會產生了。

信奉佛教的親戚勸她說：

「妳還是信信菩薩、吃吃素罷，吾佛慈悲為懷，救苦救難，會保佑妳不生病痛，解脫煩惱。今世裡若有障業，求佛化解，修修來生，往生淨土。無牽無掛、再無人間煩惱束縛。」

信奉基督教的朋友也勸她：

「妳應該事奉真神，祂為了愛世人，賜祂的獨生子耶穌來到世上替罪人受刑，去向祂懺悔，向祂認罪，求祂赦免妳的罪惡罷！在救主耶和華面前傾心吐意，妳若帶著失敗軟弱去親近祂，就會變得剛強有力，妳若帶著憂傷痛苦去親近祂，就會變得喜樂和平靜。當我們親近主，主就住在我們裡面，賜給我們永生。」

還有那些信奉天主教的左鄰右舍，又來勸她皈依天主，侍奉聖母，說是只要信主，便能得救……尤瑜常常聽她們宣揚教義，熱心勸導，那顆無主的心也被說活動了。她覺得自己確實應該有宗教上的信仰，不然人生太空虛了。只是，她們所宣揚的教義，都各有各的道理，她無法決定信奉哪一種。有時她跟著信佛教的親戚去廟裡燒香拜佛，聽大法師講經。有時她同著信耶穌教的朋友去教堂做禮拜、聽福音。有時又隨信天主教的鄰居去天主教堂望彌撒、領聖禮。她去多了，聽多了，反而愈加困惑迷亂，莫知所趨，她也在暗地裡默默地作著禱告：「菩薩、耶穌、聖母，你們都愛世人，都有慈悲的胸懷。弟子愚昧，不知該信奉祢們哪一位，請賜恩惠向我顯一顯聖靈罷。」但是聖靈尚未顯示，她的宗教信仰也還未確定，人卻越來越羸弱委頓，終於支持不住而病倒了。

尤瑜的病很蹺蹊，說她嚴重吧，似乎又沒有什麼險惡的病況，說她輕微吧，卻委頓牀榻，衰弱不堪。

老早，沈穎就要她去找醫生檢查檢查身體，看看有什麼病狀。她一直就猶豫、延宕。她不太相信醫生，但又害怕醫生當真給她診斷出什麼不可救治的絕症。同時她對醫生有兩種不同的觀念，根據她所受的教育，做為一個現代人對科學的認識，她不能不承認西醫比較進步，而由於傳統的觀念，她也相信中醫。因此，她又得考慮上一陣子究竟看西醫還是中醫。

加上從旁敦勸的力量，最後尤瑜還是先找了西醫。

西醫診斷她貧血，神經衰弱，缺少荷爾蒙和維他命B_1，開了一大堆針藥，讓她天天服用和注射。個把月過去，她的臀部和臂上都墳起硬塊，疼痛難消。但她感覺，那些吞入胃裡，注射進血液中的針藥似乎並不太見效。她對西醫西藥的那一半信心便逐漸動搖，說是：「西藥有時很快也很霸，但只能頭痛醫頭，腳痛醫腳，對動手術，發炎什麼的也許靈光，像我這種牽絲扳藤的病，我看還是請中醫來治比較妥當。」

於是，她停止了一切針藥，又請中醫來看。

中醫一把脈，說她體虧脾虛，肝腎不足，氣血鬱結，胃滯肺弱。要調理跟滋補同時並行，他開了一張處方，囑咐一天煎二道服，三五天複方一次。接著，沈家便每天瀰漫著令人作嘔的藥味，尤瑜也每天揑著鼻子灌下兩碗苦汁。這樣又捱了一個多月，她又越來越不信任了。說是：「灌了那許多苦汁，光聞到那股藥氣就再也不能忍受，中藥的藥性實在太慢了，還是再換過一個西醫吧。」

就這樣西醫、中醫輪換著診治，藥片、苦汁替換著吞嚥。尤瑜的病不但不見起色，反而一天不如一天，被蓋底下的身軀越來越瘦小，彷彿一個吹足了氣的皮娃娃，什麼地方有個小小的漏氣洞，慢慢地在萎縮、乾癟，最後將只剩一片皮囊的形狀了。

不是病痛的折磨，而像是有什麼正從她身體內洩漏出去……

一個建築師、一個木匠會找出是柱子被蛀空了，所以房屋倒塌，但不管是西醫或中醫，卻診不出什麼東西從尤瑜體內洩漏出去，使生命崩陷。——那是信心，她對自己，對一切都失去了信心。太多的猶疑和悔恨早已把她蛀空了。

最後，終於到了中醫搖頭，西醫束手的那一天。尤瑜呼吸微弱，奄奄一息地進入彌留狀態。家人都懷著沉重的心情，屏息圍繞在牀前。

忽然小瑜用顫抖的聲音輕輕說：

「看，媽的嘴唇在動，好像要說什麼話。」

接著小穎也驚喜地說：

「媽的眼皮也在眨……啊，睜開來了！」

「瑜！」

「媽！」

「媽！」

三個人一起激動地喚著俯下身去，湊近病人面前。

尤瑜那已失神渙散的眸子裡重又漾聚著一點亮光，蒼白無力的嘴唇不住地掀動著，似乎努力收集了身體內僅存的一絲力氣，才發出微弱的聲音：

「還……有……一件事，我……不能……決定。」

「是什麼事，瑜，告訴我。」

「我死……後，火葬好……還是，土葬好？」

「別瞎說，妳會好起來的。」沈穎忍住眼淚，強笑著駁斥她，但她並不理會。還是斷斷續續地說下去。

「火葬……乾淨、土葬……安……我……」微弱的聲音倏然中止，尤瑜痛苦地吐出了最後一口氣。屋子裡立刻爆發了一片悲慟的哭喊，可是，她緊緊抿著嘴唇，永遠不會答應，永遠不會作聲。只有她的眼睛還睜開著。那神光渙散、瞳孔收縮的眼珠茫然瞪向虛空，彷彿作著無言的疑問。又似乎留著無限的遺恨。

她不會瞑目，因為她最後一件大事還是沒有決定。

編註：本文原刊於《作品》第三卷第六期，一九六二年六月一日，頁十七～二十二。

復活

在降旗前那一段課外活動的時間內，整個學校就像是打翻了的蜂窩，亂糟糟、鬧哄哄的，值日的同學打掃教室、清潔環境，更弄得到處灰土飛揚、煙霧迷濛。男生們多半在操場上活動：玩球、翻槓子、摔角，那一身充沛的活力彷彿永遠用不盡、取不竭。女生們卻三個一堆，五個一群的聚在一起說著笑著，說不完的話有似涓涓不絕的泉水，也有小說迷隨便廊下蔭下一蹲，全副心靈鑽進了書本裡。一天，就算這時候最輕鬆、最自在、也最喧鬧。

突然，擴音機裡「喂，喂」的兩聲，把喧鬧抑止了一下，接著重複地廣播：

「初二丁班同學馬上回教室集合，初二丁班同學，馬上回教室集合！」

聽清楚事不關己，平靜下去的喧鬧立刻又像浪潮般洶湧升騰，說笑的自管說笑，遊戲的照舊遊戲。只有被叫到的那一班同學，一面向教室走去，一面紛紛猜測，大家心裡都懷著那種不知是禍是福的困惑。跨進教室門口的同學，第一眼便看見她們的導師——許老師站在講台面前，眼睛盯著每一個進來的學生，神情在嚴肅中摻些憤懣，失去了平時那一份和藹，顯然是班上發生了什麼不愉快的事情，靠近講台的窗口卻站著班上個子最小的「排尾」白雪瑩，她短髮蓬鬆，眼眶微紅，臉上的表情說不出是惶恐是焦急，還是傷心憂懼。頭低低的垂到胸前，彷彿被什麼傷心事壓得抬不起來。她木然地站在那裡，誰也不看一眼。直到同學們都在位子上坐好，許老師說：「白雪瑩，妳也到妳的座位上去。」她才一步一拖，蹣跚地走到第一號課桌坐下。

許老師在說話前先向全室掃視了一眼，掃除了那些蒼蠅叫似的嗡嗡聲，這才沉緩地宣布：

「剛才白雪瑩不見了一隻手錶，是在教室裡遺失的。有沒有哪一位同學看見或是撿到？」

同學們彼此妳看看我，我看看妳，沒有一個作聲。

「白雪瑩，妳把手錶丟失的情形再說一遍。」

白雪瑩憂怯地站了起來，說話時聲音斷斷續續帶著顫抖。

「下了課……我出去整理花圃，把手錶解下來……放在課桌上，等我做完花圃回來，就……就不見了。」

「有沒有別人看見妳放在課桌上？」

「我看見的。」坐在白雪瑩旁邊的林靜怡站起來回答：「我還拿起來看看幾點鐘，後來張淑琴喊我出去，我就放下了。」

「唔。」許老師深深地望了林靜怡一眼。「那是什麼時候？」

「剛下課不久。」

許老師點了點頭，林靜怡歉疚地望望旁邊的白雪瑩，她想如果她不動那隻錶，也許就不會引起別人的覬覦。

「今天是哪些同學值日？」

第三排整整半排人都站了起來。

「我是問哪幾個負責清掃教室的？」

六個同學又坐了下去，站著的人是何瓊英、李芝芝、馮蘊、高月蓮四個。當許老師問她們打掃時可曾見到手錶時，四個人同時迅速地回答：

「沒有。」

許老師皺著眉尖，臉沉了下來：

「既然誰也沒有看見，那就只有最後的一著：搜查。」

教室裡起了一陣騷動：有人小聲嘀咕著，有人發出怨言，更多人卻坦率地送出自己的書包，很快地打開自己的課桌，表示自己的清白。甚至有個同學襪子裡腫起一塊，有幾個同學口袋鼓鼓的，級長都幫同老師搜查了，原來一個是腳上牛瘡，幾個口袋裡塞得鼓鼓的是粉筆頭，是糖果，還有小石子。

許老師和級長搜查得滿頭的汗，但是那隻錶卻像一粒微塵化入空氣中，連一點影子都沒有。

僅有的一點希望又幻滅了，白雪瑩蒼白著臉，坐在那裡有似一尊石像。

許老師的臉色也更陰沉了。她一個同學一個同學的看過來，好一會，才沉痛地說：

「各位同學，我一直以能夠做妳們的導師為榮，因為我認為妳們是最純潔的，就像未著半點墨漬的白紙。妳們的行為、品德，將在這張生命的白紙上抹上多樣的色彩——妳們的公民老師也告訴過妳們做人要誠實，要光明正大。我相信妳們平常也都小心地做到了。今天白雪瑩的手錶忽然不見，一半固然也要怪她自己疏忽不小心。但手錶是在本班教室裡遺失的，別班的同學不會進來拿，錶也不會長翅膀飛走。這不只是白雪瑩個人的損失，也有關我們班上的名譽。」許老師特別強調後面一句，頓了頓再接下去：「因此，我誠懇也希望同學們再盡力合作，找到錶的，一定記一次大功。萬一，是哪位同學開玩笑藏起，或者一時糊塗，做了錯事。她盡可以悄悄地交給我，擔保她不處分，也不公布。」這時，降旗的鈴聲響了。

「現在大家可以解散，去集合降旗。」

同學們一窩蜂似地向外面擁去，白雪瑩卻忍不住伏在課桌上傷心地啜泣，有幾個同學經過她面前時停留了一下，想要安慰她又不知該怎麼說，只有投給她同情的一瞥悄悄退出。

不多一會全班的人都走光了，平常坐得滿滿的教室，這時卻顯得特別寬敞而空虛，也襯得白雪瑩嬌小的身影更孤單、更渺小，她為失去的錶痛惜，為自己的大意悔恨，為回家將受到的責備憂懼……這許多複雜的情緒絞著她柔弱的小心靈，使她傷痛無主，像一隻失去舵手的小船，迷失在自己淚水氾濫的河流裡。

當許老師問值日生時，因為幾個回答的聲音加在一起，更顯得堅決、肯定。沒有誰聽出其中有一個有一點猶疑和畏縮。

當同學們出去降旗時，經過白雪瑩面前都不由得向她投去同情的一瞥，其中卻有一個低著頭，連一眼都不敢看便匆匆地走了出去。

這個人就是高月蓮。

她排在隊伍裡，站在操場上，機械式地做著立正、稍息的動作，不知所云地聽老師在台上叨嘮個不休。她的腦子裡卻是亂嘈嘈地，就像收音機沒有對準音波，發出一片亂七八糟的雜音，吵得她心慌意亂，只是焦急地盼望夕會快點結束，好讓她馬上回去……忽然，台上那毫無意義的嘮叨中像子彈般迸出了兩個字，正射中她心坎，使她陡地一跳，恍然聽清了訓導主任結尾的幾句話：

「……一隻手錶，誰拾到了送來訓導處，可以得一個功。要是誰故意匿藏不報，而被查出的話，那就不客氣，為了維持學校的榮譽，只有把那個想沾污學校榮譽的名字劃去——開除！……」

高月蓮緊緊地握著手，抑止那幾乎躍出喉嚨的心，等她鬆開手時才發覺指甲陷入肉裡，而掌心裡黏濕的，全是冰冷的冷汗。

總算好不容易地挨著降過了旗，高月蓮以不太快的速度回到教室，拿了書包走出教室門忽然彎下腰，一手按著腹部，怨艾地自言自語著：

「真倒楣！早不痛，晚不痛，偏偏現在肚子痛！」說著，便繞過一排教室，一個人向後跑到廁所去，她把書包放在廁所門口兩級階梯旁邊地上，自己假裝進去打了個轉，出來時，她四面望了望，然後彎下腰去，就在俯身拾起書包的一瞬間，她用手指在石階底下一個空罅裡摸出一點發亮的東西，很快地塞進了書包……

驀地一隻手在她背上拍了一下。

「嚇，妳躲在這裡幹嘛？」

高月蓮嚇得驚叫一聲，靈魂幾乎飛上了天，書包從手裡掉在地上。

「妳等一等我。」幸好何瓊英沒有注意到她的失態，已匆匆地跨進廁所。她按住蹦跳蹦跳的心，半天才緩過氣來，拾起了書包。何瓊英在裡面搭訕著問她：

「喂，妳猜白雪瑩的手錶會是什麼人拿的？」

高月蓮咬著嘴唇，只覺得喉嚨頭火辣辣地，卻發不出聲音。

「那隻錶好好啊！還是她母親的哩，白雪瑩真倒楣，回去還不知道要怎樣挨罵。」說著，何瓊英走出來，忽然驚訝地望著高月蓮。「怎麼回事？妳的臉色好難看！」

「我……我肚子痛。」高月蓮囁嚅地撒著謊，她恨自己的聲音發抖，也恨何瓊英盡黏住了她。

「痛得很厲害麼？」

「痛一陣就好了……走吧。」

高月蓮知道甩不開何瓊英，只得硬著頭皮跟她走一路，心裡恨不得兩步就跑回家，像蝸牛躲進殼裡一樣，馬上躲進那安全窩，但又怕走快了引起別人懷疑。還有，白雪瑩她們一群正在前面不遠，她不願走近她們。唉！好重的書包！她上學以來從來沒有感到書包像今天那樣沉重，壓得她挺不直身子。好長的路！她上學以來亦從未像今天那樣覺得路簡直長得像一輩子走不完。

終於到家了。高月蓮透過一口氣來，有如一隻避開了狩獵危險的兔子，鑽進了隱祕的洞穴。她喊了一聲正在廚房裡忙碌的母親，便一溜煙進了那間書房又兼她寢室的客廳，趁著屋子裡沒有人，她立刻卸下書包摸出那久已羨慕的、珍貴的小東西，偷偷地欣賞了一眼，僅是偷偷的一眼，已使她心跳臉紅，因為她知道隨時都有人會進來……這又是一樁在當時一時衝動時沒有想到的困難，它是不能露面，見不得人的，它絕不能讓雙親知道，也不能被弟妹們曉得。可是，收藏到哪裡去呢？家裡就只有那兩間房子，雙親帶三個小弟妹睡裡間，她同大妹在客廳裡搭雙層牀。一張方桌，吃飯兼做功課，一架縫紉機，她母親每晚抽空還得替別人縫兩件衣服，一張兩斗桌擺著茶具什麼的，書包裡自然不能放，褥子底下換洗牀單時會被抖出來，鏡框後面收拾房間時也可能被發覺，她的書箱裡，弟妹們說不定要去翻……高月蓮焦急不安地在房裡鑽來鑽去，東翻西攪像隻熱石頭上的螞蟻。她母親又在廚房裡喊她：

「月蓮，還不出來洗澡！你爸回來馬上就吃飯了。」

她嘴裡答應著，心裡更慌。最後總算想出一個辦法，把一隻抽屜拉出來，東西便塞在抽屜肚裡。當她正關好抽屜時，弟妹們已簇擁著剛下班的父親進來，他的神態看來很疲倦，但仍堆著親切的笑意，高月蓮卻不敢像平常一樣坦率地看他，垂著眼簾喚了聲「爸」便往外走。

這一天晚餐有高月蓮最喜歡吃的番茄肉絲燒豆腐，幾個弟弟妹妹希里呼嚕吃得好不有勁，她卻不知其味地吞了兩碗飯，幫著收拾清碗盤，方桌便空出來給他們幾個做功課。跟平常一樣，她拿出課本和筆記，展開在桌上，但是，她的思想卻像被風吹散的浮雲，縹縹緲緲，捉摸不住。當她枉自皺著眉頭作集中思想的努力時，耳畔忽然隱約傳來一陣微弱的，有節奏的聲響，那聲音很輕微，彷彿在很遠很遠的地方，但又很清晰，好像就貼在耳朵上。她不由得吃驚地回過頭去，望望那張桌子的抽屜，還是好好地關著，再看看室內諸人，大家都在做自己的事，沒有一個像曾聽見了這聲音。她暗暗地吐了口氣，那聲音卻越來越清晰：滴答，滴答，滴答……

這正是那隻手錶——那塞在抽屜肚裡的小東西所發出的悅耳的節奏，雖然收藏得很嚴密，但她卻聽見它的呼吸，聽見它走動的聲音，一如它就在她心裡。

在一股被欲望支配的衝動下，像魔鬼附身似的，她盲目地拿了這隻手錶。彷彿已經歷了不少風浪，這才能稍微讓緊張的神經鬆弛下來，想一想：首先，一種滿足了占有欲的喜悅，像一陣浪潮把她捲起、舉高，浸淹了她的身心。「我有一隻手錶了。」她在內心歡唱著：「一隻屬於我的手錶。」

她渴望著有一隻手錶，已經很久了。當她考上中學時，不少與她同時考取的同學便戴上了父母的贈禮，一隻隻方的或圓的手錶，在手腕上閃閃發光，到處炫耀。一個個全變成了世界上最珍惜時間的人，歇不歇就抬起手來看一看幾點鐘。她看在眼裡，心裡不知多羨慕！她亦知道自己不應該存這樣的奢望，父親當個小公務員，收入有限，母親忙累了一天的家務，還要抽空替人家縫點衣服貼補家用，縱使這樣，他們一家生活得很節儉，而每學期繳學費時更得費一番周折，如果買得起錶，那父親的那隻斑駁的舊錶早就該換了，他還向她說過：「月蓮上中學該有隻手錶，要是能買隻新的，我這隻就給妳。」她還撇著嘴說：「那麼舊！……」可是，儘管那麼舊，父親永遠不會有餘錢買新錶，舊錶也永遠不會戴上她的手腕。

在有手錶的同學們之間，她最喜歡的是白雪瑩的，小巧玲瓏，精緻可愛。她覺得要是戴在自己的手臂上一定還比戴在白雪瑩纖小的手臂上更合適。

白雪瑩年紀較小，天真率直，對人從來不知道存防範之心。因此當她出去做花圃什麼的，有時就把手錶解下來放在課桌上，高月蓮也看見過幾次，但都沒有怎樣，今天她正在打掃教室，無意中抬起頭來卻看見林靜怡擅自在玩弄白雪瑩的手錶，戴上又解下，接著便擱在桌上出去了。她心裡忽然怦然一動，一個惡魔的意念閃電般掠過她腦中，此刻教室裡灰塵迷濛，除了值日生，同學都跑出去了，誰去拿動那隻手錶，也沒有人會注意。她這樣胡想時，腳下不由得隨著掃帚向那樣乖巧地躺著，向她發出誘惑的手錶靠近，那個意念越來越強地占踞在心頭，她一步一步向前挪近，腦子裡什麼都沒有想，沒有考慮，只是被那個惡魔的意念支配著，走近桌畔，她偷偷地向四面望了一眼，驀地伸手一把攫住了錶，迅速地塞進裙子口袋，馬上又揮動掃帚做掃地狀，雖然她的心驟然間跳得很快，像要堵住呼吸，但她想到做這一切竟那麼容易，容易得如同她俯身下去拾一支掉下的鉛筆。

掃完地，她出去倒垃圾，繞道廁所，便藏了起來。

她自己覺得做得很周密，沒有誰會發覺是她幹的壞事。雖然當許老師詰問搜查時，她愧懼交集，幾乎洩漏了祕密；當何瓊英掩到她身後時，嚇得她要命，但這都已過去了，如今，那隻手錶正穩穩地躺在只有她一人知道的祕密地方，只屬於她一個人！她很想馬上把它拿出來，仔細的欣賞、把玩，看那纖細的秒針輕輕地、悠緩地劃過錶面金色的數字，紅色的鑽石……

「月蓮，這半天妳盡在想些什麼？」

高月蓮被母親帶有譴責意味的喚問牽回了現實，只見她望著她停止了踏縫紉機，弟妹兩個也從書本上抬起頭來用嘲笑的眼光瞅著自己，她感到臉上一陣熱，吶吶地掩飾著：

「有一道習題，想來想去解不出來。」

這一晚很晚很晚了，高月蓮兀自清醒地躺在牀上，卻不敢咳嗽也不敢翻身，屏息諦聽著隔壁房裡的動靜，聽她母親弄這弄那的，最後，確定她已經上牀睡熟了，全家人都已安靜的入了夢鄉，便偷偷地起來，躡手躡腳地摸到半桌面前，用輕得不能再輕的手法，慢慢地拉開抽屜，手指觸到那點冰冷的東西時，便一把握在掌心裡，當她再把抽屜推進去時，撞了一下桌子，桌上的茶杯「喀朗」一響，嚇得她幾乎失手把一隻抽屜都掉在地上，腦門裡轟的一陣熱，心頭直跳，卻連氣都不敢透一口。這樣僵立了半分鐘，沒聽見屋裡有動靜，才關好抽屜往牀上一溜，等心跳逐漸平定，靠近臉旁放開手來，那隻手錶是夜光錶，此刻在黑暗中閃著綠色的螢光，她不由得在心裡喊著：「哦，真好看！」她目不轉睛地凝視著綠色的秒針繞著綠色的圓圈旋轉，又把它貼在耳畔，傾聽那悅耳的節奏，看看聽聽，愛不忍釋，也不知靜夜悄悄地從她枕畔走去多遠，直到眼皮重甸甸地撐不住直往下壓，她只得將錶收藏在枕頭底下，闔上雙眼，耳畔依稀還聽得它在枕底奏著美妙的催眠曲：

滴答，滴答，滴答……

滴答，滴答，滴答……

那美妙的音樂在她心裡彈奏。

滴答，滴答，滴答……

她的腳步按著那韻律，輕飄飄地，飄進了學校，飄進了教室，教室裡，全班同學都坐著。看見她，忽然一個個全向她瞪著眼，伸出手指著她：

「就是她，她偷了白雪瑩的手錶！」

白雪瑩站起來兇狠狠地走到她面前：

「我知道，錶是妳拿的！」

高月蓮驚慌失措，想往後退，腿卻像釘在地下，想分辯，張口無言，而錶的聲音卻響更清晰。

滴答，滴答，滴答……

滴答，滴答，滴答……

一霎時，幾十雙手同時舉起來，手指似無數短劍戳向她臉上。

「我們班上不要這樣的敗類！」

「學校裡不能容納這樣的惡劣分子！」這是師長的責任。

「開除她！」

「開除她！」

密密地被包圍在一隻隻短劍般的手指，一張張憤怒嚴厲的臉孔陣中，高月蓮似一隻絕望的囚獸般，掩著臉左衝右突，羞愧地、愴痛地掙扎著從胸際迸出哀求：

「不，不要……」她在痛苦的掙扎中突然睜開眼睛——燈光亮得刺眼，她母親正站在牀前俯身看她——原來是一個夢！

「妳叫得嚇死人，別人會以為進了小偷哩。」

「我做了個可怕的惡夢。」聽母親提到小偷，更在高月蓮怔忡的心頭刺了一下，她重又閉上眼睛，虛弱地說。覺得四肢軟弱無力，被冷汗浸濕的襯衣黏住在背上，好不難受。

「睡著時手不要壓在胸前。」母親關切地叮囑著，關了電燈進去。高月蓮忽然對黑暗懼怕起來，翻來覆去，再也睡不著，想到那個夢，她沒有興趣再去摸枕底那隻手錶，只惦著明天應該早點起來把它藏起……可是，當她聽見妹妹喊她的聲音驀地驚醒時，時間已經不早了，讓弟弟妹妹起早在她之前，這在平常是很少的事。她草草地盥洗了一下，胡亂吞了些稀飯，便揹上書包匆忙地往外跑……突然，她一蹬腳罵自己「該死」！馬上又轉身跑回家，窺著母親還在廚房，躡進去一把抓起枕頭底下的手錶，拉出抽屜，塞了進去。

「咦，怎麼妳走了又回來？已經晏了。」母親一腳跨進來，懷疑地望著她。她覺得那二道探詢的眼光彷彿已獲知了她的隱私，連忙低下頭一面逃避一面回答：

「我忘了東西。」

學校裡已經升旗了。她躡進教室不多久，同學們便陸續回來，不知為什麼，她竟沒有勇氣跟大家兜搭，低著頭假裝在念英文。

「妳們說氣不氣人！」她聽見學術股長洪瑛憤憤地嚷著：「剛才我正跟王亞惠在說：我們班上壁報又得到第一，花圃是第一，旁邊走過兩個丙班的鬼男生，厚起臉岔進來說：『不要忘記了，偷竊也是第一！』」

「該死的！一定是剛才聽訓導主任報告了白雪瑩丟錶的事。」

「也不曉得哪一個害群之馬幹的下流事，把我們丁班的臉都丟光了！」

同學們憤慨地妳一句、我一句漫罵著，那些話都變成一支支利箭，直射到高月蓮身上心上，她恨不得在地上挖一個洞，把自己埋下去，幸好上課鈴響了，解救了她的窘迫。第一堂是上代數，她打開了課本，起初還能夠用心聽老師講解，逐漸地，她覺得捉摸不住字句裡的意義，只成了一串單調的聲音，嗡嗡地在耳畔迴盪著，接著，一陣滴答、滴答、滴答聲把一切都蓋沒了。她驀地又想起上學時的一幕，母親進來不知有沒有看到她的舉動？要是她懷疑起來，打開抽屜一檢查，那可糟透了……

「……高月蓮！」老師一聲怒喝，就像平地一聲巨雷，把神思恍惚的高月蓮震得跳起來，驚慌失措地大聲應了聲：「有！」她那茫然恐懼的神態，立刻引起同學們一陣竊笑。

老師叫她把剛才講解的一道代數方式重述一遍。她緊盯著書看著，但是，書上那些X和Y，那些數目字和符號，忽然間都變得那麼陌生，如同一本難懂的天書。她心裡焦灼如有火焚，腦子裡卻渾渾噩噩，好像被一團黑漆膠住了。

「上課時不用心聽講。」老師生氣地責備著。「一問三不知。妳好不好意思！」

高月蓮羞愧得臉上發燒，頭低得幾乎要碰到桌子，用力噙住兩眶眼淚，不讓它滴在書上。就這樣她站著——老師沒叫她坐，不敢坐下，一直站到下課。這是她從未遭遇過的恥辱，使她沒有顏面走出去。接連幾堂課都待在教室裡。在上課前，她也曾一再警惕自己，要專心聽講。但是，她的思想不知怎麼竟成了一撮沙，好不容易使它堆集在一起，不一會又被風漸漸吹散了。而那滴答滴答的聲音又不時打攪，甩不掉也揮不開，就像一隻惱人的蜂盡在耳畔旋繞，連課外活動時何瓊英她們喊她去玩她最喜歡的籃球，也提不起勁來。她心裡只想避開所有的同學，卻又怕會引起別人懷疑，在一起，她總覺得心理威脅太大，尤其是面對白雪瑩，只要一眼看到她哀怨的眼睛，失去了平時那份笑靨的容顏，就有一種慚恧的感情使得她惴惴不安。

吸收新的知識，交換友誼，嬉戲遊樂，學校生活永遠是新鮮而充滿了生氣。然而，僅僅是一天中，高月蓮卻對這感到了厭煩、畏縮和不安。放學，給她一種逃脫囚籠的感覺。回到家裡，她偷偷留心母親的神色舉動，直到確定她確實不曉得那個祕密，她才稍稍安下心來。

這一晚，高月蓮只敢偷看了一次手錶，沒敢再擱在枕下。但她晚上睡得仍不大安寧，不時夢魘，或是無端地嚇醒，第二天早晨梳洗時，她在鏡子裡看見自己似乎一下子便瘦了點，眼睛黯淡無光，樣子沒精打采，她有點不喜歡自己。

「沒有人會知道我做了什麼。」她生氣地譴責自己。「無論如何，我有了我所要的手錶。」

一個星期快過去了，查究手錶的事淡了一些，而高月蓮卻改變了不少，當她憑一時的衝動做事時，毫未考慮到嚴重的後果。慢慢地那份犯罪的感覺滋生、抬頭，像一團團蟲卵，被良知孵化、生長，最後變作一堆成蟲，成天只在她心窩裡蠕動、齧咬，使她時刻不安。她吃不下飯，胃裡老像堵得滿滿的。她睡不好覺，一晚上總要夢魘幾次。她變得孤僻、冷漠，喜歡躲開別人獨個兒待著。她的注意力無法集中，而腦筋遲鈍得像一塊鏽了的鐵板，書上印的、老師講的，都不能吸收、理解。當別人喊她一聲時，她會大吃一驚，心跳半天。而每天，那滴答、滴答的聲音總不時繚繞耳畔，她晚上偷偷地檢視手錶時，那份興趣也彷彿沒有當初那麼濃厚了。

第二個星期又將過去，那份犯罪的感覺，那像一群小蟲在高月蓮心窩裡齧咬著，越齧越厲害，她成天提心吊膽失魂落魄。那個星期裡有二次測驗，她都考得很壞。她的神經緊張有如繃緊了的弓弦，隨時都似乎會斷裂。她走在路上，坐在教室裡，總覺得左右背後都有幾雙懷疑的、輕蔑的眼光盯著她，遇見三兩同學在交頭接耳，她也總認為是在講她。弟妹們因為她的壞脾氣不再同她親熱。最使她不能忍受的是母親憂慮的關注，擔心她身上有沒有病痛。她從未做過隱瞞她的事情，覺得這次不僅犯了偷竊罪，還犯了欺瞞她母親的罪。當她感覺她充滿摯愛、關懷和隱藏著憂愁的眼光愛撫著自己時，她恨不得跑過去跪在她面前，向她懺悔自己的罪狀，把頭埋在她溫暖的懷裡，痛快地大哭一頓，傾洩這半月來鬱積的苦惱、羞恥……然而，她一直是她母親心目中正直純潔的好女兒，她怎忍讓她傷這份心？又怎能在弟妹面前丟這個臉？

許多天沒有拉開抽屜，有一晚她又看了，那隻手錶依舊那麼玲瓏可愛，但對她卻失去了誘惑。當她拿在手上時，它像一塊燒紅的鐵，烙著她的手，也烙著她的心……她憎恨地把它丟進去，永遠不想再拉開抽屜，甚至不願看見那張桌子。

她苦苦地想忘記這件事，但物證俱在，怎麼也忘不掉。她想擲在河裡滅跡，但刻在良心上的犯罪的烙痕，卻一輩子也不會磨滅。她也曾想到悄悄地交給老師，卻始終缺少那份勇氣。

滴答，滴答，滴答……高月蓮深陷悔懼的泥淖裡，不能自拔。罩在她心靈上的是一團黯慘的黑雲，透不進一絲歡樂的陽光。

一天晚上，姊妹三個照例圍著桌子在溫課，高月蓮捧著本英文心神不定地看著，忽然她弟弟一聲驚叫，使她猛吃一驚，原來是他不小心把墨汁弄翻了，雪白襯衣上立刻沾污了一大塊。

「不要動它，馬上把衣服脫下來！」母親急促地發布命令。「愛蓮妳去廚房拿一把冷飯，月蓮快倒一盆冷水來。」兩姊妹很快就照辦了。高月蓮眼看母親挖一團冷飯裹在墨汁浸黑的地方揉著搓著，不禁懷疑地問：

「這樣髒還能洗得掉？」

母親沒有時間答覆她，揉搓一陣，放下水裡，立刻一盆水都變黑了。她又叫高月蓮換水，再搓、再洗，這樣重複好幾次，水不再那麼黑，衣服上的墨汁也漸漸褪去。最後再擦上二次肥皂，居然完全洗白了。

「隨便什麼東西沾污了，只要馬上就洗，沒有洗不掉的。要是偷一偷懶，擱置久了，那就沒有辦法了。」母親絞乾衣服，一面向圍著她的兒女做隨機教誨。高月蓮激動而敬慕地望著她母親，她的話給她一種啟迪，像一枚合適的鑰匙插進了她鎖住心竅的劣鎖，使她有所領悟，她那陰暗的眼睛因有所決定而漸漸放出明淨的光彩，對待弟妹們也不再那麼粗暴和不耐煩，一個決定，差不多已讓她恢復了從前那個高月蓮。

這一晚沒有夢魔攪她的睡眠，第二天一早便在預定的時間起了牀。天還是暗沉沉的，陰雲密布，氣壓很低，像要下雨。高月蓮卻不顧這些，帶著一種勇士赴敵就義的心情，很快地準備好一切，便上學去。母親在後面喊她，要她把雨衣帶上，但她不願踅回去，她要爭取這時間，哪怕僅是一分鐘，一秒鐘，她一口氣走到學校裡，因為時間還早，天氣又壞，她們班上還沒有一個人。她先鬆了口氣，把第一件擔心的事甩開了。於是，她帶著悔罪的心情，歉疚而虔誠地走近白雪瑩的座位，從書包裡摸出一小包東西，迅速地塞進了課桌。馬上她又退回去，在空曠清靜的校園裡走了一圈，那涼沁的空氣透入她肺腑，像一隻纖柔的手輕柔地、舒適地撫拭著她曾被犯罪灼傷的心靈。一種新生的感覺如同老樹上萌發的嫩芽，在她心頭滋長。

集合升旗時，天上陰暗的烏雲已逐漸散開、淡去，氣流通暢潔淨，等鮮明的國旗徐徐升到桿頂，當空更顯出一大片藍色的天壁，陽光從那裡投射下來，光耀奪目。高月蓮肅然挺立，仰望著旗幟招展處，只覺得自己此刻的心境，正如那片天空，雲過天晴，爽朗、明淨、智慧的陽光，重又照耀她的心靈——她深深地吸了口氣，慶幸自己又復活了。

編註：本文原刊於《幼獅文藝》第十一卷第三期，一九五九年九月，頁十三～二十一。

斑竹

一

初三丙班的導師兼國文老師剛離開教室，教室裡立刻就像黃昏時的森林，鶯聲燕啼，聒噪不休。又像三月仲春，滿樹盛開的桃花下麕集的一群蜜蜂，嗡嗡嗡嗡，好不熱鬧。第一次月考的成績單剛發下，有的咬著嘴唇默不作聲，有的眉飛色舞，哼著歌曲。也有不少三五個比較要好的同學圍在一起，彼此探詢著、討論著。陳美媛放好自己的成績單，從座位上站起來，兩隻手在兩張課桌上一按，便輕輕地躍過一排空座位，擠在正說話的祝倩如和林穎旁邊。

「真想不到斑竹會考第二名。」陳美媛顯得不服氣地衝著祝倩如說，眼睛不住閃眨著。同學們叫順了嘴總叫她人猿。她的機靈活潑，愛管閒事，愛說話，也真有點像猿性。

祝倩如笑了笑，淡淡地說：「也虧她平常那樣啃書本子，像條書蠹一樣。」她是丙班的級長，也是第一名的保持者，小小年紀已頗有大家風度，待人接物很有分寸，陳美媛看見激不動她，又向林穎近於煽動地報導：

「妳曉得不曉得，斑竹的國文分數跟妳一樣，九十五分。」

「真的？」林穎用力握住椅背，黑亮的眼睛睜得大大的，她是班上的準作家，全班沒有一個作文趕得過她。

「當然真的。她在看成績單時，我故意把鉛筆掉在地上去拾起來時看得清清楚楚。」陳美媛說話時總愛帶點誇張。「不信妳問袋鼠，嗨！戴麗珠妳過來。」

被叫作袋鼠的戴麗珠正走進教室，一面不住從口袋裡摸點東西擱在嘴裡，顯然剛從合作社買了吃的東西來。

「什麼事？」她含了一嘴東西含糊不清地問。

「妳旁邊的斑竹，國文是不是考九十五分？」陳美媛一面便順手牽羊，伸手到她口袋裡掏了一把花生米擱在自己的嘴裡。

「好像是吧。」

陳美媛勝利地看了一眼林穎，那個用細小的白牙齒輕輕齧著嘴唇，卻做出一臉不在乎的神氣，頭向後一仰，將一綹覆在額上的短髮甩了上去，撇了撇嘴說：

「是又有什麼稀罕！就美死了。」

「人家不美死，只怕妳要氣死。」

「啐！去妳的。」林穎臉上一陣熱，恨恨地瞪了陳美媛一眼，轉問祝倩如。「我看妳倒要小心，人家想奪妳的寶座哩。」

「人家要奪，我又有什麼辦法。」祝倩如捲弄著手裡的課本還是那麼不急不慌的。

「哼，別說風涼話了，真到那個時候，眼淚可挽救不了榮譽。」祝倩如噗嗤一笑。

「我的眼淚當然算不了什麼，像那些詩人作家的才珍貴呢。我看妳將來大概要像羅馬皇一樣，用瓶子來盛淚水。」林穎搶過祝倩如的書在她手上打了一下。

「真是狗咬呂洞賓，因為妳一直是我們班上的光榮，我不願意被別的人沾了去。」

「妳一直是我們班上的瑰寶，我也不希望有第二個人分去了光榮。」

兩人這裡針鋒相對的鬥著嘴，陳美媛和戴麗珠在一旁看著發笑。突然間兩人停止拌嘴，不約而同地向第二排最末一個座位瞥了一眼，只見那個引起這一番爭論的對象，依舊保持上課時的姿勢，靜靜地坐在課桌前，低著頭看書，手裡拿支鉛筆在書頁上指劃著，嘴唇不住翕動，專心一致，對教室內的吵鬥、叫囂，完全不聞不問。兩人對望著，祝倩如淡淡一笑，林穎撇了撇嘴角。忽然戴麗珠把外衣口袋向外一翻，撒了一地的花生皮和紙屑，發急地嚷著：

「看妳這人猿，不聲不響就把人家一包花生米掏光了！」

陳美媛咯咯地笑著，像剛才一樣躍了過去。上課鈴響了，戴麗珠嘟著嘴回到自己座位上，拿出要上的歷史課本，用力往桌上一擲。把旁邊專心看書的姚清文嚇了一跳。

「嚇！老師還沒來，妳倒把一課歷史上完了。」她有點挖苦地說。姚清文只是望著戴麗珠和善地笑笑，把擱在課桌中間的手臂向裡挪了挪，又低下頭去看書了。

二

姚清文是這個學期才轉來女中的，她第一面給人的印象就是高而瘦。細長的身材，清癯的臉，削直的鼻子兩畔和雙頰還灑布著粗粗細細不少顆雀斑。因此，最喜歡替別人題綽號的同學，馬上就替她取了個「青竹杆」的綽號，後來又因她臉上很顯著的幾顆雀斑，又改稱為「斑竹」。她的年齡比同班的要大一點，而她那副飽經人世憂患的神情，又顯得比實際年齡要大些。平常沉默寡言，缺少像這般美妙年齡的女孩子那份青春活力；如同那些像善於唱歌的小鳥一樣，三五個聚在一起就咭咭呱呱說個不完，笑個不停。如同那些像貪食的小老鼠一樣，嘴裡永遠不停地咀嚼口香糖、花生米、牛肉乾，走在路上悄悄地從口袋裡掏一點擱在嘴裡，上課時偷偷地摸一點塞進嘴裡。如同那些像矯捷的羚羊一樣，一下課就奔到運動場上，用美妙的姿勢躍過竹杆，靈活的身手投著球。如同那些像驕傲的孔雀一樣，昂著短髮的頭，跨著輕快的腳步，到處炫耀自己。

姚清文全不是。她每天上學和放學時總是十分匆忙，早晨差不多快升旗了，她才氣喘喘地趕到，放學時又老像要去趕火車一樣，一個人衝鋒似地超越所有的同學，細長的身影在前面晃幾晃便不見了。可是在教室裡她又像釘住在地上的木樁，常常連坐幾堂課不見她站起來活動活動。自然，木樁不會去結交朋友，也沒有誰會找木樁攀交情。在學校裡容易出名的人物往往是最好的和最壞的學生，或是那些有特長，愛活動，擅於交際的學生。那種功課平平，既不活動，又無特長而腦筋又不太靈活的學生，常常是被人忽視了的。大家對剛插班進來的姚清文的好奇心漸漸冷卻下去後，便也把她列入後一類同學中，連跟她同坐的戴麗珠也因為她跟自己沒有同好——從來不吃零食，相處得很淡漠。

這一次月考忽然「冷鍋子裡爆出個熱栗子來」，不由得大家對她刮目相看——這裡面摻雜了十分之二的敬意，十分之三的驚訝，和十分之五的妒嫉。妒嫉她的同學有的是因為自己不及她好，有的是把她當作競爭的勁敵。林穎和祝倩如便屬於後一種，只不過林穎沉不住氣，祝倩如卻面上不露聲色，暗暗地，在加勁用功。

有一天，林穎終於找機會在劉老師桌上看到了姚清文的作文簿——仗著她一直是國文老師的得寵學生，平時她也常去她房裡請教一個問題，或是討論些文法上的事，老師自然不知道她那天的用心。當她正熱心地在書架上找一本書介紹給林穎時，她的高足卻已很快地找到她的目的物翻了一遍。她的自尊心滿足了——姚清文的作文分數都比不上她的高，國文分數跟她一樣，大概是課本上的問題答得準確。「不過是書蠹的本領罷了。」她在心裡暗暗嘲笑。沒有人會勝過她，她是天才，未來文壇上的一顆熾熱的星星。還有一點，她是美麗的。

有一雙充滿智慧的黑亮眼睛和一張靈巧可愛的小嘴，而姚清文，只是一根醜陋的瘦斑竹。但為了顯示自己寬大的美德，林穎也曾像一個女皇給予她臣民恩賜似的，向拘泥的姚清文伸出友誼的手，很多同學都是路遠中午吃便當的。有時大家把菜集中在一起，圍著又吃又笑，十分熱鬧。她叫姚清文也來加入，姚清文總是推說自己要抄完筆記或做好習題再吃。等她們吃得起勁時，她卻不知在何時一個人把飯吞了下去。陳美媛找機會在她吃便當時窺看了二次，嗤著鼻子向大家報告：

「妳們曉得她為何不敢參加我們？天天吃臭鹹菜、蘿蔔乾，多寒酸！」

林穎常和同學們「劈蘭」買東西吃，姚清文也婉拒參加，說是自己從來不吃零食。戴麗珠說她是吝嗇鬼，從沒有看見她花過一毛錢，陳美媛說她是良心牌牙刷，一毛不拔。不管別的同學在後面怎樣批評她、譏誚她，姚清文還是那樣每天匆匆地上學、放學，木樁似地坐在課桌前面看書，對要招呼的同學和善地笑笑。

三

「現在請同學們推舉本班參加作文比賽的代表。」劉老師報告了學校將舉行作文比賽的消息後，接著這樣說，還不等她說完，大家立刻推舉了林穎。

「這次一班可以參加兩名，還有一名就請姚清文同學擔任。」劉老師自己做了個決定，林穎聽了很不高興，校內校外的作文比賽她參加得多了，為什麼這次還要提名姚清文參加？繼後一想，選舉總不只一個人的哩，有個人陪襯一下也好。她矜持地瞥了一眼姚清文，見她一臉緊張而又惶惑的神色，瞪著劉老師，心裡不禁好笑。「書蠹，到時候不要嚇慌得連自己名字都不會寫了。」

等到比賽那天，誰也想不到作文題竟是大家頂熟悉、頂容易做的「我的母親」。林穎駕輕就熟，很順利地寫了三張半。繳卷時看見姚清文還一手扶著額，伏在桌上停筆沉思。等比賽結果揭曉的那天，劉老師滿臉喜色地走進三丙教室，便興奮地亮開了她那爽朗的嗓子：「報告各位同學一個好消息：這是我們初三丙班最大的榮譽。就是這次作文比賽，冠軍和亞軍全被我們班上奪來了。第一名姚清文，第二名林穎……」

林穎原來正滿懷信心，仰望著劉老師，第一個名字好像給了她當頭一錘，錘得她一身熱血猛然全湧上腦中，眼前一陣昏黑，耳中轟轟亂響。一剎那那一份失敗的恥辱幾乎將她壓垮，她沒有聽見劉老師往下說些什麼，只聽到轟雷似的一片掌聲。她忽然恨那掌聲恨那些鼓掌的同學，使她難堪。她恨劉老師不為教了三年的高足抱屈，還那樣興高采烈。她恨擔任評判的老師沒有眼力，她恨那根醜陋的瘦竹杆，也恨自己。她咬著嘴唇，極力抑制著使幾次湧到眼眶裡的熱淚又吞下肚裡，一堂課上完了，她一直低著頭，下意識地用一支鉛筆在書上亂畫來掩飾悲憤。下課後，不少同學出去看壁報欄裡的作文，林穎不願意去看，她寧願自己沒有參加這次比賽。

陳美媛她們幾個看了進來，在她旁邊對姚清文的文章吹毛求疵，斷章取義地批評著，她知道她們的用意是在安慰她，她裝作不屑聽，但她的耳朵卻豎了起來。

「她把她母親說得那麼神聖、崇高，簡直成了聖母嘛。」

「她還寫她品格多麼高貴，精神多偉大，意志多麼堅毅，心地多麼善良，靈魂又多麼美……咳！我的天，背都背不上來。」

「她不是在寫『我的母親』應該改作『一代完人』傳。」

一個主意閃電般掠過林穎腦際，她那黑亮的眼睛狡黠眨了幾眨，嘴角彎著一抹嘲笑，故意提高聲音向大家說：

「妳們不要在那裡隨便批評別人的文章，有一個故事妳們聽過沒有？說是從前有一隻又醜，又寒酸，又小器的烏鴉，牠偏偏喜歡把自己的母親說得美麗高貴得像一隻鳳凰。說來說去，聽的人，不，聽的鳥就只記得牠是鳳凰的孩子，而忘記了牠是烏鴉。鳳凰的孩子當然是美麗的囉！妳們說那隻烏鴉是不是很聰明？」林穎一面講一面暗窺著姚清文的神色，只見她那本來缺乏血色的臉變成更蒼白了，連那些雀斑都黯然失色，眼睛瞪著面前的書，握著鉛筆的手在微微顫抖。同學們一陣譁笑，她猛地站起來向這邊瞪視了一眼，便衝出教室去了。大家笑得更厲害，林穎像心裡長了個腫疼的毒瘤，開刀放掉了膿一樣痛快。

「有誰見過斑竹的母親沒有？當真是鳳凰還是烏鴉。」

「恐怕沒有誰見過，連她住在哪裡都不知道。」陳美媛似乎因為班上還有自己不曉得的事，深感遺憾，便自告奮勇出主意。

「對啦，回頭放學時我跟蹤她。」

「昨天跑那麼些路，真把我腳都跑瘦啦。」第二天，陳美媛向大家邀功，報告她做偵探的經過。「我跟斑竹走了好半天，一晃眼忽然不見了，原來她走進菜場裡去了。」

「她家是擺菜攤？」

「不是，她就像個主婦一樣；又買青菜，又買蘿蔔，還買雞蛋，我不曉得她買雞蛋做什麼用，從來就沒見她吃過。等她買好菜，又走了好長一截路，才看她走進永康路底一座小房子裡，因為天快黑了，我怕回家挨罵，不敢逗留，就趕著回家了。」

「有誰住在永康路？」

「我有個姨母住在那裡，但是沒有聽她說起那裡有我的同學。」坐在陳美媛旁邊的黃雅惠說。

「也許人家是新搬去不久的——嗨！明天正好是星期日，我看妳就去妳姨母家玩玩好囉。」管這些閒事，陳美媛總是最感興趣，主意最多的一個。黃雅惠還在猶疑，林穎親暱地在她肩上一拍，宣布說：「星期一早晨，我請妳們吃油煎米果。」

四

星期一早上，她們幾個好像約齊了似的，都上學得比平常更早些。黃雅惠卻在她們盼待中姍姍而來。大家一見面就搶著問：

「昨天去了妳姨母家沒有？」

「去了。」

「有沒有看到斑竹和她的鳳凰母親？」

黃雅惠搖了搖頭，大家熱烘烘的興致好像被澆了一陣冷水，感到十分失望。戴麗珠嚥了口口水大概想到了也許會吃不到的油煎米果。

「我雖然沒有看見姚清文，但是我從姨媽那裡知道了她的事。」黃雅惠緩緩地說，神色莊嚴地向大家看了一眼，眼光中摻著一點譴責的意味。

「什麼故事？很美麗動人嗎？」林穎還是半帶嘲弄地問。

「不美麗，很動人。」

陳美媛推了黃雅惠一把，催她說：

「妳就少賣關子吧？人家還等著去吃油煎米果哩。」

「姚清文的父親在大陸沉淪前，便隨服務的機關撤退到台灣，等她母親帶她和她的一個弟弟、一個妹妹從家裡趕到廣州時，已經是太遲了。她們只得又回老家，過了沒多久，共產黨說他們是反動分子之家，要清算他們，要掃地出門，三個孩子都要送到兒童改造院去。姚清文的母親幾乎快急瘋了。那時有一個匪幹看中了她母親，早晚廝纏著她，為了保全三個孩子，結果她母親就犧牲了自己，她一面含著眼淚忍辱偷生，一面積極地為三個孩子設法離開匪區。靠她母親的機智和利用那個匪幹的勢力，姚清文和她的弟妹最後終於還是逃出了虎口。在香港還沒有跟她父親聯絡上時，差不多有一年多時間全靠姚清文擦皮鞋、拾煙蒂、賣報紙什麼的，來維持三個人生活的。後來，跟她父親取得了聯絡，她父親就設法把他們接到台灣來，可是，沒想到她父親早又有了個太太，還生了二個孩子。那個女人對待他們很不好，尤其是把二個小的折磨得更兇。姚清文忍耐到了極點，不能再忍受，最後，她跟她那懦弱的父親談判，提出兩個要求；讓她帶弟妹另外住，或是乾脆送他們進孤兒院。她父親接受了第一個要求，一個月來看他們幾次。白然，有那個女人剋扣著，能付給他們的生活費是很少很少的，但是姚清文很會處理，她弟弟現在念六年級，妹妹念四年級，她一早起來就做好三份便當大家帶上學，下午放學再買菜回去煮晚飯。晚上還要洗衣服，督促弟妹溫課……難怪她每天來去匆匆，像趕火車一樣。」

「她母親還留在大陸？」

「噢，不。」黃雅惠搖著頭轉換了沉痛的口吻：「她母親知道了他們平安抵達自由區的消息後，便自己用繩子吊死了。」

「啊！」大家聽到姚清文的母親這樣悲壯的犧牲，不由得都失聲驚叫，臉上流露出十分惋惜慚愧的神情。尤其是林穎，她想起自己曾經用鳳凰和烏鴉的故事來嘲弄她們母女，想起對一個受人世苦難的同學，不予她溫暖，不給她鼓勵，還要歧視她、妒嫉她，內心的譴責使她慚恧得抬不起頭來。這一亂世故事的悲憤氣氛瀰漫在大家周圍，沉重的分量鎮壓在大家心裡，半天沒有人開口，更忘記了吃油煎米果。預備鈴響過，大家才驚覺地紛紛跑去操場。走廊上響起一陣急促的腳步聲，姚清文同平常一樣，匆匆忙忙地跑進來，紅著臉、喘著氣。林穎默默地、友善地望著她，望著她那清癯的臉，細長的身材，像一根竹杆。不是斑竹，是枝梢上長著青翠葉子的青竹杆，雖然看起來纖柔荏弱，但她的意志是執著的，生命是堅韌的，從風霜雨雪中搏鬥過來，招展在陽光中枝葉會更硬朗，生在地下的根將扎得更牢固。姚清文放下書包，匆匆地轉身出去，走了兩步不由得又停下來回頭望著林穎，詫異地問：「妳怎麼不出去！馬上升旗了！」

林穎笑著向她跑過去，跟她肩並肩跑出教室，跑向站滿了同學的大操場。兩人仰望著美麗青天白日滿地紅旗幟，在莊嚴的音樂聲中，徐徐上升，招展在巍峨學黌的上空。

義母

一

離過年還只幾天，不能免俗，陳家也更加忙碌起來。趁著孩子們放寒假多少可以幫忙分勞一部分拉雜瑣事，陳太太毓芳湊著下班後到晚上那一段空暇，總算也縫起了全部窗子上的新簾子，四個靠墊。這天晚上，想到該把那些應用和擺設的瓷器請出來了。她用椅子架設了臨時梯子，爬上去拉開壁櫥頂上的紙門，但是，櫥裡一個大空罅，那只裝著名貴瓷器的小木箱並不在那裡。毓芳還猜想或許自己記錯了位置，又過去拉開另外兩扇紙門，一樣的，還是不見。

「陳宏！陳宏！」毓芳一緊張，喊起丈夫來就是連姓帶名的，那驚慌的聲音使正在客廳裡看報的陳先生以為她又是刀割了手還是觸了電，三腳兩步趕出來，「你記得那箱瓷器是不是放在這壁櫥裡？」

「怎麼不是，搬來那天還是我自己擱上去的。」

「後來沒有移動過？」

「沒有。」陳宏一眼望見那一格空的壁櫥，也不禁一驚，「難道又偷掉了。」

毓芳「啊！」了一聲，心陡地往下一沉，腿一軟，要不陳宏一把扶住，幾乎從椅子上摔了下來。

「一定又是那個斜眼睛的阿花偷的，」聞聲聚攏來的五個孩子中的一個忿忿地說。

「也說不定是阿紅，老是鬼鬼祟祟的。我的紅毛線衣不就是被她偷去了。」又一個嘟著嘴嚷著。

「就是阿紅！」

「就是阿花，」兩個小的也七嘴八舌搶著發表意見。只有在台中念大學的大小姐沒有作聲。

「要偷掉真太可惜了，我奇怪這一箱笨重的東西，她怎麼偷得出去？」陳宏直是蹬腳歎氣。

「成心要偷怎麼偷不出？白天家裡沒有一個人，把房子搬空也沒有人管！」想著那一箱自己心愛的，多少年慢慢收集來的瓷器，毓芳心痛得要哭了，連聲音都走了腔。「那些狠心的賤丫頭，偷了絨衫、尼龍襪、口紅不算，還整箱的東西往外偷，你馬上去報警，非把抓她們人贓全獲不可。」

「賊出關門，現在去報警又有什麼用！我們搬來不到半年，已經換過不知多少下女了，當初要妳把身分證抄下來妳又不抄，介紹所根本不肯負責，偌大一個高雄市，往哪裡去找！」

「嚇，你倒怪起我不抄身分證來了，搬來不久我就一再要你把紙門換上木門，可以上鎖。為什麼你又不換？」

「人家成心要打主意，休說一把鎖，十把鎖也不管用。」

「依你說偷了就算了？那許多貴重的盜器，花了多少心血和金錢，你就看得那樣不稀罕！」

「誰說我不稀罕，妳稀罕也不能成天守住它呀！」

兩個人互相追究，推諉著責任，彼此都想把自己承受不了的懊傷痛惜的心情讓對方多分負一點。孩子們在一旁觀望著，誰也不敢出聲。

「就是搬壞了這幢房子！」毓芳那股怨憤像一隻受傷的野獸，碰到什麼就咬什麼。「四不靠鄰的，又僱不到一個好下女，過去在那邊住了五六年，何曾丟掉過一點東西？」

「房子公家要收回，又怨得誰，這四不靠鄰的房子還不是妳看中的。」

「陳宏！」毓芳氣惱地一聲猛喝。「你這是故意跟我過不去？不見了東西不想法去找，盡一句跟著一句衝人。」

「是妳自己一上來就盡抱怨別人……」

「怎麼，兩口子在算清總帳過年啦。」隨著詼諧的語聲進來的是陳家的老朋友楊政清兩夫婦。

「請坐，請坐，別見笑了，家門不幸，又鬧小偷。」陳宏勉強緩和一下臉色，迎出來招呼著。

「怎麼，又鬧小偷！好像你們搬到這裡來老丟東西一樣。」

「就是嘛！以前丟掉過幾次毛線衣、尼龍襪什麼的，這次索性連整箱名貴的瓷器都偷走了，您說氣不氣人！」

「一箱瓷器！啊，那真可惜！」楊家兩口子也不勝氣憤地替他們惋惜。「有沒有什麼線索？家賊還是外賊？」

「外面來的賊哪裡會這麼清楚，別的不偷就偷這一箱笨重的瓷器，」毓芳恨恨地說：「準是以前那兩個死鬼下女。」

「難道沒有保人？」

「沒有！前些日子一連丟了幾次東西，我也想到傭人一定要有保，可是這一來，乾脆就找不到人了。介紹所還說，請個下女打粗，又不是銀行裡管錢管帳，哪來那許多保！真要不放心，門上櫥上多鎖二道，或者把身分證給扣下來，不就行了。妳想，鎖只是鎖鎖君子而已，要扣人家身分證，人家又不高興。現在差不多快一個月了，還沒有找到一個人，真把我累垮了。」疲困、厭煩、痛惜、憤恨，這些鬱積在毓芳心底，像污塞著的溪流，一獲得可以傾瀉的罅口，便汩汩不停地往外傾吐。女人不管有多好的教養，多高深的學識，在她這樣喋喋地怨天尤人時，便完全失去了那份自教養得來的風采，顯得平庸黯淡。楊太太望著她那微亂的頭髮，出油發黃的兩頰，在辦公室裡莊嚴地審核著無數帳日的小主管，卻被瑣屑的家事弄得十分狼狽的模樣，很同情地說：

「真的，像你們這樣一個家，要有位老人家幫著照顧照顧就好了。」

「就是嘛，我真後悔當初沒有勸我媽出來，她戀著老家那點房產，說什麼也不肯離開。現在還不知怎麼在過！」說著，毓芳紅著眼眶低下頭去。

「我倒有個主意，」楊先生陡地拍一下桌子，故作驚人狀，「何不登報徵求一位義母！」

「徵求義母?!」幾個人不約而同笑起來：「你真是異想天開，從來沒有聽見過有這種事。」

「你們先別笑，聽我說，這跟徵友徵侶什麼還不是一樣的，譬如有的老人家膝下沒有兒女，或是兒女不在身邊，一個人孤苦伶仃，晚景十分寂寞，很想享受一點家庭溫暖卻不可得。而像你們這樣，兩夫婦都出去工作，家沒有人管，孩子也缺少愛撫。就希望有一位清清健健的老人家幫著照料照料。這一來，豈不是各得其所哉！」

「說倒說得有點道理。」陳宏把一截煙蒂在缸上觸滅了，似笑非笑地說：「只是養老送終的事麻煩可大啦。」

「嗨，你對老人家缺少敬意，可要不得！」楊政清叱責著陳宏，又煞有其事地望看毓芳：「大嫂，妳覺得如何？」

毓芳掠起一綹披下的散髮，顯得心不在焉地敷衍著。「嗯，有道理。」

「只要大嫂說好就好，小弟自當照辦。」楊政清看了看手錶，笑著立起來作了個揖。「我可要先走一步上報館去了，少陪，少陪！」

楊家兩夫婦走了，毓芳他們也把楊政清的話當作笑話忘了。第二天陳宏下班回家進門就朝廚房裡的太太嚷著：「毓芳，妳看見今天的《新生報》沒有？老楊真把他說的當樁事登起啟事來了。」

「可不是麼，害得廠裡的同事盡笑話我，真是開玩笑！」毓芳放大嗓子用蓋過嘩啦嘩啦的自來水聲音接著腔。

「人家以為我們發神經病哩！」

兩人都嫌楊政清多事。啟事刊出後，心裡都有點惴惴不安。唯恐有七老八十，昏聵龍鍾的老太婆當真闖上門來硬要他們收留。但隨著日子過去，他們慢慢覺得那種憂慮是多餘的了，自然，主要的沒有哪個孤老太婆還會來注意報紙上的分類廣告。

二

從那則小啟事刊出到陳家兩夫婦快淡忘的時候為止，這期間他們依舊不曾找到過穩實有保的下女。有一次送來一個「阿巴桑」，人倒是有根有底，可是一句話不懂，就在上工第二天為了叫她拿東西纏不清，毓芳把嗓子提高了一點，她立刻認為在罵她，一句話不說就氣鼓鼓地辭工走了。在沒有傭人的日子裡，一家人每天一回家就像一群聞到了餅乾屑的餓螞蟻，忙忙亂亂，前前後後地轉著。自然，最忙的還是毓芳。既要對外，又要對內，恨不得再生兩雙手出來。早晨天一亮跳下牀就先燃上爐子煮早飯，準備兩個人孩子中午吃的便當，略為整理一下房間，自己草草修飾一番，便慌慌張張奪門而出，馬不停蹄地走十幾分鐘，恰恰趕上正在不耐煩地揿喇叭的交通車。上了班，她的工作也相當繁重。只有中午，在廠中的小食堂吃過一頓簡便的午餐，有半小時可以看看報或只是坐在辦公室裡閉目養一會神。至下午一下班，又衝鋒似的，第一個擠下交通車，就繞道上菜市場，也顧不得還價挑揀，有什麼就買什麼，買好菜回家連衣服都來不及換，繫上圍裙，便下廚房，洗、切、燒、煮，把一頓晚飯趕了出來，吃過了，又得洗一家人的衣服、燙衣服、記帳，好不容易將這些瑣事忙清，把累得僵硬的身軀往牀上放平。麻木的腦筋馬上就失去了作用。

「有人說沒有思想的人是世界上最幸福的人——他白天不會靜靜地坐下來思想，晚上一挨著牀就睡著了不能思想。」毓芳常常這樣苦笑著自嘲。「我現在便是那種最幸福的人。」

但是，如果說幸福像支平靜的溪流，怡然地圍繞著溫暖安詳的家庭洄轉。那麼，繞著陳家的這支流已不時失去了平靜，生活上繁瑣的事彷彿是一個頑童丟下的石子，不斷地激起了浪花。辦了一天公和上了一天課，回家都願意安安逸逸、輕輕鬆鬆地休息休息，可是又不得不勉強去幫著處理什麼。心裡不情願，做罷了，情緒更急躁，一點芥末小事便常常會成為導火線，引起夫婦倆一番爭論，或是兄弟姊妹間一場勃谿。

那天毓芳正待下鍋炒菜，卻發現瓶裡剩下的醬油不夠了，連忙喚老二、老三：

「快點你們哪個馬上騎車子去買瓶醬油來。」

「今天下午上體育課時，我摔傷了腳，不方便騎車子。」老二志忱推卻著。「志美去買一買好了。」

「人家的手帕明天早上上勞作課就要繳的，今天一晚上還趕不起哩。」志美嘟著嘴把手裡的一方白布揚了揚，又極其專心地埋頭在抽紗的工作中。

「差你們兩個做點事總是你推我卻，好像飯是我一個人吃的！」毓芳生氣的把鑊刀用力敲著鍋子：「志蕙，妳去跑一趟好了。」

「好啦，我去算了。」做父親的也許由於飢腸的催請，也許是不放心小女兒上街，便息事寧人地推了車子出去。臉上卻掛上一臉無可奈何的表情。

就在陳宏出去了一會兒，一陣門響，接著志美跑進廚房來報告：

「媽，有客人來了。」

「請他坐一會兒，你爸馬上回來。」

毓芳正忙得放不下手，心裡卻忖量著是誰趕著這吃飯時候跑來。

「媽，客人是一位老太太，她說要找妳。」

「老太太找我！那麼妳看一下飯，別燒焦了。」毓芳疑惑地一邊在圍裙上擦著油膩的雙手，一邊往外走。還沒有走到客廳，就聽見老五在那裡學舌：

「……我叫陳志光，今年六歲，有兩個哥哥，兩個姊姊……」

陳志光和他的小姐姊志蕙毫不怕生地站在一位老太太跟前搶著述說，那位老太太也牽著他的手聽得津津有味。臉上那些皺紋裡都嵌滿了慈祥的笑意，一頭略現灰白的頭髮，梳得一絲不亂的在腦後盤了個髻。微胖的身軀，穿著一件灰色的旗袍，黑色短外套。半大腳上是一雙黑緞皮底便鞋，精神矍鑠，乾淨俐落，顯示出一副上等人家享福老太太的氣派。毓芳微微一怔，她不記得在哪裡會見過這樣一位老人家。倒是她看見了毓芳，便笑吟吟地站起來招呼：

「妳是陳太太吧，我來打擾了。」

「不敢當，妳老人家？……」

「我姓倪，我是看了報紙來的。」老太太直爽地說，隨手便從手提袋裡取出一張報紙來。

「噢……」毓芳心裡陡然一跳，她已忘了這件事，而且打開頭起她心理上就沒有準備，這一來竟使她有點手足無措，一時不知說什麼好。還是老太太大方，一面瞅著毓芳打量，一面稱讚著。

「妳年紀輕輕的，看不出有了這些孩子，而且一個個都那麼乖，真好福氣！」

「哪裡什麼福氣，淘氣罷！」毓芳勉強客氣著，「老太太是從？……」

「我從台中來——我本來跟我侄兒過。自從他去了金門，一個人冷冷清清的，好不寂寞。那天看到你們登的報紙，覺得正合我的心意。心裡想自己老是老了，但耳目還算清健，手腳也還硬朗，粗活做不動，看看家，照料照料孩子總吃得開。只不知人家要不要我這個老太婆！」老人家詼諧地自己打趣著，引得大家都笑起來，屋子裡窘迫的空氣稍微緩和了一些，就在這時，陳先生推著腳踏車進來在園子裡喊問：

「外面是誰叫的三輪車哪，盡在那裡催。」

「哦，是我叫等的，還有東西在車上，我去拿去。」

「我幫妳拿。」二個孩子搶著跟出去，老太太往外走時正跟進來的陳先生對面碰，她先親切地笑著向他點頭。

「陳先生。」

陳宏愕然望著她，在喉嚨頭嗯嗯哦哦半天。連忙轉過頭用詢問的眼光投向太太，毓芳卻對著他皺眉搖頭，湊近他抑低了聲音急促地說：

「你看怎麼辦？就是看了報紙來的。」

「瞎！都是楊政清害死人，我們又不開養老院！」陳宏急得抓首蹬腳，那邊二個孩子已提著旅行袋、包袱什麼的，興高采烈地同了老太太進來。毓芳跟陳宏眼睜睜地望著，彼此苦笑了一笑。好像不小心吞下了一枚帶殼榧子，嚥不下又吐不出，直梗在心頭。

空氣中傳來一陣枯焦的臭味，毓芳像被戳了一針般跳起來：

「糟糕，飯焦了，志美我叫妳看著，妳又跑出來，回頭看你們吃什麼！」

「喏，醬油在這裡。」陳宏也藉口跟了太太到廚房去，避免一個人留下來對付這尷尬的局面。那位老太太卻頂高興地同孩子七搭八搭談得起勁哩。

「怎麼辦？」

「怎麼辦？」

毓芳沒心沒肝的弄著菜，陳宏抓頭挖耳打著轉，兩夫婦想不出一個妥善的對策，處置那位從天而降的老太太。打發她走吧，明明是自己出面登報徵求的，而且，對一個老人家又怎麼能這樣不恭敬，人家還是從老遠跑來的。留她待下吧，麻煩可就多了，第一是供養她增加一份不輕的負擔，第二又不清楚她根底，不知她為人，第三找不到傭人時反多一個人要侍候，第四老人家總是喜歡嚕嚕嗦嗦，嘮嘮叨叨，使人頭痛，第五這把年紀猶如風前之燭，萬一有個三長二短……麻煩可真數不完，越數越教人煩，這一頓晚飯兩個人都打個折扣。可是，老太太卻愉快地吃了滿滿二飯碗飯，而且大聲地稱讚毓芳的烹飪手法。

飯後，大家在客廳裡坐著，陳宏照例看他的報紙，只不過注意力好像不大集中，毓芳擱下待洗的衣服，跟老太太攀談著，想從談話中暗示一點困難，她先告訴她家裡的生活情況，和自己工作又兼家務的苦處。

「哎呀！真是虧妳的，這世上的事也太不公平了！」老太太不只一次憐惜地感歎著，又忿忿不平地發著議論：「有的女人吃飯不做事，菩薩一樣供著，專門講究穿講究玩，還要嫌長嫌短。像妳這樣內外兼顧，做牛又做馬，真是苦煞了！怎麼不僱個人呢？」

毓芳又把僱人的困難和失竊講了一遍，由於老人家的同情觸動了悲懷，聲音裡充滿了感傷和憶念，說到只因為母親身陷大陸，缺乏親人照料、疼愛。

「妳母親沒有出來，我的女兒也不在身邊，我們正好是同病相憐。讓我照顧妳好了。」老太太輕輕拍著毓芳的手安慰她，毓芳陡然感到一縷溫暖從手上流溢到心裡。她真想閉上眼喚聲媽。遲疑了一會，她還是硬一硬心腸說出了這一會原是一個朋友擅自替他們登的啟事……

「哦！你們這位朋友真好，真熱心！」老太太不等毓芳說完就撫掌稱道，對那位沒有見過面的朋友深感興趣。「真虧你們這位朋友替你們想得周到，這不是很好嘛！」

毓芳乾笑著，無可奈何地望了一眼對面的陳宏，他原來眼睛停在報紙上、耳朵在聽著，這下索性把報紙舉得高高的擋住了整個臉龐。彷彿把它當作一重幕，放下來，便將一切瑣碎的、煩惱的，無法解決的事都摒諸幕外。

「呵，呵呵呵……」老太太打了個人哈欠，摸出手帕來拭著擠出來的淚水，「哎，坐了一天火車可真睏！」

「妳老人家去休息吧，今晚讓五兒跟我們睡，就委屈妳睡他的牀。」

「不，讓五兒同我睡好了，老太婆要個孩子暖暖腳，五兒，你說好不好？」

「好！」老五志光一口應承下來，但又有點靦腆地說：「不過我睡熱了要踢被。」

老人笑了，拍拍志光的肩膀說：

「你踢，有我蓋哩。」

一老一小有說有笑的，毓芳同著進房去，安置好了牀鋪，皺著眉頭回到客廳裡，陳宏放下報紙望著她苦笑著說：

「妳記得我們家鄉有句俗語麼？」

「嗯。」

「這叫『搬了石頭壓自己的腳』！」

毓芳無精打采地歎了口氣。

「過兩天再說吧。」

三

第二天，毓芳同平時一樣，匆匆忙忙地買了菜回家，心裡還記掛著家裡弄了個陌生人來，不知攪成了什麼樣子，腳底下就更加快了步子。一走進大門，只見兩個小的孩子正在廊上比賽投圈，平常一下午沒有課，兩人總是在門口街上玩得一身髒兮兮的，今天卻乾乾淨淨，顯然都已經洗抹過了。看見毓芳都像撿到了黃金似地搶著報告：

「媽，奶奶今天給我們做了麻花，好好吃喲！」

「奶奶做了很多，二哥跟三姊都吃了。還給妳留著。」

毓芳乍一聽「奶奶」這兩個字覺得很不順耳，「有吃就是娘」，孩子們真現實，她正想問他們誰教他們這樣叫的，老太太已笑嘻嘻地走了出來。

「下班啦！」

「噢，」

「孩子們最經不起餓了，放學回家就像一口氣可以吞一個牛頭似的，我看見廚房裡有現成的麵粉，做了點粗點心給他們充充飢。」

「妳老人家太操心了，只怕慣壞了孩子。」毓芳淡淡地笑了笑說，由於有愧於自己做母親的疏忽，反有點嫌她擅自作主，她換上拖鞋，便提起菜籃子預備進廚房。

「妳先歇一會吧。」老太太一伸手接過了菜籃子，「我來弄菜。」

「那怎麼好意思！」

「那有什麼不好意思，閻王的力氣，用了還會來的。妳要怕我弄的菜不合口味，那等我洗切好了，妳來下鍋好了。」老人邊說邊一把提起菜籃子便咯登咯登向裡走。幾步路走得著實有勁，毓芳覺得情不可卻，就吩咐兩個孩子去幫忙，自己走進寢室，換上一件寬舒的家常衣服，朝牀上一靠，斜倚在軟軟枕頭上。那個闖入他們生活中的老人的問題，一天都找機會擠入她腦中，絞著她、纏著她。此刻趁著片刻空隙，又正好仔細考慮一番，該怎樣解決。

人的精神有的時候完全靠套在自己身上的一種責任感維持著，只是機械似的轉動推進，彷彿不知道疲累，可是，只要神經稍微鬆懈一下，所有積壓著的困乏、疲倦，便像潮浪般淹湧了全身。毓芳一靠在牀上，一直勉力振作著的精神便軟癱下來，渾身痠痛，肌肉僵硬，頭裡更是渾渾噩噩，思想越來越沉濁迷糊……恍惚母親提了一條氈子，過來蓋在自己身上，憐惜地說：「這樣躺著不蓋東西最容易受涼了。」「媽！」她大聲喊了一聲，猛地睜開眼睛，卻見屋子裡黑沉沉的，外間真有孩子在喊著媽。

她歎口氣揉了揉眼睛，心裡說著「糟糕」忙跳下牀跑出去，客廳裡電燈開得亮晃晃的，孩子們正忙著端碗端椅子，晚飯已開好在桌上了。老太太最後一個端了一大碗熱氣騰騰的湯出來，一面向要搶著幫忙的志美說：

「媽，媽！快出來吃飯。」

「這個不用妳端，一不小心就燙手。」

「唉喲！真是過意不去！」毓芳歉疚不安地迎上去接過來，譴責地解釋：「我想休息一下就來弄菜的，不知怎麼糊裡糊塗就睡著了。」

「妳一天也夠累了，回家應該多休息休息。」

望著老太太慈祥的笑容，毓芳忽然想起剛才夢見的母親，她低下頭去扒飯，雖然早已飢腸轆轆卻覺得那飯粒梗著喉嚨。

孩子們這頓飯似乎吃得特別高興，一面互相稱讚著菜好吃，一面狼吞虎嚥地吃得比平常更快，大家都不約而同地增加了飯量，連陳宏也吃得津津有味。毓芳看在眼裡，聽在耳中，不知怎麼心裡越來越不舒服，那慈祥的笑容隱退到碗底下，看見的只是可厭的殘菜剩湯。恨不得馬上傾在餿缸裡。

老人全不知道毓芳的心意，聽見孩子們稱讚，看到他們吃得有味，從心底裡笑出來，好像小學生考了第一名，站講講台上獲得了老師的誇獎。

「要是喜歡吃我燒的菜，以後就由我來燒好了。」老人笑望著大家說，有所期待地。

「上午我已經打了電話給傭工介紹所。」毓芳擱下筷子，誰也不看地說，聲音是故意的冷淡。「他們答應我明天就送個下女來。」

四

下女果然第二天就來上工了。當毓芳下班回家時，在老太太的調度下，她已按部就班，有條不紊地操作著雜務，毓芳倒反插不上嘴了。她聽著下女阿珠左一聲老太太，右一聲老太太的問東問西，很不耐煩，索性又賭氣地回到自己房裡。想把明天要換穿的衣服來熨一熨，拉開五斗櫃抽屜，卻見一疊旗袍已熨得平平整整地放在裡面。她又隨手拿起把梳子來掠一掠頭髮，梳妝台上早晨匆匆忙擲得一桌的梳子、粉盒、口紅什麼的，都已收拾得整整齊齊，毓芳心裡感受到一種矛盾，她願意有人替她把那些煩人的瑣碎事情做得妥妥貼貼，但她不願自己主婦的權威和尊嚴受到一點損傷。在家庭裡，主婦地位的重要是無可比擬的，猶如鐘錶裡面的發條，和機器裡面的馬達。若缺少了或是怠工了，那一切都將陷入停頓狀態。主婦一天到晚操勞辛苦，也就是這一點值得自傲。而這份重要性若一旦受到影響——哪怕極輕微的一點影響，狹窄的女人的心地，往往會覺得不能容忍，毓芳認為一個闖入者越俎代庖，未免太過分了，但她還是以她的教養，抑制著自己的不能容忍。

晚飯後，毓芳為孩子們裁了幾條早就該添的內褲，便在縫紉機上忙碌起來，志蕙和志光盡在一旁纏著老太太給他們講故事。

「奶奶，再講一個跟昨天的〈傻女婿〉那樣好玩的故事。」

「要不就同阿彌陀佛那樣的神仙故事，好不好？奶奶。」

「你們都不要做功課了！」

毓芳一聲叱責，二個孩子都嚇得一怔，彼此對看了一眼，忙不迭一起搶著回答：

「下午統統做完了，奶奶看我們做的。」

討厭！又是奶奶，那麼親熱！毓芳在肚子裡暗暗生氣。

「拿來我看。」

二個孩子進貢似的呈上他們的作業簿，在旁邊指點著，毓芳停下針車，翻開簿子看了一遍，嚴格地指出錯誤。

「志光以後寫字要寫得整齊一點，你看這個『我』字一會歪到左，一會又歪到右——志蕙我告訴妳幾次，做算術一定要用尺畫線，彎彎曲曲多難看！」

孩子默默地收回簿子，剛才嬉笑淘氣的神情一下像烏雲遮日般全收斂了。站在房間中間，似兩株垂頭向日葵。

「得啦，下次注意，一定要做好一點。」老太太看著不忍，陪著笑過來打圓場。「來，我們去小間講故事。」說著一手牽了一個，走進他們睡的小房間。

毓芳下死勁地踩著針車，彷彿都是一個惹她生氣的怪物，恨不得把它重重鞭撻一頓，出出氣。突然，「喀嚓！」一聲，針斷了。

「真是見鬼！」毓芳狠狠地把布一撩，頓著腳。「明天就打發她回去。」

「妳是說誰呀！」陳宏逗趣地望著她，「縫紉機還是人？」

「那老的。」

「不說她侄兒去了金門，沒有家嗎？」

「我管她！哪兒來就回哪兒去。」

「下女呢？還留不留？」

「我會扣押她的身分證。」毓芳回答得乾脆了當。

「我看，」陳宏悠悠地說：「還是過兩天再說吧。」

「怎麼？你倒願意開養老院了！」毓芳猛地扭過頭來，瞪著她丈夫，只見他也正瞅著自己微微發笑。他的冷靜更襯出她的激動，她忽然覺得臉上有點熱，那樣使性子簡直是沒來由的。平常的教養又到哪裡去了？何況對象是個那麼善良、慈祥、孤獨無依的老人，難道自己當真還因為孩子對她過於親暱而嫉妒！多可笑呵！

毓芳不再開口，換上一枚新針，便專心一注縫下去，也不知縫了多久，只覺得頸項和手臂都有些發疼，但她還是不想停，「時間」對她來說，一直得打搶一般搶下來的。

「孩子們都睡下了。妳也該早些歇，明朝還要趕早哩。」不知什麼時候，老人已悄悄地走到毓芳背後，那關切慈祥的聲音激盪在夜晚清靜的空氣裡，像一隻無形的、溫軟的手，輕輕地撫摸著臉頰，撫摸著心靈，舒服、安全、熨貼……

「妳先去歇著吧，奶奶。」毓芳不知不覺跟著孩子順口溜出來喚著，「我縫好這兩道邊，馬上就睡。」

五

日子一天一天過去，關於老太太去留的問題，陳家兩口始終不曾徹底討論出一個結論，起初是難於啟口，誰又忍心向一位慈祥可親的老太太提出驅客令！後來，慢慢地也沒有人把這當作問題了，那位直爽豪邁的老太太，也儼然把陳家當作自己的家，她能幹，愛管事，最喜歡找機會露一手自己烹飪和其他各方面的才能，要再給她戴上頂高帽子，那更會賣力得把老命都拚上。只是有點喜歡擅自作主，別人做的事看不順眼就愛嚕嗦幾句，曉得她的性子，不去干涉理會，也就算了。孩子她也疼，平常做母親的上班辦公，下班忙家事，親近的時間比較少。在她老人家跟前，就盡有得撒嬌撒賴的，她也不憚其煩地依順著。人都是有惰性的，只不過有時被責任，被自尊心以及環境的壓力掩蔽著，一旦依賴成了習慣，它也就顯露出來。毓芳自從有老太太來替她分勞，帶著阿珠把家事安排得逸逸貼貼。不用她再費心勞神，她不知不覺已把老早那種矛盾的心理撤除，樂得回家來享享清福，做做自己的事情。

一天晚上，大的二個孩子都在書房裡溫課，小的二個，又由老太太陪著在小間裡說說笑笑，準備睡覺。收音機裡播放著幽美的輕音樂，客廳裡散布著寧靜、恬淡，而又安詳的氣氛，毓芳閒暇地拿了一本雜誌，與陳宏對面對靠在沙發裡，她正唸了一段有趣的文章給陳宏聽，唸完後卻沒有得到預期的反應，她嗔怪地抬起眼睛來，卻見他手裡執著報紙，眼睛卻望住她。

「怎麼啦？你。」

「我在看妳近來好像胖了些，變得更年輕了。」陳宏望著她溫柔地微笑。

「嗯，」毓芳不由得摸了摸自己的臉，「不是哄我。」

「當然真的——我剛才在想：我們好像很久不曾這樣對面對靜靜地坐著，聊聊天、看看書，怪安逸的。」

毓芳沒有回答，只愉快地笑著，她在想自己這一陣不但消弭了那種使神經繃緊僵直的緊張，而且也有較多的時間用在修飾自己、注意健美上，心情愉快，容光也隨之煥發。還有，大人和孩子們之間也很少再有爭執和勃谿，一家融融曳曳，充滿了安詳、快樂、溫暖的氣氛，生活得富有生氣。

「妳又在想什麼？」

「我正在想，是奶奶把我們這輛亂糟糟的家庭列車引上了軌道，向那幸福快樂的前程駛去。」

「家裡有個老人，真比朝中有個皇帝還了不起。」陳宏也附和著感歎，毓芳忍不住笑著指他。

「你這是什麼不倫不類的比喻？皇帝要人侍候，一點好處也沒有，老人卻像太陽，給任何人溫暖。噢，說真的，老人家來了快一個月了，我不曉得該怎麼報酬她？」

「我們登報時說的是徵求義母，她來了也相處得跟一家人一樣：如果說給她待遇，似乎太不恭敬了。」

「就是這樣說嘛，可是她平常自己也要零花，還有有時給孩子買水果點心什麼的，我想，只有算是給她零用的。」

兩夫婦商量定了，第二天毓芳便裝了二百元錢在信封裡，恭敬地送給老人。還沒有說話，老太太已打開一看，倏地變了臉色。

「怎麼，是給老傭人的工錢麼！」

「奶奶，不是這樣說，」毓芳忙陪著笑，訕訕地向她解釋：「妳平時也要零花，還有給孩子們買糖買餅的，放在手邊方便些。」

「我小錢還花得起。」老人把信封往毓芳懷裡一塞譴責地說：「既然承你們看得起，當作一家人，計較那些幹嘛！」

「奶奶！……」毓芳拿著信封，推又不是，收又不是，弄得十分窘迫。老人家望著她，頓了一頓，忽然又自動把信封拿過來，帶著點自嘲的口吻。

「好吧，我要不領妳這份情，怕妳總不會安心。我這是支的管家的薪。」

「奶奶！」毓芳急得臉都掙紅了。老太太笑著在她背上拍了一下。

「別惱！開玩笑的。」

六

隔了幾天，有一天毓芳回家，只見老的帶著四個小的，手裡拿鏟子，提水桶的，全在前園裡忙著，原來因為乏人整頓，樹木稀疏的空園中，忽然種植了不少花秧樹苗，枝葉招展，綠影婆娑，頓時顯得生氣盎然，平添不少情趣。

「偌大的院子，不多種點花木怪可惜的。」老太太扎著兩手的泥土，高興地向走近來的毓芳說，一面揮動著手裡那支手鏟，指點給毓芳看，兩鬢灰白的短髮微微凌亂，隨風飄拂，老臉飛紅，神采奕奕，「這幾株是香蕉，這兩株是木瓜，還有一株橘子，一株柚子，和一株芒果，孩子們都愛吃水果，花錢去買，又貴又不新鮮，自己院裡栽了，想吃就上去摘，多有意思！」

「奶奶，我一定把第一隻結的橘子摘下給妳。」志光興奮地嚷著。

「乖孩子，難為你這片孝心，」老太太歡喜地拍拍他的頭，又接下去數點：「那兩株是白蘭和珠蘭，夏天裡開起花來可香咧！記得我那老家的房間窗下便有一株，每天一清早臉不洗，頭不梳，就去摘了來插在頭上，佩在胸前，走到哪裡都是香噴噴的——那株瘦瘦的是桂花，到秋天開花時，可以摘下來拿糖醃上做桂花醬。」

「做桂花圓子，頂好吃！」志蕙咂著嘴打岔。

「嗯，過年還蒸桂花年糕。那邊那些都是玫瑰。台灣玫瑰四季都開，滿院紅堂堂的，夠熱鬧！」

「啊，真想得周到，妳這一布置，荒院變成美麗的花園了。」

老太太聽到毓芳熱誠的誇讚，更笑得打一臉的皺褶。

「買這些樹苗，花不少錢吧？」

「不貴，不貴。」老太太笑著搖頭，「妳說我有時要零花，這不過是我的零花罷。」說完，老太太挺爽朗地笑起來，毓芳很過意不去，忙惶恐地申說：

「那怎麼可以要妳負擔？」

但老太太不再聽她的，就拿過志忱的澆水壺，諄諄地告訴他澆水該澆根部，最好不澆到枝葉。……

又過了幾天，毓芳回來時卻見前面園子裡靜悄悄的，走進屋子也不見一個人，只聽見陣陣切切錯錯的笑話從後面傳來，她穿過廚房跑進後院，這才見老老小小圍著一隻木箱擠在一起，除了他們愉快的交談聲，還有一種輕柔悅耳的嘰喳聲。毓芳也彎下腰去向裡看時，原來是一群雞雛。一身茸茸的黃絨毛，圓滾滾的身子，像一個個絨球，看樣子從蛋殼裡鑽出來大概不到二天，小尖嘴裡東啄西啄，一面輕柔地唱著，那嬌小活潑的模樣煞是可愛。

孩子們專心一注地看著、笑著。

「你看，牠啄牠的嘴。」

「看牠還提起小腳爪來搔癢，真有趣！」

老太太卻忙著把二個煮熟的蛋黃，研成粉末，小心地拌勻了放在食槽裡。

「妳不討厭養雞吧！」老太太興孜孜地問著毓芳，卻不讓她插嘴逕自發表自己的高見：「我很喜歡養養雞鴨什麼的，一家人家要興興旺旺，一定要有小孩子的哭哭笑笑，吵吵鬧鬧，還有雞呀，狗呀，貓呀的啼啼叫叫，這才有生氣。不過最合算還是養雞，有肉吃，也有蛋吃，現在的人最講究營養，等這些雞下了蛋，就盡夠你們一家營養的了。」

不用說，這筆購小雞的錢，又算在老人的零花帳上。

七

前院種了花木，後院養雞，老太太也更增加了忙。剪枝、拔草、鬆土、施肥、餵雞，樣樣要親自動手。而且越忙越起勁，一閒下來，反而手腳都沒處安排。

「我大概生成是個勞碌命。」她有時自己這樣調侃著，「不做事不舒服。就像我看到那些愛打牌的賭鬼，無日無夜地打下去，總以為累得不得了，她們卻越打越起勁哩。你們看我累，哪曉得我是樂在其中。」

有時，毓芳他們總覺得她老人家一把年紀，不應該太操勞，她聽了就最不服氣。

「老人家又怎樣！吃得下，睡得著，不殘不缺，還當菩薩供養起來不成？我一生最看不起的就是吃飯不做事的人，生下來簡直是糟蹋糧食嘛。」

老太太常常喜歡提起她從前做媳婦時的能幹，上有公婆，中間有妯娌，外面有佃戶，自內至外，就她一個人當家，沒有一個人不讚她精明能幹。後來也同丈夫出外成立小家庭，不幸她丈夫一病不起，那時跟家裡又因為戰爭隔絕，全靠她一個人撫養兩個子女，受完教育，各自成家立業，女兒還在大陸，至於兒子……老太太平時直爽坦率，只有說到兒子，就言語支唔，一忽在香港，一忽在大陸，老太太平時嘻嘻哈哈，挺樂觀的，也只有提起了兒子，好像就上了心事，悶悶不樂。老太太很少提起在台灣的生活情形。毓芳也不便怎樣探問。心裡原也巴不得如她說的真的沒有家在台灣，那就可以永遠住在自己家裡了。如同菜裡的鹽，輪子的軸心，老太太已經成為陳家不能缺少的重要角色了。

八

一個星期日，毓芳他們幾個一致慫恿著老太太去看場電影，那是張國產片〈滿庭芳〉，說是裡面也有位老人家挺樂觀的。老太太終於在敦請下餵飽了雞子們，率領著陳家兩口子，和四個小的孩子，浩浩蕩蕩向電影院出發。一場電影看得大家嘻嘻哈哈，十分快活。散場後，陳宏建議去吃一點點心，老太太牽著志光走在行列最後面，兩個人東看看，西看看，說著笑著挺愉快的，志光指著馬路對面一副賣汽球的擔子嚷著。

「奶奶，妳看那個兔子汽球多好玩！我想要一個。」

「奶奶給你買……」

志光就等著這一句，可是，老太太突然停步，未完的話好像倏地間斷了的收音機，他詫異地抬起頭來，卻見她正瞇著眼望著前面，像是吃了一驚。

「志光，跟媽媽說奶奶有點不舒服，先回去了。」說完，老太太便甩下志光的手。向後往轉角上一拐，急急忙忙跳上一輛三輪車便拉走了。

小志光被這驟然的舉止弄呆了。直到老太太坐的三輪車消失在車子的潮流中，才想著要奔到前面去告訴父母，他剛提起腳步，驀地空中落下一雙有力的巨掌扳住了他的肩頭。

「喂！小孩，剛才那位老太太是你什麼人？」

志光吃驚地抬起頭來，見是一個陌生的瘦高男人，正耽耽地瞪著自己，不耐地撼著他的肩膀：

「我問你那個老太太是你什麼人，到哪裡去了？」

志光使勁扭著肩膀，也強硬地瞪著那人說：

「那是我家奶奶，干你什麼事？」

「喂，你這個人，為什麼欺侮小孩！」陳宏一回頭看了這情形，怒氣沖沖地同毓芳趕過來責問，那人也感到了自己的魯莽，忙鬆開手，訕訕地陪笑著。

「我只是問問這位小朋友關於那位老太太……也許我看錯了人。」說著點頭晃腦地走開了。毓芳四面張望著，詫異地問志光：

「奶奶呢？奶奶哪裡去了？」

「奶奶說她有點不舒服，先回去了。」

「不舒服！真的？」

「嗯，奶奶說的嘛，她先還答應給我買汽球哩，說著說著，忽然她就停下來，甩開我的手，跳上三輪車跑了。」志光一肚子委屈地瞥了對面那一擔汽球。紅紅綠綠的隨風飄搖著，像在向他點頭招手，他也沒有聽清楚父親在說：「那我們也回去看看吧。」糊裡糊塗就被拖上了公共汽車。

找到老太太正坐在自己房裡牀上，神色怔怔發呆，毓芳跟孩子一擁進去，關切地問：

「奶奶哪裡不舒服，要不要請醫生去看看！」

老太太好像從一個很遠的夢中醒過來，望著身邊這一群，強顏作笑地搖著頭：

「沒有什麼……只是一點點頭暈，你們又何必趕回來呢！」

「不放心嘛！」

「你們真是……」老人微笑著又是感激又是嗔怪地，老眼中卻忽然閃著淚光，毓芳第一次看到硬朗的老人這樣軟弱，這樣衰憊，想她生兒育女，一世辛勤，晚年卻落得孤苦伶仃，孑然一身，不禁同情地撫著她的肩頭。老人伸出一隻冷冰冰的手緊握著毓芳的，默然無語。

「奶奶，剛才……」

志光想告訴她關於那人探聽的事，卻被毓芳使一個眼色阻止了。好在老太太浸在自己的心事中，尚未完全豁脫，也沒有留心到志光的半截話。

第二天，老太太一整天都顯得有點心神恍惚，被什麼分散了注意力，餵餵雞又忽然回到房裡去坐著發怔，一會兒又把帶來的那點衣物搬出來整理一番，卻又躊躇著把它歸還原處。毓芳那天下午因為身體不舒服，正請了假回家休息，老太太進房來關切地噓寒問熱，摸頭按脈，一臉悲憫困惱的神情，幾次望著毓芳似乎欲言又止，搖搖頭走了出去。

毓芳感到頭暈腦脹，剛昏昏地睡去，覺得有人在搖撼著她喚媽，她睜開眼睛，見是小兒子志光帶著一臉驚惶的神氣站在牀前，壓低聲音急促地說：

「媽，我又看見那個人了。」

「誰？」

「就是昨天拉住我問奶奶的那個人，我放學時，他在後面跟住我。」

「跟著你？」毓芳撐起了半個身子，疑惑地望著志光，「你沒有看錯？」

「記得清清楚楚，不會錯，走到巷子口我回頭看見他還在東張西望，就拔起腿來飛快地跑了回來，我怕他已經……」志光一句話沒有說完，突然門鈴聲大作，他嚇了一跳，住了口，毓芳豎起了耳朵，聽見阿珠去開門，接著一個帶點沙澀的聲音在問：

「請問你們這裡是不是有一位倪老太太？」

志光緊張地，一把抓住他母親的手臂。

「是他，就是他。」

「我們這裡姓陳。」阿珠的聲音回答著。

「噢，」那人遲疑了一下，「我來看你們老太太。」

「阿珠，阿珠！」毓芳連忙喊住阿珠想出去阻止，但阿珠已高聲向內喊著老太太，等毓芳扱上拖鞋匆匆趕出去時，老太太也同時從後院走到了廳上。

「哦！老太太當真是您！」那個站在門外的男人一眼看見老太太，立刻如獲至寶般搶前幾步，堆著一臉諂媚的笑，卑恭地請了個安。

老太太怔了一下，似乎有點措手不及，隨即寧下神客氣地招呼著：

「原來是唐先生，難為你找到這裡——我來介紹一下，這是我的乾女兒陳太太。」

那個姓唐的嘴裡唔唔地彎腰點頭，卻用懷疑的眼光瞟了毓芳兩眼。老太太讓客人坐下後，朝毓芳說：

「妳不舒服怎麼又起來了！可別又招了寒，還是進去躺著，客人有我招呼哩。」

毓芳聽老人家這麼說，一則想著自己在這裡也許有點礙事，再則身上也實在不舒服，便告了罪，帶著一肚子狐疑回寢室裡睡下。房間與客廳只隔了一層薄薄的板門，而他們說話似乎也並不避諱，因此毓芳眼睛雖然閉著，外面的說話卻全聽在耳中，只聽見老太太在問：

「我那裡一家人都好吧！」

「都好，都好。」回答的聲音是謙卑的，「只是老太太走了以後，處長很著急，心情也不好，派了人到處去找沒找著，我建議處長登報……」

「登報幹嘛！老太婆總不成捲逃私奔。」

「哪裡，老太太說笑話了，處長也覺得登報太招搖，可是派出去找的人連一點消息都得不到。」

「這下子被你找到了，回去一報功，處長可又要傳令嘉獎了。」老太太有意揶揄著。

「不敢，不敢，這次我到高雄來倒是有點公事。昨天無意中在街上見到了您老人家，結果卻失之交臂，我原來昨晚上回去的車票都買好了，見到您，我就改變了主意，說什麼也要探聽個仔細，我做了一次偵探——嘿嘿，居然成功了。」謙卑的聲音裡抑制不住那種得意的神氣，毓芳聽著很不舒服。

「其實我不過在家裡待悶了，出來玩玩，散散心，我留的信上不也這麼說明了，不想倒教你們大家操心了一頓子，看我還不是好好兒的，真是！」

「老太太倒是氣色頂好，比以前還發福了一些，我看——今晚下就由我護送老太太回去，好讓處長放心。」

「你是來綁我票的呀！」老太太不大高興地說：「這裡是我乾女兒家，頂自由的，我說不定明後天想著要回家，就明後天回家，也說不定隔上十天半個月再回家，你回去就這樣告訴處長好了。」

「可是……」那沙聲音囁嚅地放低了說：「我追隨處長多年，好像，好像處長也不清楚這門子乾親。」

「你這話可說得真好笑，難道我們倪家有些什麼親戚，還都得落個譜給你存查！」老太太可有點惱了，嗓門兒也粗起來：「你回去就跟我那兒子這樣說，沒有錯。我看你也有公事，不多耽擱你了。」老太太就這麼連請帶攆的把客人送走了。

老太太牽著志光的手，走進毓芳房裡，原來望著天花板在沉思的毓芳，連忙撐持著坐起來，以歉疚的微笑掩飾著自己的不安。

「奶奶，很抱歉！你們在外面說的話我都聽見了。」

「我本來也沒有說不讓妳聽呀！」老太太坐在她牀沿上，輕輕拍著她擱在被上的手。「聽了，頭沒有更痛吧！」

「頭不痛心痛哩，」在慈祥的老人面前，毓芳也拾回了小兒女的撒嬌，眨著眼嘟著嘴：「奶奶妳不但有家有兒子，而且兒子官兒好像還做得不小呢？怎麼一直都把人家瞞在鼓裡。」

老人淡淡一笑。

「我要說了，你們還會留我麼？」

「想起來真不安，讓您在我們家裡受委屈了。」

「傻孩子，誰告訴妳我受委屈了！一個人不願意做的事，別人強迫他去做，才叫委屈，譬如妳最討厭打牌，別人硬拖妳入局，妳就會覺得很委屈。但如果妳是喜歡打牌的，那就覺得樂在其中了。是我自己喜歡，你們誰也不能教我受委屈的。」毓芳聽老太太說了一大串道理，稍微減輕了一點內心的不安。

「那麼，奶奶，我不懂妳為什麼有福不享，一個人到外面來闖。是妳兒子待妳不好麼？」

「我兒子待我很恭敬。」

「那麼妳媳婦？」

「我媳婦也待我很客氣。」

「那？」毓芳驚異地瞪大了眼睛望著老人，想從她那褶滿了皺紋的臉上找出答案來。但那些皺紋裡除了嵌著慈祥，再沒有別的可以幫助她解答的。

老人輕輕歎了口氣，笑著搖搖頭，在那笑著，毓芳窺見了老人在心底的悲哀，寂寞和孤獨——她一直用她的樂觀和勤勞深深掩藏著的。

「妳不知道，過分的客氣，就像築了一道牆，橫在兩代人的中間，隔得遠遠的，不讓妳親近；過分的恭敬又使人懷疑自己不是有血有肉的人，而是供養在神龕裡的神。那樣的日子教一個喜歡熱鬧親切的老人實在難過，有的時候，我甚至情願爭爭吵吵，哭一哭又笑一笑。但是，他們總是那樣客客氣氣，恭恭敬敬，好像離得我好遠，好遠……」老人的聲音跟著頭一齊低下去，低下去，彷彿很遠，很虛緲，毓芳同情地勸慰著：

「不過兒子媳婦曉得孝敬也就不錯了。」

「孝敬，嗯，他們是很曉得怎樣孝敬我，從來不會讓我缺穿的著的，不是關心我受寒捱熱，而是怕我穿得隨便有失體面，見面兩口子總是規規矩矩叫一聲『媽』，但只這一聲之後便再沒有話說，從來不問我想什麼，要什麼，我們雖然住在一個屋頂下，見面時候也不多，他們兩口子公事忙，交際應酬忙，原來待在家裡時候就很少，吃飯又是單獨開的。也很少碰得到頭，常常一整天我就講不到三句話，有時實在悶得慌，想找個人聊聊，可是家裡門禁森嚴，我的朋友又沒有哪一個願意跑來受拘束，我要去闖鄉鄰吧，兒媳兩口又說我有失身分，他們顧慮的就是身分，有時我興致好，說是自己去廚房弄幾隻我那兒子從前最喜歡吃的菜，他就會不高興地說我：『媽，廚房裡有的是廚子，妳老人家又何必躋身在那些下人堆裡，有失身分。』我喜歡種花，從前在大陸上，我們住的那小屋前後就是我栽滿的花草，可是我的兒子一看見我在花園裡弄這弄那，又不樂意地說我：『媽，這園子自有花匠照料，妳老人家又何苦拈土弄泥，做這種髒兮兮的粗事，不怕失身分。』我也喜歡養養雞鴨什麼的小動物，可是只要我一提議，那兩口兒就像聽見了瘟疫似地堅決反對說：『我們這種人家怎麼能養這些髒東西，多失身分！』。」老人激動地述說到這裡，停了一下，無力地換了口氣，讓高亢的聲音重又恢復了沉緩，「做母親的克勤克儉、含辛茹苦，把孩子撫養大了，心裡只有一個願望，望子成龍。我的兒子算是成了龍，有地位，有官做，他倒回頭要求做母親的為他保持身分。那就是說吃飽穿暖了，什麼也不做的坐在屋裡，有時來個什麼人給引見老太太，恭恭敬敬請個安，一句話不說退了下去。這跟菩薩冷冰冰地供在神龕裡，又有什麼分別？」

「老人家嘛，按理說這樣便是享福。」

「連妳也要說起那是享福來了！毓芳，妳不是不曉得我的性格，雖說上了點年紀，又不瘸不殘，不聾不瞎，要我一天到晚坐著不動，又沒有個人睬我理我，那簡直是受罪嘛！人活著嘛，總願意做個有用的人，誰願意被人當作擺設，當作老廢物！」別看老太太平日樂觀勤快，卻有這些感慨和不滿，她一直用不斷的忙碌和對孩子們的慈愛封鎖起這些，如同堵住的泉源，一經觸動，便不斷地向外洩流，她老眼潤濕，雙唇顫抖，喘息著像一頭疲弱的老牛，這時孩子們都已放了學，圍在一起聽故意似地屏息靜聽，最得老人寵的志光，一轉身出去倒了杯開水，悄悄地送到老人手裡。

「真乖！」老人輕輕拍著他的頭，卻再也忍不住地眨著眼睛，不讓淚水流出來。

「奶奶總有好幾個孫兒女了吧！」毓芳笑著想引起老人的興趣。「含飴弄孫，該是人間最大的樂趣了。」

老太太果然略展眉眼。

「有三個，二個孫子，一個孫女。」她笑了笑，卻又拖了一條悲哀的尾巴。「至少，在血統上算是我的孫兒女。」

「怎麼？……」毓芳愕然。

「他們同他們父母一樣，離得我很遠、很遠。上學的兩個，歸家庭教師管教，小的那個，有保母帶領。很少跟我親近，有的時候，我也講故事給他們聽，使他們高興留在我身邊，可是他們的母親曉得了就暗地裡告誡他們，說是我講的都是荒謬的東西，會聽壞腦筋，不許再聽。有的時候，我買了好吃的糖食，哄著他們到我身邊來。他們的母親又會警告他們說，我的東西不乾淨，上面有細菌，吃了會中毒，不許再吃。甚至我把孫子抱進我房裡玩，保母都會受到責備，說是不應該讓他去空氣不好，不清潔的地方……我也不怪我的媳婦，她是新派，她去過美國，管教孩子有她新的一套，看不起上一代——可是，我是多麼想疼我的孫兒女，聽聽他們悅耳的聲音，看看他們可愛的模樣，摸摸他們柔嫩的臉蛋……唉……」老人的聲音梗塞了，一腔熱愛摯情堵住在喉頭，她不禁舉手撫著胸口。

原來倚在她旁邊的志光，更貼近一步靠在她膝下，仰起憂戚的小臉，憨態十足地問：

「奶奶妳不喜歡我了？」

「喜歡，當然喜歡囉！」老人破涕為笑猛一把將志光摟在懷裡，又是拍，又是親，歉疚自己無意中傷了小小的心，「奶奶就是因為有你們，才活得那麼起勁。」

「我們都喜歡聽奶奶講的故事。」志蕙也挨近來討好地說。

「我們最喜歡吃奶奶買的糖果。」志光不甘落後地說。

「好不要鼻子！」毓芳笑著湊趣，她很高興孩子們轉換了氣氛。

「奶奶妳不會離開我們吧！」

「你們要是不聽話，瞎鬧，纏得奶奶煩了，她就會回去。」毓芳嚇唬著孩子一面自己謙虛：「奶奶在自己家裡著實比我們家享福，住的房子比這裡寬敞，什麼都有傭人侍候，不用操心。孩子都很有禮貌，不像我們家裡鬧糟糟的像個喜鵲窩，樣樣自己動手，你們還老給奶奶添麻煩——」

「得啦，得啦！」老人帶笑攔住毓芳，一手一個摟著兩個孩子：「比起冷冰冰的神龕來，我就是喜歡這個鬧糟糟的窩，融融曳曳，親親熱熱，有溫暖，有人情味，這才像個家嘛！」

「可是，您兒子曉得了您在這裡，遲早總要來接您回去的。」看看老的小的又逐漸高興起來，毓芳不願意掃大家的興，把到嘴邊的話又吞了下去，自己暗暗歎了口氣。

九

毓芳不願意說出來掃興的話，卻被事實證明了。星期天上午，陳家動員全家，來一次大掃除，家具，榻榻米都搬出了屋子，洗天花板的洗天花板，擦玻璃的擦玻璃，打掃的打掃，把阿珠平常清理不到的死角都徹底清除一番，大家嘰哩呱啦，做得好不熱鬧。忽然門鈴一陣陣響，毓芳叫阿珠去開門，原以為來的總是幾個熟朋友，不想進來的卻是上次來過那個姓唐的，引領著一位西裝筆挺，派頭十足的紳士，一副黑框的眼鏡更增添了幾分威嚴，頭微微昂揚著，眼睛朝向上面再向下俯視。他的臉型很像老太太，但神態卻截然不同，毓芳一看就猜準是老太太的兒子。

他們走進玄關，那位紳士從上向下望著屋子裡的情形，微微皺著眉頭。那姓唐的卻儼然以熟人自居替他們介紹著，那位貴客是倪處長。

「噢，真抱歉，屋子裡亂七八糟，連個坐的地方都沒有。」陳宏從桌椅架設的臨時梯子上跳下來，十分歉疚地招呼著貴客，一面讓他在走廊上坐下，順手遞上香煙，客人卻沒有接他的，從口袋裡摸出一只精緻的K金煙盒，手指一按，跳出一支洋煙，虛敬了陳宏一下，自己抽了一支，旁邊姓唐的連忙燃上打火機送到嘴邊。

「陳先生府上是？」貴客悠然吐了一口煙，眼睛從鏡框裡打量看陳宏，機械式地、生硬地攀談著。

「浙江。」陳宏只穿著睡褲汗衣，被他打量得渾身不自在。

「在哪裡得意？」

「說不上得意，當公務員。」

貴賓在鼻子裡唔了一聲，眼簾落下來看看香煙，又輕輕地彈了彈灰。

「聽說家母在府上打攪了許久，很是過意不去。」

「哪裡，我們就跟自己人一樣，只怕委屈了。」

「家母的性格與別的老人家稍微有些不同。比較喜歡動而不大願意坐著享福。」他乾笑了笑，好像為老人的執拗感到慚憾。「我自己很忙很忙，今天很不容易抓到一天空暇，專程來接老太太回去。」

「志蕙，」陳宏喚捏著抹布發怔的女兒，「進去告訴奶奶一聲。」

貴賓雖然對這個稱呼感覺驚訝，遲疑了片刻，終於忍不住屈尊就教地動問：

「請問，你們怎麼跟家母認識的？她又怎麼來了府上？」

「那，那要問內人。」陳宏回過頭去，毓芳已不在那裡，一會兒，卻陪了老太太一同出來，貴客一看見老人，立刻以一種敏捷的動作站起來，垂手彎腰，恭而敬之喊了聲：

「媽。」

「噢，你怎麼來了！」看見兒子，老人喜形於色，趨前幾步，情不自禁地向他伸出雙手去，但在空中略停了一下，又收回來改作拍去襟上沾的雞食粉。

「我專程來接媽回家。」貴客等老人坐下，自己才挨著椅子邊坐下，顯出一副恭謹、好教養的模樣，一句都不提到出走的事，像是老人昨天才來作客。

「嘖！你忙得很，又何必自己來跑這一趟呢，我不告訴過唐先生，哪天想回家，我就自己回家。」

「我已跟媽買好了飛機票。」兒子恭謹的聲音中摻有不可拂逆的堅決。「今天下午五點鐘起飛。」

「今天下午五點鐘乘飛機？」老人叫起來，「用得著那麼匆忙！」

「星期一上午九點鐘有一個重要會議。我必須趕回去出席。」

「那不是我開會，我不要坐飛機。」

「票已經買好了。」兒子不予分辯，只是堅決地強調這句話：「現在離五點鐘，還有七八個鐘頭，我看沒有什麼來不及。」

老人望著她兒子，沉吟著，毓芳發現她抿緊的嘴角有者跟他兒子一樣的，堅強的條紋，只是平常笑的時候完全隱沒了。

「我實在不喜歡坐飛機，關在那麼一個盒子裡，又沒有什麼好看的，又教人頭暈。坐火車有趣得多了，我看就這樣，你把飛機票去退掉，我明後天準坐火車回家。」

「叫陳宏請二天假送奶奶回去。」毓芳幫著老人說。

「不敢勞駕，那就讓唐先生留下來照顧媽。也不要再等到後天了，就是明天。」做兒子的大概認為第一回合已勝了，再堅持也無益連忙安排下第二著。

「好吧，明天就明天。」老人退讓著，露出一個自嘲的微笑，「誰也不用照顧我，坐火車一點不會寂寞。沿途有風景看，車廂裡又有那麼多的人，大家一起坐上六七個鐘頭，很快就攬熟了。上次我來就交了好幾個朋友。」

但結果倪處長還是堅持著要留下姓唐的，事情告一段落，老太太略為問了一些家裡情形，那位貴客便要告辭，不管陳家兩夫婦怎麼留他吃飯，連他母親都勸他。

「沒有辦法，我這次悄悄地南下，總以為沒有人曉得，誰知道一下飛機大家就等在那裡迎接，說什麼也要設宴招待，不去，他們會認為我不給面子，做人也很難，嘿嘿……」他搖著頭，誇耀著自己不得已的苦衷，又朝著老太太俯手彎腰，恭敬地很有架式地告退，「媽，那我走了，明天在車站接您老人家。」

客人走了，卻給這個鬧糟糟的屋裡留下一片陰影，一種陰霾天烏雲密布的沉鬱氣氛。那些拿著抹布、掃帚的手都停了下來，那些歡樂無憂的臉上露出悽惶的神色，大家望著默然坐在椅中的老人，有一句話堵在胸口，卻誰也沒有說的勇氣。

也許是那份沉鬱的氣氛使她感到了窒息，老人從沉思中驚覺過來，環視周圍，眨了幾下眼睛，彷彿正用力把什麼從心裡撵出去。臉上又像陽光鑽出烏雲般布滿慈祥的笑。

「傻孩子，你們這是怎麼啦！鬧罷工？」她笑著大聲譴責，一面立起來這個拉一下，那個推一把，「這樣可要吃不成午飯了。卡緊，卡緊！飯後還有節目哩。」說著自己跑到後園裡又去弄雞了。

大家沒精打采，敷衍塞責地把屋子收拾完了，在飯桌上，好像每個人早晨都塞飽了糯米飯，誰的胃口也不大好，也沒有誰為著肉瘦肉肥，蛋大蛋小引起爭執。只是低著頭默默地划飯。

老人顯然想打破這沉悶的空氣，故意不住地說些好笑的話，又繪聲繪色地講起那些小雞的有趣動作——那些小雞，都由她同孩子們依照牠們的特徵，起了名字和綽號，一想起牠們各個不同的活潑、稚氣的嬌憨樣子，孩子們也不由得展開了眉頭，吃完飯，老人替志蕙梳上一個美麗的馬尾巴，又為志光換上一套乾淨衣褲，一面催著其他四個人快把身上收拾收拾，準備出發。

「奶奶，出發去哪裡？」

「去呀，去大街上，一家人照一張闔家歡，再就奶奶請你們看一場電影。」

「奶奶，該我們請妳。」毓芳換上衣服過來搶著說。

「什麼呀不該的，那我請請孫兒女就不該嗎？你們要不賞光，就不用去。」老人邊說邊一手牽了一個，就往外走，毓芳笑著跟上來。

「奶奶，走慢點，可別只顧孫兒女，撇下我倆不管喲！」

走到門口，老人忽然又停下來，向大家掃視了一眼，鄭重地說：

「回頭照相時，大家記著千萬得笑嘻嘻的，不然愁眉苦臉，叫個什麼闔家『歡』！」

街上熱熱鬧鬧，電影也曲折緊張，回到家裡，在晚飯桌上老人又興高采烈引起大家批評著電影裡的情節，嘲笑那些人物，一直到她講故事哄著二個孩子入睡，她沒有讓一個人提到她明天就要離開的事。

毓芳躺上牀上去，熄了燈半天，卻無法入睡。老人明天要走的事，在她心裡梗塞了一半天，這一刻靜下來，更使她難以釋懷，人都是感情的動物，想當初她率然來臨，毓芳曾為著不能請她走而煩惱，現在她驟然要離開，毓芳又為著捨不得她走而難過。可是，人家親兒子來接了，自己又憑什麼可以挽留？——毓芳歎了一口氣。

「還沒有睡著？」陳宏的聲音也不像從夢中醒來。

「嗯，睡不著。」

「是不是因為奶奶要走？」

「你還不是沒有睡著。」

陳宏也歎了口氣。

「說良心話，她老人家給我們幫忙太大了。這一家現在真少不了她。」

「這樣一個慈祥熱心的老人，我可是從心裡捨不得她。」想起老人平常待自己的種種好處，毓芳用充滿了感情的聲音說。

「她老人家對離開這裡好像倒沒有什麼留戀。」

「我看她是故意裝著哄孩子的吧。」毓芳想到老人這一天興高采烈的神情，也有點疑惑，親骨肉究竟是親骨肉，乾的總是乾的，在感情的天秤上，分量的輕重就看得出了。她忽然感到喉頭燥渴難忍，索性披衣起牀，走到客廳裡去喝水。因為平常走慣了，也懶得開燈，便在几上摸著茶壺倒了杯冷開水。驀地，甬道頂端顯現了一縷燈光，像一注水銀瀉在地上，慢慢地擴展開來，一扇房門靜悄悄地開開了，老人打著一隻電筒，走出房門，躡手躡腳地走進對面兩個大孩子睡的房間，毓芳一閃身躲在櫥旁，屏息觀望，等了一會，才見老人回身出來，又留戀地向他們住的房門凝視著，然後輕輕地深長地歎了口氣，緩緩地踅回自己房裡。就在那電筒一閃一亮間，毓芳瞥見了一張被悲哀扭曲了的臉，那老淚婆娑的眼睛，那微癟而唇角向下拽著的嘴，原是挺直的腰背佝僂著，顯得有點龍鍾，不是一下子衰老了，而是離別的情緒摧折了她的堅強，在這夜深無人時，她不再掩飾也無力抑制，讓內心感情的激流氾濫，淹沒了她的身心——毓芳一陣激動，她想向那步態蹣跚的老人奔過去，撲在她懷裡，喚一聲「媽……」但是，她的喉頭梗塞著，綿軟的腿像黏住在地上，呆望著背影消失了，燈光不再亮，周圍又沉落在一片黑暗中。

第二天毓芳心裡有事，起了個絕早，不想老太太起得比她更早，已經在廚房裡絮絮地叮囑阿珠怎樣餵雞，怎樣照顧花木。這一天從小的到大的，都自動告了一上午的假，因此進早餐時不同往常一批吃過走了，又一批吃，老太太總是殿後，而是團團坐成一桌，專等老太太入席。

「嗯，我可過糊塗了！好像才過星期天，今天難道又是星期天？」老人坐下來舉起筷子先逐一把大家望了一眼，又抬頭望望壁上的日曆，一臉的困惑。

「我們都請了上午半天假……」老三代表大家說：卻把後面半句「送奶奶上火車」嚥了下去。

老人沒有再問，大家也沒有再說下去，默默端起稀飯碗來，但一個「走」字就像一根魚刺梗在喉嚨頭。儘管那天的粥菜特別豐盛，除了平常的醬菜乳腐，還有油炸花生米、皮蛋和肉鬆，可是似乎誰的胃口都不佳，志光看也不看頂喜歡吃的油炸花生米，只管低著頭慢吞吞地數看湯裡的米粒，最後，他終於忍不住把筷子一放，望著老人哽哽咽咽地問。

「奶奶妳真的走了不回來了？」

「你不喜歡奶奶了麼？嗯？」老人神態安詳地反問他。

「喜歡！當然喜歡。」幾個孩子同聲喊說。

「那不就得了，你們喜歡我，我喜歡你們，還能不回來！」

「真的？」

「傻孩子，奶奶什麼時候跟你說過一句假話！」老人用筷子挾了一筷肉鬆在志光碗裡擱，「現在快把稀飯吃掉，你曉得我不會喜歡那種把自己餓成一把柴火的乖僻孩子。」

志光那被愁思凍結的臉融解開來，喝完了碗裡的稀飯。

是上午十點多鐘的火車，不一會那位唐先生便來催請了，老太太仍然是來時的二件行李，只不過多了些簍簍盒盒的，都是毓芳為她買的土產、水果、點心之類，孩子們你一提我一提，一窩蜂簇擁著老人上了出租汽車，剩下姓唐的擠不下，只得另外僱了一輛三輪車遠遠地跟在後面。

剪票、擠車、找座位、安頓行李，等這些亂糟糟地過去了，剩下那一段等列車開走的時間，才是「送行」最斷腸的時間，車廂裡的和月台上的隔一道板，彼此微笑或是淚眼相對，要說的都說完了，不說又更難堪，那最寶貴的短促的一剎那，也是最長最難捱的片刻。

毓芳他們一家正面臨這最難受的一刻。但是老人談笑自若的神態阻止了一些眼淚，沖淡了一些悲悲切切的惜別之情。她半個身子俯衝在車窗外，諄諄地叮囑孩子們給她寫信，把家裡的情況告訴她，把考試成績告訴她，還有，不要忘記報告小雞生長的情形，園裡什麼樹開了花。誰的寫得最詳細，將來評分給獎……老人左右前後的旅客望著這融融曳曳的一群，眼睛裡都露出羨慕的眼光，旁邊一個落寞的中年婦人忍不住笑著搭訕。

「老太太，這些全是妳的孫兒女麼？」

「噢，還有一個老大上大學了。」老人笑盈盈地回答。

「一個個多乖！多孝順！」婦人讚美地點著頭：「妳老人家一個人去旅行？」

「去台北我兒子那裡，這裡是女兒家，兩邊跑跑。」

「真好福氣！真好福氣！」婦人一疊聲地稱讚著。

「謝謝妳！」老人謙遜地客氣，臉上卻流露出掩飾不住的得意，皺褶裡都滿溢著幸福，老眼瞇細著從毓芳身上，一直望到志光身上，用那無限慈愛的眼光，擁抱著每一個——終於鈴聲大作，一聲汽笛，車身緩緩移動了，六雙手一齊舉起來揮動著，尖而脆的嗓子比過了汽笛：

「奶奶早點回來！」

「奶奶一路順風！」

「奶奶再見！」

車窗外一塊白手帕一直在風裡飛揚著，舞動著直到列車出了站，小成一縷黑煙，消失在雲空裡。

載著老人的列車消失了，但老人慈祥的笑容卻恍惚顯現在那盡頭，逐漸趨近，擴展……定睛細看，那幻覺突然變成了剛透出雲層的太陽，正無私地把光亮撒向大地，把溫暖撒向人間。

毓芳用手帕擦著眼睛，緩緩地轉過身來，只聽見小志光以滿懷信心的聲音在問他父親：

「爸，平常從台北開來的觀光號火車是什麼時候到高雄？」

編註：本文原刊於《中華婦女》第十卷第三期，一九五九年十一月，頁二十五～三十一；第十卷第四期，一九五九年十二月，頁二十五～二十九。

樂園外面的孩子

一個晴朗的星期日。

紀台和紀北兄弟倆在廊上玩了半天象棋，哥哥的棋藝比較高明，認為弟弟不是他的對手：弟弟下不過哥哥，也覺得有點沮喪。兩人的興趣都越來越低落，客廳裡又不斷地傳來一陣陣搓牌聲和女高音，吵得人心煩。紀北盡在那裡舉棋不定，紀台等得不耐，抬起眼睛望望藍得使人發愁的藍天，沒精打采地打了個哈欠。忽聽見裡面「碰」的一聲，接著母親亢奮的聲音像一串迫擊砲般放射出來：

「和了！姊姊花，清缺，斷么，平和，滿貫！」

「哎呀！真氣人！妳看我也是三番的牌，讓妳攔和。」

「三六筒到哪裡去，等了這半天都不死出來！」

……

紀台心裡一動，聽見紀北在催他，望著棋盤略一吟思，便用馬把紀北最後一隻士吃掉。

玩。」

「將！」

紀北抓頭耳，眼見無路可走，已經是輸定了。他一伸手就揉棋子，「下棋一點也不好

「可不嘛，悶死人！」紀台就等著弟弟那句話。

「不如去找小螃牛他們玩圓牌。」

紀台不屑地撇了撇嘴。

「沒啥意思，老是那一套。」說著，他向紀北眨了眨眼睛故作神祕地，「我倒想起一個好玩的地方，你猜……」

「兒童樂園！」紀北不等哥哥說完就搶著回答。因為想法一樣，兩人同時開心地笑起來，紀台指指屋裡，放低聲音慫恿著紀北：

「你去問媽媽要十塊錢，她剛剛和了副大牌。」

紀北不加思索便一直跑到牌桌旁邊，問她母親討錢。她母親正全神貫注在面前的牌上，眼睛也不抬地駁斥他：

「什麼，又要去兒童樂園！……發財碰……每個星期去玩都玩不厭。」

「嗯，媽媽每天打牌還不是打不厭。」紀北這句話一說出口，立刻引得桌上三個人都哄笑起來。他母親輕輕地在頭上拍了一下，笑著譴責：

「小鬼！誰教你這麼利嘴，倒管起老娘來了。你那死鬼老子只曉得成天在外面鬼混，也不管教管教你。」

紀北縮縮脖子聳聳肩，索性嬉皮賴臉，一伸手就去拿她面前的鈔票，卻被他母親喝住：「這裡的錢不能動！你到我房裡皮包裡去拿，只許拿一張。」

目的達到，兄弟倆興高采烈便牽著手往外跑。一路上商量著十塊錢該怎麼支配：門票是一人一元。還有八元錢就只好換四塊銅牌。自然不能每一樣遊戲都玩，只能選幾種更喜歡的，最後決定花二個銅牌坐一次空中吊車，一個銅牌玩自動小汽車，一個銅牌玩萬里長城溜溜板。

在晴朗美好的日子，好像每個人的心都插上了雙翼，想走出屋子，想在清爽的空氣裡走走，不僅是孩子們，大人也是一樣。兒童樂園從大門口一直到各處遊戲場，就到處都擠滿了人。一個個穿著整潔的、顏色鮮明的服裝，就像一陣陣色彩的浪潮，湧到這裡，湧到那裡，紀台他們也隨著人潮，傍著那青翠的山麓緩緩地湧過去，首先停留在等候乘展望吊車的隊伍後面。等候了半天，看看前面長蛇似的一條，輪到他倆至少還要等二次。紀台換隻手握著那發燙的銅牌，垂下望得發痠的眼睛，視線不經意地掃過對面的柵欄，正經過站在柵欄外面一個女孩子的身上，不由得停留下來。

那女孩看來比紀北還小一點，穿一件洗得發白但十分乾淨的短衣裙，頭髮用同樣的布條繫成兩支小辮，襯出一張圓圓的臉，烏黑發光的眼睛，她微仰著頭，帶著一臉歡快的熱切渴望的神情，目不轉瞬地望著吊車在空中轉動。她站的地方正好是進出口的相反方向，沒有別個孩子會在那裡老待著，只有她，紀台記得他們每個星期來，她差不多總站在那裡，只是看，卻從來不曾乘過一次，引起紀台注意的不僅是她奇特的舉止，而是覺得她臉上有種什麼熟悉的東西在吸引著他。第一次看到她，他就有這種感覺。他輕輕推了一下弟弟的手肘。

「看那個女孩子又在那裡。」

「她光是來看，從來不坐。一定是個膽小鬼。」

「可是她那樣高興，比坐的人還快樂——大概是在那邊看起來更有趣，我也去看看。」紀台囑咐弟弟站著不要動，自己便走出隊伍繞過去。皮鞋踩在碎石子上咯吱咯吱響，那個小女孩顯然已聽見了背後的腳聲，卻沒有從凝眺中回過頭來，只是用愉快的聲音像對一個熟朋友似的述說她的觀感。

「看那個穿粉紅衣服的女孩子又升上天去了，她停在那裡真像一個仙女……噢！能夠上天去真好！」

「妳也可以上天去嘛。」紀台很自然地搭訕著。

女孩子回過頭來，用那對發亮的眸子看了一眼紀台，向他搖動著那兩支小辮子，又回頭去低低地說：「我不能。」

「妳害怕？」

「我不怕。」她低下頭用鞋尖在地上劃著。「我沒有帶錢，你不要告訴別人，我是從山那邊爬過來的。」

紀台轉身望望背後那高聳的山峰，不禁發出一聲驚歎。眼看轉動著的吊車慢慢地停下來，又換了一批小朋友上去。他忽然眼睛一轉，有了個主意：

「我請妳坐一次好不好？」

「真的？」她驚喜地回過頭來，小辮子在空中畫了弧形。

「當然真的囉。」紀台微微頷首抬起手，儼然一個彬彬有禮的小紳士。「我弟弟就在那裡等著，我們一起過去好了。」

小女孩帶著點羞怯，乖乖地跟在紀台後面，一直走近隊伍。紀台俯向紀北輕輕地徵求他的同意：

「弟弟，我們請她同我們一起玩一次吊車好嗎？」

「唔。」紀北瞪著眼睛打量，正並上她羞怯的眼光望著自己。便慷慨地點了點頭說：

「好。」

在等候的一段時間，他們知道了她亦姓楊，名字叫順英，今年七歲，念二年級。母親替人家洗衣服，而且有病。至於父親，她從未見過，說是在她生下來時便死了。說著，有點黯然。

終於輪到他們上去了，三個人坐了一隻車廂。當第一圈開始旋轉時，楊順英顯得有點害怕，用手緊緊地握住鐵網，眼睛睜得大大的，筆直地坐著一動也不敢動。等第二圈再上升，她的恐懼便消失了。雙眸閃著奇異的光彩，活潑地東看西望，兩條小辮子晃得搖盪鼓似的。不住發出驚喜的喊聲和讚羨的感歎，她指著天空的白雲說是一隻船，她想乘著去月宮，指著遠遠一片田疇說是一張大氈子，她要在上面打幾個滾，山腰綠叢中隱約露出樓榭一角，她又說是神仙的住宅，俯視腳下潺湲的河流，她說那是一條溪溝，只要一跳就跳過去了，紀台紀北兩兄弟被她那些奇妙的想法引得十分開心，也高興地比劃著、喊叫著，坐吊車原來是很好玩的，但他們覺得那一次也比不上這次更新鮮、更有趣。而在這次遊戲中，三個天真的孩子很快地便撤除了隔閡在中間的陌生，成為熟稔的朋友了。

巨輪轉夠了五圈，便停下來吐出那些神采飛揚的小乘客，又吸進去另外一批期待著的孩子們。

從吊車上下來，紀北以小嚮導自居，滔滔不絕地告訴楊順英玩那些遊戲的經驗，一個講得指手劃腳，眉飛色舞，一個聽得津津有味，躍躍欲試。只有紀台一個人卻煞費躊躇，因為他褲袋只剩下一個銅牌了，就是玩最便宜的電動滑梯，也只有二個人可以玩。他想了一想，便擺出大哥哥的姿態，把銅牌遞給紀北：

「還有一個銅牌，你同楊順英去玩一趟滑梯吧。」

「你呢？」

「我已經玩過很多次了。」

「我不要玩滑梯。你們二個去玩。」楊順英堅決地推辭著，一面伸出手把他們二個人推送到長城腳下，「我喜歡看你們從上面溜下來。」

於是兄弟二個帶著點歉意，爬上去，再蹲在小板凳上，沿著蜿蜒傾斜的長城風馳電掣地滑下來，楊順英在底下望著他們拍手歡呼，還高聲唱起來：

衝！衝！衝！

衝過山海關。

殺得共匪沒處躲！

兄弟二個亢奮地跨下長城，簡直覺得自己做了一次英雄。

再沒有銅牌，三個人只得在園裡閒逛著做一個觀眾，看別人用汽槍射中了毛澤東和烏龜身上的紅心，一個卑賤的打躬作揖，一個滑稽的伸頭縮頸，引得哈哈大笑。又看別人騎木馬，一顛一顛的。乘太空列車，東晃西搖，大家都覺得很開心。最後來到科學館，紀台兩兄弟就最喜歡那裡陳列著的精緻完善的小模型。

「我將來大起來就要開這樣的飛機。」紀北指著一架F101的噴氣機模型說：

「我喜歡大兵艦，做個艦長多神氣！」紀台凝視著一艘驅逐艦模型豔羨地說。

二人問起楊順英喜歡做什麼，她望望那些模型，又看看兄弟倆，忸怩地笑了笑說：

「我喜歡替你們把飛機和兵艦擦拭得亮亮的……」

她話沒有說完，二個人都大笑起來：

「那那麼大的東西，妳擦……」

楊順英想了想，也跟著笑起來，都笑彎了腰，笑出了眼淚。

當楊順英跟紀北站在一起時，紀台把他倆看了又看，忽然像發現新大陸般嚷起來。

「哈，你們兩個有一點像哩，怪不得我看楊順英面熟。」

「真的？」紀北憨希希地瞅著楊順英，瞅得她臉紅了。

「亂講！他是男生，我是女生，怎麼會像？」

他們在園裡逛著、說著、笑著，直到遊人漸漸減少，太陽快下墜了，才不得不回家，分手時，紀台叮囑楊順英。

「下星期再在那裡等我們。」

「我們可以問爸爸多要點錢換銅牌。」紀北補充著。

「好的，再見！」楊順英揮一揮手，便飛奔過馬路對面去，只見兩支小辮子在人叢裡一蹦一跳，就像兩隻粉色的蝴蝶，越飛越遠。

「她不像李家珊珊那樣驕傲、神氣。」紀台說。

「也不像王小玲那樣愛哭、愛撒賴。」紀北說。

「我們能有那樣一個小妹妹多好！」

兩兄弟腦海中同時現出一個女孩子的幻象：長得跟楊順英一模一樣，發亮的眼睛，甜甜的小嘴，小辮子繫著兩隻紅蝴蝶，穿一身乾淨漂亮的衣裙，懷裡抱個洋娃娃溫柔地在哼催眠曲。或是繫上白白的小圍裙在擺家家酒，小手挺能幹地端出一盆一盆糖果點心——

「嘶」的一聲，一輛紅色的小汽車疾馳過身旁，把小兄弟倆嚇了一跳，也嚇斷了想像。

「我猜我們回去，媽媽大概還沒有打完麻將。」紀台踢了一下地上的石子。

「爸爸也一定還在外面應酬，沒有回家。」紀北也踢他哥哥踢過的石子，二人輪流著踢了很遠一截路，便也到家了。

到了一個星期日，兩兄弟果然在上午趁爸爸出去應酬前，敲到了十元錢，下午又在媽媽牌桌上討了五元。急不容待趕到兒童樂園，換了一把銅牌擠到展望吊車場地。但楊順英每次都站在那裡的地方沒有人。「大概還沒有來。」紀台滿懷信心地說：「我應該告訴她在門口等的，爬一次山要費好多時間。」

二人先不玩，只在附近走走逛逛，兜了半天圈子，卻仍不見楊順英。

「我們先開一次小汽車好了。」紀北忍不住提議。二人就駕駛了一會汽車，歇一歇又騎了十分鐘迴轉魚。二人要把銅牌留著請楊順英一起玩，只揀比較便宜的消磨時間。可是，一二個鐘頭過去了，楊順英連個人影子都不見。逐漸地，盼望變成失望，二人玩得總覺得不怎麼起勁，用最後二元錢一人喝了杯冰水，就走出樂園。兄弟倆默默地在路上走了一會，紀北眼尖，忽然指著前面，高興地喊著。

「那不是楊順英！」

紀台順著他的手指望去，只見一個小女孩正在馬路對面向一個女人在說什麼，那衣裙，那辮子，不是楊順英還有誰？忙牽著紀北穿過馬路，快走近才看清她原來手裡拿著愛國獎券在推銷，此刻她又攔住一位紳士近於哀求地訴請：

「先生，買一張，包你二十萬。」

「討厭！」那位紳士皺著眉頭把她一推，便昂著頭大踏步走了過去。

「楊順英！」

站在人行道上發怔的楊順英一回頭看見是他倆，愁苦的臉上才展現出一抹笑意。

「我們在兒童樂園等了妳半天！」二兄弟友善地告訴她，完全忘記了心頭的抱怨，對剛才看見的那一幕，很覺得尷尬不安。

「我媽媽病得很重，家裡沒有錢，我要賣獎券，不能去了。」楊順英幽幽地解釋，眼睛裡充滿著憂愁，不再像那天那樣閃閃發光。也失去了那份活潑愉快的神情。

兄弟倆對看了一眼，不知說什麼好。半晌，紀台才禮貌地說：

「我們去妳家裡看看妳媽媽好麼？」

「好，等我賣完這一張獎券。」

紀台和紀北站在一旁，眼看順英一次又一次的去碰那些先生女士們的釘子，去看那些厭惡的臉色，很後悔沒有把剛才的錢留下五元來。最後總算一位先生取了獎券，不耐地把一張鈔票塞在楊順英小手裡。

楊順英領著他們二人走過好幾條小街，轉進一條污穢的死巷，停在巷底一幢朽舊的矮屋前。她輕輕推開那扇拼拼湊湊的木門，讓他們進去，房子很小，光線很黑。歇了一會才看清靠裡面的楊楊米上還躺著個人，聽見門響，從蓋著的破棉被下發出微弱的聲音：

「是小英麼。」

「媽，我回來了。」楊順英蹲下去親熱地摟著她母親。「妳餓不餓？」

「不。噢，那是誰？」

「我的朋友，他們來看妳。」

紀台他們走近去，看見無力地擱在枕上憔悴的臉，黯淡無神的眼睛深深下陷，失色的嘴唇半張著——紀台怵然一驚，剛才他聽見聲音就覺得有點耳熟，如今看到這張臉，雖然已瘦得脫形，卻依稀在他記憶中喚起某種親切、溫柔的感覺。正當他驚疑不定時，病人似乎也認出他，半抬起頭，睜大眼睛，失色的嘴唇微微顫抖著：

「你，你不是楊家紀台麼！」

「妳，妳是阿鳳！」紀台再也想不到眼前這憔悴的婦人，便是當年那個乾淨俐落，性情溫和，身體結實的傭人阿鳳。」

「想不到還能看見你，長得這麼高了！」病人歡喜地伸出柴枝般的手拉住紀台打量著，嘴角浮起一絲笑意，紀台覺得那比哭還難看。她的視線從紀台身上轉到紀北身上，「這是你弟弟吧。」

「嗯，他叫紀北。妳走了才生的。」

「我知道，我記得，他比小英大八九個月。」說到這裡，病人突然閉上了嘴，臉上因亢奮泛起的一點紅暈消失了。眼睛裡流露出一種複雜的感情，是那種紀台不能了解而感到惶恐的感情。半晌，她深深地歎了口氣，喚過來女兒：

「小英，妳問隔壁阿婆去要點開水。」

「開水還有哩。」

「把它倒出來。」

楊順英乖乖地依著她母親的話，拿著水壺走出去。病人示意紀台、紀北湊近去，悄然地問：

「紀台，你們看小英是不是個乖孩子？」

「很乖嘛。」

「喜不喜歡她？」

「喜歡。」

「願不願意有這樣一個小妹妹？」

「當然願意。」

病人聽了這一串發自孩子心腑的回答，臉上又現出一絲比哭還使人不忍看的笑意。

「我在生小英時得了病，一年一年加深，現在怕好不了。只可憐小英……她一個人。望你們能照顧她，當她親妹妹看待……只是，先要問過你們的……父親。」病人彷彿把僅存的力氣全迸出來用盡了，閉上眼睛，虛弱地喘息著，紀台木立在一旁，心裡很難過，一時又說不上什麼安慰的話，他不忍多看那張曾經是那麼親切和善，卻被病苦扭曲了的臉。

「媽，妳怎麼哭了？」楊順英放下水壺，便過來偎在她母親頭邊，驚惶地用手指在她頰畔摸了一摸。

「傻孩子，媽是高興。」病人勉強掙開眼睛來，緩緩地把三個孩子都看了一遍。「你們也該回去了，這裡離你們家還有好一段路哩。……謝謝你們……來看我。」說完，向著牆壁轉過臉去，兄弟倆便悄悄地退了出來。

楊順英也悄悄地跟了出來，望著他們。烏黑的眼睛裡流露出不勝依戀的神情。

「你們會不會再來？」

兄弟倆同時把下巴一勾，「會來。」

她滿意地一笑，掩上了門。

「哥哥，小英的媽媽，阿，阿……她從前幫我們做事？」紀北裝了一肚子的疑問，到街上就忙不迭提了出來。

「阿鳳幫我們好幾年，比阿珠她們哪一個都好。」

「她好像挺喜歡你。」

「嗯，就同現在喜歡楊順英一樣。」記憶的水池一經攪動，那些已沉在水底的往事一樣跟著一樣浮現出來。紀台記得自己那時還不到入學的年齡，爸爸上班，媽挺著大肚子成天消磨在牌桌上。小心照顧他，哄他玩的便是阿鳳。她的性情很溫柔，總是依著他，從來不發脾氣或大聲叱罵。從她那裡得到的愛撫比從自己母親得到的還多，因此那一個時候他親近她，依賴她還勝過母親。

「她那麼好，後來怎麼又走了呢？」

這個問題正觸著紀台幼小的心靈上一處創痛，一個解不開的謎，他還記得那一天，一向睡晏覺的母親忽然起了個大早，臉板得鐵青，好像暴風雨前布滿了可怕的烏雲。父親還睡著，她把被子一掀，兩人就吵起嘴來，起初兩人對吵著，後來母親的聲勢越來越兇，摔東西，指頭戳到他額角上，嘴裡罵著頂刻毒下賤的話，還提到下女，提到阿鳳，父親倒反逐漸吃癟，訕訕地穿上衣服便躲避出去了。母親的怒火正竄頂，當即一疊聲喊阿鳳，阿鳳瑟縮地挨了進來，立刻低垂著頭承受女主人放機關槍般射擊到她身上的，惡毒的咒罵。罵她狐狸精，罵她賤胚……好幾次她抬起蘊滿委屈的眼睛，想有所申辯，但雷霆下根本沒有她插嘴的空隙。她悲痛的掩著臉啜泣著，眼淚無助地從指縫裡滴在地上，身體抖慄著像風雨中的柳枝，——突然，咆哮著的母親瘋狂了一般猛地向她撲過去，左右開弓打著她的嘴巴，在一旁嚇呆了的他這時驚慌地跑過去攔阻，卻被母親提小雞般提起胳膊，撩在牆腳邊，打過了，母親一面喘氣，一面叫阿鳳馬上滾，離開這個城！她打開抽屜，拿出一卷鈔票摔在阿鳳腳跟前，但阿鳳沒有去撿，蒼白得像紙一樣的臉上淚漬凌亂，襯著紅紅的指痕，模樣十分悲慘。她停止了哭泣，悽然向屋子和屋子裡的人望了一眼，轉身便往外走，紀台奔去追她，卻被母親拉住了。

好幾天紀台哭著鬧著要阿鳳，但阿鳳始終沒有回來。

「後來阿鳳為什麼不幫我們家了呢？」喜歡尋根究柢的紀北還盯著在問。

「媽不喜歡她。」紀台揉揉鼻子，覺得酸酸的。

「媽為什麼不喜歡她？」

「我不知道。」

回到家裡，天都快黑了，好在母親牌局還沒有散。二人從後門悄悄地溜了進去。晚上，過了應該入睡的時間很久很久，紀台兀自睜著眼睛躺在牀上，這時夜雖說已深，卻並不太靜，樓底下不時傳來牌聲語聲，門外頭急馳而過的汽車「波」的一聲慘嘯，刺人耳膜，終於他聽到了那等待中的熟悉的腳音，也聽到了那句聽慣了的調調兒：「孤王酒……醉……桃……花……宮」他一個翻身從牀上跳下來，赤著腳便走出房間，只見父親的背影已走進寢室，他推開門跟了進去。

「嚇！小傢伙這時候不睡覺幹嗎？」他父親正自得其樂地哼著在解皮鞋，臉上紅紅的，領帶歪在一邊，看見紀台，有點意外，一張嘴，一股酒精味直竄到他鼻孔裡。

「我今天看見了阿鳳。」紀台鄭重其事地告訴父親。

「嗯，什麼？阿紅，哪個阿紅？」

紀台不喜歡他父親那種漫不經心的神氣，他以更為堅定的口吻率直地說：

「是那個從前幫過我們家，後來被媽轟走的阿鳳。」

「哦！她！」他父親停下解鞋帶的動作瞇細著眼睛，似乎感到了興趣。「她在哪裡？」

「她病得很厲害。她有一個女兒叫楊順英，問爸爸能不能讓我們把她當親妹妹看待！」

「什麼？」他父親像突然被蠍子螯了一口，那點酒意也完全嚇退了，「你說什麼，我沒有聽清楚，再說一遍。」

紀台只得一字一頓又重複了一遍。

「胡鬧！簡直胡鬧！」他一腳把皮鞋踢得遠遠的，陡地站起來，燃上支香煙，在屋裡焦躁不安地來回躑躅著，突然停在紀台面前，聲色俱厲地訓誡他：「誰叫你跟這種人混在一起的！小孩子不專心對付自己的功課，管起大人的事來，以後不許你再亂闖，不許亂講話，聽到沒有！」

紀台料想不到這件事會惹父親發那麼大的脾氣，就像一陣暴雨，把剛才進來時的那份信心和熱忱全澆熄了。但他仍想多說一點阿鳳母女倆的苦況打動父親的心，剛囁嚅地說了：「可是……」二字，父親立刻粗暴地打斷了他。

「沒有什麼可說的了，你要不聽話再同她們去混，我就會把你鎖在屋子裡。現在快去睡覺！」

可是剛走了二步，父親又喚住他，迫切地問：

「這件事你有沒有告訴你媽？」

紀台默默地搖了搖頭。

「不許對她說一個字，曉不曉得！」

紀台懷著一肚子的委屈，氣憤地摸索進臥室，把自己重重地擲在牀上，他不懂自己的父母為什麼要比別人心腸更硬些，全沒有半點同情心。他閉上眼睛，眼前立刻顯出一張稚氣的，愉快的笑臉，烏黑的大眼睛閃閃發亮。突然，那點笑意又拉長了，拉長了，變成一副憂愁的神情，那是阿鳳的臉，瘦削，慘白，奄奄一息……

自那晚上受了父親一頓責備後，紀台的確有十幾天沒有去看阿鳳母女。那裡路遠，平常放了學就來不及去。又逢上第二次月考，一個星期日不得不在家溫課。一直等到第二個星期日，他再顧不得父親的警誡，等他一出去，就準備開溜。除了從母親那裡要到十元錢，他又打開了小郵筒，把自己全部積蓄倒出來放在一隻大信封裡。

「哥哥你帶這許多錢，預備玩一天兒童樂園麼？」紀北在一邊覺得奇怪。

「今天不去兒童樂園。」紀台胸有成竹地說：「我把這些全送給阿鳳，讓她請醫生。」

「哥哥！」紀北很受感動，立刻慷慨地獻出自己的郵局，「把我的一起拿去。」

「弟弟你真好！」紀台也誇獎著弟弟，又小心地叮囑他，「只是，這不能告訴爸，也不能給媽知道。」

走在路上，紀台想起自己生病時人家總給他送吃的東西，便停下來拿出一點錢買了一包餅乾和二斤橘子。憑著小腦筋裡那點記憶，讓他們找到了那條陋巷，那幢朽舊的小屋。

小屋那扇拼拼湊湊的板門關得嚴嚴的，二人敲了半天門喊著：「阿鳳，阿鳳；楊順英！

小英！」但是門裡沉沉寂寂，沒有一點聲音，彷彿整個世界都瘖啞了。

紀台困惑地退後一步，抬起頭來，看見了門框上一面大蛛蜘網，也看見了蛛蜘網旁邊飄動著的一縷黃麻布。

紀台的心猛地向下沉，他認識這標記，死亡的標記，他緊緊地握著紀北的胳臂指給他看，二個人都呆住了。

「阿鳳死了！」二人都在心裡驚懼地悲悼，單純的心靈第一次感到生命的詭譎，他們彼此握手，木立在門前……阿鳳死了，那麼她女兒呢？楊順英怎麼了？

「楊順英到哪裡去了？」二人同時叫出聲來，但回答他們的還是一片沉寂，紀台耳畔彷佛還響著她嬌憨的聲音：「我喜歡替你們把飛機和兵艦擦得亮亮的……」以及阿鳳悲傷的聲音：「只……可憐小英，她一個人……」他感到自己的眼睛模糊了，看紀北時，淚水也正沿著臉龐滾下來。

提著比來時重了幾十倍的禮物，拖著比禮物更沉重的腳步，懷著一顆比腳步又更沉重的心，小兄弟倆垂著頭緩緩地走出巷子，在巷口上又停下腳步回過頭來望最後訣別的一眼，只見門框上那一縷黃麻兀自淒涼地在風裡飄蕩個不停。

編註：本文原刊於《婦友》第五十八期，一九五九年七月十日，頁二十八～三十三。

墊腳石

正是門診的時候，省立醫院的迴廊上坐滿了求診的病人，一個個形貌憔悴，呻吟咳嗽之聲不絕於耳。這時有一個衣履整潔，精神飽滿的中年人，在醫院門口下了車，匆匆地經過掛號處，穿過那一群愁苦的行列，直達院長室門口，用兩隻手指輕輕地叩著玻璃門。

「請進。」胖胖的院長放下手裡的筆，從眼鏡框上向外望去，只見來人十分謙恭地向他行了個禮自我介紹說：

「我叫徐輔義。一年前，在醫院住過二星期，多虧院長和高醫師把我從死亡的邊緣救回來。」

「哦！哦！請坐，請坐。」院長只笑著讓座，每年在醫院中進出的病人何止萬千！他實在記不得那許多。「足下現在的健康情形看起來很好。」

「是的。我今天來這裡，除了向您問候，還有一件事，要請您指教。就是那一次我住院的費用，聽說都是由一位慈善家負擔的，從前我也問過護士小姐，她們說那是匿名的慈善家。現在我迫切地想知道那一位的姓名和地址。我想院長一定知道的，就請您告訴我，好麼？」徐輔義一臉誠懇地向院長提出請求。眼睛坦率地望著他流露出期待的熱忱。

「噢，你指那件事！」院長笑著將身子往後一仰，用手指托了托眼鏡。「老實對你說，不是我們不肯告訴你，而關於這事我們也認為是一個謎。每個月一日，總有人寄來一筆款子，指名是救助那些貧病無告的人。三年來，受惠的人不知多少。但是始終沒有人知道寄錢的是個什麼人。」

「哦！這樣的事！」徐輔義搓著兩手，失望而又感動，「你們沒有調查過？」

「沒有辦法可查。再說人家既然隱名行善，我們又何必一定要尋根掏柢。」

徐輔義低下頭去，神情很沮喪，好像被醫生診斷了無救的病人。喃喃地說：「那麼這份深恩，我是無法報答的了。」

院長同情地望著他，忽然伸手拉開了身前的抽屜。

「正好這個月寄來一筆，還沒有拿去出帳。」說著，找出一個信封來，徐輔義立刻精神為之一振，忙不迭站起來從院長手裡接過信封，那是一只西式信封，封面上寫著醫院名字，字跡很纖細，信是本市寄的，裡面附了三張旅行匯票和薄薄一張信箋，用同樣的筆跡寫著寥寥數字：奉上戔戔之數，請賜予援助貧苦的病患。具名是「無名氏」。

徐輔義反覆審視著那幾張紙片，想從其中找出一點線索，顯然的，他失敗了。他只得快快地仍把信箋和匯票裝進信封……。驟然間他黯然的眼神又像燃上了一支火柴般亮起來。盯著信封背後兩個郵戳——一個很清楚，一個卻模糊了——顫聲問院長：

「以前的還有保留的嗎？」

「會計室大概留著。」院長按鈴吩咐工友去拿，不一會拿來一個卷宗，徐輔義打開來，看見裡面盡是同樣的信紙信封。他翻了幾翻，就找到一個郵戳完全清楚的信封，向院長請求：

「能不能請你把這一個送我？」

「要留作紀念嗎？」

「不，您看這郵戳。」徐輔義鄭重地指給院長看。「一個是這裡總局的，一個是第二支局。我可以到第二支局去查詢那寄款的人。」

院長被他的一片誠意感動了，便把信封抽出來給了他。徐輔義如獲至寶般，捧著它千恩萬謝地告辭了。

在郵局裡，徐輔義低聲下氣地央求著兩個窗口的郵務人員，請他們查一查，但是掛號信和旅行匯票向來不留購寄者的名姓。

「那麼請你看看這信封，能不能記起寄信的是什麼樣的人？」徐輔義伏在那小小的洞口，堅持地請求：

「我們辦業務只管業務，向來不注意顧客的。再說每天來往的人不知多少，誰能記得住那麼多！」

「可是這個比較不同些；你看他每個月一定的時候，寄到同一個地方，也許，你們會有一點印象。」

「沒有，一點印象都沒有。」郵務員不耐地搖著頭：「這是不可能的。」

「對不起，請讓一讓！」背後上來一個人用肩膀推開了徐輔義，把一本存款簿和一疊鈔票往櫃台上一丟，「存一千。」

徐輔義拿著那只一度寄予無限希望的信封。靠在櫃台上發怔，他很想再去找郵政局長幫忙，但繼而一想，問也是徒然。經手的人已回絕了不可能，他縱使有權也不能迫使部下做辦不到的事。

人海茫茫，又何處去找一個不知姓名，不識面貌的人？

徐輔義愁悶地靠在櫃台上，不經意地看著那些匆匆忙忙來提一筆款，或是寄一筆款的人。看他們鄭重地填寫，又仔細地點數——忽然，一個主意掠過他腦際，像一道曙光通過他黝黑沉睡的靈魂，臉上愁悶的紋痕立刻被一抹笑意熨平了。他下決心地將信封敲一下手掌，便迅速地走出郵局，跨下石階的腳步都似乎年輕了。

「主意是人出的，辦法是人想的。」他為自己下的這個定理暗自欣慰。

一日那天，二支局剛開大門，就來了第一個早候在門外的顧客，這位顧客卻既不寄信，也沒有銀錢存提。兀自站在匯兌、郵遞兩個窗口中間，隨手取了幾張劃撥單，只是作填寫狀，眼睛卻虎視眈眈地盯住每一個劃款的人、寫掛號信的人。從上午一直到中午，他很有耐心地盯著，沒有一個那樣的顧客能避過他的注意，午餐時，他也不曾離開郵局一步，只拿出帶來的麵包坐在長凳上吞食，他那奇特的行徑，顯然引起了郵局人員的疑心，也許在懷疑他神經不大正常，也許聯想到那些社會新聞，疑懼他有什麼歹意的企圖。歇不久就有一雙好奇的眼睛緊貼在窗玻璃上向外探視著，然後轉過臉去同那些望著他的眼睛對望一眼，那意思是：

「那傢伙還在那裡？」

「可不是還在那裡。」

郵政局長背剪著雙手從邊門踱出來，從他面前踱過，有意無意地打量著那人一身質料不算差的西裝，專心一注的神情，有所期待的眼光，但是，他全不曾理會，他有所期待的視線像一張無形的網，毫不放鬆地網住每一個進出的人。

已經是午後三點多鐘了，那人挺括的衣服顯得有點皺舊，神情也顯出有點焦灼不安，撒下的網也沒有那麼嚴密了，像一個沒有收穫的漁夫，懶懶地把網放下河裡，又帶著點失望地舉起來，這一次，拴在他網上的是一個淡雅的中年婦人，穿一件淺灰色旗袍，淡黃絨線外套，手裡提一隻黑色尼龍提袋，薄施脂粉的臉上流露著一種安詳恬淡的神情，她從容地在一個窗口購買了三張旅行匯票，裝入一個信封裡，在另一個貼上郵票……突然間沒精打采靠在櫃台上的他，像觸了電一樣，眼睛閃熠著奇異的光彩，搶前兩步，如同餓狼撲羊似的，撲到那婦人身邊，雙手按住那封信，嘴裡吶吶不清地說：

「一點不錯，完全一樣的……哦！我終於找到了妳，就是妳！……」

那婦人卻嚇得倒退了兩步，厲聲喝問：

「你是誰？你要幹什麼？」

那人定一定神，發現婦人吃驚的神氣，和周圍驚奇的眼光，才覺得自己的舉止太魯莽了。他連忙放下手裡的信，一手指著信封上的地址，向她解釋著：

「我要找的是這個，每個月都匯款給省立醫院的慈善家。」

那婦人的神色轉緩過來，卻顯得有點局促，接著防禦性瞅著他。

「你是醫院裡的人嗎？」

「不是。」

「那麼，是記者？」

「都不是。」那人搖著頭，眼光中流露出充滿了尊敬和感激的赤忱。「我叫徐輔義，是一個受惠於您的人。」

「哦。」她迅速地向他打量了一眼，好像很不慣聽到別人提到她做的事。

「女士能不能允許我一個時間，到府上拜訪您。」

「我看，不用客氣了。」她謙遜地拒謝著，徐輔義可急了，幾乎是用哀求的口吻訴出自己的誠意。

「您聽我說，我尋訪您很久了，今天郵政局一開門我就在這裡守著，恐怕那些人還以為我是打劫銀行的歹徒哩，請見諒我這片誠意，千萬別再拒絕我，我有話要說。」

她沉吟了一下，又望望他一臉虔敬的誠意，微微頷首說：

「舍下離這裡遠著哩，你有話，就在附近找一個可以坐坐的地方好吧！」

徐輔義如同奉到聖旨般，忙不迭點頭贊成，恭恭謹謹地隨著她走出郵局，走進不遠一家清靜的咖啡館，叫過飲品，徐輔義這才欠身動問：

「能不能先請教您的尊姓大名？」

她閃避地笑了笑。

「姓名不過是一個人的標識符號，本人已在你面前，似用乎不著再知道那抽象的符號了。」

「那，那……」徐輔義無可奈何地也笑了笑，知道不能勉強。「今天能夠拜識女士風采，真是太榮幸了。我聽見楊院長說，三年來女士每個月都隱名捐一筆款救助貧困的病人，受惠的人已不知多少。女士這種慷慨仁慈，古道熱腸的行為，真是太偉大，太令人感動了。尤其是在這世態炎涼，人情險薄的目前，您所給予的不僅是物質上的援助，還有，最可貴的是給瀕於絕望的人一種心靈上的溫暖。就像春天的陽光給即將枯萎的樹木一線生機一樣……」

「徐先生，」她那白晰的臉被讚揚撩起了薄薄的紅暈。「你特地找我來，就為的要我聽你的恭維麼？」

「哪裡！這不是恭維，完全是我心裡要說的話。」徐輔義誠惶誠恐地分辯。「我說的，也完全是我自己身受的。女士，我正要告訴您，一年前我所遭遇的惡運，那時我經營的事業垮了，我的妻子又離棄了我，在雙重的打擊下，我的身心都無法支持而病倒了。病得很重，沒有錢求醫，也沒有一個人理睬，朋友怕沾上霉氣都躲得遠遠的。我自己也失去了活下去的信心和興趣。後來還是我的房東，大概怕死人弄髒他的屋子，把我弄到了醫院，但掛好號自己卻悄悄地溜了。我那時發著高燒，昏昏迷迷的只由著醫生和護士擺弄。等我清醒過來時，已經在病牀上躺了三天了。

「醫生告訴我，我的病很嚴重，雖然危險期已度過，還要好好地療養一個時候，而且，切忌憂憤。

「切忌憂憤！我怎又能忘去那些使我憂憤的事，而目前最迫切的是我不能不為那筆一定相當鉅大的醫藥費煩憂。我坦率地向那位好心的大夫道出了我的困窘。他卻笑著安慰我說，當他們收容我這沒有人照顧的病人時，就料到了我的境況。醫院雖然沒有力量可以免費，但是，有一位不願透露姓名的慈善家，他會幫助你負擔一切，請放心。

「當時，我幾乎不能相信那是真的。您想，在那種眾離親叛的境況下，妻子叛棄了我，朋友遠遠地避開了我，卻有一個毫不相識的人關懷我的病苦，暗中幫助我。就像那春天的陽光給予即將枯萎的樹木一線生機一樣，我忽然領悟到人間並不盡如想像中的那樣冷酷，那樣殘惡。也還有著溫暖，同時我又想著一個毫不相識的人都關懷我的生死，我自己又怎麼任憑其一蹶不振！這樣想著，我暫時拋開了那些曾使我痛苦萬分的遭遇，那些絕望的念頭。醫生的治療加上心理的振作，二個星期後我就康復出院了。

「出院後的一年中，我又重新用篳路藍縷的精神，一點一滴拓創我的事業，由於不斷的努力和不折不撓的信心，一年來，總算略有成就。一年來，我從未忘記過那位再造我的恩人。為了報答他的恩惠，我願將那份成就獻給他，因此，在我出院周年那天，我訪問了院長，又查詢了郵局，用盡心力去尋訪——皇天不負苦心人，我終於尋到了您。」徐輔義傾筐倒籮的一口氣說到這裡，好像把心靈上一份沉重的負載卸下了一般，舉起杯裡的檸檬水喝了半杯，然後感激地望著對面那一位他心目中最偉大的女性，她正帶著那份謙遜和藹的笑容，安詳地聽他傾訴，沉靜的眼睛裡閃著同情和喜悅的光輝。

「人的命運無法預測，人的遭遇也各有千秋，」她微喟著，低沉的聲音裡有一種潛在的力量，扣著聽的人心弦。「人生的旅程崎嶇艱辛的占多數，有的僥倖逢凶化吉，有的至死奮鬥不息，最悲哀的是那些不幸墜入貧病無告的、溝壑裡的人，他們孤獨無依，疲累欲死，既不能游泳渡水，又沒有一根木頭、一塊岩石可以攀附墊足——我覺得很高興能夠在你墜跌時做了一次墊腳石，使你重新站起來，邁上未完的路程。」

「啊！多麼偉大的墊腳石……」

「有願意築橋鋪路的石頭，有願意做基礎的石頭，也就有願做墊腳石的石頭，這『願意』便是快樂滿足，因此希望你不要再提報答恩惠這些話了。」

「女士，」徐輔義兩手撐著桌子急得臉紅脖子粗了。「您不是要我做個忘恩負義的人吧？」

她從咖啡杯上望著他那副急相含蓄地問他：

「你也願意聽我講一個故事嗎？」

「噢，當然願意。」

她沉思地垂下眼簾，用小匙輕輕地攪著咖啡，她那述敘的聲音是沉緩的、低婉的，像一支深澗的小溪，幽幽地流露陰鬱的森林。

「許多年前，有一個幸福的家庭——兩夫妻同著他們的小女孩——安居在他們自己的家園，日子過得很平靜、很愉快，後來那個父親為了發展事業，去了遠遠的一個省分，預備打好基礎後再回來接眷。可是，沒想到他去了不久，抗戰爆發，這個小城首當其衝，很快就淪陷了。他們母女倆便開始逃亡，在一次轟炸中，她們損失了全部帶出來的一點財物，而由於恐怖、疲累、憂急交迫，那母親又在中途病倒了。她們既沒有一個親人，又不剩一文錢，送到醫院裡，醫院裡一口拒絕，說不先繳住院費不收，可憐只急壞了那個毫不懂世故的小姑娘，走投無路，告貸無門。眼看她母親一天比一天病得嚴重，奄奄一息猶自摟著女兒說：『妳不能死，妳不能死，我不能撇下妳一個人……』女兒也悲痛地緊抱著母親說：『我不能死，我不能撇下我一個人……』但是，那母親還是撇下女兒死了。

「世界上還有什麼比眼看自己的親人折磨死去，自己卻無能為力更悲慘、更傷痛的事？

「那個女孩子後來雖然找著她父親，順利地長大了，順利地結婚生孩子，有一個安詳和諧的家。然而，她永遠忘不掉那人間最悲慘的一幕，永遠彌補不了心頭上最深刻的創痛。起初她恨，恨人類的冷酷無情，恨世上的醫院、醫生，只要錢，不管人命。但是，當她慢慢地想到世上不知多少人也會落入同樣的命運，貧病交纏、無依無助。他們只要一點援助，便能度過這險淵。恨並不能改善現實，主要的是伸出同情的手去給急需要援助的人，她這樣做了，覺得心裡要舒服一些，他們並不富有，但有正當的職業，穩定的收入，除了維持一個儉樸的家庭生活，她盡力將每個月撙節下來一點錢捐出去，不是為顯名揚姓，不是為求報答，而是為求心安。

「現在我已把這個故事告訴了你，心靈上的慰安，便是她最大的報酬，你實在不必再耿耿於心。」她神情肅穆地說到這裡結束了，喝完杯中的咖啡，便向凝神傾聽的徐輔義點點頭，預備起身。

「請慢點！女士。」徐輔義像在夢中驚醒過來，慌張地喊了一聲。「女士施恩不望報，是為了心安，可是，我受恩不報，卻一輩子將於心不安，還望女士有以教我！」

她笑著望了他一眼。

「你如果一定要獲得心安，我倒有一個辦法。」

「什麼辦法？請您馬上告訴我。」

「在人生的旅程上，總有一些不幸者，墜入那貧病無告的溝壑裡，無依無助、奄奄待斃。你也可以試著做墊腳石。」

「唉！我真笨，先前為什麼想不到呢！」徐輔義猛地拍了一下自己的頭部，自責自譴：「我一定學女士的榜樣，盡我的力量去做墊腳石。」

「那麼，再見！」她大方地向他伸出手來。

「再見！」徐輔義吶吶地說。向著那隻伸出來的手，很想像一個卑微的臣子親他的女皇般，恭敬地屈下膝去吻她的手背。但他只是笨拙地握了一握，目送著那個嫻雅的身影離座而去，走出了店門，突然又想起了什麼，喊著追去：「女士請您還是留下芳名，我保證絕不宣揚，女士……」

但她已經穿過馬路，擠入人行道上熙熙攘攘的人叢中去了，只見那件淡黃色的絨衣在人縫裡一閃一現，像雲層中的霞光，漸漸消失在天際。

殞星

一

玻璃杯裡剩留著淺淺的殘茶，煙灰缸裡扔下的一截煙蒂猶自裊裊地冒著白煙。客人走了，卻留下一份看不見的，近於傷感的氣氛，似薄煙般瀰漫在布置雅致的小客廳裡。女主人蘇穎背向著室內獨自憑立窗前，當客人的述說告一段落她就這樣站著，已經有好一會了。客人走時也只微微側過身子點頭為禮。她並不是那種傲慢驕矜的女人，這樣做，也許只為掩藏自己的感情，她不願意讓超過同情的激動顯露在別人面前。但是，就像窗戶洩漏了屋裡的燈光，她的眼睛——那心靈的窗子，卻洩漏出內心的紛擾、洩漏出感情的閃爍。這些，全沒有躲過男主人的視線，他送走了客人進來，深意地望了一眼兀立窗前的背影。順手又燃上一支香煙，深深地吸了幾口，緩緩地向窗口踱過去，輕輕地歎了口氣，聲音是傷感中摻著一些試探性：

「真沒想到，李唯為就這樣完了——我一直不知道原來妳也認識他，而且還在認識我之前。這有很久了吧？」

「嗯，十幾年了。只是並不認識。」充滿了回憶，蘇穎並未轉過臉來。

「這是怎麼解釋？」

「我們只是通信，通了二三年信，卻始終沒有見過面，始終沒有……」蘇穎幽幽的聲音裡情不自禁流露出無限憾恨和悔疚。不盡的語意蘊含在低微的唏噓中。

「那麼你們是神交囉！」他儘管把語氣弄得輕鬆和不在乎，卻還辨得出一點青梅子的味道。

「也可以這麼說。」

他遲疑了一下，終於嚥下口口水，把梗在喉頭的一句話囁嚅地說出來：

「剛才老孔說李唯為告訴過他關於他愛人的事，那個人是不是指……」

「友偉，請你別這樣盤問我！」蘇穎倏地轉過身來，銳聲岔斷他的話，眼睛裡閃過一道痛苦的陰影，使她清秀的臉龐顯得僵硬冷峻。「至少，在現在，你如果尊重你的妻子，和你們的友誼，請別再向我盤問。」

「妳誤會了，我這哪裡是盤問妳！」友偉覺得臉上訕訕地。心裡也有點惱，卻仍堆著笑吶吶地說。「我只是關心妳，覺得妳神色很不安，也許，會使妳受什麼刺激。」

「那倒不至於。」蘇穎勉強歉疚地一笑，像琴師調整他走了音的琴弦般，調整了自己的聲音。「以後我會告訴你詳請，但是現在我只希望能夠讓我一個人清靜一會。」

「好吧，那我先去睡了。」友偉擲掉煙蒂，便朝寢室走去，走到門口又回過頭來叮嚀：「可別睡得太晚。」

「我知道。」蘇穎漫應著，又轉過身子默默地倚在窗口。窗外，月光透過細密的鳳凰木，在小園裡投下一片疏影，她半邊臉浸浴在清冷的光輝裡，莊嚴、潔淨，宛似大理石的雕刻。突然，在那光滑的表面閃著一顆顆晶瑩的珠子，滾墜下來，無聲地失落了。過去的那一段生命初度的潮汐，又似潮湧般不住在她紊亂的內心激盪、翻騰——

二

蘇穎認識，不，應該說知道李唯為這個人時，還只有十九歲。正值第二次大戰進入最劇烈的階段。

十九歲，正是花一般的年華，愛美、愛玩、愛做夢、愛幻想，有點懵懂，也有點任性。日子過得無憂無慮，可以在媽媽面前發個小脾氣，父親跟前撒撒嬌。但是，蘇穎的青春卻是寂寞的、悒鬱的，像院子角落裡一株為人疏忽了的不知名的小樹，照不到溫暖的陽光，只悄悄地在陰暗中長大，縱使是愛做夢、愛幻想的年齡，她已不得不學著怎樣面對現實，怎樣適應環境，只因為她早失去了那使她生命光輝的母愛。

蘇穎的繼母並不像一般人形容的那樣兇惡狠毒，想盡方法虐待前妻的兒女，她採取的是另一種態度，那就是過分的客氣。這種態度表面上看起來似乎彼此相處得很好，而骨子裡卻是劃分了永遠縮不短的距離。蘇穎一年年的長大，這距離也一年年的加寬。繼母對她的一切既不干涉，也不關心，始終是客客氣氣，冷冷淡淡，從來不給她一點溫暖。年輕嬌嫩的心由於得不到愛的潤澤而萎凋。她變得沉默、悒鬱和孤僻。勉強念完了中學，繼母亦並沒有強迫她停學，但她使她有一種感覺，覺得自己如果再想升學，那簡直成了這個家庭的罪人，那些異母弟妹們前途的障礙，父親的重負。於是，她自動打消了考大學的主意，在一個機關裡當一名雇員，賺一點微薄的薪水津貼家用。在陌生的社會上，不諳世故的她，就像一隻雛雞被放在鴨群裡，她一半畏怯，一半厭煩地讓自己退縮到心靈的一角。在學校時她就愛著文藝書籍，這個機關裡的附屬小圖書館正在她辦公室隔壁，借書很方便，只要有一點空，她就溜了進去。在寫日記時，她常常把自己的煩悶、悒鬱寫散文般寫上一大段。因此，當她有一次看見一本婦女雜誌上刊著女青年徵文比賽時，不禁躍躍欲試，接連好幾個深夜，她打好了腹稿，又偷偷摸摸地寫在十行紙上。她寫得很艱辛，常常為一個字句，一處轉接，或是一句形容詞苦苦地絞盡了腦汁，稿子在限期前一天趕好寄出去時，她大概瘦了三磅。小說內容是寫繼母和前妻女兒的一段故事，一個從小失去母親的女孩子渴望著得到慈愛的溫暖，她用盡苦心向繼母討好，想博得她的歡心，但冷漠的繼母始終無動於衷，直到最後在一次意外中，她為援救繼母而受了傷，繼母才感激地向她表示親熱，然而，已經太晚了，她眼角噙著清淚，唇畔掛著微笑，嚥下了最後一口氣——這是杜撰的故事，而裡面的感情都是她自己真摯的感情。

期待，像蝸牛的腳步。日子彷彿黏住了挪不動。

在發表錄取名次的前一個星期，蘇穎意外地接到一封陌生的信，一筆靈活的鋼筆字，寫了厚厚三張信箋，署名是李唯為，她記憶中從來沒有這個名字。

信內這樣寫著：

蘇穎小姐：

當妳接到這封信時，妳一定會覺得很奇怪，這是誰？這麼無聊！向一位毫不相識的小姐寫信，的確是一樁很冒昧的舉動。但是，妳雖然不知道有我這樣一個人，我卻很榮幸地已從妳的文章中認識了妳。婦女雜誌把我列入這次徵文競賽的評判委員之一，讓我先拜讀了妳的佳作。由於此，我不嫌冒昧，馬上寫這封信給妳，向妳先報個喜訊。沒有問題，妳那篇感人至深的〈女兒心〉，一定能壓倒眾文，在社會組獲得鰲頭——

接著他把她的作品很詳細地分析了一番，列舉出很多優點，大加激賞、誇讚；數點缺點，要她注意在以後改正。最後，他告訴她自己在一家報社擔任總編輯。希望她以後能寄點短稿給他，可以替她發表，並願意結為文字交，彼此在文學上研究、策勵。

這封信給予蘇穎的鼓勵和激動是無可比擬的，彷彿獨自在黑暗的荒野中摸索的旅人，有好心的人提著代表光亮和溫暖的紅燈向他迎來。她稚弱而孤寂的心靈第一次感受到人與人之間的親切。她興奮已極，以致當那篇小說當真排成鉛字，連同錄取通知、稿費單一起寄到她面前時，也不過如此。她開始埋頭寫作，只要有一點空暇，不是默默構思，便是偷偷書寫。她全副心神浸沉其中，完全忽視同事們竊笑的眼光，和繼母的冷漠無情。她寄出去的散文很快就刊出了二篇，李唯為來信讚她感情寫得很細膩，詞藻很美，只是消沉了些，缺乏朝氣和戰鬥性。他又說一個人生存在世上，要生存得有意義、有價值，全靠自己創造。不能因為面前所處的環境惡劣，就消沉、退縮，低頭屈服。而是要克服、要超越；理想和意志，那便是支撐著妳克服一切的力量。

信寫得很誠懇、很感人，它本身就有一種感染性的力量。

彷彿撥開周圍那黯慘的濃霧，顯示了一線曙光，這是第二封成為蘇穎生命中轉捩點的信。它給了她一份啟示，使她黯沉的心情振奮起來，對人生有了另外一種看法。

是李唯為給了她生命的曙光，她感激他、崇拜他，那一段時間他是她心目中最敬愛的好導師。

三

蘇穎那時服務的機關是一個生產機關，受戰爭的影響，產品不能運輸，逐漸進入半生不死的彌留狀態，大部分的員工都被遣散了，小小雇員當然更不會例外。蘇穎失業下來，最使她受不了的是繼母的漠視所給予她心理上的威脅。她覺得自己的存在還不及一隻狗或一隻貓那樣被重視，也可以說她的存在就是一個錯誤：在家裡她幫著做事也不好，不做事也不好，簡直就一無是處。她深深地陷入悲哀、苦惱、絕望的淵底，連一份掙扎的力氣都沒有。

李唯為來問她為什麼不給他寫信，也沒看見她的作品。

蘇穎終於寫了一封長信給他——她本來不願意將自己的困窘和苦惱告訴別人，她是倔強的，羞於將自己的痛苦換取別人的同情。但她卻披肝瀝膽地向他傾訴，在她生存的範圍中，只有他是唯一可以信任的，縱使他們未曾見過一面，她完全相信他品格的高尚，待人的誠懇，以及正直善良的心靈。她鬱積著的感情像是一條淤塞的小溪，而他寬坦的心胸是她唯一可以傾洩的河流。

李唯為很快地也覆了她一封長信，除了安慰和鼓勵，另外附一封介紹信，介紹她去見當地一家報社的社長，在信裡，他稱她是舍親。

蘇穎像是溺水的人抓到了一片浮木，鼓了很大的勇氣去報社，立刻就獲得了那位社長的賞識，先聘她做助編。在新的工作中，蘇穎初次懂得了工作的真正意義，體味到工作的興趣，她努力地從學習中充實自己，她記起歌德說：「一個人若不是為自己的情熱，不是為自己的要求，只為金錢或別的在替他人工作什麼的，永遠是個傻子。」她過去一直是被人驅策著盲目工作的大傻子，現在她才算睜大了眼睛，發現了另一個豐富而生氣盎然的新世界。她不會忘記那個領她進入新世界的人。她把自己所感受的歡喜，學習心得，或是疑難的問題，一一都詳細地寫在給他的信上。他們的信通得很勤，她向他說到自己時，好像覺得他就坐在自己身邊，含著微笑傾聽，儘管他們相隔數百里，她覺得他們間的距離已無形中縮短而消弭。對這個可敬的友人，除了崇敬，還產生了一種極微妙的感情。她從來不曾戀愛過，只覺得那份微妙的感情很甜，而且有點神祕。她寫過一首小詩，詩題就叫「你」。

在幽暗的長夜，
你是那顆照亮我的星星。
在淒寒的荒野。
你是那拂過我身畔的春風。
在渺茫的人海，
你是那指引我迷航的燈塔。

在，啊！在沒有歡樂和愛情的生命中，
你便是我生命的陽光。

這首小詩她沒有寄給他看，也沒有發表，只把它寫在日記簿上，夜闌人靜時，獨自悄悄地翻開來默誦一遍，從心底便泛上一陣溫暖，彷彿正浸浴在春天的麗日中。暖洋洋、軟綿綿，帶著薄薄的微醺。她享受著這份祕密，輕輕地在心裡喊著，啊，這生命多麼可愛，現世界又多麼美麗！

四

正當蘇穎暗暗地體味那份微妙的感情時，李唯為的來信也起了變化。原來一直潺湲細流的友誼的清泉，忽然間變成了感情的洪流，洶湧地，猛不可擋地直撲向蘇穎。他說朋友因為他嚴肅、剛正，又從來不隨便談戀愛，常常叫他作「山」，他也自以為是一座不是任何外力所能震撼的山。但是自從和她通信一年多以後，他感到山裡面恍惚有什麼在翻騰、躍動，他開始懷疑自己只是睡著的火山。他也曾極力抑制、鎮壓；但是，熾熱沸騰的熔岩終於衝破了岩石堅冷的外層，他封鎖著的愛情為著她闖開了他理智的閘門。他那支生動而文采斐然的筆，描繪著自己的赤忱，自己的摯情，自己的愛慕。信像雪片般一天三封兩封的飛來，蘇穎被這閃電般的攻勢怔住了，在她還不知道該怎樣告訴他自己的感情，他又來了末一封信，告訴她，自己那麼迫切地渴望見到她，和她暢談衷情，已決定馬上請假來看她。

沒有比少女初戀的聖壇上供奉的第一枝愛情的花朵更聖潔、更鮮美，更留下不可磨滅的印象。蘇穎半是驚喜，半是憂懼，她唯恐自己見了面反不能像紙上那樣娓娓談心。她憧憬著兩人在河畔靜靜地散步，在小屋中促膝密談，她是那麼渴望聽到他動人的聲音，親切的笑容。她只寫了簡短的一封回信，表示自己的歡迎和盼望，便熱切地期待著。

從李唯為居住的城市到蘇穎住的那個偏僻的小城，交通很困難的，一半路程可以搭汽車，一半路程不是坐船就靠走路，坐船是逆水，要三天，走路大概一天半。蘇穎每天只是坐臥不安地扳著指頭計算日子，四天過去了！五天過去了！她還是很有信心地猜想大概他工作太忙，請假延誤了。要不汽車脫班，或是船擱淺。等到第六天，她接到一封筆跡陌生的來信。拆開來首先看見一張信紙上寫的是說唯為兄因上機迫促，囑代寄此函。蘇穎慌忙用顫抖的手指打開第二張信紙，紙上是她最熟悉的一筆字，只是十分潦草，顯然在匆忙中塗下的。單單幾行字告訴她為一項極重要的任務奉命去重慶，事出倉卒，心情十分紊亂，千言萬語更無從說起。只有等到了目的地再詳函告訴她。

希望的美麗的彩泡泡一下子破碎了。重慶，離這個偏僻的小山城又多麼遼遠！他沒有說要去多久，也不知道那一天比一天迫近的戰事會有什麼變化，她悲哀地覺得李唯為是振翼高飛的鵬鳥，而她自己是徘徊在山谷裡的綿羊，他們的距離剛要縮短，卻又間隔得更遠了。

但她還不曾絕望，還引頸翹待著他抵達重慶後詳細的來信。可是，信不曾盼到，戰火卻已把路截斷了。小城岌岌可危地陷入四面楚歌中，就像箍在鐵桶裡。

等抗戰勝利，鐵桶解禁時，蘇穎一家便回到老家杭州，不到三年，又來了台灣。這一段時期中，蘇穎拒絕了別的男孩子的追求，漠視那些向她致獻的殷勤和愛慕，沒有一個男人能奪去李唯為在她心裡造成的那種揉合著敬佩、感激和熱愛的地位。她一直都在暗暗祈禱著，還有奇蹟出現，總有一天，上帝會把她的愛人賜給她。但是一年一年過去，李唯為始終音訊渺茫，而青春虛度，她已經二十七歲了。經不住繼母的慫恿、撮合，以及自己希望的逐漸幻滅，她終於跟現在的丈夫結了婚。

婚前三天，她才撿出多少年來一直珍藏著，被視作第二生命的、全部李的來信付之一炬。她認為那是她畢生最神聖純潔的一份感情，讓它深深埋在心底，不容有第三者窺探。

友偉比她大十四歲，對她很體貼，婚後三年，他們便有了二個孩子。但是，每當有一段屬於她自己的，安靜清閒的時刻，她常常會感到一種空虛的，失去了什麼的感覺，望著悠悠的白雲，或幽幽的月光，她會覺得自己的心並不曾附在那站在地上的軀體內。

縱使在丈夫的愛撫中，她的心靈也常常感到寂寞和空虛，沒有什麼可以填補的空虛。

五

剛才那個不久才從大陸經香港投向自由的友人的話，那些有關李唯為的消息，彷彿猶在蘇穎耳畔繚繞：

「……共匪判定他是政府派去潛伏在那裡暗中活動的國特，用盡了殘酷的刑罰迫供，他始終沒有口供——他死得很慘，自然，他的犧牲是有價值的，他盡了他最大的責任。」

「李唯為曾經對我說過，他可以自慰的是總算對得起自己的國家。可是，他認為畢生遺憾的是辜負了他的愛人，他一生只戀愛過一次——最初也是最後的一次。當他正約了她有一個有關一生的重要的聚會時，卻突然奉到了緊急命令，來不及見一面就離開了。他唯有衷誠地為她祝福……李唯為犧牲了，但是他永遠活在友人的心裡。」

蘇穎驟然明白了自己為什麼會感到空虛，失去了的是什麼；但是，失去的已永遠失去了。她哀傷地，祈求地向窗外伸出雙臂，擁在她臂懷中的只是一掬清冷的月光。

驀地一顆流星一亮一閃，掠過深暗的蒼穹倏地消失了。

「哦，殞星！」蘇穎激動地輕喚著，在她生命中，在她心上，也有那麼一顆星，照亮了她的思想，她的心靈，她的生活和感情，又倏地殞落了，消失了。

夜更深靜，夜的空氣有著清冷的寒意。蘇穎掩上窗子，拭去淚痕，讓激情的浪潮慢慢平伏，沉緩地走向寢室。人總歸是只能生存在現實中的。

寢室裡寂靜無聲，只留著牀頭一盞檯燈散射出柔和的光輝。她一手扶著門框停在門口，怔怔地望著那些隱蔽在昏暗中的家具雜物，覺得自己彷彿甫自另外一個遙遠的地方回來，這熟悉的一切，似乎都顯得陌生了。

牀上的友偉已靜靜地睡熟，寬坦的臉浸在燈影中，睡得安穩、酣沉，不時呼出甜蜜的鼾聲，像是這世界上沒有什麼事會使他驚擾，也沒有什麼事值得他煩慮的。

蘇穎輕輕地進去，輕輕地卸妝又輕輕地上了牀，熄了燈，緊緊地，緊緊地閉上了眼睛。

眼前是一深沉的黑暗，無限的黑暗。遠遠地模糊地，黑暗中恍惚有一點星光閃爍著，熠熾著，一亮一亮，突然擴展成光燦燦一片，四散迸射，迎面撲來。卻又慢慢地消淡隱沒……

編註：本文原刊於《政治評論》第二卷第四期，一九五九年四月二十五日，頁二十九～三十一。

血緣

一

從紀念週上散下來，大家都帶著一種亢奮激動的情緒，不能馬上坐到辦公桌前去安心工作。除了五十多歲的匡老先生和患氣喘的周文書員因為不能分享大家這份亢奮，默默地退守住自己的工作崗位，以及被喚作大姊的楊秋韻，依舊同平常一樣，脊背挺得筆直地坐在椅子上，專注而又謹慎地，開始把堆在桌上的公事一件件分類歸檔外，其他二位女士，三位男士都你一句，我一句地搶著說話：

「黃小姐，妳是什麼血型？」喜歡說話的小陳問科裡最年輕活潑的黃薇。

「B型，你呢？」

「榮幸得很，跟妳一樣。我記得老施好像也是B型。蔣小姐妳呢？」

「A型。」

「不管什麼型，只要不是冷血就行。」黃小姐笑著說：

「想起來，我還是有點怕……」

「沒有什麼可怕的，輸血一點都不影響身體，不說輸二百五十西西的血只要一星期就長起來了！」

「人家又不是說這個。」蔣小姐不樂意地瞟了一眼小陳，「我是說我從小就怕看見血。」

「閉上眼不就得了。」小陳賣弄地彎彎自己的胳膊，挺挺胸脯，「我的血漿很濃，抽掉五百西西毫無問題。」

「你的血液有英雄色彩，很棒嘛！」

「妳的可是美人血，很香豔！」小陳從來不吃嘴上虧，馬上回敬了黃小姐。忽然向著楊秋韻那邊下巴一抬，「她也簽了名！」

「她的身體怎麼行？」

「楊大姊！」黃薇揚聲喚她：「剛才妳簽名輸血了?!」

「嗯，」楊秋韻略為側轉臉著一看黃薇他們，又把視線盯在筆尖上，不經意地說：「如果處裡沒有兩個楊秋韻，那就是在下了。」

「妳的身體吃得消？」

「胖和瘦與血液沒有什麼關係，只要不是貧血。」

「妳是什麼血型？」

「O型。」

黃薇、小陳他們幾個人彼此迅速地對望了一眼，在心裡同聲說了個尾音曳得長長的「哦！」

但是有聲的說話，無聲的語言，楊秋韻都不聞不問。她那稍微有點近視的眼睛向前凝注著，雙唇緊閉，清癯而白皙的臉便顯得更嚴峻了些，她的筆熟練地在登記簿上，案卷上做著記號。那些彷彿是一組組單調乏味的，生命的音符，而她只為盡著人生的責任似的，依然嚴謹地毫不疏怠地彈奏下去——

二

血液，這生命的源泉，沒有人不珍惜，不寶貴，有時不一小心被針戳破了，被刀切碎了，眼看鮮血滲出來，不由得不心疼惋惜。但是就在那家軍醫院裡，卻有人排著隊，等候在走廊上，就像小學生等著種牛痘似的，等著抽血。他們和她們都是在一個號召下——支援金門將士，慷慨地、熱忱地捐獻出自己的鮮血。小陳、黃薇、楊秋韻他們幾個排在一起，男士們顯出一副激昂慷慨的神情，女士們由於興奮，頰上浮著一層紅暈，只有楊秋韻，表面一點看不出激動的痕跡，如同在她工作時一樣，平靜、莊重，有條不紊地進行著一切，首先照了

X光，又做了全身檢查，量過血壓，驗過血球……

「妳平常的健康情形怎麼樣？」醫生拿起了針筒，卻望著瘦瘦的楊秋韻顯得有點猶豫。

「請問大夫我的血液合不合格？」楊秋韻反問醫生。

「血液當然合格。」

「那麼請你開始抽吧。」楊秋韻自己往手術牀上一躺，等著護士在她臂上紮上橡皮帶子，醫生笑著微微搖頭，便把針頭戳進了手臂。慢慢地，眼看著玻璃容器裡紅色升高來，升高來，比寶石還鮮豔，比葡萄酒更濃稠——

一個護士匆匆地走來問：

「十二號病房一個傷者急需四百西西O型的血，這裡有沒有？」

「現在抽的就是O型。」站在旁邊幫忙的護士說：「只是二百西西，再找一找看。」

「你就從我這裡抽四百西西好了。」楊秋韻凝視著針管，眼睛也不抬地告訴醫生。

「可是站在醫生的立場……」楊秋韻不等醫生說完，便搶著說：

「不，你應該替我想。站在一個國民的立場。」

醫生知道拗不過她，只得照她的意思做了。在另外一張牀上休息的黃薇忽然興致勃勃地提議說：

「喂，楊大姊，我們去看看妳的血輸給哪一位英雄！」她也不管楊秋韻的反對，逕自向醫生提出了要求。答到了允許，同來輸血的幾個人便一起擁到病房去。楊秋韻也被大家慫恿著跟在後面。到了十二號病房，他們遠遠地站在門畔，只見那只血漿瓶高高地倒懸在一張病牀前面，下面連接了一根玻璃管和一根橡皮管，管子一端的一支長針就戳進一個傷患的腳背上。

「怎麼是從腳背上輸血呢？」黃薇驚奇地喊了一聲。那傷患原來虛弱地側在牀裡，聽見這一聲，轉過那張因失血而顯得蒼白的臉向門口瞥了一眼，又轉了過去，就在這時黃薇回頭一把抓住楊秋韻的手臂，又是一聲驚喊：

「楊大姊，是哪裡不舒服嗎？」

大家看楊秋韻時，眼睛直視，下唇緊咬，臉上的肌肉因緊張而攣痙，身子不住顫抖著搖搖欲墜。——從來沒有見過一向冷靜的她會這樣激動。

「一定是抽多了血，起反應。」

「快去問問醫生。」

「噢，不，沒有什麼。」楊秋韻在病房外面一隻長椅上坐了下來，強自鎮定著向關心她的人解釋，蒼白的頰上漸漸泛上一點紅暈，「真的不礙事，我坐幾分鐘就好了。」

同事們看她慢慢平靜下來，跟平時一樣。所有的注意力又被病房裡的輸血工作吸去，一個剛才幫楊秋韻抽血的護士小姐捧了一疊表格跨出病房，楊秋韻悄悄地扯了她一把。

「那位輸血的同志叫什麼名字?」

「他,」護士小姐回眸一瞥,含笑回答,「炮戰英雄方傑。」

三

楊秋韻拿著一封還沒有拆開的信,一個人默默地斜倚在牀上,時間像一條無聲的流水,悄悄地從她身畔流過,帶走了陽光,留下黯淡的暮色,但她並不覺得。

這封她翻箱倒篋找出來的信,顯然已經過悠久的年月,而變成暗黃色,封面上貼了一張「無法投遞」的條子,蓋沒了收信人的姓名,在那條子上「收信人他往」的一項上,有一個紅筆勾劃的記號,楊秋韻就凝視著這個記號發怔,只是郵務員那麼輕輕地一勾,卻勾奪了一個人的命運,多麼不可思議的事!

這一勾,已經是十年前的事了,但是,時間、苦難、流亡顛沛,絲毫未曾磨蝕這心靈上最深永的烙痕,她也曾深深把它埋藏,埋藏在心底最隱密的一角,她不敢希望,怕增加更大的失望,她不敢探視,唯恐洩漏了那份珍貴的感情……怎想到今天一下子那矜持的提防,便被洶湧的感情的浪潮沖圮了。

十年前,她二十二歲,正是青春綺年,她愛上了一個有為的青年。這是她第一次戀愛,她的感情有似埋在火山岩裡的火焰,平時不輕易燃著,而一旦爆發,噴射出來的灼熱的熔岩，便一瀉不能遏止，碰上的連自己帶對方，一起融化。但是，在這熱情的熔流所經之處，卻有一座比岩石、比鋼鐵還堅固的阻礙——那是她父親的偏見和固執。

她父親一再堅決地反對這一個婚姻。他說：

「他年紀輕輕一個人在外面混，一不曉得人家家世，二又沒有個根底，就像水裡的浮萍一樣；我怎能把我的女兒嫁給沒有根的浮萍？」

「可是他有求生存的能力，男子漢不是應該貴在自立？」秋韻知道父親早便有意把自己許給他一個商業上有來往的朋友的兒子。

「不錯，自立當然可貴，但根底還是要緊。」

「還有，」母親也深慮遠謀地說：「他們北方人都是結婚很早的，說不定他家裡已有了妻子也不曉得。」

儘管秋韻怎樣辯解、堅持、哭泣，總感動不了父親的決心。她只得將這壞消息告訴那正熱切期待著的愛人，失望以及自尊心的受挫傷，使那個溫文的青年變得有點粗暴。（她還依稀記得那天他咬著嘴唇，眼睛灼灼發光的神情。）他痛苦地沉默了半天，突然雙手按住她的肩，灼人的眼光直望入她眼中，用一種堅決的口氣問她。

「妳是說妳父親那裡已沒有通融的餘地？」

她噙著淚水，微微點了點頭。

「妳真的愛我？」

「全心全意。」她仰望著他，她的眼睛顯示了她的心靈。

「甚至可以為愛情作犧牲？」

她微帶困惑地看著他，他的神情是嚴肅的。眼睛像審問般盯住了她。

「如果有那樣的必要……」

「那麼，跟我走。換一個新的環境，讓我們生活在一起。沒有什麼可以使我們分離。」

跟他走？那是私奔，秋韻從來不曾想到過這一著，她的心弦拉緊了，愛和愛各拉一遍拉得痠痛欲斷。

「那！不太妥當吧。」

「我們都已到了法定的年齡，可以找一個公證人辦一辦手續，不就名正言順了。」

「不光是那個，我總不能撇下雙親。——」

「不再加考慮？」

「嗯。」

「好吧，那妳還是乖乖地留下做個孝女罷。」

他一咬牙，絕袂而去。她在後面懇求：

「還是讓我向父親再說說，也許他會回心轉意……」但是他已經走遠了，沒有聽見。

楊秋韻傷了心，她以無言的抗議對抗父親的反對——開始絕食。她躺在牀上，拒絕進食，也不許醫生給她打針，第一、二天，父親不瞅不睬，只裝不知道，第三、四天他還是堅持地說：「人餓不死。」第五、六天，秋韻軟弱得奄奄一息，母親可急壞了，與父親爭吵說：

「你不要女兒我還要，女兒我生的，我可以作一大半主，不管你怎麼固執，我答應了這門子親事。」

「好吧，從此她的事妳去管，我不管了！」做父親的心裡哪裡不疼女兒，便順勢推舟，不再干預。

秋韻終於爭取到了最後勝利，她准許醫生替她注射了補針，又進食了一些營養的食物，靠著枕頭，舉起軟弱無力的手，便抖簌簌地給愛人報告了這個喜訊。

但是，信卻被退了回來。

收信人方傑的上面，加蓋了一張無法投遞的條子。

四

楊秋韻用一張白紙把那封珍藏了十幾年的寶貝信包起來，在外面用濃濃的墨汁寫了個很大的？問號。然後再套入一個大信套裡，寫上醫院的地址、名字，寄了出去。

隨同信一起寄了出去的是她內心那份寧靜，她突然間變得心神不安。從來找不出一點錯的工作，一再地做錯，常常在工作中間停下來，凝望著空中出神，原來黯淡的眼睛閃著光彩，原來冷峻嘴唇顯得溫柔可愛，原來蒼白的兩頰泛上淺淺的紅暈，連人都彷彿變得年輕了。愛管閒事的同事們注意到楊秋韻的轉變，都在驚異地紛紛猜測。

「看到沒有？楊大姊這陣子變了。」

「真奇怪！楊秋韻好像一下子變年輕了。」

「不是中了愛國獎券吧！」

「也許她得到什麼好消息，要調升了。」

大家就只有一個問題沒有猜，那是「戀愛」。因為楊秋韻在不算短的服務期中，曾經有不少同事追求她，而她的反應是冷淡的。也有人替她介紹男朋友，她也總是婉謝，因此大家猜她一定感情上受過刺激，有的說她心理變態，慢慢地，再沒有人打她主意，為她操心，已把她看定是終身做「老小姐」了。沒有人想到不波的古井，又漾起漪漣，掀起了波瀾。

一天、二天、三天……寄出去的信一直沒有回信，她抑制著去醫院的衝動，等待著。而等待漸轉成憂懼：莫不是認錯了人？莫不是不在那裡了，莫不是已跟別人結了婚……不安日增，楊秋韻頰上的紅暈也隨之日漸褪卻，做事錯誤百出，她這才覺得自己並不像想像中那樣堅強，同事們又在後面揣之傳播：

「楊大姊好像有病？」

「楊秋韻看來心事重重哩。」

這一天上午楊秋韻寫一份月計表寫錯了二次還沒有寫好，她剛剛憤然地撕掉了第二份表擲進字簍裡，傳達過來把一封信放在她辦公桌上，她瞅了一眼，那顆心便不由自主地猛跳起來，信封上那字別說睽違了十年八年，就是燒了灰她也認得！

她用顫抖的手指拆開了信。

韻，親愛的韻：

當我又能拿起筆來寫這一個我夢魂難忘的，象徵著我的希望和幸福的名字時，我的興奮、快樂是沒有一支筆能夠描寫出來的，而這幾天掙扎著抑制自己不許早寫這個字的困苦，卻又比什麼都難受，為什麼我一定要延到今天才給妳寫信，等下再告訴妳。

韻，十年闊別，真想不到會在這自由寶島重逢，更想不到妳還給我輸了血（護士小姐告訴我的），這教我不由得不相信古人說的「緣分」。我不知多少遍一面流淚一面讀妳那封十年前給我的信，和妳寫的大「？」。完全了解妳的意思，韻，我又是感激，又是慚愧，這十年中不知害妳受了多少苦，記得那時我受了那一個嚴重的打擊，對人生已失去了興趣，同時反過來一想，愛一個人應該使她幸福，妳父親為妳選擇的對象既然一切條件都優於我，為了妳未來的幸福，我原該自動退卻。因此，我毅然將自己獻給國家，加入了國軍。我悄悄地離開沒有向妳說一聲再見，為的是想不留下一點痕跡。但是，這十年來，妳一直活在我心裡，何曾又忘懷片刻！

親愛的韻，我是多麼渴望馬上能見到妳的笑容，聽到妳的聲音，以慰十年相思。然而，韻，我覺得慚愧，我實在不好意思這樣光著手見妳。我要立下一次戰功做為我們重聚的禮物。本來我的傷並不太嚴重，只是衰弱，注入了妳給我的熱血，幾乎已完全恢復了活力。因此，接妳的信後，我就上報告申請重返前線，今天報告已批准了，明天上午就有專機送我去金門。韻，等著吧，我要把勛章帶回來請妳親手替我佩在胸前。一切光榮，都屬於妳。

請為我祝福，不要忘記寄給我妳的溫情和勉勵。

妳的傑　十一月二十二於離院前夕

楊秋韻握著信箋看了一遍又一遍，眼睛潤濕了，寂靜中一架飛機抵掠過屋脊，她像按上了彈簧般，驟然離開自己的座位，伏到窗前去，向天空仰望著。

好事的黃薇已偷窺了她半天，這時欠伸起身子向躺在楊秋韻桌上的信封望了一眼，不禁驚詫地低喊了一聲。

「嚇！是陸軍總醫院十二號病房那個姓方的寄來的，奇怪，她輸了一次血就像交情很深了似的。」

旁邊的小陳神祕地笑了笑，悠悠地說：

「也許，那是『血緣』。」

伏在窗前的楊秋韻卻沒有聽見他們在說什麼，她凝神一致地眺望著那架飛機遠遠地消失在天際，虔默地致上心底的祝福，映在陽光裡的臉上，泛著一層淡霞似的紅暈，看來顯得更年輕而美麗。彷彿青春的活力重又注射入她的血液中。

潭上風雨

「你們這裡哪一個房間看潭看得最清楚？」許衡走進碧山莊旅社，向著笑靨迎人的服務生探詢。

「五樓最好，我帶你上去。」服務生略欠一欠身，便領著他走上樓梯，木屐敲著石階發出一片清脆的聲響，許衡跟著她也記不清轉上了多少層，已有點喘氣。忽然眼前一亮，原來樓梯盡頭便是座敞朗的陽台，面對盈盈綠水，憑欄遠眺，潭上山光水色，盡收眼底，那一份纖塵不染的潔淨，那一種出世忘俗的幽靜，何消片刻，便滌除了旅人身上的灰土，庸人心頭的煩慮，許衡不禁連讚好：「忙裡偷閒，竟分得如許清福！」他原從高雄公差台中，事情辦得順手，剩下的二天便來探訪慕名已久的日月潭，而名潭果然名不虛傳。

陽台上一排有四間房子，他住了右首第二間。

從最底下一層洗了澡上來，天已經完全黑了。陽台上沒有燈，只有從房裡透出來的一點燈光。許衡倚欄凝望著外面，潭上比陽台上更黑，除了遠遠的化番社閃現著疏星似的數點微光，那翠屏似的綠堤、峰巒，那水中央的小島，全溶入墨汁似的黑暗中。涼沁的風從潭上吹來，許衡深深地呼吸了二口清新的空氣，不由得又側過臉去，望一眼右端石柱畔的白色背影——當他上來時便倚立在那裡了。他的腳聲、咳聲和口哨都沒有驚動她，她只是凝望著一個方向。彷彿她能穿透黑暗看到她要看的東西。如不是晚風吹動那披肩長髮和白綢睡衣，就像是一尊雕像。

夜深了，山風襲人，冷露沾衣，困倦像一張網緊緊裹束住許衡，他只得放棄想看一看那神祕的背影廬山面目的好奇心，懶洋洋地回到自己房裡就寢。

第二天一早，許衡便搭乘了遊覽船一處一處去遊覽了潭上的名勝風景，為了領略更多的風光，下午他又單獨駕一葉小舟，悠閒自在地泛向那綠潭深處去探幽。小舟在那萬頃碧波上真似一片輕盈的樹葉，許衡有時使出腕力，便如箭一般向前飛駛，有時停槳不划，便任它輕飄盪漾。慢慢地，從東邊繞出日潭，在月潭繞行一周，又從西邊折回，這時峰巒間一朵出岫的浮雲，掩蔽了將墜的夕陽，風大了些，平靜如鏡的水面也起伏著微波萬疊。許衡覺得臂腕有點疲倦，便駛近那座四面臨水，浮在潭中央的小島——光華島，當他繫上小舟時。發現浮橋畔已有另外一隻小舟繫著，而那蒼松矮欄間，隱約飄動著一角黑色的衣裾，許衡緩緩地踩上階級——所謂島，原不過是兩方平台，他走上裡面一方，馬上便認出了站在松樹下的女人，就是陽台上那個神祕的背影，雖然她換穿上旗袍顯出纖細的身材，不同於穿睡衣，但那披肩長髮，那向著潭水凝立不動的神態全與昨晚一般。

島上萬籟俱寂，只松嘯低低，水吟悄悄。

「這裡真幽靜，就像另外一個世界！」許衡大聲讚歎著，但那得不到反應的聲音就似空氣裡的水沫，風一吹，散了。

許衡繞著平台逡巡了一周，又踱到她附近，那一個背影彷彿永遠不會轉過身來，——忽然一個衝動，帶著幼時惡作劇的心理，他撿起一塊石子，向水裡擲去。砰然一聲，水花迸濺，雕像果然被驚動了，轉過臉來。

那是一張十分年輕而又蒼白的臉，秀麗動人，但缺少一種生氣和活力，漆黑的大眼睛沒有光澤，豐潤的雙唇沒有血色。臉上那種茫然而又冷淡的神情，就像那種真空的人！感情心靈和希望都被悲痛吞噬了的人。

「對不起！」許衡搭訕著向她致歉，「我是想探探水有多深。」

她漠然瞥了他一眼，像看一株樹，看一座山，顯然對他冒失的舉動沒有反應，縱使是地球在她面前陷落，她也會無動於衷。

人類一種更高尚的情愫替代了許衡的另一種本能和好奇心，他望望逐漸推過來壓在頭頂的雲塊，殷勤地說：

「小姐，很榮幸的我們住在一個旅社裡，要不要我送妳回去？」

「謝謝。」

「看樣子馬上有暴雨。」

「我不怕。」

「天快黑了，有風雨，船不好走。」

「那麼，你先請罷，我會照顧自己。」她又轉過臉去凝望著潭水，不再理會。

許衡覺得臉上訕訕的，不好意思再兜搭。只得獨自解纜登舟。風很大，他費了些力氣，才使小舟駛近碼頭，一個早侍候在碼頭上的老船夫伸手拉住船頭，幫忙攏了岸。

「有風，船就不好划。」老船夫迎著許衡說。樸實的臉上堆疊著和藹的笑意。

「可不是。」許衡跳上碼頭，抖了抖被水和汗浸濕的衣服，雨開始下了，潭上如同籠了一層薄霧，「這雨下得大嗎？」

「難說。」

「船在潭上危險不危險？」

「應該盡快趕回來。」

「有一隻船在光華島，」她那蒼白失神的臉在眼前晃了一晃，許衡忍不住說出自己所憂懼的：「是一個單身女客。」

「在光華島！」神態悠閒的老船夫像被蠍螫了一口似地驚喊著，連忙吩咐正在繫穩船隻的兩個年輕的船夫，「你們兩位馬上駕隻船去接回來。」兩人很快解開了船纜，用勁划動四支木槳，老船夫把自己身上披的粗布雨衣脫下來捲成一團，擲在船裡，「把這個帶去給客人！誰叫你們把船租給單身女客的！真是，自己少到一步就出麻煩。」

雨更密了，潭上景物全被煙霧籠罩，小船駛過去也被霧吞沒了。老船夫淋著雨還在碼頭上朝光華島的方向望了一會，這才邁上石級，走到對面那家土產店門前的廊上避雨，店主已把門口那些藤編的籃、木刻的器皿搬進去了，客氣地端出張長凳來給許衡他們息腳。老船夫從衣襟裡摸出煙桿來抽著，連擦了三四根火柴沒燃上，顯示出他內心的不安，許衡把自己在抽的香煙遞給他。

「我真不懂，那些旅客看見要下雨了，為什麼還要留在光華島！」老船夫喃喃地抱怨，一臉打褶的皺紋裡都填滿了煩憂。

「光華島不妥當？」

「你沒有看見那島上光禿禿的，除了一圈細挑松樹，哪裡還有半點遮攔！從前還有過一座涼亭，早就連影子都不剩了。人要在上面淋雨，就像，嗯，就像……反正夠慘的了。」老船夫神色黯然地搖著頭，偌大一個潭，彷彿就是那座小小的島壓著他的心。

老船夫又一次拿下煙桿，站起來用手遮著眉額，頻頻向著潭上探望。雨下得很密，潭上依然是一片煙霧，什麼也看不清，他又悵惘地坐下來，輕輕歎了口氣。許衡同情地望著他被風雨和太陽磨蝕得蒼老黧黑的臉，和青筋暴露的手臂，「做你們這行也很艱苦嘛；天晴，得陪著遊客曬太陽；下雨，又得為遊客擔心。」

「這倒沒有什麼，做一行有一行的苦處。」老船夫笑了笑說：「好好壞壞，我靠船吃飯也吃了十幾年了。沒出過什麼錯岔——就是去年，去年發生了一件事使我心裡一直不舒服，就像長了個大疙瘩。」

「是一件不幸的事？」

「嗯，而且造成這不幸，大半是我的錯……」老船夫的聲音低沉下去，低著頭，連一接二地吸著煙，沉默中只聽見雨刷在屋脊上淅瀝淅瀝地響。

老人望著地面，開始沉痛的向許衡追述那樁不幸：

去年，也就是這個時候。我還記得那是個挺好的晴天，太陽一早就爬上了山頂，平靜的潭水就像一面大明鏡，只是那天不是什麼假日，遊客並不多。上午有兩個年輕人來僱我的船遊潭，男的高高個子，一笑，露出一口潔白的牙齒。女的小小巧巧，一雙烏溜溜的眼睛像會說話，兩個都長得很體面，穿得也光鮮，看那親親熱熱，恩恩愛愛的樣子，準是一對新婚夫妻。在船上，兩個人不停地說說笑笑，唱一會歌又吹一會口琴，到一個地方就並肩攜手跑上去照相，好像一身都是用不盡的精力，那種無憂無慮，快活高興的樣子，連我這一把老骨頭都感到自己變年輕了。有時他們那種太時髦的親暱教人看了覺得臉紅，但他們實在是一對好心腸的孩子，他們吃點心水果時總要分給我一份，我不肯吃時他們就強要我吃，口口聲聲還稱我「老人家」。

「老人家你划累了，歇歇吧，讓船自己飄一會。」

「老人家，你精神挺好的，今年多大年紀了？」

「噢，跟我父親同歲！」那女的聽了我告訴她的年紀，高興地向著她的同伴說：「我父親從小就最疼我，如果他現在在台灣，看見我結婚了，不知會多高興！」說著，說著，那女的眼眶忽然紅了，神氣也黯淡了。那男的又是安慰，又是勸解，年輕人總是年輕人，忍不住憂傷。不多時，他們又高高興興地，偎依著半倚半躺地靠在船艙裡，做夢一般的說著癡話：

「親愛的，就讓我們永遠像這樣順流逐波流下去。」

「流到無盡的永恆。」

「流到長春的伊甸樂園。」

「永不，永不停留！」

我雖然聽不懂他們說的是什麼，也不由得輕輕地舉起槳，輕輕地點著水，只怕驚醒了他們的癡夢。

從上午划到下午，從日潭遊到月潭，可以上去遊覽的地方都去過了，船只在潭上徜徉，兩人的笑聲語聲也輕悄零落了。

「累了，回旅社去休息吧！」男的說。

「這裡有比旅社更好的地方。」女的指著將駛近的光華島說：「綠草為褥，蒼松覆蓋，流水為我們唱著催眠曲。」

「想像這是被我們征服的無人島，是屬於我倆的王國。妳是女王，我就是妳忠實的侍臣。」

船攏岸了，女的懶洋洋地站起來倚著男的肩頭，妮聲說：

「女王倦了。」

「讓妳的侍臣抱妳上岸。」

那男的當真抱起女的走上小島，還回過頭來笑著向我說：「老人家，你也回去休息休息吧。」

「什麼時候再來接你們？」我問他們。

「三、四點鐘。」女的說：

「不，五、六點鐘。」男的說。

我搖著船離開時，依然還聽得一陣陣愉快的笑聲從島上傳來，飄揚在靜靜的潭上。

「真是一對教人羨慕的青年人！」我在心裡想。

究竟是上了點年紀，划了那麼大半天船，就覺得手痛腰痠的。我關照夥計照顧著船，自己便回去睡覺——如果我早知道睡一覺會誤這樣大的事，就是累死我也不會去睡。一個悶雷把我從酣睡中震醒，就聽見外面風聲雨聲像要把屋子都撼碎了。我心裡叫聲不好，連忙抓件雨衣冒著大雨奔到碼頭上，潭上已什麼都看不見了，只有雨，瀑布似的驟雨瘋狂地傾瀉下來。

「這雨下多久了？」我詢問在躲雨的夥伴們。

「大概快半小時了。」

我一看鐘，五點剛過幾分，不由得急得跺腳。

「怎麼辦？我還有兩個遊客沒有接回來。」

「不要緊，毛王爺總會好好招待的。」

「他們不在化番社。」

「在廟裡掛個單，和尚也不會虧待。」

「也不在文武廟，在光華島。」

說話的人彼此對望一眼，再沒有作聲。另外一個勸慰我說：

「說不定是陣頭雨，下一會也就停了。」

我也但願那是陣頭雨，可是看看雲腳那麼厚密，一時絕不會移動，而天又快黑了。

「誰同我一路去光華島？」我看看大家，有的低下頭，有的故意望看別處。顯然沒有一個人願意冒險。「好吧，大家不去，還是我一個人去！」我說完就一個人向碼頭上衝去，儘管別人在後面喊我：「你想去送死呀！」我心裡卻只有那二個年輕人無遮無蓋，被無情的暴風雨襲擊的形狀。跳上一隻船，解開了纜繩，我費盡力氣，掙扎著划出不到二碼路，突然一陣兇猛的暴風雨迎面撲來，船就像是紙紮的骨碌一下便翻了——是別人把我從水裡撈了起來。

那真是幾年來沒有逢上的強烈的暴風雨，街上的電線也都被摧毀了。一個漆黑的、恐怖而漫長的夜。在這樣的夜裡，我一直不曾闔上眼。好不容易盼著天有一點亮，風雨也小了，我同了兩個夥伴馬上就駕了一隻船去光華島——我真是不忍心講，但那悽慘的情景我只要一閉上眼就清楚地浮在眼前——他們兩個摟在一起蜷縮在泥窪裡，渾身冰冷透濕，四肢和頭臉浸得腫脹泛白。我們把那兩個沒有生氣的軀體從島上抱到船上，從船上抬上救護車，還沒有恢復知覺。

「想想來時那樣年輕快樂充滿精力，活潑潑喜洋洋的兩個青年，回去時卻奄奄一息。這都怪我。」

「天有不測風雲，這不能怪你。」許衡安慰老船夫說：「年輕人身體好，回去頂多生一場病。」

「如果我那天不睡覺，如果睡了覺早一點醒……」

「看他們回來了！」許衡一聲歡呼打斷了老船夫的喃喃自責。那隻船已從煙霧裡鑽了出來，漸漸攏岸。船上多了一個罩在雨衣裡的人，船後拖著另一隻空的小船。靠了碼頭，那罩著雨衣的首先下了船，停留了一會，便把身上披的雨衣脫下來擲給船夫，一轉身踩著石階走上來——正是那個獨自留在光華島的女人。濕透的衣服豆腐皮似的緊裹在身上，更顯得纖小，黏成一綹綹的長髮猶自在滴水，蒼白的臉更白得像蠟人，雙唇緊閉，臉上卻依舊是那一副茫然而又空漠的神情。她上了石階，穿過馬路，一眼也不看的打從許衡他們身邊走過。——許衡感到自己的手臂被一隻冰冷的、顫抖的手緊緊握住。

「就是她！」

他轉過臉去，看見老船夫僵立在自己後面，眼睛裡充滿了驚駭、疑懼和憐憫的神情，凝望看走過去的背影。

「就是她。」老船夫喃喃地重複著。「可是怎麼只有她一個人?!難道說那個男的已經……哦！那太悲慘了！」他突然唏噓著，兩手掩面，軟癱在凳子上。那支旱煙桿從他手裡跌落在地下——許衡黯然俯視著他，覺得這個堅強、硬朗的老人，一下子變衰弱了。

第二天，又是個明朗的晴天。

許衡早晨醒來，便趿著拖鞋走到陽台上去。卻見右首第一間房間的門窗都敞開著，已是「鳳去樓空」。一個服務生正在裡面收拾打掃，看見他在門口張望，便笑著向他說了聲「早安！」

他若有所失地踱到欄前眺望著，晨霧正在潭上慢慢地散開，隱隱露出沉沉的叢樹。幽暗的潭水，彷彿尚未從夢中醒來……突然間，一輪紅日突破薄霧，脫穎而出，瞬時間雲消霧散，只見遠山競秀，近樹縈翠，陽光照得那一碧萬頃的潭水閃閃發亮。遠處，小巧玲瓏的光華島披著陽光孤零零地屹立在水中央，像一座盆景，像一艘不羈不沉的小船。

編註：本文原刊於《中華日報・畫刊》，一九五八年七月十四日，第三版。

苦海墜珠

一

「放我出來！哦！給我打一針……打一針啊！」這一聲聲斷斷續續、淒厲嘶啞的喊聲，從同濟醫院後面的一間小房間裡散揚出來，不像人的聲音，而像一隻受傷的野獸。被囚禁在樊籠裡所發出的，瀕於絕望的哀號。

這是一間做為特別用途的臨時病室，遠離其他病房，在那條狹長幽暗的走廊盡頭。窗外安嵌著密密的鐵柵欄，一扇厚門向外鎖著。門內除了那一聲聲哀號，間歇地還有一陣陣擂鼓似的敲門聲，有時拳捶，有時是腳踢，有時用整個身子在撲撞。一整條靜寂的長廊上激盪著這些使人毛骨悚然的喊聲嘈聲，幾使人疑心是走進了囚禁瘋人的精神病院。

「我要死了……給我一針！快給我一針喲——」

在一陣猛烈的撞擊後，敲門聲停止了。絕望的呼號像一條鞭傷了在痛苦中扭曲的蛇，蜿蜒著消失在走廊盡頭。接著，窗子那鐵鏽駁蝕的鐵欄杆上，攀上了二隻爪子一般細瘦如枯柴的手，凸起的青筋像蚯蚓似地爬滿在手背上。在這一雙費力抓住了鐵柱的手之間，貼上來一張慘泛青的臉，一頭蓬亂乾枯的頭髮披散在臉上，更襯得兩頰瘦削、顴骨凸出。無神的眼睛茫然向前瞪視著，流露出一抹痛苦哀求的神色，兩片失血的薄唇不住地顫抖翕動，聲嘶力竭地，從沙啞的喉嚨口迸出斷斷續續的喊聲：

「啊……發發慈悲，給我一針，只要一針……我難過死了！」

突然，那握住鐵柵的手鬆開了，緊接著一聲重物墜地的巨響，哀號聲戛然而止，窗口暗沉沉的，顯出室內死一般的沉寂。這驟然的靜寂似乎比號叫更使人恐懼，彷彿連空氣也在這一剎那凝結起來了。

一位護士小姐匆匆地從走廊那端走過來，停在門口，屏息傾聽了一會，又站在窗子口向裡張望著，然後，顯得有點惶惑地，輕輕把手裡的鎖鑰插進鎖孔，輕輕地推開一條門縫，發覺沒有動靜，再推開門探進身子去，等她的眼睛習慣了室內黯淡光線，看清窗子底下跌成一團的人體時，那人體彷彿也正從昏迷中甦過來，一眼看見開著的門，軟癱的身子就似忽然通了電流般，立刻振奮起來，倏地一竄，已跳起來直撲到門邊，就想奪門而出，那位護士小姐猝不及防，要退出去關門已來不及，慌亂間便用背頂上了門，自己靠在門上。

「放我出去！放我出去！——」

沒搶到門，怨憤全發洩在護士小姐身上，那個失掉了理性的狂人兩手攫住她的雙肩，用力搖撼著，護士小姐伸出去格架時，卻又被掐住了頸脖子，她立刻感到呼吸困難，拚命地抗拒著，但對方那股瘋狂的蠻力竟絲毫動彈不得，越掐越緊，她意識模糊，已窒息過去——但就像來時那麼猝然，掐著頸子的那雙手忽然鬆開，那個身軀便如同一截木樁般頹然倒下，隨著一聲痛苦的呻吟，彷彿僅餘的一點精力全在那一番搏鬥中迸發殆盡，一陣顫慄，便不再動彈。

護士小姐用手撫摸著被掐痛的頸子，盯視著地上蜷縮成一堆的灰色人體，心有餘悸。門在這時被推了開來，進來的是一位有長者之風的醫師。

「邵小姐，怎麼回事？我聽見你們兩人都在嚷。」

邵小姐苦笑一下，眼望著地上的人怨懟地說：

「我看她真的像瘋子一樣，差點沒把我給掐死！」

「這也難怪她！那種難受的痛苦會使任何人失去理性，我不早警告過妳。」醫師蹲下去翻開病人的眼瞼看看，摸了摸胸口又看看手錶，「嗯，她已經熬了二十八小時了。」

「冷……哦……我冷……死了！」半昏迷中的病人有氣無力地呢喃著，牙齒格格發響，身子像篩糠皮般顫抖著，軟蟲似地蜷縮成一團。

「來，把她弄到牀上去。」說著，醫生自己托著病人的上身，讓護士幫著把一堆破棉絮似的人弄上了牀，用厚厚的兩牀棉被蓋在她身上。

「嗯嗯……好冷……冷！」病人還是緊閉住眼睛，聲息微弱地發出呻吟，滲出的淚水和著塵土沾污了慘白的臉，頭無力地垂在枕上，顯得那樣虛弱、衰憊，而奄奄一息。

醫師試了試脈搏，吩咐護士小姐：

「給她注射一針安神劑，讓她好好地睡一會罷。」

護士小姐出去把針藥準備妥當，交給醫師，一面幫忙著捋起病人的衣袖，露出一隻斑斑點點，像蜂巢般布滿針孔的手臂。

「這簡直是魔鬼的傑作！」醫師皺著眉喃喃地詛咒著，費了不少功夫，才在蜂巢中間找到了一處空隙插下了針頭。

病人終於慢慢地停止了顫抖，被痛苦扭曲的臉龐也舒展開來，這是一張頗為清秀的臉，隆直的鼻子，菱形的唇，鬱密的睫毛在眼瞼下投下一排陰影，而且，看樣子也還年輕，只是這些就像是一幅鮮明的畫，受了潮濕，色澤都已黯淡褪落了。

「這一睡，大概可以安靜四五小時，妳得小心注意她醒來時會很衰弱，還有，任何人來訪問，一概不見。」醫生向護士小姐叮囑一番，便又飄著那件寬大的工作衣匆匆地走了。

護士小姐收拾好一切，又替病人蓋好被子，最後，摘下掛在牀頭的病歷表，填上幾句，也就悄悄地扣上房門，離開病室。

四壁蕭條的小室一落入岑寂中，更顯得空虛、淒冷，病人像死去一般躺在白色的被蓋下——實際上，病人並不應該叫作「病人」，她只是在接受著某種生理和心理上煎熬的酷刑。也可以說對身體內的毒素和污穢來一次嚴格的大清除。

一小角淡淡的夕陽透過窗上的鐵欄杆，正射在牀腳邊，照著掛著病歷表上寫的第一行字：蔡淑娟，二十四歲，台南人——

二

若干年以前。

蔡淑娟一個人茫然坐在公園僻暗的一角，她這樣呆坐著，已有好幾個小時了。

由於悲傷過度而形成了心力交瘁，她的腦子裡像塞著一大團濕棉絮，她的神經麻木了，而她的感情就像一快被斫鈍了的砧板，她活著，因為她還有一口呼吸，和一個空洞的軀殼。是在她剛十九歲的那年，她也曾經驗過這種被悲慟和絕望壓碎的感覺，那是由於她唯一相依為命的母親去世了。但那時她已認識了楊誠，他那份真摯甜蜜的感情，逐漸地彌補了失去的母愛，她那孤苦無依的心靈，重又獲得了溫暖和活下去的力量，一年後她跟他結了婚，婚後那兩年，是她一生中最燦爛的日子，充滿了甜蜜、溫馨、活力和幸福。然而，這一切彷彿只做了個短暫的美夢，夢被突如其來的噩音驚碎，又只剩下孤苦伶仃的一個人。

當噩音來，來得那樣突然，她的感情一時不能接受，她總覺得他依然活著，但是，枕畔細訴，聽到的只是自己的回聲，深夜夢迴，只落得半邊衾寒。

她不敢回到原來是溫馨的小窠，如今變成墳墓般死寂的那二間小屋裡，那裡處處都遺留著兩人恩愛的痕跡，如今卻全是痛苦的回憶，睹物思人，更是腸斷心碎，不能自己。

她木坐在那陰暗的一角，公園裡陽光明媚燦輝，但她生命裡的陽光已墜落，希望和歡樂一併在三天前幻滅，她只是一個影子，一具沒有活力的木乃伊。

木乃伊忘失了自己，更不會有閒情去注意別人，或周圍的一切。自然，也不會留意到別人在注意自己。

「我可以坐下來麼？」

淑娟茫然地抬起頭來，不經意地瞥了一眼站在她旁邊穿咖啡色的男人，她有點討厭別人的打擾，覺得應該站起來換一個地方，但是她那一點意念絲毫不能支配她的行動，只是微微一點頭，算是默允。

那男人在長椅的另一端坐了下來，用那雙陰沉而世故的眼睛打量著淑娟，以及她紅腫失神的眼睛，悲愴的神色和身上的素服，髮上的白絨花，淑娟也感到了他咄咄迫人的視線的干擾，在平時她是不能忍受的，但那時她的反應卻十分遲鈍。

「小姐，請恕我的冒昧……」那人用著刻意修飾的詞句，十分婉轉的語氣，殷勤地動問：「看見妳已經悲傷了半天，這對身體可不大好。」

「謝謝，我不在乎。」淑娟低著頭冷漠地回答。

「我猜，妳府上大概最近遭遇了什麼變故，使妳這樣傷心。」那人竟不介意她的冷漠，仍舊小心地試探著。

「是的，我的另一半毀了，我已經不是完整的人。」淑娟喃喃地彷彿在自言自語，失神的眼光凝注著虛空。

「哦！那真是件太不幸的事，尤其是妳還這樣的年輕。」那人的聲音裡充滿了戲劇性的同情。「妳的先生是病故的麼？」

「不，他壯健得像條小牛，是被那該死的汽車，那應該統統燒光的汽車……噢！」淑娟痛苦地絞著自己的手指彷彿汽車正從她心上輾過。

「噢！太慘了！那些最可恨的汽車，橫衝直撞，從來不把人的性命當作一回事——妳先生姓什麼？」

「楊，楊誠。」淑娟依依地無限深情地唸著這兩個字，眼睛閃過一片淚花。

「楊誠！」那人很像被蠍子咬了一口般驚跳起來，「那麼鮮蹦活跳的一個小伙子會被汽車壓死？」

「你，你認識他？」淑娟這才略帶驚詫地開始打量坐在旁邊的男人。這人大約有三十多歲，一張下巴尖尖的長臉，閃眨不停的小眼睛陰沉而狡黠，黧黑的皮膚，扛肩胛，薄薄的嘴唇，笑時帶著一種諂媚的神情，抿攏時卻顯得有點冷酷。她在記憶中極力搜索這臉譜，卻得不到一點印象。

「怎麼不認識，我們在一起吃過飯，打過兩次彈子，噢！真可惜！那麼有為的一個小伙子。」

「打彈子？」淑娟困惑地重複唸著，這個名詞對她太生疏了。

「那是許久以前的事了——」那人笑笑，向她解釋著。「這幾年我一直在台北，只聽說楊誠結了婚，不曉得他的太太這樣年輕漂亮，你們結婚有幾年了？」

「兩年多一點。」

「可憐的楊誠真沒有福氣！」那人搖頭喟歎著，旋即又換上勸慰的口氣說：「不過死的已經死了這是沒有辦法的事。活著的總是好好地活下去。」

「好好地活下去！」淑娟夢囈似的問著自己，「沒有了目標，生命只剩一個影子，生活只是一場惡夢，還能好好地活下去？」

「看開一點嘛，妳還年輕，妳有妳自己的前途——妳，生活上該沒有困難吧？」他顯出一個老朋友的關心。

「我沒有心思想到這些！哦！不要問我，我怎麼能夠談到這個，我從未想過沒有他，還能生活下去……」淑娟痛心地用手掩住自己的臉，聲音梗塞了，那乾枯了的淚泉，此刻又湧上新的淚水，從手指縫裡溢流出來。已經麻木了的她，又再度被悲痛的浪潮淹沒，不一會她便四肢冰冷麻痺，神智不清，陷入一種虛弱軟癱中，淚水汩汩地流下來，卻泣不成聲——像這樣情形，她已經有過好幾次了。

「妳不應該這樣折磨自己，這樣不要多久妳的神經便要崩潰了。」那人拍著她的肩膀使她清醒過來，然後小心地從口袋裡掏出兩支香煙，遞一支給淑娟：「抽一支可以使妳振作一點。」

淑娟猶自衰弱地啜泣著，微微搖頭。

「抽一支妳一定會感到舒服些。」那人殷勤地勸說著，一面已燃上打火機送到她面前。淑娟勉強接過來抽了兩口，只感到一股辛辣的煙味直衝喉嚨，不由得嗆咳起來。

「煙味太辣了！」淑娟皺著眉頭，不想再抽。

「什麼都有開始，習慣了妳就會覺得不難抽了。」那人示範似的，悠悠從鼻子裡吐出兩條白煙來，「妳繼續抽下去，就曉得它的妙處了……噢，我記得楊——妳先生亦不大抽煙。」

「他煙、酒、賭，什麼都不來，他是個好人——但好人卻活不長。」

「好人雖然死了，卻依舊活在活人心裡，妳現在提到他的時候，不像他就在妳身畔一樣麼。」

「活在心裡，活在心裡，」這聲音在淑娟心裡一聲比一聲響亮，楊誠的聲音笑貌，一舉一動，那樣清晰地浮現在她眼前，彷彿伸手可以撫觸。

「噢，我好像聽見他親切地問我：淑娟，妳一人在家不寂寞麼？淑娟，吃這個有營養！他永遠那麼體貼，關切地待我……」淑娟一往情深地說著她死去的丈夫，閃著淚花的眼中浮漾著另一種光彩，她開始娓娓不斷地向一直附和著她的那人傾訴著楊誠的優點、長處，她的心浸在這講述所帶給她那份忘我的沉醉中，不知不覺卻已把手裡一支煙抽完了。

「謝謝你提醒我他還活著，我得回去跟他單獨廝守在一起。」淑娟從長椅上站起來，若有其事地說。

「現在是不是感覺到舒服一點？」

「嗯，好一點。」她旋一旋頸子，剛才感到頭暈，這一刻卻似乎更精神了些。

「我告訴妳這香煙可以使妳振作，不是哄妳吧！」那人笑著又從口袋裡摸出幾支煙遞給淑娟，「這個送妳帶回去，等妳再感到不舒服時抽一支。」

淑娟正要拒謝時，那人堅持地將煙納入她手裡，一面十分誠懇地望著她又說：

「我同楊先生是老朋友，有什麼需要幫忙的來找我，差不多每天這時候我總在這裡散步。」

淑娟覺得這個人很親切，卻一點都想不起楊誠曾有過這麼一個朋友。

但不要多久，這微小的一點疑惑的泡沫就被對楊誠的悼念和回憶完全沖淹了。

三

蔡淑娟開始把自己關在家裡；就像冬天裡的鼴鼠，蟄伏在自己掘掘的洞中。她竭力不去想楊誠已死了這件事，似同一個人在身上有了致命的創傷，不敢看也不敢觸及，就讓謊騙的紗布給密密裹上，而從回憶裡卻使死者復活了。她發掘礦藏似的發掘著楊誠所有的好處，那份溫存、體貼、柔情如水。她更以內心熾烈的熱情，給這些鍍抹上一層光輝，她自己製造了一種近似夢鄉幻境的氣氛，全副身心便如癡如醉地浸沉在這種氣氛裡，吃飯時，她一直同平時一樣仔細安排下兩副碗筷，就寢時，她小心地把兩對枕頭拍鬆了平放著。黃昏時，她在他常坐的藤椅前擺上他的拖鞋，恍惚感到他依然坐在她對面，用洋溢著柔情的目光凝視著她，使她如沐浴在溫暖的春日下——她常常一個人呆呆地坐上幾個鐘頭，嘴裡喃喃地重複著這幾句話：

「這樣多好……噢，阿誠，像這樣再沒有別人打攪我們，再沒有工作分開我們——讓我們廝守在一起。噢，像這樣多好！……」

當她這般沉迷於荒謬的幻想，熱中於編織虛妄的夢境，而弄得自己精疲力竭，神經陷入崩潰的狀態中時，就像一個沉溺在水中即將沒頂的人，昏亂地撈到一點使她浮起來的東西，哪怕是一塊木板、一叢草……下意識地，她抓起了被撂在桌上的香煙放在兩唇之間，燃上了用笨拙的姿勢吸著，哪怕有過一次經驗，辛辣惡劣的煙味仍刺激得她咳嗽流淚，但是，彷彿奇蹟出現，一支煙抽完，她立刻覺得陡然長了精神，神經上那些萎縮的皺褶就似經過了一次熨燙般舒平了，幾乎停滯的血液又迅速地循環起來，她又有了新的熱情獻給她的幻象。

一支煙竟有這樣大的效力，這是她過去無論如何想像不到的。

那天，她又感到了那種無法支持的，精神上的崩陷，還加上一種難以抑制的焦渴。她差不多成了習慣性的，想拿一支煙抽，但剩的煙卻在不知不覺已經抽光了。

微微感到失望，只得去倒了杯冷開水來喝，但是吞了一口不僅不能解渴，反感到要作嘔。她擱下杯子，把臉頰貼在冰涼的窗玻璃上，生氣地嘲罵自己，但她越是不去想，那種想抽一支的欲望越是強烈，在坐立不安中，她忽然記起了那人說過需要幫忙去找他的話，她立刻衝動地走了出去。

上午的公園裡總是那樣地清靜而又安閒，淑娟還不曾走到那天坐的地方，便一眼瞥見那個穿咖啡色上裝的人，正獨自在林蔭道上，陰暗的一角徘徊著，她想招呼他，但立刻想起自己還不知道人家的姓名，就在她猶豫時，只見一個瘦瘦的青年，從林蔭道另一端走出過來，在中途時向四面張望了一會，便直趨那人面前，兩人交頭接耳一番，隔著衣服握了握手，於是那青年又像來時一般匆匆地走了。那人一轉身看見了淑娟，立刻換上一副笑臉迎上來。

「真高興又看見了妳。」

淑娟回答他一個虛弱的微笑。想到此行的目的，不禁為自己慚愧。

「妳看我多疏忽，那天都忘了問妳的住址，本來應該去拜訪拜訪妳，看看有什麼可以效勞的地方。」

淑娟喃喃地向他致謝，她軟弱得幾乎連說話的力氣都沒有了。

「噢，妳的精神還是很差，」那人關切地，用充滿同情的聲音望著她說：「悲傷最能殺害一個人的心，妳不應該這樣蹧蹋自己。」說著習慣地伸手到口袋裡，淑娟知道他要做什麼，忍不住瞥了一眼他摸出來的香煙，覺得喉嚨發癢難熬。

「抽一支提提神怎樣？」

淑娟極力掩飾著自己的需要，也不再拒絕，就讓他替她燃上那支煙。有幾秒鐘，她貪婪地吸著，吞下的煙使她有點昏眩，她索性閉上眼睛，享受著那點使她昏眩的神奇的魔力，當她再睜開眼時，卻發覺那雙陰沉的眼睛正透過煙霧打量著她。像一個化驗師審視著他實驗的小動物。她覺得臉上一陣發熱。

「妳吸煙的姿勢很美，就像電影上看到的。」那人機靈地，以一句阿諛來解釋自己的審視。

「我大概已有點習慣了。」淑娟試著看從鼻孔裡噴出煙來，「能不能告訴我這香煙什麼牌子，我，我也許要買。」

「買？」那人聳聳肩膀，眼睛掠過一抹狡黠地嘲笑，「這是我專程請朋友從日本帶來的，一種特製的香煙，市面上哪有得買！」

「唔，」淑娟失望地歎了口氣，她以前從未抽過煙，更不清楚還有那麼些名堂。

「不過，我因為自己常常精神不好，總有得預備著，妳要，可以分給妳。」那人十分慷慨地把那包抽剩的煙遞給淑娟，「這包先給妳。」

「謝謝你！可是，我總不能老是白抽你的嘛。」淑娟這次沒有推辭便收下了。

「哎！蔡小姐，妳提這個就見外了，日子長著哩，妳要算以後再算吧。」

那人不叫淑娟楊太太而叫蔡小姐，淑娟也曉得了他的姓名叫何炳坤。

在從前，像蔡淑娟這樣純潔、儉省的好女孩子，怎麼樣也不會想像自己會抽香煙，連容許自己有這樣的念頭都會感到卑夷，但是，在這時，她對自己的行為和一切，都負不了責任，因為她已在那一場變故中忘失了自己，她那柔弱的心靈，纖小的身軀，承受不住人世最大的痛苦的重壓，昏亂中她伸出來要抓住點什麼支持自己，支持幻象，何炳坤教給了她抽香煙，這是刺激，也是麻醉。她糊裡糊塗接受了，而且，吸的量一天一天地增加。

何炳坤還殷勤地源源供給她原料，不過，已經不是奉贈的。代價相當昂貴，淑娟卻無心計較這些。

四

有一天，淑娟照例到公園裡去取煙時，何炳坤卻告訴她忘記帶來，要她跟他去家裡拿。淑娟跟著他走進一條陌生的衖堂，來到一家小小的修理破皮鞋的鋪面，裡面唯一的一個滿臉絡腮鬍子的補鞋匠，看見他們走來，便默默地把原來擱在門口的一雙長統靴往旁邊一移，何炳坤在前面引著路，淑娟只是跟著他穿過店面，經過兩個門，又轉彎抹角地繞過廚房，在一條陰暗狹隘的甬道裡，一個顯然等在那裡的人影迎上來倉促地說：

「何老闆，剛才那……」

「嗨！小劉，」何炳坤大聲招呼著岔斷了那人的話，那人也發現同來的淑娟立刻警覺地住了嘴。

淑娟覺得那青年有點面熟，記起來就是有一天同何炳坤在公園裡交頭接耳的人。

當何炳坤摸出一串鑰匙，低下頭在開甬道盡端一扇鎖著的門時，淑娟憑女性的敏感，覺得那青年盯住她在看，他熱切的眼光彷彿在喚起她的注意，她淡淡地瞥了一眼，卻立刻意會到那熱切地目光中交織著同情、憐憫和警告，正向她暗示著一種看不見的危險。她一陣怔忡，正想問他要告訴她什麼，何炳坤已打開了門，一面向裡讓著淑娟，一面攔住也想進去的青年，冷冷地說：

「這位小姐有點事，你在外面再等一會。」

淑娟在那間簡陋而凌亂的房間內找到一張椅子坐下，眼看何炳坤東尋西找，她為來這裡而引起的惶惶不安，也跟著被那份焦渴驅走了，何炳坤從一只抽屜裡丟來二只空煙盒，又推開房裡另一扇小門，走進去摸索了一會，還是空著兩手出來向淑娟一擺說：

「抱歉！煙沒有了。」

像一個口渴的人，走到了井邊，去發現那井卻是枯竭了的。淑娟失望地舐了舐乾澀的嘴唇，她覺得身體裡各種機件好像生了鏽般，越來越運行得困難了。

「大概這幾天內朋友就會給我送來的，我自己沒有煙抽的時候，便用這個代替。」淑娟望著他從口袋裡掏出一支小小的注射器，不禁有點驚異。

「打針？」

「嗯，這種興奮劑功用跟香煙一樣，可以治昏眩、神經衰弱、精神疲倦。而且，效力比抽煙更快。妳看我，」說著，何炳坤捲起衣袖，隨隨便便就在自己手臂上扎了一針，他立刻顯得神采煥發，連陰沉的眼睛裡那點笑意也變得更和善了。

「要不要試一試？」他一半慫恿，一半殷勤地逗著淑娟。

「那不痛嗎？」

「不，就同種牛痘一樣。」

「你說那叫什麼？」

「興奮劑。」

淑娟疑懼參半，但又忍受不住那份焦渴，她猶豫了一會，終於閉上眼睛，伸出自己的手臂軟弱無力地吩咐何炳坤。

「好吧，給我一針。」

捱受了針管戳進血管裡的痛楚，那改變幾乎是立刻的，身上一陣發熱，精力彷彿便隨著那股熱布滿了全身的細胞。只感到渾身舒服，所有的疼痛、困倦都消失了。

她輕飄飄地走出屋子，那個叫小劉的青年還站在門口，仍舊用剛才那種眼色看著她，只是憐憫中又加上一份惋惜，淑娟不懂他為什麼要這樣看自己，也覺得受不了這種眼光，她遲疑地在他面前停了腳步，但何炳坤的聲音在她背後大聲吩咐：

「小劉，你去屋子裡等著，我送了這位小姐出去就來。」

小劉低著頭不聲不響地進去了。

何炳坤送她到門口，指指剛才被補鞋匠提放一角的大皮靴，悄然告訴她：

「以後妳來時如果看到這雙靴擺在門口，就不用進來，因為這表示我不在家。」

淑娟茫然答應著，她不懂他為什麼要這樣故作神祕，就同她不懂那青年為什麼要用那樣的眼光看她一樣。

五

在那一串日子裡，淑娟的生活就像一隻失去了舵手的船，飄浮在濃厚的霧裡，迷失了航行的方向，也找不著港口停泊，渺渺茫茫，渾渾噩噩，更不知何處是歸程，她終日把自己關在房裡——那回憶與痛苦的囚牢將全部思想、熱情，以及整個她所以生存的意義，當作柴薪般燃亮那幻象，直到心力消耗殆盡，精神支離恍惚，於是，她矇昧地抽一支「特製」煙，或許去打一針，就像給磨損失靈的機器上一點油。她完全忽略了自己的生活，只在飢餓襲擊時才弄一點食物填塞肚子，她也忘記了自己的存在，從來不注意自己的儀表、衣飾，當她幾乎不得不變賣東西來維持下去時，她用以充飢的食物更粗礪簡單了，而抽煙打針的錢卻一文不能減省，她也沒有時間觀念，一天當作一世紀，一世紀當作一天，在她都沒有分別。愛情，那生命的陽光墜落了，生命的火焰也一天天黯淡、微弱，而即將熄滅——若不是明秀，淑娟服務那家百貨公司的同事，那天衝進了這墓穴似的小窩。

「淑娟，真對不起！這些日子公司裡忙得要命，一直都抽不出時間來看妳，」明秀一進門就像湧進了一注溫泉，汩汩不停，忽然她蹙著眉，聳起鼻尖朝屋裡嗅兩下，便直趨窗口，「這屋子裡這麼暗，空氣又那麼壞，虧妳受的！」

窗簾掀起，窗子打開了，新鮮的空氣同著明亮的陽光湧進屋子，明秀旋轉身來，看見了呆坐在椅子裡淑娟那憔悴不堪的樣子，不禁驚呼一聲。

「淑娟，」明秀的聲音顫抖著，又是憐憫，又是譴責，「淑娟，妳怎麼把自己蹧蹋成這副模樣?!」

淑娟還是垂著頭坐著，沒有作聲。

明秀急切地四面一望，在滿是塵埃的桌子拿起一面闔倒著的鏡子，用手帕拭去灰塵，送到淑娟面前。

「妳大概有許久沒有照鏡子了，請看看妳自己吧！」

淑娟有好一會只是茫然瞪著那鏡子，就像霧裡看花，模糊的，鏡子裡有個陌生女人，一頭枯草般蓬亂的頭髮掩覆下，是一張瘦削灰白的臉龐，深陷的眼睛，失血的嘴唇，由於皮膚鬆弛，頰旁唇畔都皺褶著一條條的印紋，顯出喪失了生活的意志力的那種麻木和遲鈍。淑娟在那裡找不出半點那洋溢著青春的氣息，和充滿了生命力的自己，她苦笑著歎了口氣，重又把鏡子覆在桌上。

「淑娟，人死了當然難過，但像妳這樣作踐自己，對死了的人又有什麼好處呢？妳應該想開一點。」明秀撫著她的肩頭勸慰她說。

「我沒有辦法想開，楊誠就是我的全部生活，整個的生命，沒有他，什麼在我都是空的。」淑娟漠然搖著頭，無動於衷。

「可是妳還活著，活著就該做活著的打算。」

「我沒有打算，就是這樣下去。」

「淑娟！」明秀皺著眉頭，咬著嘴唇鄭重地喚了一聲。「我問妳，照這樣下去怎麼維持生活？」

「我可以變賣東西。」

「東西賣完了呢？」

淑娟只呆望著自己的手指沒有回答，她已經開始在變賣東西了，不是嗎？但不僅連明天，連當晚的事她都不會去想它，她似乎連自己的存在都忘掉了。

「聽我說，淑娟，妳一定得馬上結束妳現在這種生活，如果楊誠他死而有知，他也一定不願意妳這樣蹧蹋自己，妳是愛他的，難道願意使他靈魂感到不安！妳想想看我說得對不對？」

突然間，淑娟以痲木、和執拗自欺，和幻象築成的堤岸有了鬆弛的一面，而明秀的說話正像有力一擊，那癱瘓的一角終於崩陷了。這些日子一直被抑止著的感情的浪潮，立刻便洶湧地從缺口裡奔瀉出來：熱淚汩汩地流下臉頰，最後索性無力地倚在明秀肩上大聲痛哭，淚水把明秀一個肩頭都浸濕透了。

「哭吧，索性哭一個暢快，把心裡的積鬱全哭散去。」明秀並不勸阻，倒是低聲鼓勵著。看她哭了很久，已哭得聲嘶力竭，順手把自己的手帕遞過去。又替淑娟倒了杯開水。

淑娟抽噎著，抬起模糊的淚眼感激地望了明秀一眼，這一哭倒使她神智清醒了，只是四肢虛弱無力，彷彿連一枚針都拈不起來。

「讓時間慢慢地去醫治妳感情上的創傷罷，現在最迫切的還是生活問題，妳願意同我談談嗎？」明秀問她。

淑娟咬著嘴唇，默默地點了一下頭。

「我要告訴妳的是這許多日子以來，經理一直都還保留著妳的位置，只是找人代理著，他今天就是派我來問問妳，是不是還願意回去？」

淑娟沉吟了一會，一面用手帕拭眼睛，一面用低得幾乎聽不見的聲音回答：

「願意。」

「好極了，那麼我就去回覆經理，說妳明天，噢，不，明天妳再休息一天，就說妳後天早晨去上班好了。」明秀功德圓滿，又陪著淑娟談了一陣，高興地告辭了。

六

淑娟終於又去上班了。這份售貨員工作原是她熟習的，平時應對顧客，從容不迫，溫和有禮，因此很得經理的器重。她原是極負責任的人，雖然疏懈了這些日子，一旦恢復工作，仍舊打起全副精神來應付著，手裡有份事情做，腦子沒有時間想東想西，時間彷彿也容易過去些，一個上午做成了三四筆交易，也就過完了。淑娟打發走上午的末一位主顧，輕輕地吁一口氣，抬起眼睛來，正遇到明秀從對面服裝部櫃台上投過來慰勉的一瞥。

「嗨！妳一回來生意就跟著上門了。」明秀笑著打趣說：「今天午餐老闆應該叫廚房裡為妳添一道魚丸湯。」

「好呀！讓我們也叨個光！」帽蓆部的瓊子湊和著。

她們的午餐特製便當端出來了，果然一人有一小碗魚丸湯，大家齊向淑娟歡呼起來，她也不由得莞爾笑了——就像隆冬陰霾天極難得的一線陽光。可是，正當她舀了一匙湯預備送到嘴裡去時，突然感到背上冰水澆似的一陣寒冷。一個寒顫，把一匙湯震潑了半匙在桌上，她煩困地放下湯匙，端起飯碗來，但寒冷卻一陣比一陣緊襲，胃裡又隱隱作痛，口腔裡乾燥燥的，吞下去的飯，只覺得梗著喉嚨難以下嚥。她勉強吃了一點，便擱下了。

「妳只吃那麼一點飯？」

「我的胃不大好。」淑娟向關心她的明秀解釋，便一個人先回到櫃台後面去。只感到胃痛越來越難以忍受，四肢痠軟無力，寒冷過去，又逐漸覺得一身發熱。皮膚底下癢癢難熬，好像有許多小蟲在爬，她極力忍受著，克制著，一種比這份難受更使她憂懼的疑慮占有了她的思想；難道說是那香煙和興奮劑？……在她的精神陷入支離破碎的那段日子裡，她吸食和注射只是出於一種刺激作用，如今既然又重新開始生活，她自然一起撇開了，難道說那東西就能有那麼大的癮？

同事們都吃完飯回到自己的工作崗位，淑娟卻更是一刻比一刻難以捱受那份難過，她不願意別人看出她的醜態。便溜到盥洗間去，用冷水沖臉，又用手使勁搓著皮膚，她無力地彎著腰靠在牆上，渾身的骨骼痠痛得似乎一根根全在拆裂開來。

盥洗間的門又被推開了，淑娟極力使自己振作一點，進來的是明秀。

「原來妳在這裡——怎麼？不舒服嗎？臉色很不好看。」

「就是胃痛。」淑娟咬著牙裝出很自然的神情，「痛得很！」

「妳從前好像沒有這個胃痛的，是新起的麼！」

「嗯，沒有多久，但很厲害。」

「是不是去找醫生給看看，吃點藥。」

「休息一會就……」淑娟還想努力把這一段時間熬過去，但最後實在忍受不住了，不由得改口對明秀說：「本來我每天都在打針的！……」

「那還是馬上去打一針，這裡的事我代替妳照顧一會好了。」明秀連忙慫恿她說。

「那……」淑娟感到對她說謊的慚愧，低著頭都不敢望她，「我就走後門去了。」

「要不要我扶妳？」

「噢，不用。」淑娟婉謝了明秀的好意，便倉促地走出盥洗間，繞道後門的小巷，看見一輛三輪車，便招呼著跳了上去，一路上她第一次為自己的不誠實感到憎厭自己。

一針打下去，淑娟馬上從垂死中復活過來，痛楚立消，精神抖擻，再沒有蟲在皮膚裡齧咬。她一把拉住何炳坤的衣袖，神色嚴重地詢問他：

「告訴我，這興奮劑究竟是什麼藥？」

何炳坤瞥了她一眼，一面把桌子她付的打針費收進褲袋裡，淡然地說：

「是嗎啡。」

「啊？」淑娟彷彿受到猛然一擊，又跌回椅子裡，瞪著眼喘不過氣來，「那……那香煙呢？」

「一樣的也摻著有。」

「嗎啡、毒品！」平時零零星星知道有關這毒品的弊害全從腦子角落裡集中攏來，淑娟又恨、又懼，懊悔莫及，只氣得指著何炳坤狠狠地罵道：「你這害人的惡棍，昧卻天良的騙子！說什麼認得我丈夫，一定全是編出來的鬼話，目的就是騙我吃上毒品。」

「隨便妳怎樣說好了。姜太公釣魚，願者上鉤，至少，我並沒有強迫妳。」

「我馬上去警察局告發你！」

「嘿！妳忘記了自己也是個癮君子，不會因為妳告發而減罪。」

「我可以戒掉！我當然要戒絕。」淑娟咬牙切齒表示決心。

「試試看吧，事實上是不是辦得到！」何炳坤狡猾的聳聳肩膀，口氣裡充滿了輕蔑，嘲弄。「大凡上了嗎啡癮的人，血液裡都餵著些小蟲，牠們是永遠不會死的。有時，有人自以為把牠們殺死了，不曉得牠們只是蟄伏在那裡，隔不了多久又會復活起來，在皮膚底下啃齧著。咬得人疼癢難熬，為了戒掉吃盡的苦頭全白費了……」

「閉上你的嘴！」淑娟陡地站起來，衝到他面前，聲音都變尖厲了。她一股怨怒只想刷他兩個巴掌，結果只是恨恨地瞪了他兩眼，使勁拉開房門，像頭受傷的野獸般，瘋狂地衝出小衖，衝出補鞋店，絕望、悔恨、恐懼、憤怒……這些情緒雜亂地在她內心攪騰著。地球彷彿在她腳下沉陷，世界又成了一片混沌——

七

「阿誠，你知道我不是故意自甘墮落，只是我在最軟弱的時候受了壞人的誘騙，上了大當，我要戒掉，阿誠，你要幫助我，給我忍受痛苦的力量，就像你活著時一直幫助我解決困難一樣；幫助我脫離這灰色的地獄，重新做個清白的人……」

淑娟對著楊誠的相片，低低地懺悔，眼眶裡蓄滿清淚，黯淡失色的嘴唇微微顫抖著，她的手指那樣緊緊地握住桌沿，為的抵禦一陣陣寒顫，從昨天下午到現在，她已經有十幾個小時不曾吸毒和打針了。那種一分鐘比一分鐘更厲害的痛苦正像浪潮般襲擊著她。她戒毒的決心是堅定的，但是她柔荏的身體和衰弱的神經，不知道最終是不是忍受得住那種比死還難過的痛苦，她需要幫助，需要支持，她面對著作戰的是個無形的，陰險頑固，而又狠毒的敵人。她能打得勝嗎？

「我一定戒掉，我要重新做人！——」淑娟從內心深處沉痛地發出呼喊，但一陣寒顫，她的喊聲被牙齒的相碰切斷了，四肢百節的骨頭痠痛得就像被一個無形的鐵錘敲著、撬著，一節一節都將斷裂、拗折，一陣冷過後，身體裡似乎有什麼東西給抽出去了，虛晃晃的，她的手指再也無力抓住桌沿，一側身便朝牀上倒了下去，胡亂扯條被子蓋在身上，身子蜷縮成一團，她覺得連翻一個身都動彈不得，就這般半死地躺著，淚水不知不覺地淌出來，浸濕了頭髮和枕頭，冰冷黏濕地貼在頰上，她閉上了眼睛默默地忍受著，「無論如何，這一切都會過去的。」她悲涼地安慰著自己，「忍耐，忍耐，一百二十萬分的忍耐！」

像發瘧疾似的，寒冷停止了，卻不知什麼時候又熱起來了。喉嚨頭火辣辣的，嘴裡連一點吐沫都沒有，她張開口喘息著，覺得自己像一個冒著熱煙的煙囪。最難受的是皮膚底下的搔癢，就像千千萬萬的螞蟻在那裡不停地爬行、啃齧，要啃斷她的血管，要咬破她的皮膚鑽出來，又像是億萬支燒熱的鋼針在那裡戳，淑娟起初還忍耐著，最後終於忍不住倏地掀掉被子跳下牀來，用力在身上搓著、揉著、捏著，又倒在牀上滾著，她那樣毫不憐惜地搓揉著自己，如同麵包師父揉著他的麵粉，但那搔癢的感覺卻絲毫未曾減輕，她恨不得眼前有一支鉋子，把那一層皮肉統統鉋掉。

各種痛苦接踵而來，這裡癢得難以忍受，那裡胃又作起怪來，由隱隱作痛而越來越痛，像是用絞盤在絞，又像用一把鋼鐵刷子狠命地在刷，她端起一杯冷開水只喝了一口，一陣噁心又吐了出來，她把杯子往地下一摔，便兩手緊撳住胃部，身子佝僂著幾乎折成了兩截。

「哦，我的天！——哦，誠，幫助我呀！我受不了，——我實在受不了！——」淑娟呻吟著，一會兒倒在牀上打滾，一會兒滿房間亂竄，臉上淚痕凌亂，身上衣服破碎，就像一頭關在籠裡的猩猩，兇狂地掙扎著，她那理智的防波堤，在痛苦的浪潮兇猛的沖激下，已岌岌可危了。

「我受不了！還是死掉算了！哦！我寧願死！」淑娟風暴似的從兩屋角衝到一個屋角，自己扯著頭髮，捶著胸腹，把桌上的東西摔了一地，牀上的被褥絞揉成一團。一個以死來結束痛苦的意念，迅速地，突兀地，像一支奇軍般占領了她思想的領域，征服了她，她失去了理智的打開櫥門又拉開了抽屜。以可憐的一點思想著搜索著可以利用的工具和各種方式，她在抽屜裡找到了楊誠用的一盒剃鬚刀，她幾乎是不假思索地拈起了一片薄薄的刀片，彷彿那一片的重量使她拈不動似的，她的手指不住顫抖著，突然，她平伸出手腕，咬著牙，把手裡的刀片向著脈息上一劃，隨著刀片經過處，鮮紅的血液立刻殷殷地滲流出來，也許是刀片鏽鈍了，也許是用的力不夠，顯然劃破的只是皮膚，並未割斷脈管。但淑娟卻已被自己流出來的血嚇軟了，以致手抖得那麼厲害再也沒有割第二刀的力量，驀地擲下刀片，她絕望地喊了一聲，也不管手腕上鮮血淋漓，隨手拖一件外衣裹在衣衫凌亂的身上，狂亂地奔出屋子——為這場搏鬥，她已耗盡心力，受盡痛苦，最後，她一個人終於支撐不住，還是跌入無邊的，灰色的苦海，被洶湧險惡的浪潮吞噬了。

八

世界上最痛苦不幸的人，是那種不甘墮落，而又不得不墮落，以及明知墮落卻又不能自拔的人。

淑娟便成為那種不幸的人。

她一面工作，一面卻以吸毒打針來維持精神。

她看不起自己，恨自己，詛咒自己，但這都不能促使她戒絕毒品。

工作時間，她不得不覷空去盥洗間，偷偷摸摸地吸上一支或是扎上一針，吸的比注射的效力低，而且慢，但注射卻會在手臂上留下無數針孔，儘管是躲在盥洗間裡，淑娟每次來補充總不得不提高警覺，戰戰兢兢鬼鬼祟祟，唯恐被人撞見，神經緊張萬分，她憎恨自己這種犯罪的感覺和防範，使她在同事面前自覺慚恧，而過去，無論在哪一方面，她都是她們之間的佼佼者。如今她反抬不起頭來，一個吸毒的女人，多麼可恥，又多麼下賤！

淑娟做店員的待遇是四百元錢一個月，而她每天服嗎啡總在二十元一天，推銷的目的已達到，何炳坤那裡卻必須現錢交貨，分文不肯賒欠。這也是最使淑娟傷透腦筋的事，儘管她省吃儉用，不添一尺布，不買一支口紅，總也彌補不了這一經濟上的大漏洞。

有一次，淑娟也是去加了油從盥洗間出來，卻見經理本人正在她櫃台後面照呼主顧，她連忙三腳併作兩步趕過去。經理並沒有把手裡正在包紮著的東西交給她伸過來的手，自己包紮妥當，又開好發票，陪著笑把顧客送走了，這才回過臉來冷冷地向淑娟瞟視了一眼，這一眼比譴責還厲害，淑娟紅著臉，歉疚地解釋著。

「對不起！我剛才去了盥洗間。」

「唔。」經理似理非理的在鼻子裡應了一聲，慢吞吞地說：「我想妳不會在盥洗間打盹吧！」

淑娟臉一直紅到脖子裡，低著頭假裝整理貨物，眼角裡卻噙著兩顆淚珠，服務以來，她從未挨過這樣的奚落，意識到同事和一些顧客的目光全向她這邊投射過來。不禁愧恨交集，她不恨經理，恨的是自己不爭氣。

那一次以後，淑娟去加油的時候更小心了，她總覺得經理那兩隻銳利的眼睛隨時都在監視她的行動，她不再抽摻有嗎啡的香煙，因為那更費時間，不及打針只要扎下去就成。不管天多熱，她不得不穿上長袖子的衣服，為的好遮掩那海綿般布滿小孔的手臂。

太太小姐們最喜歡在星期日讓男士們陪著，或是三五個聯袂上街逛商店，而這個星期日淑娟服務的百貨店生意又似乎又比平常更加好，從上午到下午，化妝品那一部門就一直沒有斷過人，經理又不時在店內監視著，淑娟找不到一個空隙去加油，精神漸漸支持不住。而那些顧客們東問一句，西問一句，又挑剔一會，討一會價，她捺住心裡的煩躁，勉強應付著。好不容易又成交了一批生意，正在包紮，一個尖銳的聲音挑釁地在一邊喊她。

「喂！你們究竟是不是誠心做生意？」

淑娟聽聲音就曉得是那個幾乎把半櫃子貨品都看過問遍了的胖太太，她寫著發票，沒有抬頭就說：

「對不起！太太，我只有兩隻手。」

「什麼？你們這裡是這樣對待顧客的嗎？」就像超音速飛機在高空中突破了音波，胖太太尖亢的噪音立刻引得店裡的人全向這邊探望，這一來她似乎更長了氣焰，嚷得更起勁了。

「你們老闆用妳這種死樣怪氣的人來做店員，還不如關門算了！」

「太太，請妳說話客氣點。」淑娟情緒不好，耐不住口氣重了一點。

「嚇！要我客氣點！」胖太太咆哮著，口沫直濺到淑娟臉上。「妳對待顧客不客氣，倒叫顧客對妳客氣點，這是放的什麼屁！叫你們老闆出來評評理看……」

別的店員走過來勸解，老闆也聞聲走了出來，那位胖太太指手劃腳越嚷越神氣，好不容易陪著笑，費盡口舌把她勸走了。在這一段時間內淑娟成了眾矢之的。她沒有分辯，只是蒼白著臉，一面仍舊用顫抖的手指找回另一個顧客的零錢。虛弱的暈眩正一陣一陣襲擊著她，恥辱、氣憤，這些在她渴切的需要中都只成為次要的事。她迫切需要的是打一針，或者，抽一支——她忍不住打了個呵欠，淚水從閉著的眼角裡流下來——

「打了烊到我那裡來一趟。」經理低沉的聲音使她怵然一驚，睜開眼時，他已擦過櫃台踱了過去。

淑娟的心往下一沉，知道找她去絕不會有好事。

打烊後，她照例結帳查點貨物，算來算去總是對不攏帳。最後查出來原來少了一支口紅和一瓶胖司的貨款。

一支蜜支佛陀口紅，和一瓶油質胖司，一共是一百五十元錢，照賠起來，占她薪水的三分之一強。她不禁慌了手腳，急得想哭。

她追索起來，一定是在那紛亂的時候，那心神頹弛的時候，忘了收錢，那一定是一個惡時辰，正逢上就該倒楣！但惡時辰已抓不回來，那一刻，同事們差不多都收拾好準備回家了，經理派人來喚她，她才記起要去一趟。只得胡亂收撿了跑去，她一眼看見經理冷然的神色就知道料想得不錯，但她無法集中精神聽他的申斥，心裡只嘀咕著那兩件東西。——一百五十！她的薪水早預支了，還借了明秀六十元，她怎麼賠得起？教她拿什麼來賠？——她惶亂地望著經理，他的嘴已經閉上了，只是冷峻地瞪著她，她又木然地退了出來，她簡直沒有聽清他說些什麼，只在耳朵裡灌進一句：「……我警告妳，公司的大門是開著的……」

街上，涼沁的晚風使她混淆的頭腦清楚了一點，站在公司關上的門口，悲哀地回味著那句話：

「公司的大門是開著的——她可以走出來，也可以不再進去，那就不用賠錢了——這是一條下乘的路，但總是路。」

九

淑娟因為怕要她賠錢，自從離開了那家百貨公司，就像池塘裡的一片浮萍，僅連著的幾絲根莖給沖斷了，飄飄蕩蕩沒有一個著落處。雖然她一直未曾放棄過尋求工作的努力，嘗試到一家家店鋪裡去毛遂自薦。但是，所得到的答覆一般都是不需要添人，偶然也有表示願意設法的，卻先要盤詰她的經歷，問她有沒有服務或者離職證明書。而日子一天一天地捱過去，生活一天比一天拮据，不僅形容憔悴落魄，身上的穿著也更不光鮮，連願意問問她的都少有了。

她完全靠著變賣東西維持最低的生活，三餐省作二餐，而且是最粗礪的只要能夠充飢的食物，打針卻是一針都不能減少，何炳坤那裡更是分文都不能賒欠。

一天她照例去何炳坤那裡打針，只見門關著，那個叫作小劉的青年沒精打采地倚靠在門上。平時她來時也遇到過他幾次，但從未單獨談過話。

「何老闆說等十幾分鐘他就回來。」他懶洋洋地告訴她。

「唔，我在這裡等一等好了。」淑娟遲疑地站停了，過道很狹，她站著只得面對著小劉，他似乎顯得有點靦腆，依然垂著頭，眼睛半睜不開地俯視著地下，一會兒換隻腳支持著疲軟的身軀，忽然一個哈欠，全身微微一陣痙攣，他抬起頭來卑微地笑笑，向淑娟說：

「妳有煙嗎？」

淑娟搖搖頭歉然一笑。

「我也很想抽一支哩。」

看見他苦笑一下又垂下頭去，她忽然記起自己第一次來這裡時，他急於想告訴她什麼的神色和警告意味的目光，她不由得搭訕著說：

「我第一次來這裡就逢到你，我還記得那天你好像有什麼話要同我說。」

「是的，我想警告妳不要上當，何炳坤老是用這套治病提神的香餌引人上癮，害人一輩子！」小劉的眼光迅速地掃過淑娟身上慘然歎了口氣。「可是，現在還提這個有啥用處——太遲了。」

淑娟臉上微微發熱，她體會這一眼說出自己身上所顯露的十足癮君子的寒傖相。

「你不是與何炳坤合夥的嗎？」

「妳應該說是被他用一根看不見的鍊子繫在脖子上。供他使喚的賤奴。」

「你為什麼把自己說得這樣卑下！」淑娟不以為然地瞅了他一眼，他卻仰著脖子打個哈哈。

「嚇！妳以為一個上了毒癮的人還會有自尊心，還會有意志有願望？根本就連畜生都不如！」

「當初你又是怎樣上癮的？」

「還不是交了壞朋友，糊裡糊塗就上了癮。後來害得家裡都容不得我，只有跟著幹這行，混到哪裡是哪裡。」

「你有沒有下決心戒過？」

小劉歎了口氣，沉痛地搖搖頭說：

「怎麼沒有！那種煎熬的滋味真不是人受得了的，不過，如果真的能夠戒絕，要我拿一條腿去換，或者割掉我一隻耳朵我都願意，我願意重做人，安份守己，哪怕生活苦一點……」

「說是那麼動聽，誰攔著你不照這樣去做呢？」何炳坤像幽靈般出現在過道盡頭，冷冷地望著小劉，小劉立刻噤若寒蟬，抑住那份悲憤的神情，低下頭讓出門來。何炳坤頓了一頓，才緩緩地過來打開門鎖，一面依然用那種冷峻的口吻問跟進來的小劉：

「那話兒當真像老孫說的報銷了？」

「我實在沒有辦法——後面追得緊，衖裡正好有個垃圾箱，我就暫時借它避個風——那曉得後來去拿時，垃圾已經倒清了。」小劉吶吶地解釋著，惶惑而又不安地。

「你這飯桶！這一下不僅損失千把元，而且你還讓自己漏了眼線，說不定已有人在注意你了，倒楣蛋，可別把老子牽累上！」何炳坤返身衝著小劉一頭惡狼般咆哮著，小劉蒼白著臉沒有分辯，他偷偷地眼看何炳坤嘴裡一面不住地叱罵，一面替淑娟打針，更覺胃痛難熬，身子一陣陣痙攣，實在忍不住硬著頭皮囁嚅地向何炳坤請求：

「何老闆，請給我一針。」

「先拿錢來，」

「何老闆，你這不是故意難為我——」

「損失了那麼一筆，沒叫你賠償，還想白打針，做夢！」

小劉臉上由白轉紅又轉青，兩手搿著肩膀，憤激地說：

「何老闆，你話不能這樣說，過去三四年我一直擔著風險替你送來送去，只走了這一次風，可不能把過去的帳全給抹煞！」

「廢話少說！今天沒有錢，反正不興！」

「是真的？」

「老子從來不說空話。」

「你，你別逼人太甚，」小劉睜大眼睛，雙手不禁握成拳頭。

何炳坤聳了聳肩膀，冷笑著：

「隨便你怎麼樣，嚇唬不了我。」

小劉像一頭受傷的野獸般，一步一步退到門口，猶自死命盯了何炳坤一眼，眼睛裡流露出仇恨，怨毒的目光，似匕首般投向何炳坤。

「等著瞧吧！」門砰然一響，人已經走了。

淑娟目睹著這一幕，她很同情小劉，但是，今天連她自己打針的錢還湊不出來。她把僅有的二張鈔票捏成一團，有點吶吶地遞給何炳坤。

「少五元錢，明天補上。」

何炳坤先不接她的錢，淡然問：

「怎樣了？妳的工作。」

「沒有一點眉目。」淑娟沮喪地搖著頭。

「那妳打算怎樣呢？」

「再去找找看，碰碰運氣。」淑娟沒有信心地說，懶姍地站起來整理一下身上那件舊得發黃的衫裙，預備離開。

「我看，妳找工作的機會恐怕希望很少。」何炳坤向她誘勸著。「倒不如幫我工作算了。」

「幫你工作？」

「嗯。就同小劉、老孫他們一樣；有時去分送分送貨品，除了免費供給妳打針，銷售一批貨，還可分點利潤，盡夠妳吃住的了。」

「抱歉得很，我對這事不感興趣。」淑娟不等何炳坤說完，義正辭嚴，一口回絕了。「我自己染上了毒癮之一輩子受害無窮，不想再去做那些沒有天良的損人的事。」

「好吧，妳保留妳的天良，去碰釘了，餓肚子罷。」何炳坤望著淑娟拉門出去，在背後冷冷地譏刺著，「不過明天妳如果不把錢補來，那我也要說聲抱歉，我這裡一不賒欠，二不布施！」

能變賣當押的東西都已賣光了，這 天，蔡淑娟從早上到下午，只吃了二個煮紅薯，又因為欠了三個月房租，被房東趕了出來，閂上門，不許她回到那一間鴿子籠似的房子裡去。

像一個無主遊魂，她在大街小巷飄蕩著，飢火內焚，加上毒癮漸發。四肢無力，雙腿就似兩支棉花棒，勉強支持著個爛絮枕頭般的身軀，一路拖曳著，頭裡昏昏沉沉，只有一個欲望，不住喚醒她的意識，填填肚子和過一過癮。

天漸漸黑了，華燈初上，大街上開始熱鬧起來，男男女女全帶著悠閒的神態，換上光鮮的服裝，從屋子裡湧向街頭，湧進戲院，湧進百貨店，菜館裡飄出一陣陣誘人的香味，咖啡館裡揚射出一陣陣醉人的音樂，這世間看來是那樣繁華奢麗，多采多姿，但是，淑娟眼裡看到的並不是這些，她經過茶館時，飢饞的眼睛只盯著玻璃櫥窗裡擺著的滷雞滷蛋，肚裡飢腸轆轆，嘴裡口涎直流，恨不得打破玻璃湊上去大吃一頓，她經過百貨店時，那些最吸引女性的鮮豔的衣料，閃爍的耳環和琳瑯的化妝品，絲毫未曾引起她的注意，使她眼紅的是當一項交易成功時，主顧們從皮夾裡拿出來的鈔票。眼前只要那麼幾張，馬上就能夠解除她痛苦，解決她的困難——只要那麼幾張。她在心裡無聲地喊著，那個欲念越來越強烈、執拗，衝破了道德和教養的藩籬，不顧一切地在她內心衝撞、活躍，而她盯著鈔票的眼睛也越來越紅，像要冒出火焰來，她挨一家一家百貨店櫥窗靠貼過去，一面也斜著眼睛向店內窺伺著，當她正走到規模最大的一家百貨公司櫥窗前，照例向內窺探時，不禁心裡怦然一跳，從櫥窗玻璃裡映出一個裝束入時的少婦正打開放在櫃台上的皮包，取出一疊鈔票來，一面還正與女店員討價還價，一面數了幾張鈔票把其餘的又放入皮包，在她旁邊是另外一對夫婦打開一對枕套在那裡欣賞，淑娟陡然覺得血液全湧升到頭腦中來，她極力控制著自己的激動，裝出一副閒眺的神情，踱進門口，向那對夫婦和少婦中間走去，櫃台上那隻沒有關上的鱷魚皮包就像向著她咧開了嘴——她倏地一伸手，幾乎是毫不費事的，那皮包已到了她手裡，又倏地轉身向外走，這一切發生得都很快，快得她自己也不知道怎樣動作的，就在她跨出店門，踏上人行道時，一聲驚慌尖銳得離了腔的聲音在她背後爆裂開來：

「捉賊！有人搶我皮包！」

「快抓住那女人，快！」

淑娟已經被那喊聲嚇得心慌腿軟，馬上又聽見紛沓的腳聲隨後追來，她逃不了幾步，便捽下手提包，向馬路對面衝過去，一輛汽車幾乎吻著她的手臂，被她擲在後面的是一聲慘厲的緊急剎車，和一串咒罵。她轉了個彎奔跑過一條馬路，前面一輛待開的公共汽車正在上最後一個旅客，她一股蠻勁衝了上去，哨子一響，車子開動了，她喘著氣，跌坐在車梯上，只覺得一身骨頭都散了開來，連半點力氣都沒有了。

「車票！」

淑娟只管雙手握住胸口喘氣，沒有聽見車掌在問她。

「喂！車票！」

這一個更大的聲音像一支爆竹爆發在她耳邊，驚魂甫定，她這才想起身邊連一張車票錢都沒有。只得一面張張望望裝出一副惶急的神氣，囁嚅地說：

「糟糕！我的錢袋丟了！」

那位神情嚴肅的車掌小姐似乎並不為她的惶急所感動，只冷冷地像在執行一個命令。

「沒有車票，只好請妳下車。」

「不，小姐，不要停車──」淑娟急了，不由得懇求地伸出手抓住車掌身上揹的票袋，但她未加理會，一手握住門環，一手已把哨子擱進口裡去──就在這時，旁邊一個胖胖的中年人不耐地喊住她說：

「不要耽擱時間了，我替這位女士補一張車票。」

淑娟總算沒有被趕下車去，她鬆了口氣，感激地向那個乘客低低道了聲謝，卻發覺車上所有的眼睛都盯著她，使她感到自己就像裸體呈現在眾人面前一樣，羞愧得無地自容。

淑娟也沒有看清車是幾路車，經過些什麼地方，一直到了終點才不得不跟著最後幾個乘客下了車。這地方對她很陌生，街道狹小，燈光黯淡，有一種不潔和曖昧的氣氛。她茫無目的的在路上拖曳了幾步，失去重心的身軀搖搖欲墜，她只得倚著一根電線桿閉目養一會神，突然，一隻手掌重重地落在她肩上。

「喂！」

淑娟嚇了一跳，以為是追蹤來的人。驀地睜開眼睛側過臉去，首先是一股惡濁的酒臭迎面撲來，薰人欲嘔，一雙色情的，充滿了邪念的眼睛，那樣逼近著她的臉，灼灼地盯住她，就像一匹餓狼垂涎欲滴，獰視著牠面前的獵獲物。淑娟又懼又怒，也不知從哪裡產生出來的力氣，伸出雙手向著對面的身子猛力一推，那個醉漢猝不及防，一個踉蹌竟倒跌了三四步才站住。

「妳這不識抬舉的賤貨！竟敢衝犯老子……」醉漢洶洶地衝到淑娟面前，嘴裡罵著一大堆不堪入耳的粗話，一步一步向她迫近，淑娟料想他把自己看成那一種女人，急得只是往電桿後面躲閃，同時警告他說：

「你別弄錯了！我不是……」

「弄錯了！可不真的弄錯了！」醉漢迫視著她，嘲弄地打量著，「老子還沒有興趣啃板鴨殼子哩。」說著，輕蔑地向地下吐了口口水，聳聳肩膀，嘴裡哼著小調，顛頓地走過去，走不多遠，便見從一處門影裡閃出一個人影迎了上去，不一會兩人便發出猥褻的笑聲，摟著腰一起走開了。

淑娟橫遭了一頓侮辱，羞憤使得她渾身顫抖，四肢冰冷，血液全湧上了頭臉，她恨自己太怯弱，為什麼剛才不刷那個混蛋二個嘴巴，啐他一臉口水！但是，那份激憤之情未曾持續多久，當飢餓和嗎啡癮的浪潮一陣接著一陣洶湧地沖激著時，那只不過像浪裡濺起來的一個泡沫，不消多時就被吞淹了，淑娟淹沉在一陣緊一陣的浪潮中，沖盪得神智昏迷，就剩得一絲遲鈍的知覺，只想抓住點什麼救救自己。這個冷酷人間是連一隻救援她的手指頭都不會有人伸向她，為了活下去，她已經下流到做過小偷——雖然沒有到手。再要，再要……彷佛一顆墜星掠過夜空，一個墮落的意念在迷糊的腦中一閃，還有只有自己這筆本錢……這是剛才受辱一場給了她這樣的啟示……這念頭就同剛才要偷錢袋那樣越來越強烈。橫一橫心，強自振作精神注意路上的行人。

一個年輕的男人走過去了，淑娟心裡一陣痙攣，卻沒有勇氣開口，隔了一會又是一個神情落寞的中年人打從她面前經過，她只覺得聲音梗在喉頭，再也吐不出來，這以後，隔了許久，再沒有半個人影，就像世界上的人都進入地獄了。淑娟恨恨地詛咒著自己，詛咒著這世界和人類，她整個身體靠電線桿支持著，就彷彿有一隻手在那裡掏她的五臟六腑那樣難過，她甚至盼望大地在她腳下崩裂，把她吞陷下去……一陣腳聲，一個模樣輕佻的人嘴裡哼著流行歌曲踱了過來，淑娟拎一拎神，迸出最大的勇氣。

「先生——」

那人果然熟習地停住了腳步，湊著燈光，像審視一件貨品一般把她從頭到腳打量了一遍。

「這年頭什麼商品都講究裝潢，妳——」那人在鼻子裡笑了一聲，搖了搖頭。又哼起歌曲逕自走開。

「先生，你……」淑娟硬著頭皮，哀求地追上一步，「我，我一天沒有吃東西。」

那人厭惡地皺起眉頭，然後從袋裡摸出一團紙往後一摔，像逃避瘟疫似的加快了腳步走開去。淑娟撿爛紙團，是一張一元鈔票，她苦笑著，知道自己的計畫行不通——至少這晚上行不通，便把一塊錢就近買了幾個硬麵包稍微填一填飢腸，逕自到售票處守著，當一個紳士來買車票時，她厚著臉皮上前說：

「我的錢掉了，沒有錢買票回去，能不能請你……」

紳士瞥了她一眼，分了一張車票給他。

下了汽車，淑娟一直便走去那條閉上眼睛也摸得到的小巷，那通向毀滅的陋巷。

十一

「帶現錢來沒有？」淑娟一走進屋子，正同老孫在秤量一包包毒品的何炳坤便冷冷地問她，眼睛注視著手裡的東西，只在眼角上輕忽地瞥了一眼，顯然地，對她那副落魄狼狽的樣子已一目瞭然。

「沒……」淑娟頹然跌坐在一把破藤椅裡，上氣不接下氣的說，「你先替我打一針。」

「我不說過：一不賒欠，二不布施。」

「我還有事跟你商量。」

「那就先商量你的事再說。」

「別那麼狠！」淑娟忿然瞪著冷峻的何炳坤，「你賺我的錢還算少嗎？這一點都不通融。」

何炳坤回答她的只是冷然聳聳肩膀，淑娟無可奈何，只得轉求老孫。

「你身上有沒有煙？先借一支我抽，真難受死了！」精神一鬆懈，她已呵欠接連，眼淚鼻涕直流，癮得發慌。

老孫拉長了那張削骨臉，毫無表情地從口袋裡摸出一支煙拋給淑娟。

「我也只剩這最後一支了。」

淑娟忙不迭燃上煙放在唇間，閉上雙眼，便貪婪地連抽了好幾口，一直抽到煙蒂快燒著嘴唇了，才戀戀不捨地丟掉。癮沒有過足，但已長了一點精神。可以跟何炳坤推開談判。她下了很大的決心，胸有成竹地說：

「何老闆，你聽我說：我有一個計畫，打算幹一樣事，但是還差一點本錢，想向你調一調頭，事情如果成了，當然馬上拔還你，要不成呢？我就答應你那天的提議：替你工作來償還。」

「說得倒很乾脆，既然要我貸款，我要先知道妳打算幹什麼事？」

淑娟先紅了紅臉。但馬上又不勝憤怒地衝他說：

「那個我不想告訴你，反正就像小劉那天說的：犯上毒癮的人根本連畜牲都不如，你想不如畜牲的人，總不會去做什麼光耀門楣，值得誇口的事！」

的笑意。

何炳坤望著她，像對她的計畫感到興趣，重新把她估價。狡黠的小眼睛裡閃過一抹邪惡

「可靠嗎？」

「你知道被你拴住頸子的人，沒有一個逃得了。」

「那要多少？」

「兩百。」

何炳坤沉吟了一會，「可是你說的成與不成，總得要有個期限，世上只有無期徒刑，可沒有無期貸款。」

「一個星期。」

「那就是說一個星期以內妳還不出借的錢和打針的錢，就得乖乖地做我的助手！」

淑娟咬緊牙齒，點了點頭。

何炳坤一低頭，鑽進裡面那間神祕的小室去了。淑娟等得無聊，看老孫把毒品仔細地包好，放入一只旅行袋的夾層底裡，袋裡裝些書，儼然裝成書刊推銷員的樣子，她忽然想起這一陣常常碰見老孫，卻不見小劉。

「小劉上哪兒去了？這一陣子沒見他。」

「妳不會見到他了。」老孫幽幽地說。

「怎麼？他不幹了？」

「幹了這一行的，沒有人中途改行。」老孫冷淡的聲音掩飾不了一種悲哀，「小劉享用了『熱注』，這下安逸了。」

「什麼叫『熱注』？」

「那是一種精煉的純品，很厲害，注射過一次就可以永遠不要再打針了。」

「你是說……那是……」淑娟從老孫的神態和語氣中推測到一種模糊的恐怖。

老孫赭黑色的嘴唇扭曲成一個獰笑，瞇細著眼睛向淑娟睨視著，陰陽怪氣地接下去說：

「那是這一行專門對付那些『變節』的老槍的。」

淑娟聽了不禁寒拎拎打了個冷顫，心裡一陣悚然，半天作不得聲。想到不久以前小劉還在她面前悲憤地發洩了一頓牢騷，說是願意用一隻腿或一隻耳朵去換新生……她更進一步認識了毒販子的陰險和狠毒，從欺騙至榨取、利用、毀滅……多可怕！她懼憤交集，雙手緊握住拳頭，陡然從椅子裡站了起來……

那扇神祕的小門打開了，何炳坤持著一支針朝淑娟走來，倏然間，像吹了一口氣又洩了的汽球一樣，淑娟站著只振作了一下，又頹然軟癱在椅子裡，只剩下一聲游絲般微弱的悲哀而沉痛的歎息，代替了她抗拒的意念。

十二

淑娟付清了鴿子籠的房錢，贖出兩件比較整齊的衣裳，又把許久不用，棄置在抽屜角落裡的剩粉殘脂找出來，拭去鏡上的塵灰，懷著那種把自己做為賭注，孤注一擲的心理，刻意塗抹了一番，鏡子裡反映出來的卻並不是從前那個容光煥發，青春活力洋溢的嬌娃，而只是用色彩和白粉塑成的，毫無生氣的雕像。她苦笑了一下。一抬眼，卻見楊誠的放大照片，正從壁上向她俯視著，那雙善良的眼睛像要向她說些什麼……羞慚和愧疚就像兩隻利劍，驟然刺穿了她的心。她兩手扯下相框，把它臉朝下塞進抽屜裡，一面慘然地說：

「阿誠，我的心已交給你帶走，我的靈魂也跟你一起去了，這墮落的只是一副卑賤的臭皮囊，別把它當作是我，是你的妻。」

淑娟就這般出賣自己，哺餵自己，她走上了女人最卑賤的路，但她在「那副卑賤的臭皮囊」裡卻還保持著一點良心和道德，寧可讓自己像砧板上的俎肉般任憑斬割，卻不肯幫何炳坤輸送毒品，做這個慢性殺人組織裡間接的劊子手。

過著這樣的生涯，時間對淑娟像是凍結了，她的感覺也凍結了，灰色的日子，灰色的生活，她的生命裡除了灰色，再沒有一點別的色彩。

她只是像一個無主的遊魂，在無邊無岸灰暗的苦海裡浮沉、漂游。

接連幾個陰冷的下雨天，下雨天，一切都是滯澀的，時間的進行，人的行動。一切思想上，生理上的欲念都也受了潮。那一晚，也跟前兩日一樣；淑娟瑟縮地在街簷下佇候了許久，路上行人寥落，而一個個唯恐雨水掉入眼中似的，低頭聳肩經過。一個希望接著一個希望消失了，希望越來越微渺，淑娟也越來越覺得疲困和不耐，身上濕淋淋、冷冰冰的，好不難受。煙癮又在這時漸漸發足。眼看這一晚大概又是落了空，她只得沒精打采地拖著困乏的身子，到何炳坤那裡去加油。

夜深，雨急，僻靜的小巷更幽寂像條死巷，沒有一個行人。淑娟熟練地推開那扇虛掩著的門，摸索進狹隘的甬道，門窗關得嚴嚴的，只從厚重的窗簾裡透出隱約的燈光。她伸出手去正要敲門，伸到半途卻突然停止了。從室內傳出來的除了何炳坤的聲音，另外，還有一個陌生的女人聲音。

她疑惑地在窗上找到一條縫隙向內窺視著，只見何炳坤向外站著，手裡拿著注射器，正在向一位女士進行說服。那女客便坐在淑娟經常坐著打針的一張舊藤椅中，年紀很輕，但神情愁慼，面容憔悴，顯然精神上遭受過什麼重大的打擊。她那無助的眼光停在注射器上，一面聽何炳坤跟她解說，一面怯怯地捲起了袖口……

過去自己受騙的一幕突然像雷擊般閃過淑娟腦際，怨恨、憤怒、氣憤……就像一鍋沸騰的水般一剎那全激湧上來，一種對那無知女人的同情，和一種報復意識，使她衝動地敲著窗子，向內大聲喝阻：

「不要打那個針！千萬不能嘗試！」

何炳坤像隻猛獸般一回身拉開門，把激動的淑娟擋住在門口，眼睛裡噴著凶焰，低吼著：

「妳瘋了！」

「我沒有瘋，我要救人！」淑娟一個勁地向內衝，何炳坤緊緊握住她的手臂向外摔。

「滾出去！」他的口沫直噴到她臉上，「妳給我滾！」

淑娟也不知哪來的力氣，拚命一掙，掙脫了那鐵箍般幾乎捏碎了她骨頭的手，衝到那個惶惑的女人面前。

「告訴妳，不要受騙，那不是什麼藥，是最毒的毒品，是嗎啡，一沾上就一輩子擺脫不掉……妳看我，我就是活榜樣！」

那年輕的女人驚惶無措地睜大著無神的眼睛，從這個望到那個，像一隻受驚的小鹿。何炳坤趕過來把淑娟用力一推，推得她一個踉蹌往後跌倒在牆腳畔。

「她有神經病，別聽她一味胡說。」

但那女人彷彿這才領悟到事情的真相，不聽何炳坤的解釋，雙手掩著臉，逃避瘟疫似的，奪門奔出，何炳坤追出去喊著沒有趕上，他氣洶洶地回進來，對準剛站起的淑娟就是刷的一個巴掌。

「妳這賤貨！膽敢破壞老子的生意，妳昏了頭了！」

淑娟一手按住火辣辣的臉頰，感到熱呼呼的，濡濕的黏液沿著指間流下來，一看，五個手指全紅了，是血。是由於何炳坤中指上那只戒指劃的。但是她沒有反抗，沒有發怒，她的憤恨和勇氣像一陣突來的暴風雨，使她膽大敢為的風暴過去了，她又成為一個麻木的，猥瑣的，軟弱可憐的癮君子，她需要的是打一針。她完全依賴她恨的人給她生命。

何炳坤立刻看出了她這一點，放下手，陰冷地奸笑了一聲。

「好罷，看老子整妳，究竟誰勝得了誰！」他聳著肩膀，逕自走開去做他自己的事，出出進進，經過淑娟身邊時，彷彿她只是屋裡的一件破家具，連一眼都不看她。

十三

淑娟忍受著侮辱、冷淡，卻沒有走出這黑窟的勇氣，身上由熱而冷，胃裡一陣陣作痛，蟲子在皮膚底下蠕蠕搔癢，癢得她心煩意慌……

「給我一針，」她只得有氣無力地厚顏招呼何炳坤，一隻手按住腫脹的臉頰，一隻手從袋裡摸出僅存的一卷鈔票，「錢在這裡。」何炳坤冷冷一笑。

「老子說定了今天可不想賺妳這幾元皮肉錢。」

「無論如何，我總還是你的長期主顧。」

「不稀罕！要剛割下的甘蔗才榨得出汁水，妳呀，妳只是榨乾了甘蔗渣！」

「何炳坤，你真夠狠！」淑娟氣得聲音發抖。「我是甘蔗渣，還不是被你榨乾的。」

「本來嘛，無毒不丈夫。」何炳坤隨手抓一把剃刀，在身上刮二刮，便對著一面走了水銀的破鏡子，有要沒緊的修起鬍子來。

淑娟坐立不寧，站起來在室內不安地蹀躞一會，又把自己擲回椅子裡，一個呵欠連著一個呵欠，使她不住用那塊污穢的小手帕擦拭流不完的眼淚和鼻涕，擦紅了眼眶和鼻子，忽然像在苦渴的沙漠裡發現了一注水源，她一眼瞥見剛才預備給那女人打的針，還擱在櫃上一堆雜物中間。假裝並沒有看見，她有意無意地踱到櫃子面前，背靠著櫃子，等何炳坤側過臉去時，便悄悄地從後面伸出手去，一把攫住針筒，又退到椅子畔，拿起針筒來就往臂上戳，但是另外一隻手卻比她的動作更快地握住了她。

「放下來！」

淑娟像握住了自己唯一的命根一樣，絲毫沒有鬆手的意思。

「妳放不放？」何炳坤大聲呼喝著，下死勁地捏住淑娟的手，她感到骨頭像捏碎了，還拚命要忍住喊出來的呼痛聲，突然「拍」的一響，半截針筒跌在地下，碎了。淑娟從壓力中鬆出手來，只覺得手心火辣辣地發燒。伸開手指來，掌心裡沾滿了針筒上的碎玻璃片，嗎啡，和被碎玻璃戳破了滲出來的血。

「灰氣，又是老子受損失！」何炳坤悻悻地踢踢碎玻璃，向淑娟嘲笑著：「把這個舐一舐，也很過癮嘛！」

在這番爭奪戰中，淑娟恍惚身上僅有的一點力氣都被抽走了，縮在椅子裡只是喘息，氣憤幾使她肝膽炸裂。眼看何炳坤又拾起剃刀自去刮臉，隔一會還轉過臉來向她獰笑一下，或是扮個鬼臉，欣賞她那種受煎熬的神情做為娛樂，淑娟直恨得牙癢癢的，忍不住尖聲咒罵著。

「你這死了上刀山，下油鍋的騙子！乾脆給我一針『熱注』好了。」

「熱注！嚇，妳也曉得熱注，可是那是精煉的純品。價錢很貴，給妳不太便宜了！」

「何炳坤，你，你要迫人發瘋！」淑娟渾身抖慄，不能自制，她陡地站起來，直撲那扇閉著的小門，何炳坤馬上趕過去把她一推，搶先一步攔在門口。

「妳想做什麼？」

「我要進去！」

「這是我的寢室，妳要進去幹嗎？」何炳坤把臉湊在淑娟臉前，邪惡地凝視著她的眼睛，做出那種輕薄相向她調笑，「一個女人深更半夜要闖到一個單身男人的寢室裡去，這個嘛，嘿嘿……叫就口的饅頭送上門來。只可惜上了嗎啡癮的人缺少這樣的胃口，嘿嘿！」說著，輕挑地用一個手指勾起她的下巴。

「閉嘴！下流胚！」淑娟一拳揮開他的手，歇斯底里地叫喊著，「讓我進去！我快要死了，我要打一針！」

「想死，一下子怕死不了哩。」何炳坤一手撐著腰，毫不為動地擋在門口，向她訕笑著。

毒癮發作時的難過，以及怨恨、憤怒，使淑娟像一隻失去了理智的，落入陷阱的飢餓的野獸。她絕望的眼光狂亂地掃射著：突然停留在猶自握在何炳坤手裡的剃刀上，她幾乎是毫不思索地，驀地一把奪了過來，便凶狠地朝他臉上晃了晃。

「你不讓，看我殺掉你！」

「妳真的瘋了！」何炳坤猝不及防，把頭一側，便驚惶地伸手來搶，但一把沒搶著，淑娟已瘋狂地揮刀向他刺去，驟然一聲狂厲的慘叫，何炳坤雙手按住臉往旁邊顛躓了兩步，淑娟一見門口已沒有阻攔，也不管後果如何，便推開門直衝進去。

這一間她從未踏入的禁地面積很小，一牀一桌和幾件箱籠雜物便擠得滿滿的，她先從隱僻處著手搜尋，翻箱倒籠，壁壁角角的找去，最後卻就在一隻字紙簍裡，找到了一包包分裝好了的嗎啡。她刻不容緩地胡亂調製了一些，又在抽屜裡找到一支新的針筒，便將嗎啡打進手臂，毒性很快地發作，她馬上又復活了，精神抖擻，像另外換了一個人。

幾乎是很順利地做完了這一切，她奇怪竟沒有人來阻擋她。屋子裡出奇得靜，靜得彷彿連空氣都在她身邊凝結起來。突然間她感到這凌亂的小屋裡有一種使人可怕的壓力，向她壓縮攏來使她窒息。她像逃避瘟疫似的，匆忙地逃出那扇小門。但她驀地一聲驚叫，就像被一枚大釘子一下子給釘住在門限上了，一眼看過去，只見何炳坤蜷縮身子俯伏在中間地上，頭浸在一灘令人心悸的鮮血裡——她這才記起了方才瘋狂的一幕，她不能相信這是自己闖下的禍。

恐懼中摻著一半僥倖心，淑娟困難地搬動著發軟的雙腿，一步一步挪到何炳坤身旁，停下來端詳著：那僵臥的身子看不出半點還有呼吸的樣子，她輕輕地用腳尖撥轉頭部，看見了那張使她一輩子忘不了的臉，眼睛像死魚眼睛似的向前瞪著，歪曲的臉和斜咧的嘴，形成了一副可怖的獰笑，隨著這一動，鮮血從頸上一條深深的創口裡，像泉水似的汩汩湧出。淑娟不由得雙手掩上臉，搖搖欲墜地一步一步往後退去。

「是妳殺死了他！」

一個時鐘走動般的聲音，在她耳畔低沉地說，她放下掩眼睛的手掩住耳朵，但那聲音乃在腦中響著：

「妳殺了人，妳是殺人犯！」

恍惚間那個猙獰可怖的笑容在擴大向她迫近，她駭怕地轉身就奔向門口，猛地拉開了門……但是，她在那一瞬間沒有奔出去，倒反站住了，緩緩地轉過身來。猙獰可怖的笑容不見了，有的只是一具僵臥在血泊中，不能再作惡的軀殼。她沉思片刻，一種嚴肅堅決的神情，代替了剛才的恐懼，一轉身又跑進了裡面那間小室——

十四

法庭裡早便坐滿了聽眾，等著聽那件「兇殺案」的審判。

淑娟帶著那種大病初癒後的清癯和軟弱，倚立在被告席裡。她並不為命運憂懼，眉宇間反流露出一切都豁出去了的坦率，她的表情是淡漠的。

雖然，人生的路程她走了還不到一半，但她的感情曾經受過斲傷，生活的巨輪無情地從她身上輾過，罪惡的染缸又渲染沾污了她。如今，經過醫生一番徹底的洗滌、剷除，身體裡的細菌毒素都已消除殲滅，心靈上和感情上卻仍是一片虛空。在她剩餘的生命裡，已沒有什麼可以威脅她，也沒有什麼值得留戀。

她冷漠地站在被告席裡，未曾向觀眾看一眼，她知道在那裡絕不會看到一個親切的面孔。在這世界上，在廣大的人群中，她的存在，孤獨、渺小、卑微，像空氣中的一粒浮塵。

沒有請為她辯護的律師，也沒有找一個有利於她的證人。她把自己交給了正義的象徵——任憑大法官裁決。

她漠視著空中，一句一句，冷靜地回答法官的詢問，毫不為自己掩飾罪狀。

「……」

「……」

「是妳殺死了何炳坤？」

「是的。」

「妳為什麼要殺他？」

「我恨他。」

「由於哪一點？」

「因為他是個狠毒的惡棍，他誘騙我上了毒癮，以供他不時榨取，害得我不能好好做人。」淑娟追述著她從受騙到墮落的一段經過，又陡然勾起她無限激憤。聲調裡失去了冷靜，而充滿了悔恨、痛苦。引起旁聽席裡一片唏噓歎息聲。

「那麼，」法官頓了一頓，冷峻的聲音比剛才溫和了一些，「妳是蓄意謀殺。」

「噢，不。我曾經有幾次想毀滅自己，卻從來沒有蓄意殺別人的勇氣——哪怕我恨之入骨。出事那天，因為我破壞了他另外一次誘騙，他就毆打我、侮辱我。還不給我打針。毒癮發作時，一個人往往會難過得發狂，我瘋狂中搶了他手裡的剃刀，就昏亂地向他臉上揮了過去。」

「只一刀便殺死了？」

「我先沒有理會，一衝就衝到小間裡去。等我找到毒品打了一針再出來時，才發覺他已經斷氣了。」

「這以後呢？」

「我不願意這毒窟留著再葬送人，就去警察局自首。」

「自首時妳身上卻還攜帶了大量毒品？」

「是的，我預備自殺，活下去對我已沒有意思。」淑娟的聲音低沉下去，一抹黯淡的神色罩住了眉宇。她深恨那時沒有機會自求解脫，當她低頭自忖時，憑女性敏感的本能，她感到一注無形的浮力凝集在她臉上，使她不由得轉過臉去，正接觸到自旁聽席最前排向她投射過來的，二道充滿了關切、鼓勵和藏在這後面的無限隱憂的視線，使她感覺到像在凍結的冷天發現一絲陽光。等她收回眼光時，依舊還感到那視線不住地擁抱她，傳達著無聲的關切和鼓勵，她覺得她有點面熟，但她的思想在此刻是沉重而滯澀，不能有所思索。

審訊告一結束，法官們低低會商著，神色嚴肅而莊重，顯然的，罪狀已經確定，淑娟自始至終沒有一句替自己開脫或減輕罪名的供狀，旁聽席裡一片竊竊私議聲，那個一直注意著淑娟的女人，更是一臉憂懼不安，惶急地望望淑娟，又望望庭上，幾次欲離座起立，在這決定性的，最後宣判的一剎那，淑娟也被一線求生的意志所激動，緊張地握住了欄杆，盯住庭上。

書記官捧著判決書緩緩地站了起來，全庭立刻屏聲息氣，靜聆宣判。

就在這時，人叢裡高舉起一隻手來，接著坐在最前排的一個頎長的青年站了起來，彬彬有禮地向庭上告了罪。

「我是一個律師，」他自我介紹說：「雖然這位女士並未請我為她辯護，但站在維護正義，主持公道的立場上，我請求庭上和這位女士允許我問幾句話。」

獲得了法官的首肯和淑娟的默允，他提出了供狀中的二個問題：

「妳剛才說死者在未被殺以前，曾經侮辱妳、毆打妳？」

「是的。」

「而妳用來殺死他的兇器，原來是從死者手裡奪下來的一把剃刀？」他特別強調「從死者手裡」這幾個字。

「是的。」

青年律師滿意地點點頭，轉向法官：

「稟告庭上，儘管被告不願為自己開脫，但根據以上所供的這兩點，是不是可以把『謀殺』看成為了『自衛』他殺。」說完，他從容地坐回原位，從觀眾席上向他投來不少讚美的視線。

法官們的判決被這一個新的證詞動搖了，幾個頭又聚在一堆低低磋商看，要不要重新定罪。正自討論不決，像一陣風捲進樹林，一個身材魁偉，穿黑色中山裝，脅下挾一隻大公文包的中年男士，不顧法警的攔阻，匆匆地直趨庭前，從身上取出一件文件遞給法官看了看，然後退到證人席上，昂首揚眉，侃侃發言。

「我先要向大家報告的，就是大家都知道：共匪為了要達到他所謂『解放台灣』的夢想，是不惜採用任何陰險毒辣的手段，在那整套的陰謀中，有一個『毒化政策』，就是把嗎啡、海洛因這些毒品偷運來台，誘騙無知的老百姓上當，使他們意志消沉，活力減退，理智喪失，最後墮落而至自趨毀滅。這一個陰謀確是狠毒，當局也早探知有這個活動，只是他們組織嚴密，一直都在偵查中，而這次由於蔡淑娟的投案，使我們獲得了重要的線索，終於破獲了這一個規模龐大的陰謀組織。」說到這裡，他頓了一頓，摸出手帕來拭拭額角，然後，再用簡潔的詞句，誠懇有力的聲音，作一個終結，「不錯，蔡淑娟殺死何炳坤是事實。不過被她殺死的卻是死有餘辜的、社會的罪人，人民的公敵。我想，我們公正的大法官對此一定會有很公正的判決。」

他的話剛一說完，立刻引起旁聽席裡一片摻雜著驚訝和讚歎的議論聲，還有人出聲喊出：「應該無罪釋放！」直到法官敲著木槌，才慢慢平息下來。

淑娟聽著和看著這一切進行，雙手緊握在胸前，蒼白的臉上浮上淡淡一抹紅暈，她早就把生死置之度外，對自己的命運已不存什麼奢望，及至看到大家不介意她的墮落犯罪，而為她辯護，不禁感動得迸出了眼淚，忽然覺得這世界還是有可愛之處，還是有值得留戀的地方。

法官最後的判決，終於只很輕微的判了淑娟三年徒刑，可以保釋，聽眾報以一片掌聲，搶著站起來願具保釋的，便是那個一直以鼓勵的眼光給淑娟勇氣的少婦，她走過來緊緊地握著淑娟的手，誠摯地望入她眼裡說：

「還記得我嗎？那個在懸崖邊緣被妳救回來的人？」

淑娟望著她，記起了那個可怕的晚上，在窗隙窺見，那個猶疑地、怯怯的臉，捲起的袖口——她微微頷首。

「雖然我們只一面之緣，卻可以算得是患難之交了。我現在生活還算不錯，有一份可靠的工作。同我生活在一起吧，我相信我們一定相處得很好。」

淑娟讓她緊握著手，感到有一股新生活力慢慢地從掌心傳布到血液中，她激動地噙著兩眶熱淚，含著微笑，由那雙溫暖的手扶攙著，隨在散場的群眾後面，緩緩地走出莊嚴的法院，在那高高的白石砌成的石階上端，她停下了腳步，用那種新生嬰兒的眼光，向四周看看，又向天際望望，晴朗的天空是一片蔚藍，陽光燦爛。四周是熙熙攘攘的人群，生意盎然的樹木花草，她覺得軟弱的腿又變得堅挺有力，無主的遊魂在陽光下又找到依附的軀體。她滿懷新生的喜悅，回過頭來與旁邊的友伴相視一笑，一級一級走下石階。留在她們後面的是法院大廈投下的一片森嚴的陰影。

編註：本文原刊於《暢流》第十九卷第九期，一九五九年六月十六日，頁二十八～三十二；第十九卷第十一期，一九五九年七月十六日，頁二十六～二十七；第十九卷第十二期，一九五九年八月一日，頁二十七～三十二。

十月芙蓉小陽春

離那個光輝的日子——雙十節還有二天，學校裡便熱烘烘地瀰漫了熱烈歡欣的氣氛，那些課外活動和上勞作課的時間，同學們全留在教室裡趕製燈籠。課桌上、地上，到處散置著五色繽紛的彩紙、竹篾、漿糊、鐵絲……年輕人彷彿要在這上面顯示和比賽自己的愛國熱忱。大家都用盡匠心，一爭短長，男生班富有戰鬥氣息，有的全班一律是噴氣機型，有的預備集體製一艘大兵艦。女生班比較注重美觀，有精緻的蓮花燈，也有各種各類可愛的小動物燈，他們和她們興趣勃勃專心於工作，一個個都像設計家、工程師。

黎曉蓉被自己教的那班學生纏住了，指點她們紮架型，糊彩紙，最末一堂課下了半天才回到房間裡。她有點疲倦，也有點煩躁，每年這個時候，她總會這樣子，寧靜的心湖底下像有什麼要翻騰，要激起波瀾。為了使自己平靜，她隨手撿起書架上一冊《人生之體驗》，倚在牀上翻看，翻到一段：

……世間有不能避免的真實悲哀，如：離別……

……它來了，你當放開胸懷迎接。

……真實的悲哀洗去了其他的縈思，淨化了你的心靈。

雨後的湖山，格外的新妍。你的視線從真實的悲哀所流的淚珠，看出的世界，也格外晶瑩……

她默默尋思，輕輕歎了口氣，又翻到另外一段：

你當自教育中，看出人類最高之責任感，最卓越之犧牲精神。

真正的教育家，是真正的愛之實現者。……

廊上響起一聲紛沓的腳步聲，接著門外好幾個喊「黎老師」和喊「姑姑」的嗓音，她放下書還來不及答應，虛掩著的房門已被一手推開，三四個白衫黑裙的女生像陽光瀉地般一擁而進。為頭的是她那念高一的侄女愛琳，短髮蓬鬆，兩頰紅紅的。

「姑姑，她們……我……」她興奮而又羞澀地笑著，推一推旁邊的同學。

「黎老師，大家推選黎愛琳擔任雙十節化裝遊行的自由女神。」那同學很高興替她轉述。

「噢，愛琳，恭喜妳獲得這份榮譽的任務！」愛琳卻撒嬌地把小嘴巴一嘟。

「姑姑都是妳害的！」

「我害的？從何說起？」

「啊！就因為我平常總是告訴他們，說妳從前扮飾過一次『和平女神』，參加遊行，妳穿一襲白雪似的長衣，戴一頂閃閃發光的銀冠，一手高擎著一支火炬，端立在花車上，那神情模樣既莊嚴又純潔，既典雅又美麗……」

「愛琳，妳真是妳國文老師的好學生，把她教妳的形容字全用上了。」黎曉蓉沒料到愛琳當著同學大逑其自己的往事，解嘲地打斷她。愛琳可不理會，還是一本正經地說她的。

「我那時還小，要爸爸抱得高高的，一眼不瞬望著妳由遠而近，又緩緩地從人潮中消失，小心靈深深地被感動，覺得姑姑真像個高貴的女神——我說的她們聽在心裡，這一靈機一動就想著把我給抬出來；可是，我怕我扮不像，給學校丟臉！」

由讚美別人來烘襯自己，說「怕」只是一種姿態罷了。黎曉蓉想這孩子可真會說話。她笑著告訴她：

「要扮著像很容易，只要妳記住一件事。」

「什麼事？」

「不要讓妳伶巧的舌頭，像善唱的雲雀般轉個不停。」

「我不來，人家說正經的，姑姑倒來取笑。」愛琳嬌嗔著，雙頰更紅嫣，腳還在地上蹬著。黎曉蓉忍不住笑說：

「本來這樣嘛，誰說看見過會說話的女神！」

同學全掩著嘴笑了，愛琳也笑起來；接著停住笑，懇切地望著她姑姑。

「姑姑，要是妳認為我還可以扮自由女神，那就得請妳幫我們做一件事。」

「噢，原來妳繞了一個大圈子，是找我當差來著。」

「是請求妳哪！記得妳說妳們從前的銀冠是自己做的，替我們做一個好不？」

黎曉蓉望望牆上的課程表，又翻了翻桌上的簿本，略一沉思，便微微頷首。

「好吧！不過我這裡沒有材料。」

女孩子們一聲歡呼，七嘴八舌地搶著說：

「黎老師要用什麼，開張單子，我們去辦。」

得到了滿意的答覆，像進來時一樣，又一擁而去。黎曉蓉站在窗前，微笑望著白衫黑裙輕盈地飄過操場，就似一群燕子掠過藍空。她們那活潑、快樂無憂的青春氣息渲染了她，猶如把春天的陽光，帶進了她那深秋般落莫陰沉的心園。但彷彿曇花一現，她嘴角那絲微笑消失了，陽光亦退去，依舊剩下一片落寞陰暗的秋意。

她懶懶地在藤椅裡坐下，凝望著澄藍的天上一朵浮雲；雲移動得很慢、很緩，像停在那裡沉思。

陽光帶來又帶走了，相反地，愛琳她們的來臨，卻更激起了她極力想壓抑下去的，心湖底下那股翻騰的勁勢。

十月，過去黎曉蓉一直把它看作自己幸運的月份，因為她誕生在這個月。十月，乍寒還暖，是秋天裡的夏天。「十月芙蓉小陽春」，她父親為她取名曉蓉，就是取自這句詩諺。

十月中有一個日子，在她生命中閃著火花，在她心靈上永遠占著重要的地位，畢生難忘。那日子，正是光輝的十月十日國慶。在她，卻更具有雙重的意義。

忘是忘不掉的，還是從回憶中去尋取一點安慰罷！

那一年，正是抗戰勝利的那年，重獲自由第一個國慶紀念，慶祝熱烈得近於瘋狂，而那時黎曉蓉還在念高二，被同學們慫恿著扮飾「和平女神」參加遊行。當遊行完畢，她懷著被無數讚美的眼光弄得醺醺然的心情，和一隻痠痛麻痺的手肢，走出學校，便在門口碰見來接她的二哥。

「這是小妹曉蓉，這是我同學羅遴。」二哥拉著他旁邊一位青年介紹著。在雙十牌坊閃灼的燈光下，曉蓉只一眼便瞥見那青年有一副頎長瀟灑的外形，溫雅的態度，和一雙深邃含蓄的眼睛。她微微一笑，算是答禮。

「曉蓉，妳飾的和平女神真是美極了，使我們羅遴把妳當作真神下凡，拉著我來，要向妳頂禮膜拜哩！」

「我是說黎小姐剛才從內心流露出來那種莊穆崇高的神情，和純潔高貴的儀態融貫成一體，那樣子真是超然，不沾人間一點煙火氣。」

「哎，我可不願做不吃人間煙火的菩薩！」

由於二哥的關係，彼此說說笑笑很快就不覺得拘禮，他們護送曉蓉到家，便又回去大學宿舍。

這是第一次，黎曉蓉愉快地走在兩個大男孩中間，接著有第二次、第三次……在周末在假期，他們三人的腳跡印上郊外、印上電影院……兩人的感情發展得很自然，就似兩塊磁石，彼此都對對方有吸力；又像兩支溪水和河流，彼此很容易交流滲融。第二年黎曉蓉要考大學，他一個暑假都在幫她準備功課，耳鬢廝磨，朝夕相處，感情又有了更大的進展，精神與精神深深融貫，心靈與心靈密切偎依，浸滲在生命的源泉——愛情中，世界變得更美麗，人生會顯得更璨璀，歲月逝去，像微風吹過田園，白雲浮過天際。不留痕跡。

那一年，羅逖和黎曉蓉的二哥同時畢業大學，獻身社會。那一年年底，他向黎曉蓉提到他們的將來。

「我的女神！」他常常喜歡這樣親暱地喚曉蓉，「妳說過十月是妳的幸運月，贊不贊成我們把共同追求幸福生活的那一個日子，訂在明年雙十節？」

黎曉蓉只脈脈地望著他，眨了一下眼睛，一個深長的熱吻，簽定了這一個默契。

在熱戀中的人常常忘記了世界，忘記了身外的一切，彷彿誰也沒有怎樣警惕，紅禍已似濁流氾濫般，兇殘地今天淹沒一處城市，明天吞噬一處縣鎮，那時羅逖由於工作去了另一個縣城，但靈犀一點通，加上魚雁往返，縮短了空間的距離。他們在信上反覆地訴說著懷念關切，以及對「十月喜事」的計畫。忽然羅逖有三四天沒有信給黎曉蓉，她正在焦急，卻來了一封信，潦草凌亂的筆跡，正顯出寫的人心緒不寧，信上告訴她一件使她震驚噩耗，有人從羅逖故鄉逃出來，說是他的雙親已遭共匪毒手！

「血仇必須要用血來償還！」他悲憤地寫著，「我立即投身戰鬥的行列，原諒我來不及再見妳一面！」這以後，絡續接到幾封信，報導他在受訓，他加入戰鬥隊伍，他正式參戰，旋即他們作戰的那帶又告淪陷，交通阻斷，音訊便從此斷絕。沒有人相信他還能活著。不久，大陸危急，黎曉蓉一家也逃到香港，後來她和大哥他們又轉輾來了台灣。一晃眼，已經是十年了。

十年，在黎曉蓉是一長串落寞黯淡的日子。十年中，她大哥大嫂不只一次熱心地替她物色對象，學校裡也不乏追求她的同事，但她對任何男人都不感興趣，冷冷然拒人於千里之外。她宣稱自己心如古井，不願涉足婚姻，將終身從事教育工作，從事教育，才是真正的去實現愛……但是，每到光輝的十月，觸景傷情，她再不能保持心的平靜，她又怎能忘記羅逖，忘記那海一般深的萬千柔情！

當普天同慶，萬眾歡騰的日子，她總是找一個僻靜處，想逃避那份感觸、那種激情，但到最後還是被衝開了一直深鎖的心扉，不由自己地浸沉在甜蜜而又辛酸的回憶裡。

他還活著嗎？那麼是與敵人在作戰，還是受著匪魔的迫害呢？他已不在人世了？那他在天靈魂可寧，為什麼不來夢中探訪？

痛苦的慮念像一群小蟲般，齧著她的心，而至殷殷出血。

心血也有枯竭流乾的一天麼？花了一個晚上的工夫，黎曉蓉用厚紙、銀箔，和一些化學水鑽，做好了一頂光燦燦的冠冕。第二天早上愛琳來取時，歡喜得跳起來勾住曉蓉的頸子在她頰上吻了一下。

「謝謝姑姑！」

「淘氣！」曉蓉無可奈何地瞪了她侄女一眼。

「爸還叫我告訴妳，他在家等妳一起去看檢閱。」

「回家跟他說我不去。」

「那些兵兵棒得很！姑姑，妳從來沒有去看過，為什麼不看。」

「我向來不喜歡趕熱鬧。」

愛琳噘著嘴，一面咕噥一面上腳踏車。

「姑姑又不是七老八耄！」

黎曉蓉意興闌珊地拖著沉重的步子，從學校後面不遠的林場裡踱回來，已是黃昏了，晚風透著涼意，她感到冷，都是從心裡冷出來。愛琳在門口等她，一看見便委屈地說：

「上午妳沒有去，爸很失望，還說我無用。現在又派我來同妳去吃晚飯，再不去，我看他真要生氣了。」

黎曉蓉點點頭。

「好吧，等我換件厚點的衣服，這就同妳去。」

可是等她開了房門，換上衣服叫愛琳走時，她卻站著不動，笑嘻嘻地望著曉蓉說：

「我知道姑姑最守信用，說了要去一定會去的。同學們怕化裝來不及，想就在學校裡隨便買點吃了算了。姑姑一個人去吧。」

「妳這孩子可真會騙人！」

黎曉蓉不由得在她肩上打了一下。

愛琳卻亮著嗓門在後面喊：

「姑姑，晚上妳一定要去看遊行，看我扮得像不像女神！」

黎曉蓉坐著三輪車經過街上，只見家家懸燈結綵，燈燭輝煌，熙熙攘攘的，路人都穿上最好的衣服，一臉喜氣洋洋。紅的廾，亮的廾，到處閃耀，心裡不由得喃喃讚歎。

「哦，這光輝美麗的節日！不管日月轉移，世事變遷，經過多少厄困劫難，它永遠屹立，永遠燦爛！」

車到黎家，出來開門的是她大哥自己。

「曉蓉來了！」大哥善意地責怪著，曉蓉歉疚地淡淡一笑：

「大哥，你知道，這一天我總喜歡一個人靜靜的。」

「一個人靜靜地折磨自己的感情，嗯！」曉蓉在一張沙發上坐下，沒有作聲。

「愛琳怎不同妳一起回來？」

「她怕化裝來不及，不回來吃飯了。」

「這孩子！她就像當年的妳，還記不記得妳扮飾和平女神的事？」曉蓉笑著點點頭。

「忘不了。」

「記得在這以前妳和愛琳現在一樣；一直是個調皮淘氣、無憂無慮的女孩子，這天以後，妳就變了。」

「怎麼變了？」

「妳認識了羅逖，開始墜入愛情。」

曉蓉默然垂下頭去。

「而這些年來，這痛苦的愛情更使妳變得孤獨、冷僻、消沉、悲觀……」

「夠了！」曉蓉大聲喊阻，臉上被痛苦攣痙著。「大哥，你要我來就為講這些嗎？你要在我流血的胸前再加一刀嗎？」

大哥憐憫地望了她一會，緩緩地走到她身邊，把一冊畫報放在她膝上。

「是我不應該說，妳先看看畫報，我去看妳大嫂香酥鴨燒好沒有？」

曉蓉無法平靜又被掀起的心潮，她覺得勉強才按止的創口又在殷殷出血，她的手顫抖地去翻看畫報，卻什麼也沒有看進去。

「曉蓉！」

曉蓉渾身像觸電般一震，那聲音，低沉而充滿感情的呼喚……多麼熟悉！但不可能的，一定是她的幻覺……

「我的女神！」

曉蓉全身的熱血轟然衝到腦際，心臟在一剎那停止跳躍，手指緊握著沙發扶手，緩緩地轉過臉去，在沙發旁邊地上，她看見了一雙擦得雪亮的棕色皮靴，一截草綠色褲腳……她迸出勇氣倏地抬起眼睛，奇蹟般出現在她眼中的，正是那張夢牽魂縈的臉。那雙難忘的深邃的眼睛。

她跳起來，卻被兩隻有力的手按住了肩頭。她只覺一身軟癱了，顫抖地伸出手去抓住了他的手。

「羅逖，這是不是夢？」

「曉蓉，是我，我在妳身邊。」那雙按在她肩頭的手緊緊地摟著她，曉蓉仰起頭，透過晶瑩的淚幕，重新打量著他，只見那經過風塵琢磨過的臉比前更黑、更健康，流露出一種堅毅剛強的神情，挺括的軍裝顯示寬闊的肩膀，和結實的身材。她歎了口氣，閉上眼睛，把頭靠他肩膀上，就像隻飄流了許久的小舟，找到一處可以停泊的避風港，感到安全和可靠。

「曉蓉，我有信心，我一直相信我們會重聚的，那天從大哥那裡一得到妳的消息，我真恨不得馬上飛過海峽，到妳身邊。」

「你什麼時候見到大哥？」

「是我上個月去金門勞軍時碰到的羅逖，」大哥和大嫂端著菜一起走出來，笑著接嘴說：「我本來馬上想打電話告訴妳，後來聽羅逖說他國慶要來參加閱兵典禮，就瞞住妳訂下這個計畫，讓妳更高興一點，十月不是妳的幸運月麼！」

「當然是的。」

「日子長哩，慢慢地再述舊情，香酥鴨冷了可不好吃。」大嫂笑著催大家上桌。

在飯桌上，羅逖斷斷續續講了些他們的部隊那次突圍失散，他和一部分戰友在山裡幹了一陣游擊隊，又轉輾到海南島，最後到了台灣，重新編組後，就一直駐在金門前線。兩個彼此脈脈相視的時候比講話的時候多，講話的時候又比吃的時候多。一頓飯不知吃了多久，更不知道吃的是什麼，直到遠遠的傳來軍樂聲，曉蓉才一驚，放下筷子。

「快點，我答應了愛琳，去看她化裝遊行的，你見過愛琳沒有？」

「見過，我猜她扮飾自由女神一定像當年的妳。」

「但我現在卻老了，」曉蓉言不由衷地喟歎著，羅逖伸出結壯的手臂，摟住她的腰肢輕輕往裡一帶。

「妳怎好意思說老！我們現在的生命，就如一年中的十月，經過春天的雨雪，夏天的炎炎，現在正雲高氣爽，明淨輝朗，正像妳名字的意義……」曉蓉笑著接下去說：

「十月芙蓉小陽春！」

殼

一

靜寂中，滴答滴答的鐘聲像一隻金屬的手指，頻敲著黎玫的心弦，敲得她有點心慌，三點差三十分、差二十分……她還在猶豫著，今天究竟要不要去縫紉班，若去縫紉班一定要經過紅葉咖啡室，而不用說，他一定在紅葉門口守著她。她有點怕，直覺地感到他們之間正在醞釀點什麼，然而，彷彿一個初學會抽煙的人，與他在一起時，她體味到在寂寞中抽一支煙的悠恬情趣，在她單調平凡的生活中所缺乏的情趣。她想盡量地享受這份情趣，可是她又怕……就是這份矛盾在她心裡衝突著——三點鐘到了。

「我沒有理由不去縫紉班，我可以堅持不去紅葉。」黎玫打定主意跟自己說。於是馬上對著鏡子修飾一番，提著手袋鎖上門出去。在縫紉班裡一個鐘頭的課，黎玫一直心不在焉地應付著，這天教的是服裝設計畫圖，她老是把尺寸的比例弄錯。擦了又畫，畫了又擦，好不容易把時間給挪移過去了。她卻又故意延宕著，慢慢檢點，慢慢收拾，慢慢走出縫紉班快到紅葉時，她俯下頭，特別加快了腳步——

「今天妳遲了二十分鐘，無形中延長了我的生命。」那個低沉而帶磁性的聲音，就似一陣春風吹過她耳畔，迎著她的是一雙深邃而明亮的眼睛。

「怎麼說？」她愕然站停了。

「因為我彷彿多活了一個世紀。」

「胡扯！」她嬌嗔地睃了他一眼，打算從他身邊過去。

「我已為妳叫下了可可。」他那頎長的身軀攔阻在她面前。

「今天我不想上去。」

「預備一個人躲在家裡啃嚼寂寞！」

「這原是我習慣了的。」她乾澀地笑笑。望著自己的鞋尖。

「可是已經不習慣的習慣，比新的習慣還不容易習慣。為什麼不像每天一樣。讓我們共同享受一個恬靜的下午，一杯可可，一支音樂，一番情感的散步？」

他柔和低沉的聲音裡有著某種不可抗拒的魅力，黎玫堅決的意志在他面前就像餳糖碰上了烙鐵，軟化了。「好吧，這就算是最後一次，我要告訴他。」她又在心裡跟自己說。身不由主地走進紅葉，跨上樓梯。

這時咖啡室裡極少顧客，尤其是樓上。女侍照例送上飲品便退下去。闃無人聲的室內只他倆對面坐著，幽揚的音樂從樓下飄上來。但黎玟今天卻失去了欣賞的心情，只是低著頭默默地攪著可可。

「今天妳有一點悒鬱。」他關切地望著她說。

「嗯，我想我實在不應該再來這裡。」

「感到了厭倦？」他驚懼的一震。

「不，我害怕……」黎玟囁嚅地覺得很難措詞。

「怕……為什麼？」他緊緊地盯住她問：

「玩火的人難免被火灼傷，玩水的人難免遭水覆滅，人的感情就好比水和火！」

「妳是說怕捲入感情的漩渦？」

「如果不及早遏止。」

「為什麼不讓它自由發展呢？這裡沒有矯揉，沒有炫耀，有的只是兩份純潔、真摯的感情，不應該像兩支清澈的溪流滙合在一起般，融合成一體嗎？」他誠摯的聲音裡充滿了熱情，她雖是低垂眼睛，仍感受到他那灼熱的眼光直透射過眼簾迫視著她。她感到內心的紊亂。

「你想得太天真了，你知道我感情上已有約束。」

「我知道，但那並不妨礙我們。妳可以仍舊保持妳名義上的丈夫，而讓我做妳精神上的伴侶。」

「那是可能的嗎？」她從杯子上瞟了他一眼，帶著那種寬容的微笑，彷彿大人聽了孩子的傻話似的。她覺得他真是太年輕了。

「為什麼不可能？我們所祈求的只是心靈的默契，情感的共鳴，當我們寂寞苦悶時，我們從彼此獲得慰藉。當我們高興愉快時，我們言彼此分享喜悅。只要這小小的一隅，只要這一隅中片刻相處，我們權作伊甸園中的逍遙客，忘卻世俗的一切煩惱、瑣事……」他夢囈似地喃喃訴說，眼睛裡閃耀著神往的光彩，使他年輕俊逸的臉龐顯得容光煥發，「不要對人生太苛刻，我們的生命是那麼短促。」他用祈求似的憧憬的眼光諦視著黎玫，黎玫不禁為他的摯情感動，溫柔地說：

「你是說我們的愛情只限於柏拉圖式的。」

「嗯，我別無奢求。」

「你能保證不越出這份感情的規範？」

「我保證——」他肯定地說：伸出手去握住她擱在桌子上的手，她沒有縮回——是的，他們的情誼是純潔的、超然的、不同凡俗的，他已經保證，保證他們的來往不落入愛情的範疇，雖然，黎玫明知這保證近乎荒謬，近於掩耳盜鈴，但她卻軟弱地依託這保證，一天又一天走進紅葉——

二

彷彿兩滴雨珠同時落在一張芭蕉葉上，黎玫和他的認識很自然，也有點巧合。那天她從縫紉班回家，半路上正逢上驟雨，這是一條很僻靜的路，除了一帶圍牆和鳳凰木，別無躲雨處，她縮在一株矮矮的大樹下，眼看雨越下越大，路的兩端迷迷濛濛像垂下了萬千層簾幕，大滴的雨珠從枝葉間瀉落在她身上、頭上，落在頸脖子裡的更是冰涼冰涼。弄得她進退兩難，十分焦灼。就在這時，有一陣雨水瀉落在油紙傘上的嘩啦嘩啦聲，雨的簾幕裡顯出一個頎長的身影，邁著悠舒的步子向這邊走著，黎玫心想如果這是一個熟人或鄰居就好了，於是她懷著份僥倖的心情，熱切地望著他近來。傘下是一張年輕而略帶蒼白的臉，一臉悠然孤傲的神情，似乎曾見過，卻並不認識。她略感失望地收回視線，但那個陌生人卻在她面前立停了，帶著些謙恭的微笑，把傘遞給黎玫：

「我可以把傘借給妳嗎？」

「噢！可是你自己呢？」黎玫喜出望外，卻遲疑著沒有伸出手去。

「也許妳比我更需要。」他幽默地說，抖抖身上的雨衣。

「那麼，謝謝你！」黎玫感激地接過雨傘來，那個向著她點點頭，把雨衣領子一翻，又悠哉悠哉地在雨裡踱起方步來，黎玫望著他瀟灑的背影怔了一會，等她驀地記起連姓名住址都沒有問，將來又怎麼把傘還人家時，他那頎長的身影已隱沒在雨幕中了。

一個陌生男子在雨中借一把紙傘給她遮雨，這事似乎並沒有什麼神祕性，黎玫也不曾把這事告訴丈夫。可是，彷彿無意中撞上了蛛蜘網，心裡總像黏住些什麼，細細的、柔柔的，卻又撩撥不開的。那超然悠然的神情，那瀟灑不羈的風度，那耐人尋味的微笑，那低沉而帶磁性的聲音……黎玫也不懂只是那匆促一瞥，怎會留下了那極深刻的印象！

第二天是一個陽光燦爛的晴天，黎玫帶著傘去縫紉班，但不曾遇見他。第三天她從縫紉班回來，將近走到紅葉咖啡室時，看見那個頎長的背影正跨進去——

「喂！」黎玫試探著喚了一聲。那個停住腳步回過頭來，果然是他！黎玫趕緊趨前幾步，高興地向他揚著雨傘說：「看我多疏忽！用了人家的傘連尊姓大名都不曾請教，差點兒和尚找不著廟。」

「我叫雷霖。」他彬彬施禮，依舊曳著那優雅而帶點嘲諷的微笑。「妳不知道我，我卻早認識了妳。」

「認識我？」黎玫驚愕地睜大了眼睛，想在他臉上搜索認識的記號。

「對不起！我有個怪毛病就是不慣在大街上講話，不知我有沒有榮幸請妳喝一杯咖啡？」他伸手彎腰做了個恭請的姿勢，黎玫想人家自己淋雨還把傘借給用了，怎好意思喝杯咖啡都不賞光！於是大方地走了進去，雷霖似乎很熟悉，一走就走上了樓，第一次，黎玫驚奇於樓上的幽靜和清冷。

「你剛才說你認識我，我想不起在哪兒見過，也許我的記憶力太壞了。」黎玫坐定後，又提出方才的問題。

「這不該歸咎於妳的記憶，而應該怪我太渺小了，引不起人注意——我常常在那條小街中遇見妳。」

「哦！」黎玫這才恍然領悟，怪不得彷彿面熟。「你每天經過那裡？」

「是的，從那時到傍晚離開這裡，是我唯一生活在人間，領略人生，思索人生的一段時間。」他帶著點自嘲地說：語氣多少有點感慨，當他看見黎玫那困惑不解的神氣時，連忙又笑著加以解釋道：「我是一個新聞從業員，當別人全在工作時，我在睡覺，當別人睡覺時，我又開始工作。太陽出來時，我們卻要睡覺了！」

「原來你是位無冕皇帝，失敬了！」

「謝謝你為我這『不祥之人』加冕！」他笑著舉起咖啡杯向黎玫邀了一邀，喝下一大口。

「你們這份工作是神聖的，但也很寂寞是嗎？」

「寂寞得就跟一隻蝸牛躲在牠的小屋裡一樣。」他詼諧地說。發覺黎玫同情的眼光，他又換了試探的口氣，柔和地望入她眼裡說：「請恕我直率，如果我觀察不錯的話，也許妳也是寂寞道中人。」

「我？」

「嗯。從妳落寞的神情、散漫的眼光、沉緩的腳步中，人家不難看到那像浮雲薄遮著明月似的陰影。」他銳利的眼光逗留在她臉上，迫使她羞澀地低垂眼瞼，感到有點微惱，一個僅僅見了兩面的男人對一個女人說這種話是顯得有點唐突，可是，她真的寂寞嗎？她有一個結婚四年的丈夫，不過他是忙人，除了八小時工作時間，還有交際、應酬、開會，剩下在家裡的時候卻疲倦得像一隻鬥敗的公雞，連口都懶得開。她有一個舒適的家，一份悠閒的生活，但沒有一個孩子或親人，白天裡永遠是她孤零零一個人。想到這裡，她感到有些迷惘，有些惆悵，但沒有忘記維護自己的莊矜，她不記得後來又跟雷霖談了些什麼，只記得臨別時他約了她明天見，便帶著那份迷惘的心情回到家裡。

于建勛——黎玫的丈夫下班回來，只在飯桌上告訴黎玫晚上還要出席一個理事會，擱下飯碗便匆匆地走了。接著，下女又回去了。黎玫一個人恍恍惚惚地收聽一會收音機，編結一會絨線，又看一會小說，總心覺得不對勁兒——人在不知不覺中，總是日積月累的讓一種生活習慣在自己周圍築成一層繭殼，便機械的、半麻木的在這繭殼中迴旋，很少會撕破這層殼，省視一下自己的生活，這層繭殼是跟著歲月的累積而越積越厚的，然而也有脆薄的地方，就像木品的接榫處，一按即開。咖啡室裡一席話無意中觸破了黎玫繭殼脆薄的一角，她驚覺自己的生活竟是這般貧弱而庸俗，這般的孤獨而又寂寞！她不是屬於那種感情麻木冷淡的女人，但她熾熱的熱情卻像封蓋在冰雪下的火山。她也曾把熱情傾注在于建勛身上，但他的反應是淡漠的，他不能說待她不好，只是他不懂得溫存，不懂得那些使女人悅服的小動作，也不試著去了解她，他認為一個男人能賺錢把妻子供養得舒服便盡了做丈夫的最大責任，而某種生理上的需求也便是愛情。於是黎玫只得封住火山替自己的精神找出路，她學跳舞、學抽煙、學打牌、學縫紉，同幾個跟自己一樣無聊的太太們瞎扯談，遊街，然後兩眼一閉睡覺，驀地一回頭，卻瞥見身後跟著一大片陰影，那陰影大得整個遮住了她本身——那是寂寞、空虛——

寂寞的恐怖窒塞了她的心，她渴望著于建勛回來，雖然他回來也未見得能解除她的寂寞，但身旁究竟多了個親人——于建勛終在於她焦灼的盼望中回來了，他一點都不了解妻子的心情，照例換上睡衣，拽著拖鞋，一杯濃茶，一支香煙，疲憊地往沙發裡一靠，順手便拿過當天的報紙遮住了半個身子。

黎玫只有拿起編織物有一針沒一針的坐在丈夫對面結著，希望他能先開口跟她講些什麼，哪怕是最乏味的話題，只是說說，然而他的舌頭回到家裡便彷彿忘記了怎樣運用，黎玫自己想說，但又不知被什麼在喉際梗住，時間慢慢地過去，她越渴望聲音，越靜得令人驚駭，令人窒息。孤寂的感覺像洶湧的潮浪，從四周猛湧過來沖擊著她，淹沒了。她掙扎、困門，只要他一句親切的說話，一個溫柔的聲音便能拯救她免遭沒頂，但是沒有，她又絕望轉成狂怒，她感到有一種想叫喊、想軋碎什麼的衝動，她想在橫在他們中間的那座紙幕上鑿個洞，又想衝過去把報紙撕得粉碎——然而她還是沒有動，那張豎著的報紙也沒有動，彷彿空氣都因靜默而凝固——她陡地站起來，裝作去沙發後面的桌上吃茶，經過沙發時瞟了一眼，嚇！他已經睡熟了，她想到被冷淡、忽視的侮辱，一陣熱血直湧上頭頂，咔嚓一聲，手裡那根編絨線的竹針不自覺地被拗成了兩截！

就在這一剎那她產生了一種模糊的反叛的意識，她要擺脫「寂寞」的魔掌！

三

「情感的散步」，黎玫和雷霖把每天的約會叫作情感的散步，這是無傷大雅的，只不過是一種心靈上的遊戲。他們在那靜靜的一角，彼此毫無保留地訴說著自己的寂寞、自己的理想，他們肆無忌諱的談到人生、談到愛情，黎玫幾乎迷於雷霖那充滿機智、風趣的談吐，她驚奇他懂得那麼多，她常常滿懷敬崇的傾聽他娓娓地縱談哲學、人生、藝術、愛情……他的一言一語就像雨滴落在乾枯的泥土上被很快地吸收進去一樣，深深地汲入她心底深處。同他在一起，她有一種輕鬆、飄逸而愉快的心情，彷彿在烏煙瘴氣的城市裡閉久了，偶爾散步在空氣清新的田野裡似的那種感覺，她把這清新這渴慕帶進生活，使生活起了三十度的轉變，她的血管裡也似注入了新的血液，使她變得活潑、年輕，眼睛裡閃耀著喜悅的神采，臉上容光煥發，她幾乎相信自己有一個法定的丈夫和一個精神上的膩友，這中間並沒有什麼衝突，然而，她疏忽了男女之間的友誼和愛情的分別，比竹衣還薄還脆，只要意念那麼輕輕一轉，心那麼一個顫慄，早便破除了。那天在紅葉，雷霖一反往日的談笑風生，默默沉思了半晌，最後下了決心似的，望著黎玫嚴肅而迫切地說：

「玫，我必須取消我的保證。」

「為什麼？」黎玫一震，幾乎把茶匙裡的可可全潑出來。

「我們不用再掩飾隱藏自己的感情，玫，我已經忍耐了許久，等待了許久，如今再忍受不住了。我的生命中不能沒有妳，讓我們生活在一起吧，玫，我相信當我們生活在一起時一定幸福的。」雷霖暴發性地向黎玫傾訴出自己的感情，聲音因激動而顫抖著，黎玫卻為這突如其來的表白驚慌了，她垂下眼瞼，攣痙地捏著手裡的茶匙，她的情感一時還不能適應這驟變，雷霖伸出手去，按住她擱在桌上的手上，接著那略為平靜的聲音喃喃地說：

「玫，妳聽我說。昨天社方通知我要去馬尼拉任特派員，我很高興有這個換換環境的機會。可是，我輾轉想了一晚，我感到若沒有了妳不能生活下去，我們都深知彼此的性情，習好是那樣相近，我們在精神上既已有了深深的默契，為什麼不讓靈肉結為一致？玫，答應我一起去馬尼拉！」他拉起她的手溫存地貼在臉上，一面懇求地望著她。

「那怎麼……我……」黎玫惶恐失措，不知該怎麼說。

「拿出決心和勇氣來，妳沒有義務為那個妳不愛他，他也不愛妳的人犧牲妳的青春、幸福。」他深知她的困惑，在一旁激勵著。

「你是說……」她惶惑地睜大眼睛望著他。

「跟他離婚。」

「離婚?!」黎玫機械地重複了一句。

「是的。社方給我一星期的期限，在這期限中很可以從容地辦妥兩樁事情。」他胸有成竹地說。但黎玫沒有聽清他說什麼，她只直覺地感到兩個人中必須要失掉一個。一個是她精神的依託，一個是她肉體的歸宿，這一來等於把她的精神和軀體撕裂開來……她突然感到一陣暈眩，眼睛面前一片漆黑，只聽見雷霖驚惶的聲音問：

「玫，妳怎麼了？妳的臉這樣蒼白，是不舒服嗎？」

黎玫極力鎮靜著，好半天才見雷霖的臉逐漸在黑暗中呈現出來。

「沒有什麼，」她強笑了一下，「等一下就過去了。」

「妳太激動了，玫，都怪我……」

「我現在思想亂得很，我得回去靜靜想一想。」黎玫說著扶住桌子站起來，身子微微晃了晃，雷霖趕緊過來扶住她。

「妳應該再休息一會……那麼我送妳回去。」

「不，不用。」黎玫堅辭著，迸住一口氣走下樓去，還聽見雷霖用充滿情熱深入肺腑的聲音在門口叮嚀：

「我等著妳的回音，玫，記著我的命運操縱在妳手裡。」

走出咖啡室，黎玫覺得雙腳軟軟的，彷彿癱瘓了，只得喚了輛三輪車。坐在車上被風一吹，渾渾噩噩的頭腦才略略清醒。她想起雷霖的闖入她生活中，曾給予她精神的生命，教她用新的眼光來探測人生。她對他滿懷強烈的渴慕與崇敬，就在她想起他時，那股渴慕之情掃過她全身，而起了顫慄。她不能想像失去了他，生活將落入怎樣難堪的空虛和寂寞中。然而當真同他去馬尼拉嗎？同他生活在一起是可喜的，值得憧憬的，可是于建勛又怎樣呢？她記起雷霖說的離婚，離婚！這兩個字從未進入過她的腦際，雖然他們淡漠相處，早便失去了戀愛時那份熱烈的情緒，但共同生活了幾年，卻另添一種習慣上的依戀之情。就像一幢住久了的屋子，一只用熱了煙斗，一時捨不得離棄。不過為了真正的愛情，不得已時也只有採取這方式了。她還年輕，她要享受生命中最美麗的愛，她不能為一個用他自己的方式來愛她的丈夫犧牲幸福……驀地又是一陣暈眩襲來，接著一陣噁心，她虛弱的扶住車沿，把忍不住冒上來的一口酸裡帶苦的清涎吐在地上，她寧了寧神，忽然一轉念向三輪車說了個醫院的名字，於是正在回家的路上奔駛的車子立刻掉過頭來，向另一條路駛去。

四

從醫院出來，黎玫她的整個計畫被醫生一句話推翻了，醫生證明了她的懷疑。當他告訴她確是懷孕了時，她一時竟覺不出是憂還是喜。她早便渴望有一個孩子，如今果然來了，可是來的偏不是時候，如果她同雷霖生活在一起，當他們正愛得如膠如漆時，孩子卻突然出生了，自然，假如那是他們愛情的結晶，還不愛如至寶！但事實上卻並不是那麼回事。那又該是多麼難堪而又尷尬的局面！無疑的，孩子的出生將破壞了詩意，破壞了和諧，而帶來對應該抹煞的事實的回憶，她不知道雷霖將用怎樣的感情看待孩子，不過她的孩子——一想起孩子，她的心裡立刻充滿了一種溫柔的模糊而神祕的意象——絕對不能受到歧視，受到任何感情上的傷害，她或他必須要有合法的地位，純潔高貴的小心靈不能沾絲毫瑕疵。她要讓他或她愉快而壯健地成長，她要用她的愛一滴一滴地去充實那小小的生命——她的意念中充滿了孩子，她的心靈中充滿了孩子，那蘊藏了許久的無盡的母愛，像猛一抽開閘門的水流，一下子氾濫了。這氾濫淹沒了一切，這氾濫使懦弱徬徨的小女人一下子長成了偉大堅強的母親，於是，黎玫迅速地坐到桌前，不假思索地在一張白紙上寫著：「過去的由它過去吧，我並不是你想像中那樣完美的女人，我們的路線是不同的，請把我忘了，像忘了一個夢，一片偶然落在你案頭的葉子一樣。」

寫到這裡，黎玫的手顫抖著，激動得寫不下去了，停了一會，才加上兩句結尾：

「新的前程將伴同著新的希望，你還年輕，真正的幸福在等待著你。我將為你祝福！」

這時，靜夜被一串門鈴聲震碎了，黎玫知道是丈夫宴罷回來，她本能地將信紙夾入日記中，為掩飾自己的激情，走去廊上。涼沁的晚風使她慢慢地恢復了平靜。

「還沒有睡嘛！」于建勛帶著醺醺的醉意，走了過來。

「嗯。」黎玫淡淡地在鼻子裡應了一聲。

「該睡啦！不早了哩。」酒精在他血管裡點燃了某種熱情，他一伸手摟住黎玫的肩頭，把臉湊過去，一股惡濁的酒氣直衝進她的鼻子，她一個噁心，連忙掩住鼻孔，厭惡地避開他的手，「怎麼啦？妳！」

「我有孕了。」她仍舊用那淡淡的聲音說，眼睛望著天下一顆最亮的星，心裡湧起一陣說不出的委屈。

「真的？幾個月了？」于建勛為這驚喜的消息把酒意都趕跑了一半。一把扳轉黎玫的肩頭，盯住她的臉問。

「大概三個月。」

「看妳，不早告訴我，」他溫和地譴責著。

「現在也並不遲啊。」她瞅了他一眼，又別過臉去。「從今天起，我們得分牀。」

「噢……那當然。」他遲疑一下，趕緊肯定地說，沒來由得覺得臉上訕訕的。「我馬上去架起那只行軍牀來。」說著，走著，又回過頭來諄諄地關照她：「妳也該睡了，小心招了涼。」

彷彿暴風雨過後的海面，這時黎玟洶湧的思潮降落了，心裡倒反平靜得像一口死沉沉的古潭，她凝望著黑暗中，那張年輕而略帶蒼白的臉，那對深邃明亮的眼睛，那薄薄的嘴唇和唇畔那一縷的耐人尋味的微笑，又似平常一樣呈現在她眼前。只不過似乎更遠更淡了，而介在這之前的，彷彿又模糊地現出一頭細軟的胎髮，一張柔嫩帶粉紅色的小臉，粉紅色的小嘴可愛地嘟起著像要需求什麼……黎玟倏地睜大眼睛。那兩個幻影卻又消失了，只剩下一眼看不透、無限的黑暗。突然，她覺得唇上滲過一點鹹味，她驚愕地伸手一探，竟是淚水！淚水正靜靜的，無聲的從她眼角上瀉落下來，凝成一層脆弱而透明的薄膜，像膠質似的，開始彌補起繭殼上被觸破的那一處罅洞。——慢慢地，時間過去，繭殼又將堅韌如初。

編註：本文原刊於《晨光》第一卷第十二期，一九五四年二月一日，頁十五～十八，原題〈愛的選擇〉。

風雨之夕

勁風挾著驟雨，撒向無邊的黑暗。雨水沉重而急遽地落在屋脊，又從簷際溜下石階。單調的淅瀝聲響在這岑寂的夜，更顯得淒涼而勾人愁思。

在風雨飄搖中，一幢幢高的矮的屋子，人們用來遮風避雨的家，都關閉上門和窗，更放下了沉沉的窗簾，但燈光還是從窗子裡洩漏出來，朦朧如暈，彷彿一對對惺忪的眸子，慵懶地凝視著黑夜。

就在這樣的一扇窗下，喬熒正伏在一張簡陋的書桌上，支頤構思。濃而粗的眉毛嚴峻地蹙成山峰，平板方正的臉由於苦思而繃得更緊了，似乎隨時都可以印到鈔票上去。鋼筆拈在指間，似架好的機關槍，躍躍欲試，但鋪在面前的一疊稿紙卻依然不著一點痕跡。

桌子橫頭，他的太太梁萍，遙遙地湊在不太明亮的燈光下，縫製一雙小鞋子。帶點近視的眼睛瞇成一線，匀稱的眉眼和挺直的鼻樑，依稀留下當年娟美的韻采，但生活在她臉上雕刻下的紀錄，遠超過歲月的工筆。她一面縫著針線，不時似乎不經意地瞥一眼丈夫，和他面前的稿紙。

竹牀上，大的和小的孩子發出均勻的鼻鼾，唯獨老二輝輝尚無睡意，抱著一個斷臂的布娃娃，用一些花布纏繞在它身上。

屋外是風雨飄搖，屋內是寧靜安詳。只是閉緊了窗子，空氣顯得有點窒悶，使人想起炎夏六月，暴風雨欲來前的那種窒悶。

「媽，我要吃餅乾。」輝輝一個人玩得厭倦了，過來靠在梁萍膝上，仰望著她。

「餅乾沒有了。」梁萍抑低了聲音回答輝輝。

「不，我要，我餓。」輝輝不依。

「乖，去睡吧，睡熟就不餓了。」

「那妳陪我。」輝輝又提出要求。

「輝輝聽話嘛，自己先睡。媽縫上這鞋底就來，明朝好穿新鞋鞋。」梁萍還是抑低了聲音，耐心地勸慰著。

「鞋子不是我的，是弟弟的嘛，我不要鞋子，我要穿同隔壁小玲一樣的皮鞋，媽，妳給我買皮鞋好不好？」

「嗯，等妳爸爸寫許多許多文章，得了稿費，就給妳買。」

「就不，就不！」輝輝大聲嚷著，扭股糖似地纏著她媽，「我就不要，明天去買……」

突然「碰！」的一聲，喬熒拍著桌子憤恨地喝阻著。

「吵死了！盡嚕嚕嗦嗦不停，把人家靈感都嚇跑了。」

輝輝猛不防給這凶暴的舉止嚇呆了。畏縮在椅子背後，偷偷地窺視她父親。牀上的弟弟也被驚醒了哭起來。梁萍連忙丟下鞋子，過去輕輕拍著孩子，面慍怒地抱怨丈夫：「你這是發什麼神經病，孩子都被你嚇壞了。」

「神經病，這樣的家真會把人迫出神經病來。我寫文章又不是為的消遣，可是連一刻鐘清靜都不給你，盡在耳朵邊嘰里括拉磨牙齒，磨得人心煩，什麼都寫不出來。」

「已經是處處留心了，可是人總是活人嘛，能把嘴統統都貼上封條！」梁萍悻悻地辯答。

「沒有人體諒，沒有人了解！」喬熒不理梁萍，一個人越來越氣憤地發著牢騷。「人家寫文章要講究環境，要窗明几淨，要鴉雀無聲，有自己的書房，自己的桌子。還要好煙、濃茶、咖啡來培植靈感，可是我，連一角屬於我的清靜都沒有，人究竟又不是自來水龍頭，隨時隨地可以擰出文思來。」

似乎出於同情，梁萍抑制著自己，默默地替孩子掖被，不再作聲。

「本來為了生活寫文章，已經是悲哀的了。」喬熒還是無限憤慨地滔滔不休，「更悲哀的是沒有人體諒，沒有人了解。社會不諒解，別人不諒解，就是自己家裡，自己一手建立，全心寄託的家裡，也一樣的得不到體諒，庸俗、愚蠢、瑣碎……」

「你的文思不像自來水，你的牢騷倒很像自來水。」梁萍聽著逆耳，忍不住打斷了他的話，冷冷地諷刺了一句，這話和說話的語氣大大地刺傷了喬熒的自尊心，他像一頭被激怒了的野獸般猛地轉過身來，瞪視著梁萍。

「妳說什麼？妳，妳這螞蟥！」

「什麼？」梁萍也被他的怒氣激怒了，似一隻豎起觸鬚準備接受挑戰的蟋蟀。

「我說妳是條只會叮著人吸血的螞蟥。」

「你，你侮辱人！」梁萍氣得渾身抖慄，一下子彷彿觸動了那收藏委屈的彈簧。「不自問問良心，跟你結了婚七八年，捱窮、受苦，哪一天過過好日子？還說我吸你的血，說出來也不怕丟人！想想當初你那樣死追活求地追求我，如今苦也跟你受夠了，孩子生了三個，倒來嫌我來了，只恨我那時瞎了眼、矇了心，會揀上你這沒良心的。」說著，忍不住眼淚簌落落地掛下來。

「真是，要妳那時不瞎眼、不矇心，我就是福氣了。」喬熒冷笑著，不在乎地聳聳肩膀，梁萍更氣得手腳發冷，聲音都變了。

「別自以為了不起，沒有誰非依賴你不可！」梁萍似乎憎恨眼淚顯出自己的軟弱，不屑地揮手拭去，豎眉睜目，挺直了腰肢。「既然生活在一起不痛快，乾脆就各走各的，離婚好了。」

「離婚就離婚，本來不離我也想找個深山古廟去避難哩。」喬熒像隻公鵝般昂著頭，揚起眉毛，猛地拉開門走出去，只聽見急雨像炒豆似的「嘩啦」撒落在雨傘上。

梁萍的怒氣正上升到巔峰狀態，一剎那失去了發洩的對象，更氣得想爆炸，她一眼看到牆上掛著兩人的結婚照片，便拉了下來摔在地上，又一把抓起桌上的稿子摔得滿地，於是，她像一只洩了氣的皮球般，突然陷入歇斯底里的狀態中，跌坐在椅子裡，雙手掩著臉傷心地啜泣起來。

風一陣陣震撼著這伶仃的克難房子，雨下得更密了。那雨珠灑落在屋頂上、芭蕉葉上的淅瀝之聲，在失意人的心河裡，串起了微微的漣漪，回憶的漣漪，逐漸地擴大成一個圈、一個圈……

五月，花開的季節。

西湖，那美麗的湖，春波微漾，煙雲迷離，青山綠水，綰住無限情意。

一葉小舟，載著兩個年輕人，悠悠地穿過柳蔭，在平滑的水面盪漾，男的坐在船尾划槳，眼睛卻含情脈脈注視著對面的遊侶，似乎正迫切等待什麼。而女的只是側著身子坐在船頭，用一根柳枝撥弄著湖水，含笑矜持。

「萍！」男的懇求地喚著。

「嗯。」女的漫應著，沒有抬頭。

忽然船身向左一側，女的驚喚一聲，緊抓住船舷。

「怎麼回事！你，把人嚇死了。」嬌嗔著便用柳枝蘸著水灑對方一頭一臉。

「我要妳看著我。」

「你臉上畫著花，寫著文章？」

「妳聽我說，萍……」

「哎！下雨了！」女的驚呼著仰起頭來，一朵烏雲正迅速地向這邊伸展，雨滴已在水面掀起圈連圈的漣漪。

「不怕，我們划到蓮葉下躲避一會。」

船像脫弧的箭似地向前駛去，雨已很密了，男的摘了一片大荷葉遞給女的，遮在頭上。兩人俯伏著身子駛進密密的蓮葉叢中，寬大的葉子像層層疊疊的傘蓋。男的索性放下槳，再摘幾片葉子蓋在漏雨的地方，一仰身，便枕著女的兩腿仰臥船中。

「這樣不成。」女的要移開雙腿。

「別動，當心翻船。」身子更往上升了一點。

「你壞，回去再算帳。」女的賭氣地把葉子蓋在臉上，不動也不理人。

「綠葉為被水為褥，多美，多富詩意！真是葉底鴛鴦賽神仙。」

「不許你胡說！」女的腳一蹬，船晃了兩晃。

「危險哪！」男的說，不知何時已跟女的比肩並臥了。「萍，讓我們好好地談正經的，」他忽然改變了口氣，用誠懇而充滿了熱情的聲音要求著。「坦率地告訴我，判決我一生的命運。」

「我不是生命的主宰，沒有這權利。」

「但我早把妳當作我心靈的主宰了。」

「心靈？有人告訴我男人的心是水銀做的。」

「我不敢向妳保證將來一定過怎樣優裕的生活、享受的生活，但可以保證我對妳永恆的愛情，永遠，永遠，當我一息尚存，愛心永不渝。」

「以什麼保證？」

「憑我的人格、生命的起誓，我若……」

女的拉開遮臉的荷葉，那似芳醪般香醇的初吻，那似烙鐵般熾烈的熱吻，掩蓋了未完的語言……

雨撒拉撒拉落在荷葉上，就像此刻落在芭蕉葉上。可是那愛情的保證，卻像炎夏落在柏油路上的驟雨，被蒸發了。

男人美麗的諾言，有時似一隻美麗的緊闔著的大蚌，打開來卻並無珍珠。

「當女人還在憧憬初吻的情景時，男人卻連過去的一切都忘懷了。」不是嗎？他若還記得一點點定情時的情景，就不致於對待當年一往情深、誓死永愛的人這般粗暴無情！若說生活，現實生活迫人，那麼在困苦中，兩個生命更該密切偎依，在磨難中，兩個靈魂更應一而二，二而一的合成一個，自己這幾年來默默地忍受著困苦的生活，成天操作、帶孩子，斤斤較量著支出去一角一分，辛勞和操心毫不留情地消損著青春，但她並不計較這些，為愛情她可以犧牲。她把愛情生活當作生命，而他卻只把愛情當作生活，跟那些日常的生活瑣事揉在一起。想起自己的生存價值只成為另外一個人生活的一部分，並不被特別重視的一部分，梁萍由悲痛轉為憤恨，自尊心昂然地抬起頭來，像管弦樂中高昂的小喇叭，壓倒了其他情感的，理智的弦音——她放下掩住臉的手，坐直腰桿，自己警告自己！

「不，我不能再忍受這種侮辱，我已經受得夠了。沒有了愛，忍受就變成了一種屈辱，變成了懦弱。我必須拿出勇氣和決心來結束這一切，離婚，他剛才也同意離婚。自己如不先拿出行動來表示，別以為我還戀棧哩。」

於是梁萍立刻走到書桌面前，拿過一張原稿紙，略加思索，便把常在報端看到的離婚啟事，「我倆因意見不合……」一筆不漏地，一口氣就把它寫下去，最後，她拉開抽屜，找出一對裝在盒子裡的，一對一模一樣雕刻著獅子的圖章，看到圖章，她的心不禁又被緊緊收縮了一下，她記得清清楚楚，這對圖章是他們的結婚紀念品，那天，曾雙雙印在玫紅的結婚證書上，她還記得自己在喜燭閃耀下，蓋章時因為抑制不住激動而手指顫抖，幾乎蓋錯了。如今，如今不想竟又要雙雙地蓋在離婚啟事上——心裡湧上一陣酸痛，眼淚忍不住流下來——「蓋就蓋吧，別再感情用事了。」她咬著嘴唇，看準自己簽名底下，用力捺印下去。

望著硃紅的名章，梁萍有一會麻木，冰冷的感覺從心底泛上指尖，感到空虛而渺茫，彷彿在霧中摸索著走了許久，走出霧來卻是一片茫茫的荒漠，但她還得走。

「現在一切手續都已具備，我可以先離開他，離開這沒有溫情的冰窖。」激情已逐漸平定。她極端鎮靜地把啟事攤平在桌子上，站起來預備去收拾自己的東西，突然，一樣冰冷的東西搭在手臂上——是一隻小手。

「媽，」抑制著的一聲呼喚，充滿了無言的悲傷，輝輝抬起一張淚痕閃亂的小臉，仰望著母親，淚光閃爍的眼睛裡流露著那種做錯了事的哀求和惶惑。「媽，輝輝不要吃餅乾，也不要新皮鞋了。」

像是用針在那麻木僵直的神經上刺了一下，梁萍驟然驚覺，她幾乎氣忘了在生命中最重要的——孩子。「孩子，啊，這一來孩子怎麼辦？我不能離開他們，他們也不能沒有媽媽照顧。」她迅速地俯下頭去，接觸到輝輝淚光晶瑩的眼睛，正困惑地凝視著自己，像一頭被棄的羔羊那樣愴惶、怯弱，於是在孩子的眼淚中，母親堅冷如鋼的決心動搖了、癱瘓了——

「不，我不能丟下你們不管，世上最可憐的便是沒有母親的孩子，我要為你們忍受種種，為你們繼續犧牲……」梁萍激動地申訴著，抱起輝輝，緊緊摟在懷裡，似乎怕有人來奪走似的，她頻吻著那冷濕的小小的臉蛋，自己的眼淚也混在一起，淚痕斑駁的臉上卻閃耀著一種崇高聖潔的光彩——這是耶穌為人子犧牲時的神情，偉大的愛的流露。

風輕了，雨也小了。門外有急促的腳音，門悄悄打開，喬熒跨進來先瞥了一眼偎依中的母女，放下雨傘，身上有被雨打濕的痕跡。但臉上已消失了負氣衝出去時的怒容。他顯得有點愧疚地從口袋裡摸出一個小紙袋，向輝輝揚了揚。

輝輝認得出這紙袋代表著什麼，她驚喜地從母親膝頭滑下來迎上去，但走了兩步又遲疑地停住了。似乎在小腦筋中喚起了剛才的回憶，將手指吮在嘴裡，只是惶惑地望著她父親。

「餅乾，給妳。」喬熒又抖了抖紙袋，彷彿要彌補方才的粗暴，和顏悅色地喚她，於是輝輝輕輕地歡呼一聲，跑過去接了紙袋，淚水未乾的眼中閃射著喜悅的光輝，拿了片餅乾，趕緊先回到媽媽的身畔，卻見她已背向著外，側臥在牀上。「媽，吃餅乾。」輝輝將一片餅乾從她後面遞過去，梁萍托住她的手推開來。

「媽不吃，妳吃。」她負氣不願看見喬熒，卻聽見他正走到書桌畔，低頭悉索，拿起她擬的離婚啟事抑揚挫頓地唸了一遍，用嘲弄而稍帶詼諧的聲音轉詢梁萍。

「請問，這是向我挑戰，還是向我示威？」

「請你蓋章。」梁萍頭也不回，冷冷地說。

「蓋章！我的章只蓋在稿費收據上，掛號信回執上，卻不能破例蓋這個。」喬熒自嘲地把那則啟事三摺二疊，摺成了一只飛鏢，「輝輝，看這個射得遠不遠，」他把手一揚，飛鏢直射牆角，輝輝追奔過去，趁這時，喬熒扳著梁萍的肩頭，湊過去。

「風停了，雨還不息嗎？」

「不要理我！」梁萍用力摔掉他的手。

「不理更亂，看這芙蓉沾雨讓它蒸發吧……」喬熒涎著臉用力扳轉她的肩頭，半強暴地俯下身去……

雨，被太陽的熱力蒸發了。

情感上的波折，被熱情的電流熨平。

「風停雨息，展現的將是更晴朗的天。」喬熒半闔著眼，喃喃地吟誦。忽然，他睜大眼睛，靈感，那千呼萬喚不露面的靈感，一剎那似閃電般擊中了他。他一躍而起，胡亂抓起地下的稿紙，還來不及鋪平，便提起筆先寫了個題目「風雨人生」。接著，筆不停揮地寫下去：

……沒有波浪的海是死海，不分晴雨的天是霉天。波浪平息後更顯出海的浩淼、莊嚴，風雨停了才顯出陽光更燦爛、明麗。自然界有風雨，生活中有風雨，感情上也有風雨。當樹木花草枯乾憔悴，當生活如一泓靜止的死水，當情感上蒙上塵垢俗污，讓暴風雨來臨吧！經過風雨的洗禮，將展現更明朗的晴天……

梁萍抱著輝輝，推開窗子，涼沁清新的氣流迎面撲來，風停雨息，已是滿天星光熒熒。

編註：本文原刊於《大道》第一二三期，一九五五年二月一日，頁十二～十四。

生命的延續

時間過去得真快，小安琪今天已經會刁著小嘴喚「爸爸」了。當我第一次聽見這稱呼時，只覺得胸頭驟然湧起一陣熱，梗塞在喉頭，說不出是驕傲還是酸痛。一個小生命從無中化有，會哭、會笑、會說話，這其間是何等的神奇和值得慶慰；而一個會說話、會笑、會唱的美麗生命，一剎那又從有化作虛無，這其間又是何等的幻譎而使人悲痛！我諦視著懷中的小安琪，只在他挺秀的小鼻子和額角間找出一點自己的影子，而他那漆黑明亮的眼睛，便閃爍著他媽媽那種慧黠的光彩，他那唇角微微上翹的小嘴，也蘊藏著他媽媽那種恬美的淺笑。他完全是她母親模型的複製；但是，稚弱無知的他又怎會知道他母親為著複製這下一代的生命，是花費了怎樣的代價——

我永遠不會忘記那一天，決定曉雲命運的那一天。我扶著她從診察室出來，她原來蒼白的臉更白得像牆上的白堊，失色的嘴唇微微顫抖著，我直覺地感到連那瘦小的身軀也在我臂彎中抖慄，似乎舉步的力氣都喪失了——醫生診斷她是嚴重的心臟病，告誡了一大堆：什麼必須絕對安靜，應攝取滋養物，禁止刺激的食物，戒除情感上的激動……最後，醫生問她：

「生過孩子沒有？」

「沒有。」

「照目前的病況來看，如果懷孕是很危險的，這一點你們要特別注意。」醫生嚴重地望著我們作此警告。曉雲顯然被這最後的宣判受了致命的一擊，她驚恐地望了我一眼，立刻又絕望地垂下了頭。當我扶著她走到配藥處時，她木然坐在長椅上，像一尊沒有生命的木乃伊。

「只要我們永遠相愛，並不在乎有沒有孩子。」我試著勸慰她，但她低垂著眼簾，連看我一眼都不曾。

「別盡為這事煩憂，雲，等妳病養好了，將來我們要有孩子還不是可以有，我們不都還年輕麼？」我撫著她的手，又湊在她耳畔溫柔地說，她這才極勉強地望著我彎了彎嘴角；但這笑可比哭還慘，我一下子不禁也噤默了。

人就是那樣古怪，得來輕易的東西從不放在心上，而越是得不到的東西越是稀罕，越是稀罕就越想追取。本來我和曉雲都年輕，趁年輕總喜歡自由自在一點，因此我們彼此早就計畫好等過幾年再要孩子。可是當醫生宣判曉雲不能懷孕後，我當時雖然心裡也怦動了一下，但事後也就淡忘了，但曉雲卻不然。我知道她一直未曾為此事釋念，有很多次我看見她雖然躺在牀上靜養，眼睛卻一直大睜著凝視天花板，那種全身心浸沉其中的沉思是可怕的。而她所關切的似乎又不是自己的病。有一次我打從外面回來，她浸入自己的沉思中竟未曾覺察。我忍不住過去扳轉她的肩頭說：

「想什麼？別想得太多了，對妳的身體是不宜的。」她握著我的手，聲音裡帶著無限惋惜和懊恨，緩緩地說：

「我在想——如果我們早就有了一兩個孩子，那該多好！」

「又是孩子！難道說孩子比生命，比愛情還重要？」我溫和地譴責她。

「嗯，也許，你不懂女人！」她用那種寬恕的微笑望著我微微搖頭。

是的，我真不了解女人，她們一味憂慮那些虛渺不可知的事物，卻不關心自己的病！但是我愛曉雲，我十分關心她的病，我留心她的飲食，按時要她服藥，監督她休息，想盡方法陪她消遣——心臟病不像別的病那樣消耗血肉，發得厲害可以驟然喪命。有適當的攝養，不發時，便跟常人一樣。曉雲調養了九個月。不但病漸漸好了，反長得更豐滿勻盈了。但她那在病中養成的沉思的習慣，卻一時改不過來，她收斂了從前的活潑和愛嬌，變得較沉靜了。有時當我回家，只見她神情落寞的獨坐窗前，我總不由得仄然地感到是自己撇下她在寂寞中。有時睡到半夜，我被她夢魘的呻吟驚醒，喚醒她時，她淚眼惺忪地諦視著燈光，深深歎口氣又沉默地闔上了眼睛。有時就是在友朋間的暢談歡洽中，驟然問她也會啞然無言，像燦爛的陽光下忽然掠過一片陰影。儘管我愛她體貼入微，始終不渝，但，就像燐光附著在燐上一樣，圍繞著她的一直有種寂寞空漠的氣氛。因為怕我說她笑她，她極力避免著再在我面前談到孩子。可是她落莫的神情和閃熠在眼睛裡的那種渴慕，比說話更強烈的這樣表示出：如果有個孩子……

還有最使曉雲難堪的是每當與生疏的朋友交談時，有些太太們聽見曉雲還沒有孩子，就都顯出惋惜的神氣，有的覺得十分歉疚。因為她曾談到自己的孩子，那就似一個富人向窮人炫耀自己的財富一樣。有的關切地問她可曾去婦科醫院檢查過，有的那表情好像把曉雲看成那種不願意生孩子的摩登女性——每逢有個這樣的交談，曉雲心裡更要好幾天不痛快。神情悒鬱得有似嚴冬陰暗的天氣，連同她生活在一起的我，也感受到那寒意的迫人。

一個晚上，我上牀看書已看了半天了，曉雲兀自坐在梳妝台前，對看鏡子端詳，對我的催促只是不經心地漫應著——忽然她若有所思地喚我：

「人家都說我比從前長胖了哩！」

「應該說豐滿得多了，」我放下書，不禁凝視著鏡中反映出來她容光煥發的臉和發亮的眼睛——當她的眼睛這般發亮時，常常總是小腦筋裡有了什麼新主意。

「因此我有點懷疑醫生的診斷不一定確——實」她遲疑地說：「我想我可以有孩子。」

「又來胡思亂想了。」

「這不是胡思亂想，我就是要有一定要有，」她帶著激昂的神情，迅速地離開椅子走到牀前來眼睜睜地望著我說，「你曉得每個女人都具有做母親，撫養下一代的天性。棄置了這種天性的抱恨一生，我更不願意別人都當我是一隻不會生蛋的母雞看待我。而至少我們相愛幾年，也該有愛的結晶，萬一我……」

我不等待她說下去，拉著她的手臂便往裡一帶，用吻堵住了她未說完的話，忽然臉上覺得一片潤濕，睜眼看時只見大顆晶瑩的眼珠正從她眼角上擠出來，我愕然一怔，但她卻不等我動問便一側身把臉埋在我懷裡，她那急促而灼熱的呼吸就像一只熨斗貼在我胸脯上熨燙著。我感到一陣幸福的暈眩，不禁伸開手臂緊緊地摟住了她——

醫生的告誡一直歷歷在耳，自然我不會懷疑曉雲會糊塗得忽略防範。

接著有那麼一段時期，曉雲似乎變得心情開朗而熱情橫溢，恢復了未得病以前的那份樂觀，我正為她情緒的好轉暗喜；可是，有一天當我回家時，卻發現她有件什麼重大的事情又想告訴我，又要隱瞞著，眼神閃爍，心神恍惚，那驚喜嬌羞，要說不說的神情，恰似我們戀愛時她要告訴我她愛我的神情。

我按著她兩肩，笑著望入她眼中說：

「快把妳心裡那祕密告訴我吧，妳的眼睛早就洩漏了。」

她一笑把臉藏在我胸前，聲音裡有抑制不住的激動。

「我懷孕了。」

「真的？」我猛然把她推開，勾起她的臉來，她點點頭。

「剛才我去婦科醫院檢查了。」

一陣恐懼像寒熱病似的侵襲了我全身，我惶亂地搖撼著曉雲，自己也不曉得在做什麼。

「那怎麼辦？妳這不同生命在開玩笑……」我忽然想到這事自己原也逃不了責任，不禁愧恨地漲紅了臉。

「我想不至於那麼嚴重。醫生的診斷不一定是正確的，有時他們會把三分病渲染成七分。你看我現在的身體不就是事實最好的證明。」她笑著安慰我，眼色堅定地望入我眼中：「人家張太太也有心臟病，她現在卻是三個孩子的母親了。」

「不管怎樣，明天馬上去醫院裡檢查一下。」我只能這樣說。

「不，人家說照X光可能會影響胎兒，要檢查也得過些時候去。」她拒辭得十分婉轉。

「胎兒，管他什麼胎兒，要緊的是妳自己！假如……哦，我真不曉得該怎麼辦？」

「別為我擔憂，一個女人總要做母親的。」曉雲挽著我坐下來，伏在我肩上湊著我耳畔悄悄地問我：「你猜那會是男孩子還是女孩子。」

我只感到惶惑無主，搖搖頭沒有作聲。

「那麼你希望有個男的還是女的呢？」她看見我仍舊沒有作答，又一個人接下去說：

「在我都是一樣的。不管男孩子女孩子我都叫他小安琪，他一定像天上安琪兒一樣可愛。我希望像你一樣有個希臘式的鼻子，眼睛和嘴像我。噢，這多有意思！」她越說越熱中，聲音像做夢一般的悠遠，眼睛裡閃熠著溫柔的光輝。我的憂慮，也不由得被她的堅定自信和無限溫柔所感化，望著她發亮的雙眸，我無可奈何地譴責說：

「曉雲，妳就一點都不為自己著想麼？」

「為我自己！是的。我應該為自己高興，我要做小媽媽了。」她笑著說，卻又帶點嬌羞，那高興的神情就像個小姑娘似的，忽然她捧著我的臉，雞啄米似地吻了我一下：「不也應該為你慶賀麼，馬上要做爸爸了？」

做「爸爸」，這名字聽來確實有點新鮮而值得驕矜。最後，我終於拗不過她。沒有去醫院檢查，心裡卻總有點惴惴不安，但曉雲卻全忘了自己有病這回事。這以後，她彷彿變了另外一個人，樂觀勤勉，一舉手一投足之間都顯示著無限溫柔，她已開始用一些美麗的綢布，細軟的絨線，設計嬰兒衣服。晚上，她坐在我對面編織著粉紅的小絨衣，一面用那夢似的聲音娓娓地講述她的計畫、願望：她要用最細柔軟的料子做孩子的被褥，用最精緻的料子給孩子設計無數套美麗的小衣服，她將什麼也不做，只是守在搖籃旁給孩子唱最動聽的催眠曲，講最可愛的故事……我享受著那溫馨的時刻，覺得她從來沒有像那時那樣的顯得聖潔美麗。她說得那樣美，有時說得我竟想吻吻那未成形的小生命，有時我又不由得妒嫉那未成形的小生命獨占了她那樣濃郁不可化的熱愛——我的恐懼和擔憂一天比一天被她的自信沖淡。但是，我發覺她的健康又在發生變化了，儘管她掩飾偽裝，強自振作，我還是看出她胃口大減，精神欠佳，豐腴的臉頰又逐漸清癯下去，等我揭示她的病狀要她去診治時，她卻反笑我多慮。

「這不是病，是懷孕時一定要經過的反應嘛。」曉雲訕笑我說：「不信你問問人家好了。」

人家果然告訴我那種病是懷孕到某一階段一定要經過的反應。我方始稍稍放下了心，可是，這一階段卻似乎永無盡止地展延下去，曉雲越來越瘦弱了。有一天我終於不管她的反對，強制地挾著她到院裡去。

診病的醫生依稀還記得我們，等曉雲去裡間打針，我等著他處方時，我問他曉雲的病與懷孕究竟有沒有影響：他忽然把臉一沉，瞪著我用譴責的語氣回答我的詢問說：

「你們太疏忽了，我不早警告過你們懷孕對她是很危險的！」

「那麼……難道已沒有辦法補救？」

醫生吟思著皺了皺眉頭。

「危險就在生產時。早兩個月或許可以拿掉，可是現在必須要動手術，她體力不夠。」

他用力在藥方後面簽了個名：「盡量給她安靜。」

我先是一陣熱，接著又是一陣冷，從腳尖一直冷到心裡，彷彿連血液都凍結了。我所憂慮的果然是事實，危險依舊未解除，我木然接過藥方走去裡間。

曉雲卻正平靜地坐在那裡按撫打過針的臂部，看見我進去就關心地問：「醫生說我的病對胎兒有沒有影響？」

「還只惦掛著胎兒！」我在心裡恚恨地說，但不敢正視她，怕臉上的神色洩漏了內心的恐懼，我低下頭裝作檢視她注射過的針藥，極力抑制著自己的情緒說：

「醫生只說要絕對安靜。」

這以後，曉雲的體力一天只比一天衰弱下去，四肢慢慢地浮腫起來，最後臉也有點腫了。想著一天一天過去，一天比一天更接近那可怕的日了，我只盼望時間就停留在一個點上，地球永不運行——可是，要來的總歸要來的，一個晚上，我被一種輕微的呻吟驚醒，捩燈一看，只見曉雲臉色慘白，一頭汗水涔涔，眼睛瞪著黑地裡，獨自咬著牙迸住呻吟。

「肚子痛？」她望著我微微一頷首，「早為什不喚醒我？」我忍不住抱怨她，但已經顧不得這些，我忙不迭去打電話叫來了車子，把她送去醫院。

在醫院裡那一天一晚的時間，我一直陪伴在曉雲牀畔，看她捱受著那錐心的痛苦，她表現得十分勇敢，當痛苦襲來時，只見大顆的汗珠從她額上滲出來，身子攣痙著，握住我手的手指甲直陷進我肉裡去，但她只咬住牙輕輕地呻吟著。陣痛過去，她還勉強對我微微一笑，似要我安心。後來陣痛越來越緊密，醫生不斷地打了催生針，又三小時一次打強心針，但曉雲還是一刻比一刻虛弱，當醫生要她用迸力的時候，她已只剩下喘氣的份兒了。

最後醫生只有動了一點小手術，把窒息而渾身呈青紫色的嬰孩接出來，而曉雲在嬰孩落地的一刻陷入虛脫的狀態，昏迷過去。

當曉雲在強心針的刺激下悠悠地恢復神志時，嬰兒也在施救中發出第一聲微弱的啼聲，曉雲啟開眼睛，軟弱失色的嘴唇微微翕動著，我俯下頭去，才聽她微弱的聲音在說：「孩子……好嗎？」

「好，是一個男孩子。」我點點頭，忍不住要流出眼淚來。

「給我看看。」

我示意護士抱過嬰孩來，我看出曉雲很想摸摸他，但她卻軟弱得連舉起手來的力氣都沒有，只是睜大了眼睛，用愛憐橫溢的目光，溫柔地包圍著、撫抱著那紅紅的嬰孩，一種喜悅的光彩使得她蒼白的臉如此煥發而美麗，直到護士又把他抱走了，她才收回視線，深深地歎了口氣，好像說：「那正是我所希望的！」

曉雲望著我，我看出她有話要跟我說，我俯下身去吻著她汗浸濕的鬢髮，在她耳畔說：「一切如願以償，閉上眼，休息一下吧。」

「不，我知道我的時間也許不多了。」她以歉疚而溫柔的眼神望入我眼中，緩緩地說：

「不要怪我，有時我是太任性了一點，但是我只是想有一個孩子，一個我倆的孩子。我想得那樣厲害，以致不顧一切……我還存著會有僥倖的希望，那該多……多……」她的聲音越來越微弱，終至被急促的呼吸阻塞了。

「別，別說這些，一切都好，曉雲妳太累了，應該休息休息。」我極力忍住湧上來的辛酸，勸慰著，但她不聽我說，等呼吸順遂一點，又斷斷續續地接著說：

「是的，一切都好，可是我……」她慘然一笑，微微搖搖了頭，「孩子是我們唯一的……愛情的結晶……好好……照顧他。」說完這話曉雲彷彿已用盡了體內所有的力氣，眼神黯淡而渙散了，嘴動了兩動，終至寂然無聲，唇角還凝結著一個平靜的微笑，我感到她握住我手裡的手已冰冷如鐵。

「醫生，救救她！快，再打一針！」我惶急地向醫生求救，但醫生只用手指在她唇畔探探，一臉無能為力地收起起聽診器。

我有如萬箭鑽心，痛不欲生，猛然俯伏在她冰冷而仍舊柔軟的身軀上，揉著、搖撼著，妄想抓回那年輕、可愛、溫柔多情的生命——但一切都已成虛幻。

就當我不能自已的陷入悲痛的昏迷中時，耳畔卻忽然崛起一個突發性的倔強的啼聲，彷彿向初次接觸的人世提出抗議，這啼聲又把我從虛幻提回活生生的現實……

想著由於他的出生摧毀了另一個可愛的生命，我幾乎有點恨小安琪，但由於他是我倆的血中血，骨中骨，我又不能不愛他，我抱著他指著懸在牆上曉雲的照片教他。

「媽媽，叫媽，媽。」

他也伸出肥短的手指指著，發音不清地說：

「媽，媽！」

照片中的曉雲依然似生時一般，在唇畔洩著一抹平靜的笑意，俯視著我們，那神情彷彿說：

「我完全看到你們，一切都很好！」

我感到眼角一陣潮濕……

編註：本文原刊於《新世紀》第一卷第五期，一九五五年二月一日，頁十二～十四。

艾雯全集 9

小說卷四

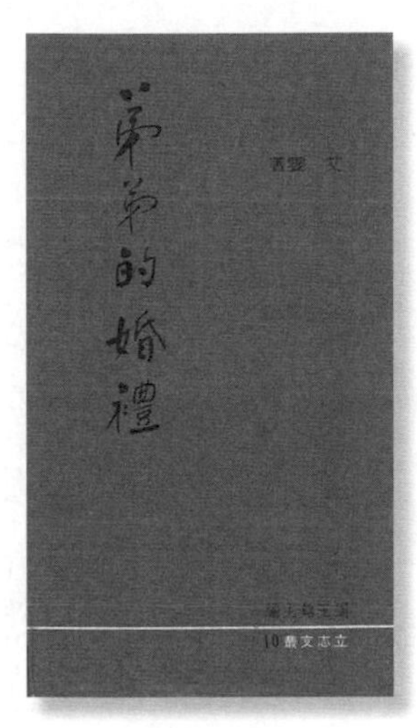

弟弟的婚禮

弟弟的婚禮：台北市，立志出版社，一九六八年十二月初版。四十開，二三八頁。後改由台北市，水芙蓉出版社重排印行，一九六九年六月發行初版，三十二開，二三七頁。

◎立志出版社版原目：

好學不倦、弟弟的婚禮、安排、快樂回憶、老人與牌、手、在迷茫的遠方、一年將盡夜、繡繃子的姑娘

◎說明：

本集據立志出版社初版編入。

水芙蓉版收錄篇目與立志版相同。

好學不倦

保持青春，在不斷的學習中。

珮琦不知從哪裡看來這句格言，恭謹虔敬地錄在玻璃板下，作為座右銘。就像有人在四壁掛滿了名書畫顯得自己風雅一樣。也有人喜歡在牀頭牆上或玻璃板下點綴些雋言豪語，以顯出自己的奮發有為，卓越不凡。珮琦倒不是把格言當作自己品德上的裝飾的那種人，以我所知，她的的確確是在實踐力行。據她告訴我，畢生最感到遺憾的就是結婚太早，沒有好好念完書，接著孩子一個個生出來，完全占據了她的時間。

「想想那十幾年的生活，對我人來說，簡直是一片空白，舊的忘得一乾二淨，新的沒有機會吸收。腦子裡想的是柴米油鹽，手裡忙的是瑣瑣碎碎的家務，女人哪，再怎麼有抱負，結婚就得犧牲！」珮琦說這些話時顯得非常感慨，圓圓臉上那雙做夢似的眼睛不住閃眨著，豐滿的嘴唇微微嘟起像一朵花蕾。模樣有點嬌媚，加上她那小巧玲瓏的身材，看起來，還不像四個孩子的媽媽。「年輕時候，我學唱歌，有個做音樂家的夢；學跳舞，有個做舞蹈家的夢；學演戲，有個做電影明星的夢……。」

「然後，顧先生像一位騎白馬的王子，來到妳夢中。」我笑著接下去說，她皺了皺小小的鼻子，哼了一聲。

「他呀，就是他把人家從夢裡帶進庸俗的現實，帶進瑣碎的生活。一直熬到現在，總算孩子比較大了，日子過得稍微寬裕些，可以把家務交給下女，我才抽得出身子了，盡可能利用這份空閒，學習點什麼充實充實自己，只是想學的東西實在太多了，正應了一句俗語：叫作九頭鳥撿到了一頂帽子，可不知從哪個頭戴起！」

「當然選擇一樣妳比較有興趣的先開始囉。」

「難就難在不曉得從何選擇嘛！我的興趣是多方面的，不管是藝術也好，文學也好，生活技能方面也好，只要能充實自己，增加生活情趣的，樣樣都想學一學。」珮琦的口氣可不小，而說話時那副熱勁，活像一、二十歲血氣方剛的年輕人，恨不得一下子包攬天下的事。一口氣呵得牛頭熱。

「還是一樣一樣慢慢地來，貪多反而嚼不爛。」

珮琦咬住嘴唇沉吟著，眼珠慢慢地從牆上兩張文豪的肖像上轉到齊屋頂的滿架書卷，又落在案頭雜亂的稿紙堆上輕輕一轉，然後含笑斜睨著我說：

「這樣好不好？我先學學寫文章，妳肯不肯教？」

「是不是嫌我太笨不肯教？」她看見我囁嚅半天接不上腔，側著臉，迫切而又帶點著稚氣地盯著我。「我雖然沒有投稿的經驗，但在念書時作的作文也還常得到老師的誇獎。平時我最喜歡看文藝小說。還有，我相信自己有學習的熱忱……。」

「我並沒有妳說的那個意思。」望著她熱切而期待的神情，我不禁感到惶恐和慚愧。「因為從來沒有人教過我，所以我也不曉得怎樣教別人。這條路，全靠自己一步一步去走出來的——不過，如果妳真的對寫作有興趣，要想進科班，現成不就有兩三家文藝函授學校，可以去試試。」

「那敢情好！請妳馬上替我介紹一家。」真是說到風就扯篷，珮琦急不容待地催促著。

我在書架上揀了三冊雜誌遞給她。

「三家函授學校的簡章和地址都刊在雜誌後面，妳可以自己去比較比較再作決定。」

珮琦接過雜誌去只匆遽地掃視了一遍，便用力在掌心裡一拍，斷然決然地宣布：

「不管哪一家，我明天就去報名。」她挾著雜誌正預備告辭，忽然又像記起了一件什麼大事，立刻衝著我說：「噢！對了，妳看我該取一個什麼筆名？」不等我回答，她又接下去發表她的意見：「我覺得筆名非常重要，一定響亮、新穎、有含意，而帶點女性化。這樣才能引起編輯的注意，而讀者也容易記得牢。」說著，她忙不迭翻看雜誌上的目錄，又查閱桌上的字典，挑她認為可愛的字摘錄下來，研究琢磨了半天，最後是珮琦兩字入選。她認為這兩個字字面很美，很女性化，叫起來也響亮。何況，還包含了兩位已成名的女作家的名字。

新的珮琦帶著滿腔熱忱，滿懷希望，像出發去從事一樁艱鉅的開墾事業，那樣勇往直前，興孜孜地離我而出發。

人類好逸惡勞，原是有惰性的動物，因此對做了主婦和母親的珮琦，能有這份向上的進取心，濃厚的學習興趣，不由得我另眼相看，而承她不棄，也把我引為知己，隨時光臨舍間，諸凡有什麼學習計畫、心得、進度，都會坦率地告訴。她那種有似宗教的熱狂，的確讓人欽佩。每次學習什麼，她總是讓自己全副身心浸潤在熱忱裡，就像把柴火投入火焰中一般，恨不得就熔化在其中。在她預備從事寫作的那些日子裡，一見面，三句不離文藝。還常現販現賣地搬出一些文藝理論上的名詞來，說是討論，實際上大多數時間我是她的聽者。

「我不想寫零零碎碎的小品文字，沒啥價值，也引不起人家注意。動手寫的話，起碼是三十萬字以上的長篇，而且用新潮派的手法。」珮琦鄭重地宣布她的寫作計畫，眼睛閃亮著動人的光彩。

「那妳預備什麼時候動手呢？」

「據寫作入門上說：寫作最重要的三部曲就是多看、多讀、多寫，現在我正在進行第一步：多看。嗨！這一仔細觀察，我才發覺人有多麼可笑，我在菜場裡看各式各樣買菜的主婦，有的討價還價、斤斤較量，有的硬添一點、暗抓一把。我在公共汽車上看上上下下的乘客，有的爭先恐後，有的慌慌張張。有的一本正經，有的傲慢無禮，有的左顧右盼，我只一個目標，就從上車直盯到下車，有一次一個債主恰巧在車廂裡碰上了債戶，一個擺出債主面孔一路上不停地冷嘲熱諷，一個窘迫不堪，恨不得車底上有個洞。這幕好戲看得我都忘了下車。有一次我在銀行裡看了那位銀行小姐半天。也許，人家會把我當作強盜的眼線哩。還有在戲院裡、餐館裡、咖啡店裡，都是看人最好的地方。我有心願要下礦場、上林場、去酒家、去酒吧……哎。這形形式式，五花八門的人間，要看的實在是看不勝看！」珮琦感歎著，令人覺得她將去從事的是多麼艱鉅的工作。

珮琦照著寫作入門的方法，按部就班地去實施。也不知道她忙了一陣子，觀察人間有了多少心得，那天一見我就略帶誇張地嚷著：

「我得了消化不良症，怎麼辦？」

「吃多了？」

「就是嘛——啃多了書本。我把圖書館裡能夠借的、租書鋪裡可以租的，所有中外新舊文藝小說，全都找來看了。可是當我看的時候，總是完全被書裡的故事情節吸引住了，日以繼夜地搶著趕完，根本就沒有注意到什麼結構，什麼技巧。而且一本接著一本的看，又把所有的印象都混亂了。就像一個老饕，狼吞虎嚥大吃一頓，結果呢？營養一點沒有吸收，卻得了消化不良。」她說時一手按著胃部，真像是積食難消要服痞積散的樣子。

「應該先列個表，按著次序一本一本看。」

「說是這麼說，我缺乏那份耐心，看書的癮越來越大哩。嗨！妳這部《安娜・卡列尼娜》，和《包法利夫人》是新買的吧，我正好沒找到，借我看可行？」

珮琦拿走了我的書，隔了很久才還來，窮文人最寶貴的財產就是藏書。眼看嶄新的書一本捲了角，磨損了封面，心裡著實疼惜。卻又不便責怪，我手裡替書本做著按摩工作，耳朵一直在聽珮琦批評這兩本書的譯筆，進而說到目前的翻譯文章。卻總不曾提及一個字關於她進行的第三步——寫作。我忍不住問了一句寫得怎樣了？她頓了一頓，換了沮喪的聲音說：

「那小說的大綱，倒是擬好了，不過，每次想得很多很多，一到筆尖上，就像滴不出墨水的鋼筆，就是寫不出來……也許，我不是這塊材料。」

「剛上來當然會感到困難，先別洩氣……。」

「我知道妳要說什麼，」她不等我把話說完便攔截過去，「妳一定是來鼓勵我要經得起挫折，要有吃苦的精神，要有恆心這些話呀！我也一直用來勉勵自己。可是，沒有用！不曉得多少個白天晚上，我坐在桌子面前煎熬，稿紙也不知撕掉了多少，歸根一句話，就是寫不好。」

看她意興低落的樣子，我想不出什麼話來慰勉她。但彷彿浮雲掠過麗日一般，只一會兒陰暗，她的情致又煥然明朗。

「我倒不是半途而廢，只是想換條路試試。」

「只聽說條條大路通羅馬，倒沒聽過通到寫作還有幾條路？」我說，她不以為然地瞅了我一眼，眉毛微微一揚：

「怎麼沒有？翻譯不算！」

「哦！」我恍然領悟，慚愧自己竟不知道她的英文程度有那麼好。「那也不錯。」

「豈止不錯，我覺得翻譯工作在目前的文壇上還重要得很哩！」她錚錚有理地反駁我，「妳看看，現在一般書店書攤上幾乎全擺滿了紅紅綠綠，磚頭那樣厚厚一本一本新出版的書，統統美其名曰文藝創作，文藝鉅著，但實際上真正算得文藝作品的又有多少？人家國家在這方面總比我們強得多吧！可是除掉永遠是那幾冊老掉了牙的世界名著，又哪裡看得到新的翻譯作品？不是我當面諷刺妳，現在這些作家，一個個都是閉門造車，夜郎自大！也不看看世界的潮流，人家的進步。所以我想，如果我從事創作缺少那份想像力的話；只要文筆流暢，依樣畫葫蘆，翻翻人家的東西總不會太難罷。」

珮琦的一番高論，居然非常中肯。雖然挨挨罵，也不由得我不連連點頭。

「有道理，有道理，那麼，妳開始預備先譯哪一個作家的作品呢？」

「那個，我正在研究中。」珮琦緩緩地說，那副功架，很有點文壇宿將對記者發表談話的味兒。她眨眨眼睛，又緩緩地翹起那排睫毛，顯得莊重而沉著。「所謂欲善其事，先利其器。目前我還得先把英文攪好一點，上個星期我已進了一家夜校，選修英文，一早晨便收聽電台廣播的英語教學，有時間還想找個外國神父，去學一學英語會話。」

原來搧了半天爐子，火還沒有點上，不過珮琦能有那種從頭學起的精神，還是教人佩服。

珮琦忽然噗嗤一笑，又恢復了那點嬌俏。

「妳猜我家裡那位怎麼說？他說我是專門趕早市的饅頭，現蒸現賣！」

「絕！不過他還漏了一句。」

「那麼說？」

「現發酵！」

珮琦那種浪潮般猛然湧升的興趣，每次都彷彿有誰在她心頭撒下了不少的酵母粉，不用醞釀多久，便熱騰騰地起了酵化作用，只是發酵由他發得多鬆多大，卻不一定做成麵包或饅頭。

她的英文酵母發揮了很大的酵化作用。但接著又加上了另外一撮打字酵母粉。

「一面學英文，一面學打字，雙管齊下，進步更快。」她這樣解釋著，頗得意於自己的抉擇。「學英文什麼的是充實自己，而打字是一種生活技能。學會了打字可以在顧問團什麼的洋機關找一份工作，待遇優厚，工作輕鬆。公餘之暇，再為自己的興趣翻譯一點文學作品，既不靠煮字療飢，生活也不致過於單調。」

從此，珮琦不僅去補習班學打字，還借了台打字機，早晚在家練習，她說等學會了英文打字，再學中文打字。那麼英文譯中文，中文譯英文，都比較便利。

「將來的原稿就要用打字機打出來，又整齊，又美觀！」

「對中國的文人來說，這倒是創舉，而且考究得近於奢侈。」我笑著說：「只是，萬一百年歷史文物館要收藏手稿，就算不上是真跡了。」

「說真的，能寫出一筆漂亮的字也頂神氣的，原稿拿出去，編者第一眼就有了好感。逢到需要當眾簽名時，兩個名字龍飛鳳舞，一揮而就，實在值得自傲，若勻得出時間，我的確想練練字。」

不想我那時隨便說說，竟當真又引起了珮琦練字的興趣。有一天我問起她一分鐘可以打多少字了，她先不正面作答，卻伸出纖纖十指，憐惜地搓揉著。

「妳不知道，打字打久了，手指還真痠，而且握起筆管來都會發抖。」

「有那麼嚴重？」

「寫毛筆字嘛。我找到一部《靈飛經》的字帖，那筆簪花小楷可真秀麗。鋼筆字的帖不太好，但比我總強些。」

「真有妳的！那打字放棄了？」

「沒有完全放棄。」

「英文呢？」

「也還在念。」她皺皺眉抱怨著，「妳不曉得夜校的老師有多可惡。裝得那麼嚴厲，就把人家當小學生一樣，動不動當場叫起來考問，有的沒有準備好，可真窘死人！我想光收聽廣播教學算了。另外我找了不少英文雜誌在看……唉，時間也真不夠分配，一天有三十六小時就好了。」

除了好學不倦的珮琦，誰能有三十六小時的學習精神！

但如果真的一天有三十六小時，對樣樣都感到興趣的珮琦似乎仍舊不夠用，更應該有四十八小時，六十小時……

那天下午，她悄悄地走到我面前，乍一眼，我覺得有點陌生。

「妳看我有沒有什麼不同？」聲音是珮琦的，但笑貌卻不像她的。我再仔細端詳，只見她容顏全改，原來狹長的眼睛四周加了一道濃濃的黑框，眼梢再拖上一條蝌蚪尾巴，很像我家大黑貓的一對妖眼。小小的鼻子配上兩條寬寬的眉毛，卻變狹變長，在不是嘴唇部分兩角也塗上兩抹口紅，形成一個上翹的倒弧形。圓圓臉的雙頰略呈瘦削，頭髮跟道士的髮髻一般，高高地束諸腦後，說不上她是更美還是變醜了，反正看起來不及平時順眼。

「妳要不開口，我幾乎把妳當作埃及豔后走下銀幕來了哩。」

「真的？這樣看來我的化妝手法很高明嘛。」珮琦不以為忤，逕自奔赴房間一角掛著的鏡子，左顧右盼，儼然以美人自居狀。「妳看我的眼睛是不是顯得有神多了，短鼻子冗長了些，兩頰的胖肉也削掉了——這都是我學了美容術的功效。」

「學美容術？想開理髮店！」

「哎呀！妳簡直是要命，人家學的美容是專指駐顏有術。我們女人都怕老，而最容易顯出老來的就是一張臉。眼角眉梢魚尾巴似的皺紋，鬆弛的眼皮，下垂的嘴角，實在太可怕了，學了美容術，就可以防止這些現象。」

「是麼！」

「還有，化妝的技術也很重要，從前我總以為畫畫眉毛、搽點粉、塗上口紅就行了，誰曉得全不是那麼回事！我們的美容書上說：化妝一定要適應每個人的臉型、五官，該濃的濃、該淺的淺，彌補缺點，烘托優點，化妝得恰到好處，世界上沒有不美的女人。」珮琦一直都照著鏡子，這些話像對鏡子裡的自己說，又像對我說。

「這樣說，美容師可以再造容貌，簡直比上帝，比父母還偉大嘛！」我故意揶揄她，但她毫不在乎地鼻子裡嗯哼了一聲，轉過身來向我聳聳肩膀。

「女為悅己者容，這是天經地義的事。有這麼一句話：說是上帝給女人製造了一張臉，女人自己又製造了一張。要不要我告訴妳一點初步美容方法？」我還沒有作聲，她便熱心地講開了。「這是最簡單的兩種方法，一種是漂白，用雞蛋白、麵粉和檸檬汁攪成漿糊一樣，敷在臉上，等二十分鐘再洗去，這種每星期只要施行兩三次就夠了。另一種是按摩，每天晚上，妳可以用清潔霜擦掉臉上的油污，然後用熱毛巾敷面。敷三次以後，再蘸著冷霜，輕輕地用兩個手指在臉上分六個部門按，像這樣、這樣，之後，再用熱毛巾洗去冷霜，用冷毛巾拭乾淨，搽上營養面霜……。」珮琦一面滔滔不絕地講，一面用手在臉上做示範動作。聽她重重複複地述說著清潔霜、冷霜、營養面霜、熱毛巾、冷毛巾……我忍不住倒吸了一口冷氣。

「妳說這還是最簡單的方法？」

「嗯。」

「每天晚上這樣做？」

「當然要每天晚上這樣做。」她鄭重其事地瞪大著那雙貓眼，嘴角不笑自翹，那模樣，使我想起了幼時看過一幅漫畫——《阿麗思漫遊記》中公爵夫人的那隻會笑的怪貓。

那一陣子，珮琦似乎很喜歡讓自己出現時帶點戲劇性。上次像個歷史上的尤物翩然降臨，隨身帶來一大套駐顏美容術。這次卻似一團鮮豔奪目的虹彩，直飄墜到我面前。

「看我的新裝如何？」她兩手掂著裙角，盈盈地轉了個圈，像芭蕾舞中的天鵝女郎，美妙地停下來，擺出一副時裝模特兒的姿勢。我這才看清她身上是一件極豔麗的七彩條紋衣裙。背上裸露著一大片脊骨，袖子和胸前是重重疊疊的皺褶。長只齊膝蓋，肩上卻又飄飄然地曳兩條彩帶，那式樣非常特別。

「這件衣服揉合了巴黎的優雅，美國的新巧，和非洲土人的粗獷作風。是我親自設計的第一傑作。」珮琦得意地介紹著，有似小學生創造了一件勞作那樣興高采烈。「妳要喜歡，我可以照樣縫一件送妳。」

我連忙婉謝說自己穿衣服是保守派，一向只慣穿旗袍。

「那就等我把洋裁學好，開了服裝設計公司以後，專門為配合妳的身材，設計一套款式典雅大方的衣服。完全免費。」珮琦說得頂認真的，像煞有那麼一回事。「俗語說人要衣裝，佛要金裝。我感到衣服對女人來說，尤其重要。一套合適美麗的衣服，不僅增加一個女人外在的風度、儀容，連內心都會覺得自己年輕了不少。一個主婦假若自覺心情愉快，行動輕捷，更將給整個家庭帶來快樂的氣氛。所以我認為學服裝設計，實在是非常非常合乎實用的一種生活藝術。」

珮琦有一副口才，總是把所做的事，解釋得比事情本身更美好。聽她說得興趣盎然，我只有點頭附和的份兒。

「未來的服裝設計專家，什麼時候妳服裝設計公司開幕，我一定做妳第一個顧客。」

那一天，珮琦當真專誠來邀請我，但，並不是去參加她的服裝設計公司開幕典禮，而是請我去嚐嚐她的第一手手藝，原來不知什麼時候又學起烹飪來了。

她準備的菜餚並不太豐富，但每盤都用新鮮的紅蘿蔔、白蘿蔔、黃瓜、番茄，切成各式小巧的花樣，配著顏色襯托著。加上雪白的桌布、瓶花，燈光相映之下，一眼看去十分悅目。而每只菜都冠上一個別致的名字，什麼遊龍戲鳳、金鑲銀嵌、三星伴月、翡翠水晶球……珮琦一面熱心地介紹勸食，一面更不忘記發揮她的烹飪理論。

「人家總是說吃在中國，這一點我們是值得自傲的。不管人家有原子能，有太空船，但中國的菜餚一直到現在，還是世界上公認最好的菜。不過我國的菜過於著重口味，不太注意營養和色調。我學烹飪，就注重這三點，要除去缺點，使長處發揚光大，達到色、養、味俱佳的境界。吃菜不僅是一快朵頤，而且是增進健康；熟菜不只是把生的弄熟，也是一種藝術——妳覺得我的手藝如何？」

「很好！」我藉著點頭的勁道吞下一口粉紅帶翠綠的色彩，只覺得一股生味布滿口腔。

「妳學烹飪已經有一套嘛。」

「精還談不上，不過興趣很濃。現在學這個是熱門，不看見報紙、雜誌、電視、收音機，以及一些婦女會附設的烹飪班，全一窩蜂在教。大師父考出國，一個月賺萬把塊，比學哪一項的留學生都吃香！」

「趕明天我也去美國開一家中國餐館，不用請大師父，老闆娘自己掌廚。」顧先生挾了一筷什麼龍鳳，沾沾醬油，又塗滿了紅紅的辣椒，狠狠地送進口裡咀嚼著。

「太太有興趣研究烹飪，做先生的口福可不淺！」

「唔，口福不淺，口福不淺！」顧先生含含糊糊地附和。

珮琦顯得很開心、很滿足，以致佳餚當前，自己都忘了下筷。

吃過珮琦那難忘的一餐，承她的情，還說過些時候要來我家實施教學，讓我也學幾只名菜。有親友小聚，可以亮出來露上一手。

「妳不用管，到那天我連配菜的材料全給妳帶來。」臨走還特意關照我。

那一天，自然是隔很久的那一天。珮琦一手執一捲紙筒，露出一截青青綠綠的枝葉，一手提一只空花尼龍袋，裡面彷彿裝著盆盆碗碗的。我笑著迎上去說：

「我的名廚，當真來教我炒菜了！這些枝枝葉葉的又是什麼材料？」

珮琦聽我說時，卻笑彎了腰，一手指著我，半天才迸出話來：

「人家總說文人風雅，我看妳簡直俗不可耐，居然要煮花烹鳥，做這樣的殺風景事！」

「怎麼啦？」我瞠然瞪著她。

「妳看看這能炒菜嗎？」調侃夠了，珮琦才把手裡的一紮枝葉直送到我眼前。原來都是些松柏、萬年青，還有一根漆著金色彎彎有致的藤枝，一葉沐著銀色的棕梠。「人家都是插花用的材料。」

「我真是消息不靈通，不知道妳又改行學插花了。」

「我覺得要美化生活環境，插花實在應該學一學。一間屋子裡有上一兩瓶雅致宜人的鮮花點綴，春意盎然，不知可以增加多少美的情調和氣氛。我勸妳也去學一學，教插花的老師是從日本學來的，很有一套！」

「跟美容專家一樣，又是插花專家？」

「那當然囉，別小看插花是消遣擺飾的雕蟲小技，真要研究起來，還其『道』無窮哩！光說花型就分什麼古典派、現代派、單月流、池坊花道、寫實手法……各流各派不知多少，西洋人喜歡『盛花』，東方人喜歡『小品花』。插的時候還要注意線條、色調、比例、平衡、結構、神韻、氣勢、律動等等美的原則。花型必須與容器配合。像今天要插的是古松清秋。用松枝、萬年青，和白菊做材料，容器是這種花盤。」珮琦從提袋中拿出一只不規則、圓形、邊上作波浪狀的藍灰色淺盆給我看。

「插什麼型還規定要用什麼盆？」

「嗯。其實不管瓷的、玻璃的、竹編的、長的、角的，瓶瓶罐罐都可用來插花，不過某一種花型的插花適合哪種花器，就一定要用那一種花器，才顯得出風格。」

「敢情要學插花的話，先得開一爿瓷器店。」

「唔？」

「要不這樣哪來許多瓶瓶罐罐，盆子、盤子的配合各種花型？」

「妳真是！今天盡說些殺風景的話，人家好心好意邀妳去學插花，妳不去我可得走了。」

珮琦捧著她那紮寶貝的枝枝梗梗走了。

再來時，那些枝枝梗梗卻換了個大講義夾，隨隨便便挾在脅下，有點像個瀟灑的大學生。

「妳的插花真是門高深的學問，還發那麼些講義！」

「哪裡是什麼插花的講義！是圖畫紙、畫稿。」

「不學插花學畫畫了？」

「我學畫便是從插花得到啟示，不過畫畫又比插花有意思。妳想辛辛苦苦費了半天心思布置好一盤花，再怎麼美，過不了兩三天也就枯萎了。可是用一支彩筆，就可以使鮮花不謝，歷久不朽。而且繪畫可以陶冶性情。我雖然還只初學一點皮毛，但當我凝神揮筆的時候，只感到心平氣和，怡然自得，完全忘記了身外的世界，和心裡的煩慮。」珮琦執著一支畫筆，輕輕地敲著自己的額角。那副超然物外的神態，又儼然是一位頗有藝術修養的畫家。

「妳學的是什麼畫。」

「西洋畫，印象派的。我還是比較喜歡古典的作品，像拉斐爾、達文西、雷⋯⋯雷洛瓦他們，把理想和情感，以柔美瑰麗的筆觸，帶入一個夢幻似的恬靜的境界。真太美了！現代的抽象畫就缺少美感，我一點都不欣賞。」珮琦臉上的表情跟著說話的內容轉變著。從眼中崇拜讚美的閃爍，而撇著嘴唇，露出一副不屑的神氣。她列舉了好幾位從義大利文藝復興時期以至十八世紀畫家的名字，有如他們全是她的熟朋友。

儘管珮琦那麼崇拜那幾位古代的畫家，她學了一陣子西洋畫卻又改學起國畫來了。據她說並不是對畫家的仰慕打了折扣，而是對目前的教畫老師起了反感。「妳不知道我們那老師要求太苛刻了，跟他學了好幾個月，還是教人家畫素描，畫素描，說是不把素描完全畫好，畫什麼也不行。成天畫那幾個石膏像畫得真厭氣死了，炭條又髒兮兮的，全無美感，乾脆，我就另外拜老師，學國畫！」

「學國畫就不厭氣了？」

「至少照著老師的畫稿描繪，好歹像一幅畫。現在學國畫還風行一時哩，不少太太小姐們都在學，光我們老師怕不就收了好幾十個學生？有單獨的，個別的，十幾個一組的，美國人對中國畫居然也很有興趣，彆彆扭扭地還從握毛筆學起，真好玩。也有中國人學上一兩年國畫，就到美國去教畫了。據說還滿受歡迎的哩。」珮琦言下很流露出羨慕的神情。「我們老師說中國畫流傳到外國去已經有很久的歷史了，連十九世紀法國大畫家塞尚的風景畫，就受了中國畫的影響。」

「妳是學山水？」

「不，花卉。學的沒骨畫。寫意的，不用細工琢磨，等我畫得可以見人了。第一幅一定裱了送妳補牆。」

「好的。」我望著案頭那堵新粉刷的白牆向珮琦點點頭：「我就留著這片空白等掛妳的傑作。」

「一言為定。我知道妳喜歡梅花，就畫一幅淡月寒梅圖。朦朧的月色下，疏影橫斜，暗香浮動，一枝清癯傲冰雪……。」珮琦一手支著下頦，雙眼半瞇，凝視著那片牆輕輕地吟誦。彷彿上面真箇是月影朦朧，一枝橫斜，玉骨冰姿入夢來……

日子彷彿從前串在紅頭繩上銅錢，懂得用的一個一個往下勒，日子也就慢慢地一天一天過，猛不防手一鬆，繩散了，嘩啦啦成串的銅錢盡甩下來。成串的日子也一晃眼過去了。珮琦學國畫時還是夏末秋初。回歸線旁邊的南台灣溽暑未消，她每次來跟我談繪畫，談惲南田、張大千，談她的老師，談她未來的畫展……都還穿著裸背露臂的布袋裝，薄紗旗袍，今早已披上羊毛衫了，這中間，便沒看見過她，平常走動得那麼勤的，難道是畫畫得那麼專心一注，抽不出閒暇來。還是有什麼別的事故！心裡惦記著，那天下午我特地勻出時間去看她，她卻不在家。問下女去哪裡，回答不知道，什麼時候回來，也不知道。我告訴下女願意等她一下，一面便審視屋子裡的情形，看看有什麼跡象可以顯示她近來的活動，只是書桌上排列著三四只蒙著灰塵的顏料碟子，旁邊的一座硯台也是灰撲撲的，筆筒裡插著一大把毛筆，畫筆像用舊了的刷子，小字筆卻硬得像原子筆，案頭堆置著字帖，畫壞了的宣紙，牆上用圖釘釘著幾張畫，大半是以前帶來給我看過的。茶几上一盆插花只剩下柴枝似的松柏，和那根沐了金漆的籐莖。茶几肚裡的雜誌畫報中間夾著洋裁簿，服裝樣本。架上有幾本從圖書館借來的小說，以及烹飪學之類。收音機旁邊擱了兩冊發黃的英文課本，牀頭櫃上又疊著美容須知類的小冊子，一卷文藝函授學校的講義，胡亂塞在一堆舊報紙裡……看樣子，這些早已備受女主人的冷落與漠視了。

將近黃昏，珮琦還是不見人影。我只有留下張條子，怏怏離去。一路上，心裡還在猜測她近來究竟在忙些什麼。那麼保密，那麼神祕，過去我曾笑她興趣太廣泛，卻都是淺嘗即止，她立刻諍諍有理地為自己辯護說：

「妳記不記得有一位先哲的話：世上最快樂的人，就是生活在各方面都能嘗試的人。」不知道她這次嚐到了什麼甜頭，居然能維持了這麼久的興趣！

又隔了三四天，珮琦看我來了，臉上沒有濃豔的化妝，身上未穿別出心裁的衣服，手裡也沒有攜帶本子、講義，或枝枝葉葉的，她學習某種課程的標記。很顯著的她真的瘦了。比專心學美容術、減肥時還清癯。做夢似的眼睛更顯得矇矓無神，但瞳孔中恍惚閃爍著一種熱情燃灼後的痕跡。

「這一陣子妳在忙什麼？那麼保密。」我帶點譴責的口氣問她。

「說保密來著？我一直想來都沒來得成。」珮琦忸怩地笑了笑。帶點歉疚，也有點矯飾。

「那妳倒說說看，在幹什麼？看樣子還下了真功夫，人都瘦了。」

「真的瘦了？」她不在意地摸摸自己的臉。「其實也沒有什麼下不下功夫的……。」珮琦說話吞吞吐吐地，似乎失去了以前那份坦率、爽朗。我故意不作聲盯著她，等她下文，她又神祕地笑笑。

「告訴妳，我倒學會了一種純粹屬於國粹的玩意兒。」

「別賣關子了，到底是什麼？」

「打麻將。」

「哦！」出乎我意料之外，倒讓我怔住了。這個一直嫌一天二十四小時不夠她分配的小女人，竟也學會了這樣來蹧蹋時間，浪費生命的原料！

「知道我樣樣都想學，樣樣都要嘗試，沒想到這玩意兒就像使了魔法，一沾就教人著迷。」她很謙虛地不歸功於自己學習的熱忱，卻說那個賦有魔力。

「妳以前學個什麼都有個非常冠冕正大的理由。」我冷冷地說，猜自己一定是一臉大不以為然的神色。「什麼充實自己囉，工作技能囉，生活藝術囉，陶冶性情囉，不知道現在這項又歸於哪一類？」

「訓練思想！」珮琦不假思索地脫口而出。「別看那小小一百三十六張，可真是變化無窮，花樣百出，詭譎神奇，奧妙無比。當你運籌帷幄，部署戰略，第一就要思想敏捷，縝密、反應快，知己知彼，精於計算，善於策劃，要穩、要辣、要不露聲色……總而言之，那真是最大最深的學問，花上一輩子工夫去研究，也不見得學得精。」隨著說話聲調高亢、加速。珮琦矇矓無神的眼睛也閃閃發光。熱忱急驟上升，全身像在瞬間通過了電流，活力充沛，妙語如珠，滔滔不絕……突然，她望了望手錶，正當電力充足，卻倏地來個了緊急煞車。「哎！我今天還約好了二點鐘有個搭子，得馬上趕去，對不起！改天再來看妳。」語聲未落，人已轉走了。腳步迅捷，像一道輕煙，一陣清風，一個趕去赴愛人約會的，熱戀中的女郎！

看樣子，珮琦這次才真正抓住了值得她下苦功夫去埋頭學習研究的東西。她的興趣正方興未艾，樂此不厭。今後也許將永遠不斷地研習下去，而熱忱始終不減。

我悵然跌坐在轉椅裡，面對著案頭那堵潔白的牆壁，心想明天是否該找個畫框掛上，真要等珮琦的寒梅圖補牆，就同要等她的文章拜讀一樣，只怕一輩子也難以得到了。

編註：本文原刊於《文壇》第六十一期，一九六五年七月，頁二十八～三十四。

弟弟的婚禮

「這是我姊姊。」

「哦，大姊！」

最近，當林志忱特別強調地這樣把文淑介紹給他的朋友時，她心裡不由得泛起一種難以形容的感覺，窘迫而又愴惑。那一聲「我姊姊」就像一把無形的鉗子，猛不防在她軟弱的心靈上暗暗地鋏一下。她禁不住胸口一陣痙攣，卻仍得勉強堆疊起笑容，接受那一聲尊稱。

「姊姊」叫得多麼親熱而又帶一點恭順的味兒！別人都會覺得這個弟弟頂不錯，姊弟兩人住在一個屋頂下，生活在一起。沒有什麼比這份與生俱來的手足之情更自然、更真誠了。

在那人口簡單戶口名簿上也這樣清清楚楚地填著：戶長，林志忱，次男，民國十九年生。姊，林文淑，長女，民國十一年生。

他們是姊弟，一點都不錯。

他們是姊弟，所以，文淑在人面前咬著嘴唇，臉上連粉都漸漸填不平的皺紋裡堆起苦笑，像吞下一枚酸澀的青梅般，受下那聲「姊姊！」

「哦，姊姊，妳真的願意做我的姊姊麼？」

「上天可憐見我沒有一個親人，特意派一位天使——妳做我的姊姊。」

「姊姊，我的好姊姊！」

那一聲聲揉合著愛慕、感激，和依賴之情的低喚輕呼，十四年前傳入穿了白衣裙在病榻畔周旋的林文淑耳中，又是另一種感覺，一點兒沁甜，一點兒暖和，彷彿嚥下一口清冽的芳醇，還有點兒酩酊，每根神經都好像被燙過了似的舒服。

那時候，她是廣州市立醫院的護士。一天醫院裡送來一個病人，發著高燒，已陷入半昏迷的狀態。醫生診斷是急性肺炎及肋膜炎，需用高貴的特效針藥。但是病人除了進院時有人替他辦好入院手續和繳了一筆住院費，便再沒有人理會。

醫院感到有點棘手，不能見死不救，然這筆醫藥費又如何出帳？

病人奄奄一息地昏睡著，彷彿一捆棉絮，任由人翻側察看。輪著文淑當值，她一手搭著他的脈息，一面仔細端詳，那是一張年輕而輪廓勻稱的臉，蒼白的兩頰泛著高燒引起的紅暈，緊閉的雙眼留下一排憂鬱的陰影，灼熱乾枯的薄唇，半開半張，一綹散髮黏搭在額上，更顯出一份稚氣，一種淒涼無助的軟弱。文淑心中為這一股憐憫的感情激動，輕輕地放下那隻脈息短促的手腕，拿起病歷表。表上簡單的填著林志忱，陝西人，二十一歲，職業軍。

也是姓林，林文淑心裡不由得又是微微一動。天南地北，同是一姓！而他在表上未曾填上一個親屬。敢情年輕輕地一個人便潦倒異鄉，無人顧憐？就在心念那麼一動之間，她決定了要向他伸出援助的手，幫助他脫離病魔的掌握。

她為他向院方請求醫治，爭取針藥，不惜自己墊錢花精力。他成了她的特別病號，每天，她做完了份內的工作，便守護在病牀旁邊，替他拭汗抹身，扶枕掖被，按時餵他吃藥，吃開水。三天危險期終於過去了，那天文淑正對著光在驗看體溫表，一個軟弱的、彷彿自遙遠地方的聲音，在她背後怯怯探詢。

「請問，小姐，這是什麼地方？」

「市立醫院。」文淑第一次看到那對閃遮在濃眉毛下的黑眼珠，稚憨而帶著幾分羞澀，望著人時彷彿把心裡想的全從坦率的眼光中訴說出來。

「那我什麼時候來這裡的？」

「你已經住院五天了。」

「五天？糟糕！部隊一定早就開拔了！」就像被猛地撳動了身體內的彈簧般，他恐慌地竄跳起來，卻被文淑按住雙肩。

「你在廣州沒有別的親友嗎？」

「一個都沒有，我的老家早就淪為匪區，原是跟學校出來的，接著響應智識青年從軍，要去台灣。不想我又掉了隊。」聲音裡有著不合於那個年輕人的悲愴。

「先別急，你知道你的病很嚴重嗎？昏迷了四天，現在剛脫危險期，千萬不能激動，部隊的事可以打聽打聽，說不定還聯絡得上。再說，只要有健康的身體，年輕人又何處不能報效國家！」文淑的話加上那溫柔而充滿同情的聲音，顯然比一錠鎮靜劑還神效，病人順從地在枕上點著下頦。

「謝謝妳！我知道我一定給妳添了不少麻煩，還沒有請教妳貴姓？」

「我知道你姓林，叫林志忱。」

「嗯。」林志忱點點頭，答應很乖。

「百家姓上有沒有兩個同樣的字？」

「這樣說來妳也姓林！噢，太好了，妳待我那麼好，不知道我能不能……我可以不可以……。」林志忱結結巴巴地，滿臉漲得通紅，眼睛裡閃爍著一份熱切的願望，不敢也不知道該怎麼表達。文淑看著他的窘相，忍住笑，輕描淡寫地接過去說：

「叨在癡長你幾歲，你就喚我聲姊姊好了。」

「哦，姊姊，好姊姊！我從小沒有姊妹，讓我多喚妳幾聲：姊姊，我的好姊姊！」林志忱眼中噙著感激的淚珠，聲音顫抖地，一疊聲曼呼著。文淑也就笑著答應。究竟是病後虛弱，興奮過後，他握住文淑的手貼在頰畔，就像孩子在母親懷中矇矓睡去。文淑輕輕地抽出手來，替他蓋好被子，搖搖頭憐惜地歎息：

「真還是個感情豐富的大孩子！」

文淑託人打聽的結果，林志忱所屬的部隊果然已經開拔了。

醫院裡肯治療林志忱已經是特別情面，而病癒後再留院調養，事實上根本不可能。眼看他身體虛化化的，連一個投靠處都沒有，文淑只有把他接回家去，半年前，她瘋癱了五年多的父親去世，這三間小屋是唯一留給她的遺產。而許多年來，小屋一直像地窖般陰冷，古墳般沉寂。自林志忱住進去後，立刻有了生氣，侍候久病的老人跟侍候正在康復中的年輕人不同，一個慨慨一息，長日淹留在病榻上，對漸將告別人生充滿怨恨、憤懣；一個一天比一天健康，活力充沛，對未來的人生有著無限的理想和希望。在六七年的護士生涯中，文淑第一次感到看護病人竟是一種樂趣，有時候她小心地照扶他、鼓勵他，溫柔地安慰幾句，又善意地呵責兩聲，儼然是一個大姊姊，有時候卻被他天真的說話，稚氣未脫的舉止，率直而魯莽的行動所感染，彷彿也年輕了好幾歲，回到過去的少女時代。日子在輕鬆愉快中過去，兩人在不知不覺中完全撤除了男女間拘束防嫌、藩籬，姊姊處處體貼，弟弟百般依順，比親姊弟還親熱，朝夕共處，耳鬢廝磨，肌膚相親，從不知避諱。然而，那份原始的激情和欲念，像易燃的瓦斯、石油，隱伏在年輕人的心底，潛流在年輕人的血管中，有那麼一天，終於被女性的柔情點引了。一旦燃燒，其猛烈如兇殘，使那點企圖阻遏它的薄弱的理智，在它面前像一層三夾板，火舌數撩，更摧毀了。眼看林志忱在激情焚燒中，就像一個發著寒熱，而神經紊亂的病人，文淑的心軟了，一半是被他的熱情融化，一半是被他的哀求感動。她竟把自己錮禁了二十八年的愛情，和生命的祕密，毫不吝嗇地給了那個比自己年輕七八歲的大男孩！

那時，那一個隻身奮鬥，而又貧病潦倒的大男孩，乍然獲得了家的溫暖、母姊般的照顧、戀人的愛情，就像獲得了整個世界，他曾滿懷感激地向文淑保證：

「好姊姊，我有幸福全是妳賜給我的，我這才開始享受人生、了解人生。」

「妳是我生命的生命，心靈的主宰，我把自己整個交在妳手裡。」

「從此，我們的身心聯繫在一起，心臟跳躍在一起，血液交流在一起，永不分離。」

「讓我們馬上就結婚——」

「結婚！」意識像一個音符般，一直浸沉在那支從狂熱急聚而逐漸輕緩，舒徐的生命大合奏裡，志忱的低訴輕喚的語聲似一支低柔的小提琴E弦，悄然在一旁撥弄，陶醉著、迷惘著，突然，那兩個字像不協調的、尖銳而生硬的變調，超出了這情調和氣氛。「結婚？」文淑睜開眼睛來，遲疑地重複著這兩個字。彷彿從另一個遙遠的世界跌回現實中。惶惑而又無所適從。

「當然要結婚，難道妳不嫁給我，不做我的妻子？」志忱詫異地撐起身子望入她眼中，她感到他熱烈的眼光有似陽光般灼著她，令她暈眩，她舉起手來撫著那一綹搭在他額上的頭髮。多麼光潔的額頭和雙頰，還有那稚氣的唇角。早些年，她也曾對未來的終身伴侶有一個朦朧的理想，但家庭的變故和工作的繁重把這理想凍結了起來。卻再也想不到如今要選一個比自己小了七八歲的大孩子做丈夫。

「你有沒有考慮到我們的年齡問題嗎？」她冷靜地問他。

「我從來也沒有去想過，它與我們的愛情又有什麼相干！」

「你不怕別人笑你娶一個年紀比你大的太太？」

「結婚是我們兩人的事，誰管別人怎樣想法。」志忱微蹙起那兩道濃眉，不屑地皺了皺鼻子。

「可是，我比你大七歲哩，而女人又比男人容易老，若干年後，你正壯年，我已遲暮，那時再嫌我老醜就晚了。」文淑想得很遠，愛情並未令她近視。

「不管妳多麼老，在我心目中總是唯一可愛的女人；不管時間怎樣變換，我對妳的愛情永遠不變。我可以憑人格、憑生命發誓……。」文淑一手捺住了志忱未出口的誓言。他便抓住那手，熱吻像郵戳般迭連蓋上去，蓋到脅窩裡，又似個撒嬌的孩子般，把頭埋在她胸前，呢喃地說：

「我就是需要妳，要妳像個妻子那樣愛我，也像個姊姊那樣照顧我……。」從他嘴裡噴出呼吸的熱氣似一注熱流融入她心裡，一陣屬於母性的溫情在她心中洋溢了起來。她緊緊摟著他，忘記了那個激動而有點笨拙魯莽的男人，只感到他是一個大孩子，一心要人愛憐和照顧的大男孩。

那時，他奔放熱烈的愛情像座剛爆發的火山，不停地噴射出熾熠灼熱的熔岩，似乎欲將整個世界熔解、燒化。他焚炙著自己，也燃燒另外的一個。

那時，她剛從禁錮中脫穎而出的愛情，彷彿一支湧自山谷噴湧的澗水，纏綿地、潺湲地，迴繞著山麓柔情脈脈地流轉。山若不崩陷，流轉永不停歇。

人在熱戀中，兩情繾綣，小室滿溢春意。形式上的事反顯得不重要了。開頭幾次還提到結婚的事情，也許是覺得多一次繁冗庸俗的儀式，也不見得再會在他們絢麗的愛情生活中增添什麼，也許文淑還有點顧忌，怕別人嘲笑他們這年齡不相稱的婚姻，彼此都不太熱心和堅持。事實是事實，名分不名分，那又是另外一件事了。漸漸地，結婚這句話就像偶或冒升的一朵浪花，旋即又沉落在那洶湧激盪的情潮中。

正當兩人沉緬於自己歡樂的小天地中，外面的世界卻日趨緊張、混亂、恐慌和不安，腥濁的紅流一路吞淹了無數城市，已逐漸迫近廣州。

志忱身體已完全復元，文淑上班他便常常獨自去外面大街小巷的巡遊，說是去尋找機會，他的目的，也不過是想找一份小小的工作，免得只靠文淑一個人賺錢，自己卻閒散得像一隻鎮日蹲在窗台上專等主人回來愛撫的懶貓。文淑不在意他沒有工作，但了解那屬於一個大男孩子的自尊心，並不反對他每日出巡。在外面徜徉的時間一多，志忱也感染了那種亂世的困擾。好幾次向文淑提到一起去台灣，文淑深深地眷戀著這塊自己生長在上面的土地，眷戀著土地上那幢小屋，以及醫院裡的工作。她從來沒有設想過一旦會離開。聽志忱不只一次這般提議，她不表示贊同，也不好說反對。總是半真半諧和他的調說：

「好吧，只要你願去的地方，而且能去，我總是追隨你。」

而且能去，是的。台灣，那個陌生而奇異的小島，遠隔瀚海大海，波浪萬頃，又豈是憑嚮往可以飛越的？

那天她下班回來，照例彎到茶館店，買了二塊志忱百吃不厭的馬拉糕，一手抱著皮包，一手拎個小紙袋，只剩下用腳來踢開那扇竹籬門。猛不防腳尖還沒有挨上，門嘩啦一聲打開。志忱像一股旋風般竄上來便緊緊摟著她直跳直轉，嘴裡嚷著：

「告訴妳，我們要去台灣了，真的要去台灣了！」

「哎！糕……你的糕。」文淑給他摟得喘不出氣來，急著叫。「什麼時候你長了翅膀？放開手慢慢告訴我嘛。」

「妳說錯了，不是我長了翅膀，是我們倆。」志忱興高采烈地說出事情真相，原來他無意找到了他所屬那支部隊遣送眷屬的最後一批人員，正等船去台灣。

「船是招商局的，快的話這個星期內就可以啟程，三天到達。想想看，一個星期以後我們就在台灣了，多美！」

他的嚮往竟然成為事實，而時間那麼匆促！文淑驟然間幾乎無法接受，她的反應不是高興而是錯愕和遲疑。心裡充著矛盾，家園、愛人，兩難取捨，志忱卻敲釘轉腳，咬定了她親口說過的只要他願去的地方，她一定追隨——他的勸說和懇求，加上感情的賄賂，逐漸加重了她心秤的一端。終於經過一夜的磋商，重的一端占了優勢，她同意把房子託親戚照顧，辭掉職務，同他去台灣。事情談妥，文淑才想起問：

「遣送眷屬，你是怎麼登記的？」

「我還是登記了姊弟。」志忱嚅嚅地解說：「因為部隊裡結婚必須先要報備核准，而且規定了年齡，我以前填的未婚，現在不好昧然填上配偶，我想，這點到了台灣就可以改正的。」

文淑雖然一直不急於結婚，但本能地覺得去一個陌生的新地方，為長遠打算，最好兩人能以一種新的關係出現。這樣子在行動方面多少要有點顧忌，但登記已經這樣登記了，也只能笑笑說：

「以後你可得注意，少在人前跟我親熱！」

半個月後，他們來了台灣。

三個月後志忱那個部隊整編了一次，他被遣散下來。文淑極力主張他索性溫溫功課，再去念書。她帶來的一點積蓄，省吃儉用還可以維持一些時日，她自己一方面去找工作，相信當一個護士應該不會太困難。

要使荒廢了許久的課業，鬆懈慣了的志忱再專心在書本裡攻讀，文淑確是煞費了一番苦心和耐心。她盡可能地替他安排一個適於閱讀的環境，想盡方法引起他的興趣，他溫課時她多半總在一旁陪伴著。每到一個時候，總找些事情讓他心神輕鬆，不致枯燥。更常常弄些他愛吃的菜和點心，留心他的營養，注意他的起居作息，安排他的生活，督促他的課業，那時她身兼的職位等於是賢妻、姊姊，和一個輔導小學生作業的家庭教師！

志忱倒是被她安排得上了軌道，潛心攻讀。但人地生疏，她的工作卻一直沒有著落。靠她歷年來做事省下的一點積蓄，要管吃、住，還有志忱必須購置的一些書籍。才維持了半年多一點，便感到拮据了。她替人家上門去注射，打一針五毛一元的，有時當幾天臨時的特別護士，侍候那些拖延殘息的孤老病人。她也幫人家抄文件、編毛衣，做過種種能賺點津貼的工作。當天氣冷時，志忱脫下棉軍裝便沒有禦寒的衣服，她把自己的絨線衫拆掉兩件，染一染，改織成他的。當缺錢買菜時，她常常買二毛錢醬菜酸菜什麼的，先吞下一碗飯，卻總弄些比較有營養的菜給志忱吃。她盡量不讓他曉得真正短絀的情況，以免他徒自煩愁分心……

那一段艱辛而煞費周張的日子，僅一年多的時間所給予文淑外形上的轉變，卻彷彿已經歷了不少苦難歲月的折磨。但是，她仍然覺得自己是幸福的女人，因她擁有愛情、希望和信念。

好不容易撐過了那一段隨處都有暗礁和浮沙的淺灘，那葉小舟總算駛入了正流——文淑在公立醫院覓得了本位工作，志忱也通過了考試，進入公立大學。為了節省開支，退去房子，兩人都住在宿舍裡。四年中，文淑難得添一件衣服，難得買一雙鞋子，難得看一場電影，更不曾給自己買過一樣化妝品。全部微薄的薪津，都用來換取志忱那頂比金冠還重的方帽子。

噢，那頂方帽子金光四射，象徵他們今後的生活將進入一個新的階段，一份朝夕祈求的，安定、寧靜、兩情歡洽的幸福生活。他們要重新建立一個家，不像在廣州那樣原來的舊房子、舊家具，一切都是現成的老家，也不像一來台灣時跟軍隊借住的臨時學校教室，和後來租的那一間簡陋的克難房子。而是由他們合作安排的，充滿了溫馨的氣氛，恬美的情調的愛巢。

志忱畢業不久，便在一個機關裡找到了一份會計工作。他們租賃了兩間清靜的房子，文淑便用她縝密的愛心開始布置起來。平常日子她老早便留心好了，哪裡有盞雅致的檯燈，最適宜擺在牀頭邊，哪裡有些美觀而素淨的窗簾布，可以掛在小客廳裡，哪裡有套輕巧的藤椅，哪裡有耐用的電爐……全是經過比較而不太奢侈的日用品和家具，卻給小小的家增添不少情調。每天除了上午班，她把全副心力用在家裡，煮烹志忱愛吃的菜餚，照料他的衣著，投合他的興趣，使他一回到家裡，就像煨在火爐邊的貓，舒服得一動都不想動了。

做了四年的牛郎織女，重又相聚在一起，兩情繾綣歡洽，恩愛更逾往日。愛情給世界沐漆了一層光彩，愛情把人生妝點得美麗無比，那樣的日子，他們生活得像一對浸在蜜糖裡的蜂兒。

愛情美化了現實，但並不能改變現實，翻開戶口名簿，他們的關係卻仍是姊弟——原來身分證是部隊中拿了名冊去辦理的，那時，竟誰也沒想到去單獨更正過來。

人在幸福中，時間彷彿都縮短了，距離模糊了，一個月有似一天，一年也不過幾天。而每天都嫌太短促，還不夠細細體會沉緬。

當文淑感到時間不再嫌短促，反而慢慢地覺得黃昏有點悠悠忽忽，黑夜似乎漫漫無盡，她同時也覺察志忱開始變了。他變得比較深沉、緘默，不再一聲聲：「淑姊，好姊姊！」親熱地掛在嘴上，不再有那種熱情洋溢、稚氣而真摯的魯莽的舉動，和那份全心全意皈依她、信賴她以為生存中心的表示。他說話有分寸，舉止有規範，感情收斂而不外露，和在她家養病時那熱情奔放、稚氣未脫的他，簡直判若兩人。

「他不但長大了，而且完全成熟了。」文淑常在一旁默默地端詳著他，心裡更這般想：「社會和世故終於改掉了他的稚氣和羞澀，變得沉著、冷靜和含蓄，這樣卻更有男子氣概和紳士風度——他的風度的確不錯，真像一塊璞玉，越琢磨越顯出它的光彩。」她用充滿憐愛的眼光輕輕擁著他，以他自傲。但是，儘管她這樣自我寬慰，當一室相對時他所表現的漠視和沉默，當和她說話時他的冷淡和敷衍，就在兩情繾綣時，也會不經意流露出來的那種心不在焉，都使她感到一種若有所失的悵惘和落寞。使她情不自禁深深懷念以前那個坦率、熱情、帶點稚氣的大孩子！

越是當文淑緬懷過去，深深地懷念以前那個熱情、坦率，處處信賴她的，稚氣未脫的大孩子、小情人，志忱卻變得越來越深沉、陰鬱，他日復一日地用沉默在兩人間砌成一座牆，以冷漠給自己塑成一層防禦性的堅殼。文淑常常被擋在面前的牆憋得發慌，憋得窒悶。她向他伸探過去的熱情的觸角，又總是碰在那冰冷的、缺少反應的堅殼上，使得她由失望、羞憤、恐懼而畏縮。許多年來，她已習慣以他為生活的重心、精神的寄託、感情的歸依，一旦發覺這生命的支柱竟搖晃不穩，她幾乎感到整個世界也將在她面前顛覆，整個地球也將在她腳下崩陷。在她尚未深陷入寂寞空靈的深淵之前，她迫切地需要抓住點什麼繫住生命。那不是別的，是一個孩子。

一個孩子，一個新的生命，是他倆愛情的結晶，揉合了兩人的骨肉、血液、熱情，把愛情從玄幻的感覺變成真實的存在。

一個孩子，是做為母親的最大的慰藉、最高的寄託、最尊貴的希望！

一個孩子，往往是一道橋樑，融貫了雙親間感情上的鴻溝。

那迫切的需要，遮奪了一切母愛，使文淑沒有顧忌。一個晚上，她終於惴惴地繞著圈子提到這件事：

「哎，什麼？」志忱照例懶懶地偎倚在沙發裡，躲在報紙的幕後，似聽非聽的隨口應付著。

「我是說家裡只有兩個大人似乎太寂寞了一點，我的意思覺得應該有個孩子……。」

忽然嘩啦一響，紙幕猛地扯落，露出一張怒眉豎目，漲紅了的臉。

「妳發瘋了！我們怎麼能要孩子？」

「可以想辦法去更正戶口登記。」文淑已準備好了勇氣。

「更正戶口登記，嚇！就算是更正了戶口名簿，人家誰不知道我們是什麼關係！姊弟亂倫，妳是想製造社會新聞！」

「把事實真相說明好了。」她臉上熱熱的，卻依舊耐住性子。

「這等於攪糞缸，越攪越臭！」

「你說話怎麼那麼髒！」

志忱哼了一聲，激動地翻覆著手裡的報紙，文淑抑住怒氣，依舊用商量的口吻說：

「那麼，我們去抱一個人家的孩子好麼？」

「好啊！一個沒有結婚的媽媽，一個沒有結婚的爸爸，還是叫我舅舅呢，還是叫妳姑姑？」

文淑咬著嘴唇，瞪著那張英俊而冷峻的臉，濃黑的眉峰挑著憤懣，斜翹的嘴角掛著嘲弄。她忽然感到十分陌生。十幾年生活在一起的印象一剎那消失了，坐在她面前的竟是一個漠不相識的陌生人，多可怕！

她不再作聲，他也不響，沉默像滯重的烏雲罩在兩人頭上和心上。

原來，他們為避別人耳目起見，雖然備有兩間相連的臥室，但平常總是同住在大的那間房裡。自那次爭論，隔了沒幾天，志忱彷彿為防範疏忽計，索性藉口晚上失眠，單獨搬進那間小房間裡去。

是他在築牆，牆越築越厚，是他在挖溝，鴻溝越挖越寬，顯然靠文淑一個人的力量，是不能撤除溝通了。

「淑姊，明天晚上我想請幾個同事在家吃飯。」一天在飯桌上志忱用難得的溫婉口氣跟文淑商量，他第一次約朋友來家裡聚會。文淑略感意外，卻馬上熱誠地問他：「是外面叫菜還是自己做？」

「自己做好了，幾個全是光棍漢，隨便弄點魚呀肉的，讓他們嚐嚐家常味道。」

「有幾個人？」

「三個。」

「好，我會準備。」文淑一口應承下來，志忱笑著謝了她，顯得特別親切殷勤，幾乎使文淑忘記了牆和鴻溝。

那天文淑忙了大半天，張羅好一桌為豐盛的餚菜。她盡量以姊姊的身分招待志忱的同事，吃得他們一個個讚不絕口。她記不清楚志忱替她介紹時說的誰姓呂、姓憑、姓俞？只記得三個客人年紀都比志忱大，對她非常客氣和恭敬。這頓晚飯吃得非常愉快，使她覺得自己做主婦是很成功的。

第二天志忱下班回來，便一直喜孜孜地向文淑重述著客人對她的讚美。

「他們對妳的烹飪技術簡直讚不絕口！」

「他們對妳的親切熱誠一直念念不忘！」

「他們對妳的風度談吐非常傾倒羨慕！」

「他們還責備我，說我為什麼有那樣一位漂亮能幹的姊姊，卻從來不讓他們認識認識！」

文淑一直含笑傾聽著，心裡渾淘淘地，像喝了兩杯醇酒。她不時望著志忱說話的神態，那些誇獎果然滿足了她的虛榮心，但他難得有的興高采烈，更使她從心底泛上愉快。而感到他們之間又恢復了融融曳曳，全無一點隔閡。

「該真話，妳覺得他們三人怎樣？」志忱看她笑得開心，彷彿不在意地把話題輕輕一帶。

「都不是壞人。」文淑順著他的口氣讚了一句。

「哪一個給妳的印象最佳？」

「只吃了一頓飯，我又裡裡外外不停地跑著，實在沒有多深的印象。」文淑搖搖頭，一眼瞥見志忱認真望著她的神氣，又改口說：「不過，我覺得那個矮矮的比較沉默，那個瘦瘦的高個子非常客氣，還有那個絡腮鬍子，眼光炯炯的，似乎不太老實。」

「那是馮澤群。人頂風趣的。妳曉得他今天一上班就拖著我說什麼？」

「說什麼？」

「他拜託我替你們介紹介紹。」

「這人真滑稽，昨晚上已經介紹認識了？」

「妳知道，他指的介紹，不是普通的介紹認識。」

文淑不由得在鼻子裡嗤笑了一聲：

「簡直莫名其妙！」

她那麼輕輕一聲嗤笑，彷彿一股風吹熄了正燃著的燭火，把志忱輕鬆的笑語聲吹散了，屋子裡那份歡洽的空氣正在冷卻。沉默了片刻，志忱咳嗽著清了清喉嚨，有如開始一篇嚴靜的演講，緩緩地，卻不望著她。

「淑姊，妳聽我說：馮澤群這個人的確不錯，他是暨南大學畢業的，做事負責，做人隨和，除了跟朋友打幾圈小麻將，沒有別的不良嗜好。做了這許多年的事情，手邊也很有些積蓄。雖然他在大陸有過一次不幸的婚姻，完全是由父母安排的。但他那個名義上的妻子早在六七年前已經被共產黨配給了。他可以說這一輩子從來就沒有享受過真正的家庭生活。自然，也有朋友替他介紹過，可是總沒有合意的……。」

「奇怪！」文淑訝異地攔截了他一本正經背誦履歷：「你盡跟我說這些幹什麼？」

志忱咬著嘴唇，眼皮在蹙攏的濃眉下不住閃眨著，他依然不看她一眼，從房間這端踱到那端，然後在窗前停下來，面向著窗外的黑夜，似乎經過一番掙扎，費了很大的力氣才迸出聲音來。

「我的意思是提供妳參考。」

「參考什麼？」

「做為選擇對象的資料。」

「你說這話是當真還是開玩笑？」

「當真。」

「你，你瘋了！」文淑像驟然觸了電般從椅子裡跳起來，衝到志忱背後。「你發了什麼神經，講這種無聊話！」

「我一點都沒有瘋，相反的，現在是我最冷靜、最有理智的時候。」志忱回頭看了她一眼又轉過頭去，在那冷然的眼光中，閃爍的意志遮奪了黯淡的歉疚。顯示他在內心的一番掙扎中，決心已戰敗了剩餘的感情。「我為妳考慮了許久，妳應該有個歸宿，有個名正言順的丈夫。」

「住嘴！你為我考慮，嚇，當初你向我求愛時有沒有為我考慮過？現在倒嫌棄我了！真沒想到你是這樣沒有良心的人，怪不得這一陣變得那樣冷漠，原來就是在打主意撇開我，你，你……。」文淑的聲音氣岔了，梗塞著說不下去，像是猛被一桶冷水淋過，冷徹心腑，寒透肌膚，一身只是顫慄著。她一把抓住旁邊的桌子來支持那即將軟癱下去的身子。

「文淑，妳先不要感情用事，既然話已經說開了，讓我們徹底來談一談。」志忱緩緩轉過身子，面對著文淑，一字一句地說。過分矯飾的聲音鎮靜得成了冷峻。顯然早已打好了腹稿。「妳難道不覺得我們這樣的生活太痛苦了嗎？躲躲閃閃，永遠不能公開。妳說鼓起勇氣來剖白真相，人家絕不會相信，社會也不會諒解。妳說始終這樣苟安下去，一個未嫁的老姊姊，一個未娶的老弟弟，卻從不談婚嫁，總是兩人廝守著同住在一個屋頂下。久而久之，別人不會猜疑有什麼不能告人的曖昧？這實在太使人難堪了！我自問我的學識、能力、品格，哪方面都不輸於別人，但是，為了這個，卻總教我像做過什麼苟且之事，從心裡抬不起頭來。我恨透了，恨透了這樣的生活！」他重重一拳打在窗台上，彷彿要擊毀這整個陷他於痛苦的生活。文淑抓緊桌子角，弓一般挺直了身子，也一字一句從牙縫裡迸出話來。

「聽你的口氣，好像當初是我陷你於這種痛苦的生活，造成這種不尷不尬的局面，使你在人前抬不起頭來？」

「現在不是追究責任問題，而是商量該如何善後。」志忱不耐地岔開去，換了口氣說。「雖然已經錯誤了十幾年，但我們如果要活下去，未來的歲月還不只十幾年。我需要一個正式的家，一個可以向朋友公開炫耀的妻子，一群合法的孩子。同樣的，妳也需要一個正式的家，一個名正言順的丈夫。我並不自私，在獲得我所需要的以前，我會先幫助妳安排好一切——文淑，讓我們面對現實，結束這荒謬的過去，再重新開始生活好嗎？」說這番話，他盡量使語氣婉轉，態度溫和，還露出一種為別人著想的神情，想說服對方。

但顯然並未收到他預期的效果，反激起了文淑更強烈的怨憤。

「結束這一切，重新安排？你講得倒輕鬆，可是這一切都已在我生命中烙下了最深的烙印，我把女人最寶貴的貞操、青春、感情和希望全部付給了你，這一切是好是壞，已經成為我這一生的命運，我無法結束，也不需要你替我重作安排。」

志忱似乎沒有想到她會這麼堅持，一副殉道者以身殉情的姿態。而他卻迫切地需要擺脫這一切，準備好的腹稿混亂了。

「我想妳總不會有那種十八世紀的封建思想，把男女之間發生的關係看得那麼嚴重？多少結了婚的，要離婚還不是離了。何況我們？那時只是由於年輕無知，一時的衝動……如果沒有了愛情，僅僅為了曾經有過這種關係而硬把兩人束縛在一起，硬把自己當作個殉情的人，是很可笑的。這時代並沒有人管建立貞節牌坊……」

「你卑鄙！下流！無恥！」文淑衝到志忱面前猛不防摑了他兩下臉頰。再也忍不住雙手掩著臉，踉蹌地跌進房裡，伏在牀上悲痛地啜泣著。

「林文淑！儘管妳不願意結束這一切。但妳這兩巴掌已親自結束了這一切！」林志忱憤狠地在客廳裡咆哮著，接著一陣腳步聲向外走去，大門重重地一響，整幢屋子旋即落入火山靜止後的沉寂中。

火山爆發後只剩下一座廢墟，一些冷卻的熔岩，一片片灰燼。

激情幻滅後只剩下一片空虛，一顆支離破碎的心，一個青春活力消磨殆盡的身軀。

艱辛的歲月，困苦的生活，都從未使文淑沮喪，而這一個打擊，卻整個把她打垮了。許多年來，他已成為她生活的重心，她的希望、理想、感情、關懷全寄託在他身上，傾注在他身上，自己反事事放在其次。她付出了生命中最真誠、最可貴的一切，到頭來只換取這樣的屈辱，這樣的無情！然而，付出的已經收不回來，她除了悲哀、傷心，還有些什麼？能有些什麼？

傷害得最兇殘的人，往往不是敵人，而是最親愛的人。一點都不錯，她寧可讓敵人一刀砍在她頭上，一顆子彈射進她胸膛，卻難以忍受這朝夕共處的親人，在她心靈上一刀一刀地凌割。在她有生之年，這創傷將永不會平復，直到最後一滴血流盡。

林文淑那些日子自己也不知道過的什麼生活，在醫院時，精神恍惚，思想迷離，她真怕會給病人打錯了針或是送錯了藥。可是，回到家裡卻更使她害怕，家，像座寒冷徹骨的冰窖，像陰森的古墳，她一腳跨進去，便完全失去了控制，心神一渙散，痛苦有如地底的暗流，立即從四面八方湧出來淹沒了她。而她，就連伸手攀緣，張嘴呼救的力氣都沒有，便那麼半死半活地浮沉在苦水裡。

為了自尊，她應該馬上跟這種無情無義的人決絕，她搬到醫院宿舍去，從此一刀兩斷，永不見面。

為了所受的屈辱、絕望，她應該親手讓自己從痛苦中解脫，不但離開那個忘恩負義的人，也永遠離開這不值得留戀的世界。

兩個方式，文淑都想過，但她不夠忍心，也不夠勇氣。一天一天，依然生存在原來的屋頂下，深夜，思前想後，悲怨不已，輾轉不能入睡。一直到耳聽著鑰匙投入鎖孔，門開，門關，沉重的腳步一直響進隔壁房裡。

自從那天以後，兩人雖然仍住在同一屋頂下，卻很少見面的機會，林志忱常常很晚回來，一回來又總是關在他自己的小房間裡。有時悶聲不響，納頭便睡，有時卻是醉醺醺的，哼哼唧唧半天，惡濁的酒臭味隔著半截板壁直飄到文淑牀前。她嫌惡地屏住了呼吸，耳朵卻仍舊關注著那邊的動靜。從聲響上她可以獲知他的一舉一動，直到鼾聲起落了好一會，她才由於腦筋困乏得完全失去了思索力而迷糊地睡去。

一個失眠，一個夜返，倒成為這幢屋子裡住的兩人唯一的殊途同歸之處。文淑身子躺在牀上，腦子裡卻像不停轉動著的萬花筒，一段段往事似多角的彩色膠片，不住地拼湊、分散、輻射，又合攏……儘管一腦子塞滿了零零碎碎，卻不時下意識地瞥一眼牀頭櫃上的小鐘，十點、十一點、十二點……又不時豎起耳朵聆聽著小巷的腳步聲，有沒有停下來，投鑰匙在鎖孔的，瞥著聽著，萬花筒越來越凌亂了，「該死的，還不回來！」她不由得自己的埋怨了一句，但馬上又不屑地啐了一口：「無聊！誰管他回來沒有？」

然而，不曾聽見腳步聲，門響，她無法入睡。

有一晚一點都過了，萬花筒裡不再是彩色的膠片，盡變成鐵屑鉛塊，刺刺叉叉戳得她的頭脹痛欲裂。她索性披上衣服，起來客廳坐著。

終於，聽到了停在門口的腳步聲，鑰匙投在鎖孔裡，當林志忱推門進來時，文淑正背著他在倒茶，彷彿因為口渴才出來的。

「嗨！」志忱帶著九分醉意嗨了一聲，這還是他們冷戰以來第一次正式招呼。

文淑回頭望望他醉意醺醺，衣衫不整的模樣，先皺了皺眉頭。耐著性子問了一句：

「每天你都這麼晚回來，都到哪兒去了？」

「到哪兒去了?哈哈,妳說到哪兒去了!」他過來拿起茶壺,便就著嘴倒開水,溢出的水從嘴角流到頸脖子裡。

文淑看到他那副故作不在乎的痞相,一肚子氣惱再也忍不住湧上胸膈。

「我知道你去了什麼鬼地方!」

「告訴妳,我去的是男人去的地方,做的也是男人做的事。一個身心健康、正常的光棍男人,總不能老守在家裡陪姊姊,是不是?」

「你,你下流!」文淑氣得把杯裡剩下的一點開水向他潑去,轉身就奔進房裡。

「下流!哈哈,男人本來就是下流的嘛,妳今天才知道。」志忱還得意地在隔壁嘟囔著,接著皮鞋一隻一隻重重地落在地上。文淑死勁把臉埋在枕頭裡,堵住了耳鼻,恨不得自己就那樣堵得一口氣憋不過來,不再感到那些羞辱、那些痛苦、那些悲哀。

文淑發誓不再理會志忱的事後第四天,那個週末的晚上,她上一晚值大夜班,逢上個危急的病人,累了大半夜。這晚居然沒有聽到開門聲便睡著了,朦朧中卻又被一連串響聲驚醒。先是砰砰碰碰好像椅子碰翻了,接著匐然一聲彷彿巨物墜物,又是瓷器碰碎的聲音,歇了一刻,嘔吐呻吟鬧成一片。她實在不能不管。披衣下牀,捻亮客廳的電燈一看;那片狼藉的樣子簡直不堪入目。大門還敞開著,兩張椅子翻倒在地上,志忱便呻吟著嵌擠在椅子中間,領帶正好拖在一堆他嘔吐的穢物中,茶壺碎片和開水濺得滿地,一陣陣惡濁的臭氣瀰漫在空中。文淑痛心地歎了口氣，屏住呼吸，懷著說不出的嫌惡，過去推志忱。

「起來！」她大聲喊著推著。「起來到房裡去睡。」

「唔，唔，再乾一杯！」志忱像隻泥豬般哼著動也不動。文淑只得使出一、二十年來服侍病人的全副勁道，半扶半推地把志忱弄進房裡，好不容易替他脫掉皮鞋，解開印著唇膏、扣子上纏著兩根長頭髮的外衣，讓他躺在牀上，自己卻累得只剩喘氣的份兒了。

但醉漢的磨勁還大著哩。

「渴，唔，渴死了！」

文淑馬上去泡了一杯濃茶，又滲涼了，端給志忱喝。

「頭痛，哎，痛得要裂開了！」

文淑用萬金油搽在他頭上，輕輕地按摩著。

「我冷，唔，冷死了！」

文淑把自己的被子拿來，一起蓋在志忱的身上，隔了兩條棉被，還看得出被子底下的那個身體在顫抖。

「噢，冷死了！冷，淑姊，我冷，冷呀！妳偎緊我，把妳身上的熱傳給我。唔，淑姊……。」志忱閉著眼睛低低喚著，頭部像個索乳的嬰兒般在枕上兩邊轉側。文淑驟然感到心裡酸酸的，一道敵意的堤防溶解了，那親密的喚聲，喚回了過去的日子，喚回了久已深藏的柔情。他仍然是那個羞怯、熱情的大孩子，溫順地接受她的照顧和關切，一聲聲親熱地喚著：「姊姊，淑姊，我的好姊姊！我的生命是妳再造的，我有幸福是妳賜給的……我從小沒有姊妹，讓我多喚妳幾聲，淑姊，好姊姊……。」

她坐在牀沿上，重新端詳那張在枕上不安地轉動著的臉，他是變得多麼厲害呀！自然，如今經歷了更多風霜，已不再年輕稚氣。但臉色蒼白，兩頰瘦削，鼻子畔垂著深深的紋印，嘴四圈繞著青毿毿的鬍子樁，顯得憔悴而落魄，比起這以前的英俊健壯，簡直判若兩人。一股憐惜之情，猶如經過寒冬的青草，又從枯葉中萌發了新芽。

她想起十四年前，極力把那個奄奄一息，無依無助的大孩子從死亡的邊緣挽救過來，到幫助他求學、就業，而在社會上站穩立場。自己為他付出那許多的苦心、精力、感情，歷盡了辛酸困難，只為的讓他可做個堂堂正正對社會有貢獻的人。而如今，這個人卻自甘墮落，自趨毀滅，為什麼？那是為什麼？當然，他對自己那樣的無情的確是可惡可恨。但自己當時懇求醫生醫治他，盡心照顧他，卻純粹出自人類最崇高的同情，全無半點私心，後來那樣的發展，又何嘗是當初所能預料的？就當同情演變成那樣的畸戀時，她也曾想到過兩人年齡的相差，也曾考慮過未來的問題。因此，今天志忱的變心，也應該算是早在她意料之中。恨他，也許還更應該恨自己那時不能自持。

現在，她自知已屆遲暮，何況又不是美人。而志忱正值少壯，英氣蓬勃，在外型上先有著顯著不相配。這永遠不能公開的關係，又令人氣沮。事實上，她又何嘗喜歡這種不正常的生活！處處顧忌、處處小心、處處受牽掣，明明是光明磊落的人，卻要做縮頭藏尾的行徑，只要一點疏忽大意，就會造成極其尷尬窘迫的局面，教人難堪。但一切委屈，只是為了愛。她能夠為了這份深永的感情極力壓制、極力忍受。他卻正為了不能擺脫她、不能結束這段感情而怨恨得想自趨毀滅！

「冷，淑姊！我冷呀！」志忱翻了個身，昏睡中獨自喃喃地囈語著。文淑在為他掖緊被子，身體便偎壓在被外，像個母親溫存地摟著她夢魘的孩子。真的，她對他的愛情，與其說是妻子，還不如說是屬於母性的成分更多。十幾年來，她就那麼照料他、關心他，處處為他著想、事事替他安排，尤其是最近兩年，她對於男女之間的情欲越來越淡漠，不再貪戀那種如癡如狂的熱情，那種奔放激盪的相愛。她愛志忱，更近於母性的本能。她只願望他承受她的關切、她的照料、她的愛心，而待她像一個親人。在這遠隔家園的異鄉，也就只有他們兩人相依為命。

志忱辛苦而困乏地睡去，不再在被窩裡轉側。文淑支起手肘凝望著他，濃黑的眉毛舒坦地分開兩邊，底下是緊闔著的雙眼。鼻翼微微翕動，嘴半張著，呼出從胃裡竄上來的濁氣。那熟悉的臉，那十幾年來相依為命的男人，胸中卻包藏著一顆看不透的，易變的心！

好吧！用不著自甘墮落，當初既然存心救他，現在絕不致毀他。那不正常的關係結束了也罷。自然，生命中有過一次戀愛，有過一個男人，她是絕不再要第二次了。他儘管去尋找一個公開炫耀的妻子，生一群合法的兒女，有一個正式的家，她只要求和他們住在一起，仍舊是他的姊姊，一個未出嫁的老大姊，仍舊可以照管她的弟弟，一個幾乎是由她帶大、受她寵愛的小弟弟。

她作這樣的決定，在她是怎麼樣的一種犧牲！怎麼樣的一種感情！她記得一本書上說過：愛一個人，應該平平地為他鋪路，不能做他路上的絆腳石！她已經為他鋪了這許多的路，自然願意一直鋪下去，讓他勇往直前，暢行無阻！

她要揀一個他不喝醉、不晚歸的日子，鄭重地把她的決定告訴他，解除他感情上的約束。

當她忍受著無限酸楚，懷著沉痛的心情作了這最後決定時，心靈上的重壓卻忽然減輕了，看看志忱已睡得很安穩，回到自己房裡，胡亂捲一張毛氈睡下，困倦立刻悄悄地擁著她進入夢鄉。

這一晚，文淑睡得無比的香甜，起牀已經很晚了，志忱還在沉睡，而等她下班回家，他早又人去牀空。第三天仍未碰面，接著一星期是她代替一個請假的同事值大夜班——又隔了好幾天，她總算等到了他。聽他迅速的腳步走向隔壁房裡，她不由得由於那重大的決定而激動起來。她要預備好一番莊嚴而動人的話告訴他，開頭應該這樣說……哎，心裡怎麼那樣紊亂？老早想好的話忽然攪成一堆亂絲，越抽越無頭緒⋯⋯

「淑姊！」

志忱悄然來到她門口，神情似乎有點激動，喚她的聲音是沉重的。

文淑被他這兀然的出現怔住了。一肚子正在整理的說話，像剛集攏一堆的樹葉，又驟然被一陣風吹散。

「公司派我出差到南部去審查帳目，事情比較多，究竟要耽擱多少日子還不一定，不過，短時期要留在那裡。」

「那是調差了？」文淑又是一驚。

「是，噢，不！現在還不一定。」志忱含糊地說，眼望著自己的腳尖，彷彿皮鞋上有什麼吸住他的視線。

「什麼時候去？」

「馬上就動身。」他望了望手上的錶。「我要趕二十一點三十分的夜快車。」說著，匆遽地轉身，文淑也跟著站起來。

「噢，這麼快！」她走在他後面，事出倉卒，她的反應也是直接的，未能經過腦與心的吸收、融貫。一向就是文淑替他檢點隨身攜帶衣物用品，已成習慣。

「已經檢好了——我以為妳不在家，自己檢的。」沒等他說完，文淑已看見了放在客廳裡的兩件行李——一只他平常出門用的旅行包，還有一只大皮箱。她想不到他行動會那麼迅速敏捷。

「這次因為不知道要耽擱多少時候，我多帶了一些衣服。」當文淑注意到皮箱時，他連忙加以解釋。「還有一些書，我怕臨時要參考。」

沒有她，他也能自己料理了。文淑有種說不出的感覺。她想對他說幾句話，腦子裡一片混沌，又無從說起。

「我走了。」志忱朝著屋子裡環視了一周，視線在她身上逗留了一下，然後，垂下眼簾，一手提起一只箱子。

「你，你就這麼提上街去？」

「我已經叫好車子在門外等著。」

文淑呆在屋當中，眼望著志忱傾斜著肩膀，一步一頓，緩緩地向外走去，走到門口，遲疑著，忽然停住轉過身來。

「淑姊……。」

文淑全身一陣震顫，胸口猛跳，彷彿一直電流通過。那充滿感情和歉意的一聲低喚，喚得她熱血沸溢，脈息加快，恍惚時間倒流，又退回到當年熱戀時期。她睜大眼睛，有所期待地凝視著他。

「我，我走了，妳自己保重！」志忱欲言又止，倏地轉身，便快步衝了出去。文淑定一定神，趕到門口，只聽得車門碰的一響，兩道燈光似兩片剪刀，從小巷的黑暗中一路剪了出去。

關上門，文淑覺得把一身力氣都關在門外了，兩腿軟軟地，彷彿踏在空虛的雲端裡，沉寂的沙漠中。小小的屋子忽然變得那麼空曠、深邃，她腳步不穩地挨到沙發旁邊便跌坐下去。

他走了，不曉得哪一天回來。準備了許多日子，費了很大的苦心才決定的事，卻沒有機會告訴他。這好像一個人決定了去動手術，醫生卻宣布延期。長痛不如短痛，要不，就寫信告訴他。對了，用筆來述說，還遠比用嘴來講更容易選字措詞，容易令人感動，也比較容易出口，她不能保險自己親口說出來時，不會激動、流淚……就是一個做母親的，對自己的獨生兒子要去愛另外一個女人，也不能不妒嫉、傷心，又何況她？

但是，兩個人在一起待久了，生活過於單調，也往往容易起膩。分開一個時期，說不定他會回心轉意，人家總是說：「小別勝新婚」……

她又想到志忱臨走前，那樣深情地喊她一聲……

彷彿已判了罪的囚徒，準備認命了，忽然又獲得復審的機會，有如在長夜中發現了一線曙光，滿懷希望地等待著，盼望著……

盼望著志忱來信，又成為文淑生活的重心，思想的標的。但兩星期過去了，除了一紙明信片，寥寥數言告訴她抵達台南，事情很忙。便再無音訊。

大概真是忙，又是七八天不見魚雁的日子過去，文淑自己這麼寬解著：何況他本來是個懶於動筆的人，出差十天二十天的，也沒有什麼好寫。倒是她想給他寫封信，偏又沒有地址，打個電話去公司裡問問吧，顯得有點大驚小怪的，而她亦不認得哪一個，要就是那個什麼馮澤群，多不好意思；再說，自己枉為志忱的親人，連他的行蹤都不清楚，說出來也未免令人好笑！

這次出差，怕是時間最長的一次，都一個月了。也說不定事情快結束，就要回家來。所以，不寫信，讓她驚喜一下。以前不是有一次她回去打開房門，他已經悄悄地坐好在那裡，嚇了她一跳！

也許就是今天！每天她都這樣想，每天她在醫院裡，心就一直掛在家裡。渴切地盼望著下班又匆匆忙忙趕回去，拿著鑰匙的手緊張得抖慄著老對不準鎖孔，彷彿她在打開一座寶庫！一座藏著她畢生幸福的寶庫。

門開了，庫中空空如也，她所能得到的卻依舊是失望和空虛，漫漫無盡的寂寞長夜。但是在一番掙扎後，她又把希望和歡樂放在明天。

明天復明天……

那天下午，離下班還有半小時，文淑端著一盤剛擦洗消毒好的治療器械，預備放進櫥裡。內科病房的張小姐正在這時走進來，看見文淑她驚訝地喊了一聲：

「怎麼妳倒沒事人兒似的還在這裡上班，妳弟弟不是今天結婚嗎？」

回答張小姐問話的是一片金屬器械清脆的撞擊落地聲，鉗子鑷子的像遇上地震般從文淑托盤裡震跌在地下，她僵硬地俯下身子去揀時，另外一些卻又滑了出來。

「妳的臉色怎麼那麼難看！是不是病了？」張小姐幫她揀起一地的東西，關心地端詳著她。

「沒，沒有什麼。」文淑失色的嘴唇顫抖著，很艱澀地從喉嚨頭吐出說話來。她勉強支持轉身把一盤凌亂的器械擱在盥洗池旁邊。裝作要重新消毒的模樣，開開水龍頭，又拿了消毒水。實際上卻不知所措，這一聲突如其來的響雷已震得她心膽俱喪，神智昏懞——半晌，才強自克制著低低地問：

「妳聽誰說的？」

「什麼？哦，妳是說妳弟弟結婚的事？我表妹告訴我。」

「妳表妹？」

「妳記不得了？不是上次在電影院門口碰到的。她還稱讚妳弟弟長得很帥哩。」

「唔。」

「新娘子，嗅，應該說妳弟媳婦就住在我表妹隔壁。我表妹知道新郎是妳弟弟，以為我一定會去吃喜酒，所以特地來約我下午一路去。誰曉得妳保防工作做得頂好。消息都不透一個！」

文淑腦子裡嗡嗡地響著。彷彿一架噴氣飛機由遠而近，越來越低，越來越響。強烈的聲波幾乎要炸裂她的頭，「那不是真的！」「那不是真的！」她極力掙扎著心裡反抗地大聲疾呼！

「妳表妹有沒有說在哪裡舉行婚禮？」她忍著自尊心受委屈的悲痛問張小姐，固然，正要走開的她立刻回身止步，高亢的語氣中充滿了詫異。

「好像說是在狀元樓——妳真的不知道？奇怪！哪有弟弟結婚瞞著親姊姊的？」

「嗅，我想，他可能怕我不同意，因為——我替他看中一個他不要。」文淑不得不編話來搪塞。

「怪不得妳氣得那樣子！其實這年頭連父母都管不到兒子的婚姻了，何況妳這做姊姊的，我勸妳還是看開點算了。」

張小姐一走，文淑再也不克支持掩飾，她感到胸口重重的壓榨，彷彿整個屋頂和天空，全塌下來堵壓在那裡，使她窒噎，她雙手痙攣地握緊著。直到輕脆的劈拍一聲，原來是一支注射的針筒不知不覺被她捏碎了，打開手心濕漉漉地沾滿了薄薄的玻璃碎片，殷殷的血絲，和冷汗。

看見血，戳破了的不是她的手，倒像她的心。

他竟偷偷地和別個女人結了婚？那一切都完了！她絕望地在心裡喊著。絞著自己，一瞬時全身的血液好像都被抽空了。手腳發麻，寒冷從指尖一直滲透最末的神經。像患寒熱病似的戰顫著。隨著悲痛的絕望來襲擊的是猛烈的恨，憤恨像一塊烙紅的炭投在她心裡，抽空的血液又迅疾迴湧，在血管裡沸騰著……好一個說謊的大騙子！什麼出差去了南部，原來根本就沒有離開台北，偷偷摸摸地在準備結婚。想不到他心腸那麼狠，手段那麼絕，就那樣撇開了她，像扔掉一雙穿舊了的舊鞋了！十幾年生活在一起，共患難，同甘苦，連一點感情都沒有！最可恨的是無情還加上欺騙。他可以跟她談判，跟她當面解決問題，還怕她真會像沒有教養的村婦撒潑撒野地死拖住他後腿？何況她已經決定了犧牲自己成全他，但他卻在她預備告訴他的時候偷偷溜走了，那樣地遺棄她就像她是一個下賤的女人，一個……他給她羞辱比無情更使她憤恨，他傷了她的心也傷了她的自尊。烙紅的炭火燃燒著，火焰很快地擴展、蔓延，從心底燒上腦門，血液沸騰到了沸點，整個人和心彷彿都將爆炸、迸裂——她迅疾地撕下身上的護士裝，不管那些弄髒了的器械，匆遽地走出醫院。

「欺人太甚，我要報復！一定要報復！」在門口攔住一輛三輪車，便跳上去說了個地址：「狀元樓」。

坐在車上被冷風一吹，讓憤恨的煙火薰得昏迷了的頭腦稍微清醒了一點，她才問自己報復究竟該採取什麼行動？那不像在教堂中舉行婚禮，只要當神父徵詢親友時站起來說不同意就可以否決得了的，如果婚禮還沒有舉行，她怎麼阻止？如果已經行過了，又怎麼破壞？……她可以說他在大陸上已結過婚，還是自己挺身而出？無論如何她要不顧一切，使他難堪，使他下不了場！……車子在狀元樓門口停下來，門前一塊貼著紅紙的牌子上寫著林何兩府喜事，地上爆竹紙屑狼藉，顯然已行過婚禮了。文淑沉住氣走上樓梯，一眼望見禮堂裡鬧哄哄的，賀客都已高踞席上談笑，只有上面一桌還空著。她再轉過頭去，看見樓梯左側有間垂著門簾的休息室，走過去一掀門簾，首先看到的是一個穿粉紅旗袍的側影，正對著鏡子在戴耳環，另外一個穿洋裝的少女站在一旁幫忙梳妝，背著一邊，兩個男士面對面站著，看見文淑，臉向外的男士說了句什麼。接著那背著的一個旋即轉過身來——正是他，縱使燒成灰文淑也認得出來的那個人。筆挺的西裝襟上那鮮紅的絹花和緞帶，宛如一團噴射的火焰，一轉身便已灼痛了她的眼睛。

一剎那，兩個人彷彿同時被魔法鎮住了，鬥雞似的彼此瞪視著，一個是充滿了驚愕、惶恐，顯得手足無措，一個是憤恨填膺，七孔冒火，盯著對要把他燒化——但這只是見面的一瞬間，文淑激動地放開門簾，跨進一步，她先要揮兩個巴掌，再扯下那朵紅花摔在他喜氣洋洋的臉上。

「淑姊！……我，我……」新郎的臉像剝掉了一層殼一樣，一下子由紅堂堂變成慘白，他本能地退後兩步，彷彿想遮護另外的那個目標。囁嚅地不知所云，文淑狠狠地盯住他，像一隻豎毛弓尾的貓，從牙縫裡迸出嘶嘶的警告：

「林志忱，你好！」

「妳聽我說，淑姊！」

「你是個說謊的騙子！」

「我本來要……。」

「哼！騙我出差，原來是這麼一回事……。」

「我是想……。」

「沒有想到你是這樣陰險、狠毒的人，我還一直被瞞在鼓裡。」

「淑姊！」

「你，你欺人太甚！」林文淑越來越抑制不住自己的聲音。

「客人已經等了半天，新郎、新娘該出去入席了！」男儐相似乎看出情勢不對，插進來打岔。

「噢，好好！」林志忱拾一拾神，鎮定下來，連忙拉了男儐相一把。「小潘，這是我姊姊，特地趕來的——來，你來見過我姊姊。」

文淑被男儐相突如其來的一聲「大姊」一鞠躬，弄得理又不是，不理又不是，握著的拳頭不得不垂下來。但勉強收斂起的怒火，立刻又被移到面前的粉紅色身影擦撥起來。她沉著氣，用敵意的眼光輕蔑地打量著這個從她身邊奪去了志忱的女人。一張寬寬的大白臉，小眼睛棗核似的嵌在低鼻樑兩邊，眉毛在細得像兩條黑蚯蚓，厚厚嘴唇塗得紅紅地翹著，冷漠的眼光，一臉沒有表情的表情。庸俗、愚騃還具有那種欠缺好教養的冷傲。但是，她有高貴文雅的文淑所缺少而值得自負的東西——青春，和一個豐滿得像從薄薄的軟緞裡爆裂出來的、成熟的胴體。

新娘子在她那浮腫的眼皮下冷漠地瞅了她一眼，下頦微微一動，嘴角一掀，便算招呼過了。由女儐相扶著從文淑身邊過去。那朵紅花赫然翹揚在高高隆起的胸前，一步一顫……文淑不禁嫌厭地避開視線。

「嚇！原來他迷戀的便是這個！」她滿心厭惡輕蔑，彷彿看了一場惡劣的、低級趣味的電影，對知名演員的評價大打折扣。她正鄙夷不屑地要回頭再找那個在她心中貶低身價的人，背後卻傳來另外一個人的聲音：

「林小姐妳好！」

是那個叫什麼馮澤群的，殷勤地在向她致意，房裡已沒有別人，儐相正簇擁著新人跨出房門。

「小林實在分不開身來，派我招待妳，有什麼事，儘管吩咐。」

好呀！林志忱這狡猾的東西！自己開溜了，把她像一個包袱般丟給別人，沒有那麼便宜的事！但看人家那副殷勤而恭謹的樣子，又不好意思發作。

「林小姐，先聽小林說妳玉體欠安，還特地趕來，是不是先休息一下，還是……先化化妝？」

化化妝？她懂得他言外之意，她那副毫不修飾，服裝隨便的模樣，實在不適合來參加婚禮的，本來嘛，她又不是來「參加」婚禮。

「我不……。」

「那麼就請入席吧！」馮澤群接過去說，伸手作了恭請的姿勢，文淑猶豫了一下，心想好吧，總要給點顏色他看看！便挺一挺腰肢走在前面。禮堂裡響著此起彼落的掌聲，來賓的注意力還沒有完全離開新人，但有些看到文淑仍露出詫異的神情。還有人用輕佻探詢的口氣喚著：「嗨！老馮！」馮澤群一直陪她走到上面的一桌，臨時加了個位置，正好背向著禮堂，對面是新郎、新娘，是一個紅慘慘的大喜字，就像志忱胸前的紅花，一直閃閃地灼著她的眼睛。彷彿向她示威，又彷彿向她挑釁。

她不甘示弱地還敬過去，直瞪住對面的林志忱，準備有所行動。

「我們先敬淑姊一杯。」林志忱恭恭敬敬地雙手端著一杯酒站起來，一面示意旁邊的新娘跟他一致行動，他那一臉肅敬的神情，和誠懇而又充滿熱忱的聲音，很容易打動人心。「從前人家說長兄若父，我說長姊若母。我能有今天，都是淑姊一力造成的，淑姊所給予我的恩惠，此生將念念不忘——請喝這一杯，接受我最大的敬意和最深的感激。」

文淑沒有想到志忱會這樣善於應變，先施軟功，但竟把她比成母親，簡直可笑！他究竟是頌揚她的好處還是誇張她的年紀？兩個人同牀共枕十幾年，有過那麼深的關係，卻胡亂用一個譬喻完全抹煞。好厚顏無恥，好可惡，又好可恨！……「卡察」一聲，似乎她的恨只會從指尖上發洩，手裡死勁捏著的酒杯竟如同那天針筒般捏碎了，酒汁淋漓一桌，她看到志忱裝模作樣的面孔轉了色，也知道許多眼睛驚疑地望著她。

「請喝這一杯。」一杯酒從左邊悄悄地遞到她面前，也許困惑於自己失態引起的尷尬場面，素來不喝酒的她，竟糊裡糊塗舉杯乾了，熱辣辣地一直從喉嚨頭燒到胸口，她嗆咳著又憤恨地生自己的氣：為什麼要喝下這杯酒，不把它往那負心的人臉上潑去？

「先吃點菜。」有人遞給她一塊手巾擦手，接著一塊白斬雞悄悄落在她碟子裡。又是馮澤群殷勤的聲音。

有人開始敬新郎、新娘的酒，新郎、新娘又離席去敬客人的酒，也有人敬她，鬧哄哄地，她一肚子惱恨就像鍋裡煮著的滾湯般沸騰著，卻不知道如何發洩，只是悶著氣一杯一杯地把冷酒燒下去。人家敬她，她也木然回敬人家，喝多了，喉舌反都麻木了，毫無感覺。漸漸地，她覺得那些囂鬧，那些笑聲，那紅閃閃的喜字和晃來晃去的人影都絞纏在一起，繞著她嗡嗡地打轉，像一大群飛舞著的蒼蠅，她緊閉上眼睛，光和影仍在她眼睛裡閃爍個不停，她掩上耳朵，亂糟糟的聲流仍舊灌了進去。

「我敬你一杯。」

「乾杯！」

「乾杯！」

「乾杯！」

最響的永遠是這兩個字，像一聲比一聲更重的錘擊，錘得她頭暈眼花。我還有重要的事沒有做！她竭力想擺脫這干攪她的囂鬧，模糊地捕捉著一個概念。我要報復！要報復！但有什麼落在她眼皮上，不，是起了霧，看什麼都不清楚！她用力睜大眼睛，一定要盯住他，不能讓他逃出她的視線……。在哪裡？還在對面，正向她迫近來，近來越變越大，占滿了整個空間，哎！那不是他，是那張可憎的大白臉，冷漠的眼睛瞅了她一眼，慢慢地退了回去。另外一張臉又漸漸迫近來，擴大了，那正是他，薄薄的唇角挑著一絲嘲弄的微笑，俊目中射出冷峻的眼光。一會兒臉都不見了，只剩下一對冷漠的眼睛，一張嘲笑的嘴，正對著她……有些什麼東西在文淑胸中兇猛地膨脹、衝激，終於突然爆裂了，她陡地站起來，一手指著前面，激動地叱責著：

「林志忱你這個沒有良心的……。」她嚷了半句又突然怔住，人臉如同肥皂泡般消失了，桌子對面是空的！只有牆上那個大紅的喜字，紅得像一團火焰向她撲來，一道熔岩向她流來，那光焰令她暈眩，那灼熱使她融化，她感到自己正軟軟地癱瘓下去，本能地伸出手來抓著，明明抓住了一把……「嘩啦啦！」又是什麼濕的熱的，跟著她身子往下溜，都從她身上滾過去，滾到地上。

「醉了。」

「喝醉了！」

誰在說醉了？是誰喝醉了！一定又是他，是志忱。什麼人在拉她？不要拉拉扯扯！她要去攙志忱起來，看這地下稜稜角角扎手的準又是碰破了茶壺，一片滑不拉幾的是開水還是他嘔出來的髒東西？看你又躺在這髒水堆裡，起來！哎，這手怎麼冰冷的，而且僵硬了，他死了，「林志忱死了！」她聽見一個嘶啞的聲音喊叫著，接著，一個愴厲的、像受傷的野獸的慘嚎聲震懾了她紊亂的神經。那是什麼聲音？她呆了一呆，才辨出那慘號原來出自自己喉頭，是她在哭，哭志忱永遠離開她，不屬於她了！她焉得不傷心痛哭？於是，就像長江大河決了堤，淚水挾著巨大的悲慟滔滔地傾注奔瀉，直到淹沒了她瘦軟的身軀、悲苦的心靈、微弱的意識……

文淑迷糊地掙扎著，她覺得有什麼鎮壓在她頭上，那麼重，頭痛得像要迸裂開來。嘴裡沒有一滴口涎，喉嚨頭像要冒煙。而且那麼弱、那麼倦，累得她連眼皮都抬不起來。

她不知道自己在什麼地方，是白天還是黑夜？腦子裡一片空白，耳朵裡好像聽到一點聲音，不是她的呻吟，是從遙遠的地方傳來的：

「你把新郎新娘送入洞房了？」

「哎，這個還沒醒？」

「小林倒安逸，自己去享受洞房花燭夜，卻把這個燙手的番薯扔給人家。」

「小林說起來也有他一套苦經，他說他姊姊年輕時受過刺激，精神有點失常，最看不得別人結婚娶親，他為了顧憐她，才一直沒敢成家。」

「哦，是這樣的嗎？」

「他這次所以偷偷摸摸瞞了他姊姊結婚，就是避免刺激她——不想還是給她知道了，鬧了個笑話。」

「有這麼回事，小林都不曾告訴過我……很可笑，他以前還預備替我介紹的哩！」

「哈，真要娶個精神病太太可一輩子夠受的了！車還在底下等著，來，我幫你送她回去。」

這些說話不過是一些嘈雜的音波，擦過文淑的神經，就像風吹響著樹葉，沒有一點意義。她只是無力地轉動著頭，想擺脫那重壓，還有胸口的；接著她感到自己彷彿騰雲駕霧地降落到一個狹隘的盒子裡，輕輕地搖晃著，她模糊地意識到是坐在船上。

「是去台灣嗎？不，不對……。」

「那麼是回家去！」噢，回家太好了，回到她幼時嬉戲的地方，那感覺是甜甜蜜蜜的，好像迷失的孩子就要回到母親身邊，心裡說不出的舒坦、溫暖。她忘記了頭痛胸口脹悶，身子虛飄飄地搖晃浮沉。升起來，升起來……又落下去，落下去……怎麼，船開動了？她用力睜開一條隙縫，哎！前面那紅慘慘盯著她的是什麼？紅的像在噴火，像在滴血。像野獸閃著兇焰的獨眼……多可怕！

「快，快打掉它，打掉那惡魔的紅眼睛！」

噴著兇焰的獨眼猛地向她撲來，她一聲驚叫沒喊出來，卻已倏地消退到後面去了，接著身子又輕飄飄地搖晃起來，船重新在海裡行駛。她深深地歎了口氣，十分困乏地閉上眼睛，迷糊中孩子似地喃喃說著囈語：

「回家真好哦！回家了——真好！」

刊於《中華日報》・民國五十三年十二月十八日

編註：本文原刊於《中華日報・副刊》一九六五年一月二十六日～三十一日，第六版；二月一日，第六版；二月

八日～十八日，第六版，原題〈姊與弟〉。

安排

一

章緯在門口下了三輪車，摸出手帕在額上拭了一陣。喉嚨口已熟練地準備好了一句答覆；當秋芸來開門時抱怨他怎麼說好昨天晚上回來的，害她等到半夜！就說：「事情沒有辦完嘛，又要等人！」

但他舉手按鈴時又放了下來，門虛掩著沒有閂，他輕輕地推開進去，屋裡一陣孩子們的笑語聲迎面飄來。「怎麼，今天又不是星期日！」他先是詫異，接著又不禁啞然失笑，現在是暑假嘛。自己不常在家，孩子們放假不放假，老是弄不清楚。

小院裡一片濃蔭，涼風襲襲，暑熱盡去。「這倒跟旅館裡的冷氣差不多。」章緯站在石階上深深地吸了兩口空氣，進玄關去脫鞋，孩子的聲音更清晰地從前廊上傳來：

「媽怎麼還不回來！人家領子上反了，就不曉得怎麼改。」大女兒麗容焦灼地在抱怨。

「我還不是在等她！出去都好幾點鐘了。」這是小女兒幼容的聲音。

「嗨！幼容，妳感不感覺到媽近來有點改變！」麗容故作神祕的在問她妹妹。十四、五歲的女孩子就曉得長心眼兒！章緯在心裡忍著笑，解鞋帶的動作緩下來聽著。

「改變？我，我不知道。」幼容拙訥地回答。

「嘿，妳真是個木瓜！妳不看見媽這一陣老愛出去，而且，比較喜歡打扮起來。」

「好呀！我去告媽媽，說妳們在背後講她。」大聲嚷著的是么兒子小緯。就在這時「汪！」的一聲，小狗凱莉直撲了出來，小緯也跟著追在後面，看見父親高興地喊了一聲，三個孩子帶狗立刻圍著章緯眾星捧月似地簇擁著他進去。

「爸帶了什麼好東西給我們吃！」小緯眼睛骨碌碌地直打量著他搶著提進來的那只旅行箱。

「這次實在太匆忙了，辦完事就趕車，沒有時間去街上買東西。」章緯這幾句話本來習慣用來應付太太的。但拿來搪塞純潔天真的孩子，心裡不無有點愧疚，昨晚上他實在是被老劉他們留著打了一夜牌，離開牌桌便上車。為了補償，他一把拉過小緯在懷裡，慷慨地說：「你們要吃什麼，爸明天去買。」

「不要明天，就是今天！」

「要什麼？」

「要一場電影。」麗容搶著說。

「對了，國光主演〈哈泰利〉，帶我們去看，這個暑假，你一次都沒有帶我們出去玩過，總說好忙。」

「好吧，就今晚上去。」

孩子們發出一陣歡呼，小緯更摟著凱利在榻榻米上打滾。

「爸爸一回家，你們就樂瘋了！」章太太笑盈盈地進來，深意地望了他一眼，便坐在他對面椅子上，章緯忽然想起麗容的話，不由得仔細打量著她。果然臉上抹著淡淡的胭脂，唇上搽著淺淺的口紅，苗條的身軀裹在一件滾邊的淡紫旗袍裡，顯得瘦弱伶仃。他記得她平常好像是從不化妝的，但一直不加注意，因此現在也覺察不出她究竟美了一些，還是又瘦了一些。

他看她對麗容拿來的做了一半的衣服指點了幾句，又吩咐她們先去洗米煮飯，洗好菜等她來弄。先燒上水，讓小緯自己去洗澡。孩子們都乖乖去了。他不禁感到驚奇，好像看到地板上長出植物來。

「妳什麼時候改變了教育方針？」

章太太淡淡地一笑。

「女孩子嘛，學點家務事將來自己方便，再說，小孩子也應該早點養成自立的精神。」

「可是妳過去一直都那樣嬌慣他們。」章緯好像覺得不久以前，兩個女孩子掉了顆扣子要媽媽釘，穿一件衣服問媽媽要，廚房的事從來不挨邊兒，小緯更不用說了，那麼大連洗澡穿衣都要媽媽幫忙，他有時還嫌她太嬌慣了，不想一下來了個一百八十度的轉變。

「就因為過去嬌慣了，所以在這暑假使個惡性補習。」章太太還是淡淡地笑著說，一面提起他的箱子進房去。

「晚上帶孩子去看電影，你這下還是先休息一會吧！」

章緯不好意思馬上睡著，躺在牀上跟他太太東一句西一句地扯著，看她從箱子裡撿出一樣樣衣物，該掛的掛上，該放的放好，該洗的扔出來，動作敏捷利落，瘦小的身軀內彷彿潛藏著無限的精力。

這時章太太已把箱子理空，托著放上櫃頂，忽然眉頭一皺，挺直的身子像拗折了般彎了下來。

「怎麼啦？秋芸！」

「還不是胃痛！」章太太強自挺起腰肢苦笑了一下。「你睡你的吧，我去喝口熱水就好了。」

她就是那麼個外柔內剛的女人！章緯望著她匆匆離去的背影在想：雖然外型長得嬌小，且溫柔忍耐，但當她一旦心裡立下了什麼主意，卻比釘子還釘得牢實。當年她父母反對她同他結婚，說不給她一文嫁妝，她就跟他倆公證結了婚。後來懷了孕，醫生說她骨盤狹小，一定要剖腹生產。經過不少痛苦才生了麗容。他說太危險，再不要生了。但她堅持一個孩子太寂寞，不久又動手術生幼容。連醫生都警告她身體太吃虧，無論如何不要生了。她卻一直遺憾著有花無葉，最後，還是開第三次刀，生下了小緯。

一個女人能為了兒女受三次那樣的痛苦，冒三次生命的危險。男人是無論如何做不到的。

章緯被小緯搖醒來，以為是叫他吃晚飯。卻說有客人找他。原來是他課裡的徐課員，說是處長等了他一天，想知道他這次去台北接洽的情形，晚上有空最好去一趟。章緯一口答應了吃了晚飯就去。

飯桌上，三個孩子都低著頭默默地扒飯，章緯這才想起答應了帶他們看電影又要失信了，不覺歉然。

「爸爸公事要緊，不能不辦。」章太太出來替他解圍，平靜的語氣有一種安撫作用。「回頭我帶你們去看電影好了。」

喜悅重又回到孩子們的臉上。章緯向太太投去感謝的一眼，只見她捧著一小碗飯慢慢地咀嚼著，毫無胃口的樣子，燈光下，臉上透過薄薄的脂粉有一份疲累的神色。

「妳的胃還痛不痛？」

「不痛了。」她搖搖頭，也向他報以輕鬆的一瞥。他忽然感到在那一瞥的眼波深處，隱藏著不少他陌生的東西。但他留神去辨認時，她又垂下了眼簾。就像一個變魔術的無意間洩漏了一下箱底的祕密，又忙不迭把它嚴密的關起來。

「好像有事瞞著我。」他想，但這想法很快就被另外一個晚上要去赴約的念頭刷掉了。

二

孩子們的暑假過去了。在章緯的感覺上，家裡一切還是照舊進行。他也習慣了秋芸修飾上的改變。看到自己的太太老是頭光面滑，整整潔潔，總比那副滿臉油汗，不衫不裙的尊容要順眼一些。這期間，也好幾次下班回家，或先或後地，逢上她也正匆遽地從外面回來，有時他隨口問一聲：「上街去了？」她也總是點頭後來一聲：「嗯！」

「大概女人到了那樣的年齡，對自己將逝的青春有所留戀和悼惜，或多或少都會有點改變。」對秋芸的變得愛修飾，愛活動，偶然泛一點疑惑，自己做了那樣的解釋，也就釋然了。至少，有一點好處，她多注意點自己，常出去走動走動，對他的行動就不致多猜多疑，時加查詢。

秋芸治理家務，一向總是任勞任怨，有條不紊。而由於她太熱心服務，把一家人都養成一種惰性，所有生活上的瑣事全依賴她安排。有時她興來時，家裡還常來次革新；把牀和五斗櫃掉個位置，把沙發茶几換個方向，再不就把牆壁上的字畫換上幾張。但章緯覺得所有的革新工作，再沒有最近這次胡鬧的了。

那天，他下班回去走進客廳只見秋芸像參加了一場萬米賽下來一樣，疲累不堪地靠在藤椅上向他歉疚地一笑說：

「抱歉得很，今天來了一次大革新，把晚飯給耽誤了。你和麗容去煮點麵吃吧！」

章緯看看屋子裡，望望牆上，見一切家具的擺設都各就原位，跟他早上離開時一樣。

「是搬動了妳的嫁妝，還是把房子挪後了三尺？」

「噢！你們都跟我來。」章太太站起來走進房去，一家人全在後面跟著，她走到那排壁櫥前面，像個美術家揭開她畫版上蓋的幕布似的，慢慢拉開了紙門，壁櫥內像平常一樣，擺滿了箱子，章緯和孩子們莫名其妙地瞪著眼。

「看這裡，」秋芸指著中間一疊四只箱子中的一只。這只箱子也沒有什麼特別，只是在右角上貼了一張圓圓的小卡片，上面寫了個「甲」字。「以前大家的衣服我都是按照季節裝箱的，譬如呢絨的歸呢絨的裝一箱，單薄的歸單薄的裝一箱。今天我把全部衣服清出來，重新分配了一下。」

「我的天！」章緯忍不住嚷起來。「這麼熱的天氣來翻箱倒籠的搬動這許多衣服，妳真是無苦找苦吃。」

「新的分配不是按季節，而是以個人作單位。」秋芸不理章緯的打岔，還是一本正經說她的：「那就是說每個人的衣服集中在一起，箱子編上號碼，你的是甲，麗容的是乙……。」

「這不是多此一舉！」章緯又提出反駁，「我們穿什麼還不都是問妳要？」多少年來他就很少為穿衣服煩過心，換季什麼的，秋芸總是早為他安排了。

「你們必須記住自己的編號。冬天的衣服拿出來，就把天熱穿的洗好放進去。衣服要摺好擺平，下次穿時才不會皺。聽到沒有？」

「聽到了！」孩子們隨聲附和。

「妳好像在辦交代似的。是要去美國還是想推卸責任？」章緯見秋芸說得那麼認真，笑著問她。

「大家的衣服混在一起實在不容易找，我現在腦筋又不大好。不是我推卸責任，是採科學管理，分層負責。」

「媽自己是什麼號碼？」小緯在所有的箱子上看了一遍，抬起頭來問她。

「沒有編號的便算我的。」秋芸隨口答應著便拉上紙門，轉身靠在牀上。叫他們快去弄吃的，讓她休息一下。

每天晚上，如果章緯在家，照例總是三個孩子在室內做功課，他跟秋芸在窗前，一個看報，一個縫縫補補的。那天也不例外，秋芸雖說胃不舒服只吃了一小碗麵，手上編著毛衣的兩隻織針轉動得飛快。專心一注，彷彿在跟時間比賽。

屋子裡一只電風扇不停地搖擺著，卻吹不走那份燠熱，散了又聚攏，只在身邊盤旋。章緯把報紙又翻了一面，看見秋芸膝上堆著件將完工的毛衣，一直低著頭只顧忙著編織，就像那毛茸茸的黏到自己身上一樣，皮膚上一陣起膩，不禁皺了皺眉頭。

「妳累，不會歇歇麼？」

「打毛線一點都不累。」

「一夏天好像都見妳在打毛線，也不嫌熱。」

「就要現在趕著打，天冷才正好穿上。要不，那麼些人的毛衣，怎麼來得及？」說著，她收了領子，喚小緯過來試穿。小緯邊穿邊嚷：「熱死了！」穿了上去又嚷：「太大太長，難看死了！」

「你人在長嘛，先穿你那件藍的，過些時候再穿這件，就正好了。」

「這毛線顏色像是妳的。」

「本來就是媽的毛衣拆改的。媽還把她的黃毛衣拆了打給大姊，白毛衣給二姊。」小緯搶著說。

「那麼妳自己呢？妳今天冬天不要穿了？」

「到時候再說吧。」秋芸拿手帕擦擦手，又開始在挑袖口。

章緯嗤地笑了一聲。

「希望妳打那許多毛衣中沒有我的份。」

「為什麼？」秋芸停下織針，詫異地望著他。

「人家只有說太太打毛衣，一針一針織進去無限柔情蜜意。妳呀，妳卻盡織進去一些臭汗水！」

章緯原是故意調侃他太太的，卻見她低下頭去，半天不作聲。手裡掇起毛衣來再結時，針法亂了。亂截亂挑了一頓，忽然放下衣服便站起來向後面走去。

「怎麼生氣了？我是說著玩的。」章緯喚住她，但她不作理會，逕自走向廚房。他困惑地望著她低垂頭的背影。不曉得她究竟是不是真的生自己的氣，就為那句玩笑話會傷心？但她從來就不是那種感情脆弱的女人，這就教他不懂了。

三

雖然對秋芸的一些改變，章緯曾做過一次自我解釋。但慢慢的那解釋已不能使他釋然了。秋芸眼中偶然洩露出來那種隱藏著某些祕密的神色，那變得脆弱而過敏的感情，以及一些奇特的行為舉止，常使他感到困惑，而最使他困惑的，莫過於她忽然想起認了個乾媽的事。

紙。

那天是星期日，他睡了個懶覺起來，索性連睡衣也懶得換，便又靠在沙發上大看其報紙。

「今天你有沒有事？」秋芸悄悄地走到他面前，打扮得整整齊齊的。

「沒有事。」

「那正好，陪我出去一趟行不行？」

「當然行。」章緯忙放下報紙，高興她難得會放下家事，有這樣好的興致。他們兩人已許久不曾一起出去過了。「妳要去哪裡？」

「去乾媽家。」

「什麼？」章緯懷疑自己聽錯了。「妳從哪裡爆出了一個乾媽來？」

「才認的。」秋芸坦率地說，知道要費一番嘴舌，便在他沙發扶手上坐下來。

「嚇，妳真是越來越倒縮回去了！從前只聽說哪家的孩子單薄，認一個兒女多的做乾媽。沒聽說過哪個自己兒女都成群了，還去認別人做娘。」

「現在大家都是離鄉背井的，在外面能多一門親戚走動走動也不錯嘛！」

「我記得妳過去還很討厭這樁子事，說什麼乾呀濕的，肉麻當有趣！」

「那也要看是什麼樣的動機，再說有時候觀念也會因環境而改變的。」

「妳倒真像有那麼回事！」章緯望著太太溫柔中揉著堅持的神態，就像她平時決定了任何事一樣，再不會動搖。「是怎麼樣一位老太太使妳這樣傾心？」

秋芸瞇著眼睛笑了笑，笑得眼角的皺紋蓋起來像一把放射線。

「那位張老太太說起來還是同鄉哩，人頂親切、頂熱情的。她的那位老伴五年前就去世了，兩個女兒又都留在大陸，身邊唯一的小兒子年初剛去美國，就她一個老人在台灣，孤零零的，寂寞得很。」

「妳們怎麼認識的？」

「在醫院認識的，我們是胃病同志，不知為什麼，我一看到她就會想起媽來，最近我想媽想得要命！」秋芸忽然聲音梗塞，低下頭去，頓了一頓又接著說：「我倒是誠心拜她做乾媽，她也很想面前有兩個親人走動走動，我們呢，在台灣也沒有一個長輩。這樣認一門乾親，彼此都多個照應。」

「妳可以算得孔子的好學生，真正做到了老吾老以及人之老。」章緯搖著頭，無可奈何地站起來，預備去換衣服。「去就陪妳去，不過有一個原則。」

「什麼原則？」

「我絕對不乾呀濕的叫人。」

「叫人嗎，舌頭上打個滾，又不會蝕掉什麼。」

「我就是不會打這個滾。這點先說好再去。」

秋芸看他又站住了，怕他再堅持，連忙改口說：

「好吧，隨便你，反正以後日子長著哩！」

章緯見到那位張老太太，就跟常見的那種和氣、健朗、善於持家的老人一樣，矮矮的身軀內還充滿活力，略為花白的頭髮梳得光光滑滑的盤了個髻，身上一套襖褲穿得稜稜角角。臉上那一道皺紋裡嵌滿了風霜和寂寥。但笑時卻化作一天靄雲祥氣，使人感到親切熨貼。章緯心裡那份執拗很快也被老人的慈祥軟化了，只是聽著秋芸左一聲，右一聲的「乾媽」，叫得那樣親熱，那樣至誠，總覺得皮膚上有點麻麻的，很彆扭。

自從認了這門乾親，兩家走動得很勤，做乾女兒的待她更是體貼關切，噓寒問暖，把老人家一臉愁紋都熨平了。幾乎經常成為章家的座上客。雖然老人話總是多些，但她風趣、樂觀，處處為人著想。連三個孩子——尤其是小緯，一天就「奶奶」、「奶奶」的不離口，那晚上小緯依依不捨的送走了老人，秋芸好像忽想到了一個新鮮主意，對著章緯耳邊欣然地說：

「噢，章緯，我看我們乾脆把乾媽接來家裡住好不？」

「那怎麼成！」章緯脫口說，他覺得秋芸越來越異想天開，去找個老人來侍候，而且風燭之年，要擔多大的風險！更不要說生活上種種麻煩，但秋芸卻不理會他的想法，興孜孜地只顧說她的計畫，顯得胸有成竹的樣子。

「你聽我說：麗容她們後面那間堆東西的小間，本來不就是預備給小緯住的！他一直不敢一個人睡，如果乾媽搬來，正好擱兩張牀，兩個睡一房。我想她一定願意搬來，免得一個人租兩間房子，冷冷清清。再說她雖然快六十了，身子還康健，也頂勤快，不說不要別人侍候她，還可幫著照顧照顧，這樣一得兩便，豈不頂好！」

秋芸說得起勁，孩子們也全在旁邊幫腔，章緯找了幾個不贊成的藉口，都被推翻了，他忍不住生氣地大喝一聲：

「我說不贊成就不贊成，這還是我的家不是？」他一發威，果然大家就噤口住聲，瞠目失色。看大家一個個低頭斂笑，就像原來陽光下欣欣向榮的花草，驟然遭遇了一陣冰雹，使他覺得自己像個專制的暴君，一手窒煞一個慈藹的老人，以及一家人的歡樂。

「好，我不管，隨你們便！」他終於自己找了個下台的階級，但這不是屈服，是俯允。

老人很快就搬來了，章緯反正自己就在家裡的時間不多，也不覺得怎樣礙手礙腳。老人搬來不久，家裡又有了一樣新的變動——原來秋芸一則為了節省，二則她覺得傭人做事不如意，所以一直都只僱一個半工洗洗衣服、擦擦地板。這下忽然打破慣例，辭掉半工，請了個下女。

慢慢地，章緯回家時，只見老人指點下女做飯弄菜，跟放學回家的孩子們說東扯西。那個做主婦的反倒自去逍遙了。常常要到吃飯時才姍姍地回來，穿著她最喜歡的出客衣服，臉上脂粉均勻，頭上頭髮光整，就像剛打扮好了要出去赴宴。但是當章緯仔細打量，卻不發現在脂粉掩飾下疲累的臉色，和言笑時的勉強。吃飯彷彿只是一種形式，淺嚐即止。這些她都掩飾得很好。自然，孩子們是無法覺察的。

章緯知道她既不會打牌，又不喜歡串門子，每天究竟出去做什麼？他很想問問清楚，但話到嘴邊卻又不由得縮住了。原因是他自己平常應酬多，夜深歸來，就討厭她查詰盤問。嫌她過於干涉他的行動。如果自己亦採取這一套，豈不自相矛盾？再說她若真有事情要瞞他，問一聲又哪裡問得出來！

雖然她是個好女子，平常相夫教子，克勤克儉。但人若要變起來也說不定的。想她過去總是不滿自己應酬多，開會忙，冷落了她。這一陣子似乎很少怨言，該不是採取了報復行動，自求補償……

章緯有時覺得自己的猜疑十分可笑，有時卻又被那些猜疑弄得惶惑不安。他幾乎恨起秋芸來，恨她那樣行若無事，來去自如，卻害得他煞費猜疑。

猜疑，像滾雪球，如不能冰釋，就越滾越大。

但秋芸似乎並不知道滾在她後面的雪球，依然像不受拘羈的秋風，去時去，來時來，打扮得整整齊齊，在均勻的脂粉下掩飾著一份疲累。

四

酣睡中，章緯忽然醒來，他沒有聽到聲音，但知道一定有什麼驚醒了他。屋裡還亮著燈，書桌上的一支檯燈。秋芸悄悄地伏在桌上寫著。他從枕頭底下摸出手錶來看看。二點差十分，午夜都過了。

「秋芸，半夜三更的，妳在寫什麼？」

「我睡不著覺，在寫日記。」秋芸的鼻子好像堵塞了，聲音憋著，略帶些慌張。

「寫日記？妳什麼時候開始寫起日記來了？」

「想到寫就隨便塗幾句，流水帳罷了。——我馬上睡了。」她匆收拾起寫的東西往抽屜裡一塞，隨手關了燈，便摸黑上了牀，黑地裡，只聽她歇一會便吸一下鼻子。

「妳在哭？」

「沒有的事。」

「受涼了？」

「嗯。」又是吸鼻子。除了吸鼻子，她似乎不願講話。

記日記！過去好像從來就不曾見她記過日記，這又是什麼新花樣，半夜三更不睡覺來寫什麼日記！一定不是日記，非要看個明白。於是章緯也不再開口，想等秋芸睡著了起來去偷看。但她盡是吸著鼻子，隔半天吸一下，他等著等著，竟不知不覺又在她吸鼻子聲中睡去。第二天一早醒來，牀上半邊已空空。他連忙揭開被子，赤了腳走到桌前。猛地拉開抽屜。裡面除了一本空白信箋，沒有一張寫過字的紙，他不禁懊悔跺腳。

「真該死！昨晚怎麼就睡著了，我知道她一定會掉包的。寫日記，騙鬼！」

早餐桌上，章緯審視秋芸，見她臉上脂粉勻淨，神色平靜，只眼皮似乎重甸甸地抬不起來。

「妳傷風就好了？」他故意挖苦地說。

「嗯。」她輕輕地應著，一抬眼又迅速地垂下去。似乎避免與他灼灼的眼光接觸。忽然她擱下啜了二口的粥碗站起來向他苦笑了一下，「胃又痛了，我去吃包藥。」

那晚上章緯有個應酬，大家喝得酒酣耳熱，又去咖啡館泡大半天。回家，已快十二點了。滿屋子睡得靜悄悄的，秋芸替他開了門，輕輕地抱怨著。

「怎麼一頓飯又吃那麼晚？」

「吃完飯，總得談談問題嘛，這一扯，時間自然把握不住了。」章緯理直氣壯地說，看見秋芸收拾桌上的鋼筆，就知道她剛才又在寫什麼，聽見他回來才收藏起來的。

「我希望你以後把那些無所謂的應酬能推辭的就推辭，不能推辭的也盡可能早點回家。」秋芸把睡衣遞給他，婉轉地向他勸說：「你看你平時不是開會出差，便是交際應酬。

孩子們常常跟你好幾天不打照面。這樣無形中慢慢會造成疏遠。父親的愛對孩子是很重要的，我們不應該使他們稚弱的心靈上感到有缺憾。」

「妳這樣說好像是我自己去找那些開會、出差，和應酬的！」像防衛自己的什麼禁地一樣，不管觸及禁地的手是出於善意抑或惡意，都會引起他的反感。「做此官，行此禮。在社會上做事，誰能免得了這一套？」

「當然，我也沒有說完全免掉這一套。只不過要你盡可能減少或縮短，好多撥些時間在家裡。」

「可惜公家規定了辦公時間要辦公事，辦完公又是開會應酬。」章緯不知哪來的憤慨一起兜上心來，說話中嵌滿了冷嘲熱諷。「我要能像人家那樣，白天裡悄悄出去赴約，等夜深人靜時偷偷地寫公文，那大家在家的時候我也在家，看起來就是孩子眼中的好父親，妻子眼中的好丈夫了。」

「拍嗒」一聲，秋芸手中的梳子跌落在地下。

「章緯，你說這話是什麼意思？」

「妳認為是什麼意思，就是什麼意思好了。」

「我想不到你會說這樣的話！我做了什麼事，日後你會明白的。」

「當然，當祕密不成為祕密時，誰都會明白。」

「章緯，不要在你心中有卑污的想法，不要說傷害的話！」秋芸突然雙手掩臉，激動地喊著，聲音裡充滿了痛苦、淒楚、顫抖地迴盪在空中。「你要有那種想法，你的良心將一輩子受譴責，你將悔恨終身。你聽我說：我從來沒有做過對不起你的事——以前沒有，以後……更……永遠不會有……。」

章緯被她突如其來的爆發嚇退了無端的憤慨，他也沒有料到幾句話會惹得她這樣傷心痛苦，看她倒在牀上掩臉啜泣，瘦小的身軀只占了牀的一角，顯得那麼羸弱纖細。而在那淒楚的哀泣中，卻似乎包含著比身體所能負擔的更深沉重大的悲痛。一縷歉意和憐惜之情緩緩地從章緯心底升起，他只是逞一時的意氣，卻無意傷害得她這樣厲害。

他默默地拿了睡衣褲去洗澡，洗好澡又默默地進房來，秋芸仍舊保持他離開時的那個姿勢躺著，啜泣已成為輕微的抽噎。他關了燈，輕輕地在她背後躺下去，輕輕地按著她的肩頭。

「告訴我，秋芸，近來妳有什麼心事？嗯！」

「不要問我！」她悽惶地嗚咽著。「現在不要問我！」

章緯感到那瘦削的肩頭在他手心下顫慄著，他摸著她掩著臉的手，冰冷像雪糕。

「妳要受涼了。」他拉開一牀毯子，蓋住兩人。伸過手去扳住她那邊的肩頭往內一帶，那個幾乎僵冷了的身軀便轉過來偎在他懷裡。毛毯似的頭髮拂得他癢癢的，他接觸到濡濕的、冰冷的臉頰，冰冷的嘴唇……

「哦，緯，摟緊些，緊緊地摟著我！」秋芸喃喃地伸出雙臂環繞著章緯的頭頸。用冰冷濡濕的鼻子、嘴唇、雙頰，在他臉上不住摩挲、抵撞、熨貼，然後，像一隻困倦了的貓咪帶著滿足的喉音，枕著他的胳膊，柔順地蜷縮在他懷裡。那許久未曾體會的溫存，依稀在章緯心頭撩起一個遙遠的、模糊了的夢境；彷彿是那麼年輕，年輕的不知道世上有憂愁和煩惱，彼此深深地愛著，卻為一點小事故意拌嘴生氣，又和好。於是緊緊摟著偎依在一起，笑著帶淚的笑，吻著鹹味的吻，心的跳躍一致，脈息的躍動一致，生命在朦朧中溶化成一體，恍惚是那浮在空中的雲彩，悠忽、輕盈、徐徐舒卷、緩緩盪漾……但那是什麼？一道閃電？一聲悶雷？一個在鞭子抽擊下發出的呻吟？

沒有了夢，沒有了雲，眼前一片深邃的黑暗，那鞭擊下的呻吟，便來自他身邊，他的懷裡。

「怎麼啦，秋芸，哪裡不舒服？」章緯連忙坐起來，一手捩亮了牀頭的燈。使他驟然一驚的是燈光下竟映著一張如此陌生而可怕的臉！那灰白而瘦削的雙頰，那黯淡失色的嘴唇，浮腫的眼皮和陷下的眼眶，平時一直被仔細地掩藏在勻淨的脂粉下，經過半夜淚的沖洗，加上痛苦的痙攣，完全歪曲變形得竟使他一時不能辨認。

秋芸不住地在牀上轉輾著、扭曲著，雙手抓著、絞著，灰白的額上迸出一顆顆冷汗。章緯望著她痛苦掙扎的樣子，慌張得不知該做什麼好。只是問她：

「秋芸，哪裡痛？哪裡難過？」

「送我去醫院，」秋芸牙縫裡迸出微弱的聲音。「博濟醫院。」

章緯匆匆地披上衣服，跑出去敲開了一家計程車行，回家來見老人和孩子全驚惶失措地圍著秋芸，她的呻吟已逐漸低微，幾近虛脫，他連忙抱起她來上車，感到躺在臂上的身體竟那麼輕，輕得像一捆乾枯了的柴枝，臉上布滿凌亂的淚痕，是那樣憔悴不堪。他深深地慚愧平時太疏忽了，連她衰弱成這樣竟還不知道！

到醫院時，天已黎明。穿著睡袍迎出來的醫生望著章緯手上痛苦萬分的秋芸搖了搖頭，叫馬上送進病房，替她注射了一針，這才見她慢慢地平靜下來，停止了呻吟，沉沉地睡去。

「這是我見過最堅強的病人！」那位醫生一直凝望著他的病人靜靜地睡去，把她垂在外面的手臂輕輕地放進被單內，忍不住歎息著說。

「請問大夫，內人究竟是什麼病？」

醫生看了他一眼，沒有作答，只是示意他跟他出來。

五

坐在冷冰冰的診療室中，章緯焦灼地等候著醫生的宣判。醫生的神態冷靜而又嚴肅，他一手托著眼鏡，視線透過鏡片在他臉上停留了一會。

「你就是章先生！」

「嗯，不敢！」

「你是剛從日本回來！」

「日本？沒有，我一直都在台灣。」章緯感到十分困惑，茫然瞪著醫生，奇怪他怎麼會有這樣荒謬的推測。

「一直都在台灣！」這下輪到醫生皺了皺眉頭，帶著責詢的口氣問他：「那麼，你一直不知道尊夫人的病況？」

「不大清楚。」章緯吶吶地說，很覺慚愧。「我只知她一向有胃病。」

「現在不是胃病，是生癌，子宮癌。」

「啊！生癌！」章緯跳起來又跌坐下去，醫生的宣布好像一記鐵棍重重地擊在他心上，這可怖的名字，近年來在報上，在耳朵裡已看得多、聽得多了。像從前的黑死病、瘟疫，一沾上便等於烙上了死亡的記號，哦！不可能的，秋芸怎麼會得上這絕症？她不像，也沒有聽她說過……

「怎麼會，怎麼會？……還沒有確定吧？」章緯祈求的望著醫生，醫生的臉色凝重，低沉沉地向他述說。

「大概是四個月以前，你太太第一次到我這裡來求診。我替她做了切片檢查，化驗的結果便診斷了是癌。按照一般情形，我們不會把這樣的病狀直接告訴病人，而總是通知病人的家屬。因此當我婉轉地跟你太太說起希望下次同她先生一起來，她卻直接的說你在日本考察，病況盡可以直接告訴她自己，她自問可以接受任何惡劣的消息。為了方便治療，不好隱瞞，我只有照實告訴了她是癌。她還說照她平時的推測，已料到是這樣的病。」

「是癌也還可以切除，可以動手術，你沒有替她治療？」

「是的，癌可以動手術，如果生在別的部分，還比較有困難。生在子宮裡，只要把子宮摘除就可保沒事了。但是，這一點在你太太卻辦不到——你應該知道，她為了生產有過三次破腹的手術，一個人的肚子頂多只能開三次刀。」

「啊！」

「我也試著給她用鈷60治療，但那沒有多大用處，癌細胞潛伏太深了。癌這種病越到後來越是痛苦，你太太真是堅強，痛苦發作時便一個人來注射一針止痛劑，發作過後又振作振作精神回去。真虧她獨自忍受這樣大的痛苦！」

「那現在她？……」

「多則一二個星期，少則一二天，她的痛苦就解脫了。」

「哦，大夫，求求你再救救她，不能這樣快……。」章緯心如刀割，熱淚奪眶而出，幾乎向醫生跪下去，醫生只是無可奈何地搖著頭。

「我也希望能救她，但，那是辦不到的事。」

醫生出去了，撇下章緯一個人在清冷的診療室中，像撇下他在無底的、絕望的深淵，他那僵冷的身，麻木了的心臟，似鐵錘般向下墜落，墜落……。突然，他從迷亂的意識中驚醒過來，恐懼地茫然四顧，秋芸將要死去，要永遠離開他！她，他在情感上依賴她，在生活上依靠她，彷彿生命開始直到如今，她是所有生存活動的軸心，失去她，一切便將永遠停止。他想到她最近幾個月一些奇怪的舉動，原來是一番苦心安排，而她的行動，竟被他認為荒謬，被他懷疑、猜忌——悲痛似潮浪般從心底、從周圍、四面八方向他撲擊，洶湧而來，他無力抗拒，也無力掙扎，就像隻受傷的野獸般，忍不住捧住頭哀號著，泣出一滴滴心血……直到一隻手輕輕地拍著他的肩膀。

「現在你可以去看你太太了——記住，不要在她面前悲傷，要使她快活，知道麼？」

剛剛從一番痛苦中掙扎過來，秋芸的神色顯得慘白而疲憊，覆蓋在白被單下的身軀是那麼瘦小，彷彿一個十幾歲的孩子，看見他進去，在乾枯的嘴角浮起一抹微笑，依舊跟平時一樣，笑得那麼寧靜，那麼安詳。

「秋芸！……。」章緯喚了一聲便梗塞了，他趨前兩步，坐在她牀沿上，雙手緊緊握住她伸給他的手。

「秋芸，現在不痛了？剛才虧妳捱受的，我真，我真恨不得醫生能把痛苦移到我身上來，我來替妳！」章緯捧住她的手，喃喃地說，努力忍住了盈眶的熱淚，秋芸只軟弱地微笑凝望著他，像泥土吸收水分般吸收他的一字一句。

「妳不該瞞著我這麼久的，秋芸，我們有很多機會去找一找別的醫生治療，至少，妳應該讓我分擔一點妳的痛苦，讓我多照料照料妳。」

秋芸輕輕拍著他的手背，緩緩地說：

「我所以不告訴你，就是不要讓你擔憂。你有你的一份事業，孩子們有孩子們的學業，都不能受影響，我知道這種病好不了，又何必你們在忍受永訣的悲傷之前，先忍受那種心靈上的折磨呢？每天每天，想著你的一個親人在等待死亡，這種滋味是受不了的。我喜歡看見家裡人快快活活，聽見孩子們鬧鬧吵吵，寧願讓我獨自一人悄悄地受苦。」她深深地吸了口氣，又笑了笑說下去：「再說，你知道我做任何事情總喜歡安排得妥妥貼貼，如果要我糊裡糊塗就死掉，是覺得不甘心的，這下正好讓我有個機會好仔細安排後事，做人一場，也算有個交代。」

「秋芸，不要這樣說，我們再找過醫生……。」

「你不用安慰我，我自己知道得比你清楚。死我並不怕，只是……只是捨不得你和孩子。」她緩緩地閉上眼睛，又再睜開，眼中閃爍著一片淚花，聲音也顫抖了。「緯，我很抱歉不能再照顧你們，跟你白首偕老。但我相信將來你還可以找到比我更好的女人……。」

「不，秋芸，我要向妳發誓；萬一，萬一妳有個什麼，我發誓不再……。」

「不要隨便賭咒發誓。」秋芸一欠身伸手按住章緯的嘴，半真半假地，切斷了他的話。「這不是野蠻的世界，要活人殉情；也不是寫小說寫詩，把平凡的人點化情聖。活著的人總要有個活著的伴，我不會妒忌。只是，嗯，看在夫妻一場的情分上，我有個請求，請求你不要太快，等待一個時期，好嗎？」

「根本就不會……。」

「不，我要你肯定的答覆。」秋芸固執地堅持。

「當然，我答應妳。」章緯忍住辛酸，點頭保證。

「謝謝你，緯。」秋芸握著他的手在唇上吻了一下。「我說過我不妒忌，只是為了孩子，我怕他們吃虧，等他們再大一點，懂事一點，至於這個時期，我會請乾媽照顧他們，照顧這個家。她是個慈祥的老人，她跟孩子們已建立了真摯的感情，我相信她待他們會如同自己的孫兒女一樣。」

「噢，乾媽？那妳認乾媽都是早就有意的了？」

秋芸微微點頭，深意地一笑。

「感情，有時候是可以在安排下產生的。你要待她好一點，多孝敬一點，讓她老人家覺得跟自己家裡一樣。」章緯淒然凝望著秋芸，聽著從她失去了血色的嘴唇內，平靜而有條不紊地說出她的安排，一字一句如同在他心裡撩下一把香火，在那裡慢慢燒灼，卻說不出一個字。

「最使我放不下心的還是三個孩子，我再不能為他們盡一點做母親的責任。」淚水又湧上了秋芸的眼眶，她強自忍了往下說：「麗容是個比較懂事的孩子，但過於早熟，幼容最是忠厚善良，容易受騙吃虧。小緯又太任性了一點。我給他們每人寫了一封信，放在那只黑色的小皮箱裡。信上，我把所有一個做母親的，要關照孩子們的事，要叮囑他們的話，和一些做人的道理，能寫的全寫下了。當他們唸信時，會感到母親雖然不在，但我對他們的愛心，對他們的祝福和期待，永遠縈繞在他們身邊！」

「還有，三個孩子念大學的教育費，我已替他們存起，存摺都在信一起。」

「秋芸，秋芸，妳實在想得太多太遠了！身上負擔著自己的病痛，心裡還要負擔這許多的事。真是難為了妳，我，我實在慚愧！……。」實在令人難以相信，那瘦弱的身軀，竟如此堅強，竟能負如許痛苦，如許煩憂！章緯似乎這一刻才認清她的偉大，感到她的重要，他多願意重新開始，重新把自己交給她，做個關心、體貼、與她共分憂苦的好丈夫。

秋芸閉上眼睛，微微喘息著，似在平息激動的感情。章緯用手帕替她拭掉漬留在眼角的淚水。她緩緩地抬起眼簾緩緩地啟動嘴唇：「現在，我要說的是關於我自己的後事了。」

「不，不要！」章緯搖著她的手，迫切地懇求：「請妳不要再說了！……。」

「緯，你聽我說，我不知道哪一次發作就永遠不能說了，一定要趁能說時說個清楚。我相信老一輩的說法，入土為安。等我死後，不要火葬，要埋在土內，擇一處面海的，高高的山坡，向著海，向著太陽升起的地方，照著陽光，聽著海濤，如果真有靈魂的話，靈魂將不會感到寒冷，感到寂寞……

「在小箱子裡，我已預備好我穿走的衣服，還記得嗎？就是我們結婚時穿的那件白緞子繡花旗袍，我配了一雙白緞子繡花鞋，穿那件衣服，是我一生中最幸福美麗的時刻！讓我帶著活著時最光彩的回憶離去——還有，不要忘記，把你們四人的頭髮，剪一綹放在我手裡……。」

「哦，哦，秋芸……。」儘管秋芸說得那麼平靜，但章緯已肝腸寸斷，熱淚盈眶，再也忍不住撲在她身上哀泣著，他把臉埋在她胸口，雙手緊攫住她的肩頭，彷彿這樣便能攫住她，不讓她離開自己，淚水滲透了薄薄的牀單，那顆心就在他臉頰下輕輕地跳動著，隔得那樣近，近得好像跟他的心合在一起，但誰知道那一顆心什麼時候會驟然停止跳動？他感到一隻冰涼的手顫抖的手指深深地插入他頭髮裡，握緊又放鬆，從指尖上透出心裡無法訴說的複雜的感情：

「不要難過，緯，人都會有那一天的，有人說過：能先死在親人面前的人，是比較幸福。我應該高興我有這樣的福分，你要自己多保重，將來，父親兼母親的雙重責任，是很艱苦的，必須好自為之。——好了，我想說的都已說了。現在，我還不是好好地活著，哎！」秋芸搓揉著他的頭髮，像哄大孩子似的，勸慰著章緯。

外面傳來孩子的聲音，大聲地在問著：「我媽媽在哪裡。」

「噢！小緯的聲音，孩子們都找來了，不要讓他們先透支悲傷。」秋芸輕輕地推著章緯，他站起來極力抑制著情緒拭掉臉上的淚痕，默默地走到窗前，推開了閉著的窗子，一片朝陽直射進來，投在牀前，投在秋芸的臉上，給蒼白的雙頰抹上一層淡淡的血色。廊上有雜沓的腳步聲走近來，她正凝神諦聽，才經淚水沖洗過的眼中閃著熱切盼望的柔輝，唇畔掀起安詳的微笑。章緯從悲痛中冷靜下來，帶著宗教上那種虔敬、肅穆深深感動的心情望著秋芸，他覺得那朵微笑正在陽光照耀下漸漸擴大、展延、漾開，而至融化在光內，他分不清自己究竟是浸潤在陽光還是微笑的光圈中。

「萬能的神，上帝，菩薩！請賜還她健康，讓她活下去吧！」從靈魄的深處，章緯以無比的虔誠祈禱著、懇求著、希望著……這是他唯一所能為秋芸做的事。

編註：本文原刊於《婦友》第一一二期，一九六四年一月十日，頁二十五～三十二。

快樂回憶

在靜好的周圍，時間彷彿停頓了。

在靜好的內心，生命似乎終止了。

她坐在梳妝台前的矮凳上——打發兩個孩子去上學後，她便一直這麼坐著。對面的鏡子裡映出她穿著睡衣，頭髮蓬亂的容姿，一臉淒迷的神色，眼睛茫然瞪視前面。茫然落在鏡中自己的影子上。只不過是兩個多月的時間，她那憔悴落魄的形容，似乎就老了十年，那陷下的大眼睛，蒼白的臉色，又似乎剛大病一場。但她的眼光漠然掠過這些，視若無睹。欣賞她青春美貌的人已不在這世上，她全不在乎自己變成什麼模樣。她所以還存在，只為的是扶持兩個孩子，過度的悲慟和傷心，反使她麻痺了，如果說還有一點剩餘的，那便是回憶。她的情感凝結在這一點上，像被冰凍結住了。

是的，這個家，是喬鵬和她雙手建立的，屋子裡一桌一椅，一件擺設或一幅字畫，無處不留著他的手澤。他的氣氛，甚至他的精神。

靜妤可以從早晨起來，一直坐到黃昏。可以一晚上睜著眼睛，直瞪到黎明。可以不吃不喝、不盥洗、不說話，讓自己完全浸潤在回憶中。回憶，使她和喬鵬依舊在一起。

和喬鵬在一起！當然，他倆恩愛逾常，是幸福夫婦的模範，是大家羨慕的一對。沒有什麼能使他們分離！喬鵬不在她身旁，只是在地球的另一邊。在接受一年的訓練。這是他們結婚以來最久的一次別離。那天她送他上飛機，他凝望著她。用那深情，熱烈的眼光。擁抱著她的心靈。

「千萬要自己保重！為了我，也為了孩子。」他充滿了感情的聲音，喃喃地在她耳畔迴盪。但她已忍不住熱淚盈眶，咽喉梗塞，只能點點頭迸出個「嗯」字。

「我一切會小心，會時常給妳來信。」

「嗯。」

「我會給妳帶來最好的東西。」

「當然，一個完整的我，雙手獻給妳！」他居然忍住離別的悲痛，來一句詼諧。這正是他可愛的地方。

一個完整的他！靜妤不禁掀起嘴角，茫然失神的眼中閃過一道光輝，像一道閃電透過濃霧，淒迷的臉上有片刻的明朗。他們的愛情是完整的，他們的婚姻生活是完美的，八年如一日，相親相愛。彼此為對方毫無保留地獻出自己，不是占有，而是像一個信徒對他的神獻出全部虔誠、熱情和戀慕。喬鵬的性格比較活潑愛動，而靜妤自從做了媽媽，便越加盡力地做個賢妻良母。她安排一個舒適的家，一份和諧的氣氛，使喬鵬在一天工作之後，獲得最安逸的休息。她烹調可口的食物，使喬鵬口福和營養兼得。她小心照料並教養他們倆愛的結晶——小妤和小鵬，使他們如此可愛而健康。去愛，本身是一種快樂，是付出一切而不需要酬謝的。若再加上被愛，那便是這世上最幸福的人了。

許多年來，靜妤便一直覺得自己是這個最幸福的人。她信賴喬鵬的感情，如同相信太陽永不會下墜。她從來不曾像一些做妻子的嫉妒那些引起丈夫興趣的女人那樣，妒嫉過別的女人，她百分之一百地相信喬鵬對她的忠實。喬鵬是個可愛的好丈夫，幽默、愉快。在家裡，總是逗著她高興，她做事，他便繞著她打轉、說笑。快樂甜蜜，就像新婚時一樣，葉琳曾嘲笑他們說：

「看你們喬鵬！一回家就像帶來了一隊鼓笛手。」

「這是什麼意思？」

「妳沒聽見？打鈴打鼓的叫得多熱鬧！」

喬鵬平常就是這樣：「達令，達令！」掛在嘴上喚她，帶點親暱和戲謔的意味。可是，當他用那雙深情的眼睛凝視著她，低低喚一聲：「靜妤！」儘管已結婚那麼些年了，那無限柔情的聲音仍使她心弦震顫，而陶融在他的眼波深處。

喬鵬有個好記心，從來沒有忘記過在他們的紀念日或她的生辰，送給她一份精選的禮品，平常逢上他出差什麼的，也總記得給她帶一點她喜歡吃的零食，或是一兩件新奇的小物件。她並不是重視物質的女人，但她重視那附在物質上的心意，舉起任何一樣他送她的禮物，她恍惚重溫一遍他的綿綿情意。

譬如那面雕刻精緻的手鏡，是他們結婚一周年那天，喬鵬恭謹地獻給她一束玫瑰，那面鏡子便鑲在玫瑰中間。那隻代表她生肖的玲瓏的白玉兔子，是她二十二歲生辰那天，喬鵬為她訂製了一個三層蛋糕。當她用刀切開來時，玉兔便在蛋糕中呈現出來……。甜蜜的回憶與恩愛長住，永難忘懷。而最使她感動的禮物，是前年送她的一瓶香水，一瓶非常名貴的法國香水。

在梳妝台上那許多蒙塵的化妝品中，唯有那瓶香水很特出地保持著清潔和光鮮。每天呆坐在梳妝台前，靜妤總是情不自禁地拿起它來把玩。高不過三寸的藍寶石瓶子，晶瑩明澈，宛似一件水晶雕刻。瓶頸上繫著鵝黃的絲穗，底下護襯著鵝黃的絲墊。更有一種華貴的氣派。且不說香水的品質如何，光是那晶瑩精緻的瓶子，便是逗人喜愛的一件小擺設，一樣藝術品。它不僅在梳妝台上傲視一切，踞領著最高地位，就在靜妤心目中，也視同拱璧。她使用它的次數頂多不過三次，但那股特殊的香味，正如它的名稱一樣，使她一嗅難忘！

那一次，喬鵬出差台中，預定三天往返。去時便說好了第三天上午乘觀光號列車，下午四點以前可以到家。那天靜妤在菜場選購了他愛吃的菜，預備弄一頓豐腴的晚餐，下午三點半鐘，她便修飾一番，同孩子們在門口等待著。但四點，五點都過去了，人卻不見影子。以往喬鵬總是說定了什麼時候，準是什麼時候，如果有變動，一定寫信通知。這次是例外，大概事情不曾辦完，臨時換一班車。她只能自我寬解著。怔忡地弄晚飯給孩子們吃了，又打發他們睡了。夜漸深，她的不安也越來越加深，門外每一次車鈴，都引起她一陣緊張，接著又是一陣失望。十一點、十二點——最後一班列車都過了，難道出了什麼事？她焦急和恐懼，幾乎使她軟癱。就在這時，一個剎車聲突破了沉寂，停在門口，接著喬鵬的聲音喚她：

「靜妤，拿五塊錢出來給三輪車！」

她數也沒有數，慌慌張張地塞了把鈔票給三輪車夫。掩上門，喬鵬便以一個熱情的動作，來消除她心裡的惶惑。

「靜妤，我知道妳一定等得心焦？真是抱歉！其實我只是換了班車子，不想車子偏偏又誤點。」

她看他一身揉皺了的衣服，滿臉煤煙和油汗。雖然含情帶笑，眼睛閃耀著一抹喜悅。但掩蓋不了疲累不堪的神態，不由得將一肚子委屈化作無限憐惜。

「現在最重要的是妳馬上得弄些吃的餵我，不然我連站都站不住了。」

他就像才從「餓牢」裡放出來似的。吃過一頓她以最快速度煮好的燴飯，才告訴他自己改乘了慢車，六七個鐘頭的顛搖，幾乎把他的骨節搖散了。而晚上一共只吞了兩個小麵包，肚皮老早就餓得貼住了背脊。

「為什麼這樣？是少帶了旅費，還是遇到扒手了？」

喬鵬笑著搖搖頭，笑得有點神祕。他伸個懶腰，打著哈欠說：

「我實在太累了，夜也很深。讓我躺在牀上再告訴妳原因吧。」

她睡下，但立刻就撐起來。枕頭底下有什麼梗著，一個紙包，用印得十分美麗的委託行的招牌紙包著。

「是什麼？」

「妳自己打開來看！」他瞇著眼睛好玩地盯著她。

小心地拆開紙包，打開裝潢美麗的錦盒，鵝黃色的軟緞護托著藍寶石似的水晶瓶子，精緻華貴，光瑩奪目，她不禁激動地喊了起來：

「哦！多名貴的香水！鵬，你送我這個太奢侈了。」

「在我心目中，縱使送個世界給妳也不會嫌奢侈。」喬鵬說：「唸唸上面的字。」

「Cherished memory。」

「翻譯過來是『快樂的回憶』。當妳使用這香水時，它會帶給妳最快樂的時光，留下最甜蜜的憶念。」

「好別致的名字！啊，莫非這就是你要告訴我的原因：為了買它，你捱著餓，坐了六七個鐘頭的慢車！」

喬鵬卻把臉藏在她頭髮裡悄悄地說：

「在快樂的回憶中，再加上一份癡情，不是更羅曼蒂克麼！」

靜妤茫然在梳妝台前，本能地，又伸手端起了那瓶寶貝似的香水。

她把瓶子緊緊貼在胸口，彷彿擁抱了喬鵬全部摯情，擁抱了自己的驕傲、滿足、和他倆完整的愛。她不在乎時間停頓，生命終止，只要擁有這些，她仍是最幸福的女人！

「太陽都曬背脊了，還在這裡梳妝打扮！」

不用看，不必聽說話的聲音，靜妤也知道推門進來的一定是葉琳。這兩個多月以來，她不願意接見任何親友；她討厭他們那副悲天憫人的臉色，也討厭他們那些不著邊際的勸慰，他們一定弄錯了，要不就是妒嫉她的幸福，在胡說亂言。唯一不討厭的，只有葉琳。究竟是知己，她先生是喬鵬的同學，又是鄰居，彼此談得投機，相處久了，比一家人還親密。她跟她說喬鵬的優點，喬鵬的好處，喬鵬對她的一片深情，只有她了解。

她們談到他，一直深信他在美國受訓，不久就將歸來。

「替妳買了一束芍藥花。」葉琳告訴她。

「噢，謝謝妳！喬鵬就喜歡這種嬌豔的花，說是富麗堂皇。」靜妤感激地說。

上。

「要我替妳插上不？」

「好的。」從鏡子裡她可以看到葉琳勤快地拔掉舊花、換水，把插好的一瓶花放在窗台

「喬鵬最喜歡火辣辣的色彩，不但是花，連替我買衣料也多半是帶紅色的。」

「書上說歡喜紅顏色的人，感情豐富、樂觀、豪爽。」

「說得對，喬鵬就是這樣的人！」籠罩在靜妤臉上那層霧散開了。「他感情豐富，也十分專情，像海洋那麼涵博，那麼深邃。他是個快樂的人。」她把香水瓶舉起來用臉頰摩挲著，瓶上帶有手上的體溫，她感到一股暖流緩緩地注入胸中，沒有人說話，屋子裡很靜，空氣很柔和，彷彿有一片海潮，在周圍緩緩地起伏，輕輕地波動，悄悄地浸潤⋯⋯。半晌，靜妤記起了葉琳，以為她已經走了。一回頭，卻見她雙手支著下頦肘在桌子上，正凝望著對面牆上喬鵬的照片出神。

「妳說他跟現在像不像？」

靜妤的聲音似乎使葉琳吃了一驚，手肘從桌沿滑下來。

「像，」她迅速地向靜妤瞥了一眼，肯定地說：「當然像！」

「喬鵬自己嫌這張照得太嚴肅了些，但是我喜歡他的那雙眼睛，照得多傳神！」

「我想他如果穿了運動裝照一張，一定比這張更帥！」

穿上運動裝，靜好在記憶中搜索著喬鵬穿運動裝的神態，卻有點模糊。平常他一換上運動裝總是拿了羽毛球拍子就走了。回來，一身汗淋淋的，來不及地一邊脫衣服一邊就往浴室裡跑。葉琳比她看得清楚，因為他們總在一起打羽毛球。

「喬鵬穿了運動衫，顯得活潑、矯捷。那神氣，很像是剛出校門的大學生。」

「像大學生？哈！妳說得他那麼年輕！」靜好被葉琳的稱讚逗得開心起來。一回頭，卻又對著鏡子裡的自己端詳了一會，放下香水，猶疑地拿起把梳子掠著拂在臉上的頭髮。「喬鵬顯得那麼年輕，那我看起來是不是老得配不過他？」

「瞎說，妳什麼時候老了？」葉琳駁倒她：「不過你們兩個人有點不同的地方：喬鵬喜歡活動，妳喜歡安靜。」

「沒有結婚以前，我還不是哪裡都同他去玩，爬山、游泳、溜冰！可是一有了家，再加上孩子，便再也勻不出時間來了，喬鵬這點很好，他從來不勉強我參加什麼活動，可也不反對我老躲在家裡。」

「這就是他懂得體諒的地方。」

「你們梁先生還不是，他喜歡在家種花、看書什麼的，卻從來不拘束妳的行動。」

「這樣說起來，我們都是幸福的人，都有一個好丈夫！」葉琳笑著說，忽然又住了口，不安地向靜好窺探了一眼，彷彿一個在撒著謊的孩子，不小心漏了一句幾乎戳破真相的話，連忙轉個彎說：「得！你們小鵬快放學，我也得回去煮飯了。哪！這是今天給妳帶的菜：蝦仁、豌豆、肉……下午再來跟妳聊天！」

「噯，太好啦！喬鵬最喜歡吃豌豆炒蝦仁，小鵬也跟爸爸一樣。」靜妤轉身望著桌上那些荷葉包包，待要站起來，看一眼手裡的香水瓶，不覺又坐了下去。葉琳來過又走了，未曾影響這屋裡的氣氛——靜妤小心地在四周布置一種氣氛，就似蜘蛛布置了牠的網，把自己編織在中間。這氣氛中有喬鵬的愛好，喬鵬的生活習慣，喬鵬的笑貌，喬鵬的喜怒哀樂……

喬鵬活著，在她心裡，也在她身邊！

像蜘蛛紡織了牠的網，把自己安排在中間；靜妤布置了網一般的氛圍，密密地環繞在四周，幫她拒絕那一個噩音——喬鵬和兩個朋友在美國公路因車禍喪亡的事實。

喬鵬的遺物都輾轉運回國內，運抵家中。

「鵬！這不過是人家把你的行李帶了回來，我知道，你自己馬上就會回家的。」她躲在網裡執拗地說：兩只箱子中一只咖啡色的，正是他臨走時，她幫忙他一同收拾的。箱子裡塞滿了他的衣物，也塞滿了她的無限柔情。他帶走了，帶走她的叮嚀，她的祝福，她的說不盡的情意和關切。如今，繞了半個地球又回到原地，載的不知道可還是那些；重了呢還是輕些。

有好幾次，她伸出手指，只要輕輕地撫摸著貼在箱子外面那些旅行社的標幟，每一張標幟都表示他在哪一個地方駐足或住宿過，她一張張辨認著，努力回憶他曾在信中描述的情形。她的腳未曾踩上那裡的土地，但她的心神早已隨他偕行。她一遍又一遍賞玩著那些標幟，像一個小女孩獲得了一盒精美的糖果，只是愛不忍釋地欣賞著美麗的裝潢，留到最後，才慢慢地享受裡面可口的糖粒。

最後，她啟開了鎖，啟開了箱蓋。

箱子裡就同他走時一樣，摺疊得很整齊。面上是兩套他的西裝，一件米色的羊毛衫，三件襯衣，一件淺灰的細絨背心，是她親手趕編起來，他穿著上飛機的。她情不自禁拿起來在臉上摩挲著，隨著她這一拿，一件柔滑輕軟的東西落在她膝上，只一抖，便抖了開來：是一襲絲織的長睡衣，領袖綴滿精緻的紗邊，淺紅的色澤嬌豔得如初綻的薔薇，箱子裡還有一件同色的睡袍，是錦緞的，顯然這都是喬鵬為她選購的，「這太華麗了！」她激動地喊著，當她看見那一盒七種不同顏色的尼龍內褲，不禁又紅了臉喃喃地說：「這簡直太浪費了！」想到喬鵬在外國那幾個錢省吃儉用的，卻專為她添購些奢侈的衣物，不由得熱淚盈眶，一股勁捧著那些東西在懷裡，低低地喚著：「鵬，我親愛的鵬，你對我真太好了！」

箱子裡零零碎碎的，舊有的，新添的東西還不少。在將近半打的尼龍絲襪底下，厚厚的一捆信札用藍絲帶繫著，一看那一律素白長寬的信封，靜好就知道是自己寫去的信。難得他有這樣細膩的心情，還保留得那麼好。她拿起信來掂了掂，卻見底下還有一札，約莫原先那疊四分之一厚薄，繫的是綠絲帶，她想平常一星期一封不覺得，集在一起竟有那麼多，心裡這麼想著，也就拿在手裡，剛一翻面，卻像猛不防被燒紅的烙鐵炙了一下……

信封上並不是她的筆跡！

一樣的信封，一樣從台灣發出，寄給喬鵬收啟，而顯然的，那一筆纖秀的字係出自女人的手筆，但寫的人卻不是她！

一刹那，她感到天旋地轉，彷彿整個世界在她面前顛覆過來；一陣昏黑之後，滿眼只見一圈圈黑圓圈灰圓圈、金圓圈、白圓圈……等那些圓圈慢慢轉停下來，中間赫然還是那一札信，那一筆纖秀的字跡。

喬鵬會跟別的女人通信?!

那似乎是不可能的，他對自己一直那麼專情，他平常的行為舉止更是無瑕可擊。沒有一點可以引起猜疑的地方。這又是從哪裡竄出來的女人，信寫得那麼勤！

她直直地瞪著那札信，信封上的英文字在她盯視下似乎一個個立了起來，像銀幕上的字一般躍動著。她極力抑制住自己的激動，抖慄的手指從面前的信封中抽出信紙來，一開頭便寫著鵬：——完全跟她一樣稱呼喬鵬，這個混帳的女人！

鵬：

望著你的飛機逐漸上升，我的一顆心彷彿繫住在機翼上，你所給予我的歡樂、青春、熱情，又都隨你而遠揚。最使我傷心的是臨別前不能讓我親近你，我必須壓制和你吻別的衝動，必須忍住眼淚往肚裡流，鵬！

——寫得多噁心，這女人居然亦在機場送行?!這筆跡好像不太陌生，不但不陌生，簡直熟得很，一定是常常見到的，不會是——一抹念頭閃電般擊中靜好，她忙不迭翻掉那幾張信紙，翻到最後一張，簽名是兩個英文字母，Y・L，一點都不錯，真是她的名字縮寫。

一股熱血在她胸頭洶湧著、衝激著，幾乎要從眼眶，從喉頭迸出來，而拿著信的手卻冰冷得失去了感覺，她一時不能接受，不能相信，世界上會有這樣的事？她的知己，她的好鄰居、好朋友，會在她眼皮底下，誘引她的丈夫！但是，不相信也迫她相信，信在她手上。她強迫自己看下去。由於激動，不少字句在她眼底滑過卻不知所云，不過她看出整封信只是熱情洋溢地描寫著一件事——寫的人的想念。多麼可恥，又多麼可怕，她寧可讓人割掉她身上或體內的任何一部分器官，但割竊她完整的愛情，這比凌剮她更痛苦萬分。一陣痙攣，信在她手裡捏成一團，她恨不得把那寫信的人也捏成一團。

她顫抖地抽出第二封——一刀是創傷，三刀五刀還是創傷，已經流血就流吧！她讓心靈受著凌遲，再打開另一封信，信裡，除了又是長篇累牘地述說相思之外，有一段說到他們曾經參加一個音樂晚會，由於共同激賞一支杜步西的小夜曲，兩人間開始有了默契。在懷念中，總是放上這張唱片，一遍又一遍。浸沉在甜蜜的回憶裡……一個音樂晚會，靜好記起來有一次喬鵬弄來兩張入場卷，興高采烈地回家告訴她準備晚上去欣賞，但不巧小好有點發燒，她不放心離開，就建議他請葉琳同他一路去。誰想得到造成了她勾引的機會，真該死！

第三封裡葉琳說起他們打羽球的幾件趣事，而她最近卻再也提不起打球的興趣，一切都隨他轉移。——嚇！原來他們熱中於打羽毛球，只是藉此接近！難怪那天葉琳還在稱讚喬鵬穿運動裝時很帥，想想看：每天晚上她跟喬鵬在一起廝混一二個小時培養感情。自己卻留在家裡看孩子！那數不清的許多晚上，那一天中最可貴的時間，她竟雙手奉讓給那不要臉的女人，她閉上眼睛。葉琳穿著運動裝的身影立刻閃現在面前，那件粉紅色的翻領棉毛衫緊緊地裹著上身，腰裹束得細細的，短得不能再短的白色短褲，露出兩截長長的腿，在球場上在喬鵬對面跳躍奔跑。兩人同來同去時，便傍著喬鵬一路上輕佻地說笑調情，每晚每晚……靜好感到自己的血管要爆裂開來，牙齒咬得咯咯響，握著拳頭的手，指甲深深地掐入掌心裡。她恨不得馬上抓過葉琳來，恨恨地打她兩記耳光。

那札信，像燒紅的烙鐵般灼著她手，一直炙到心裡，燒灼著她的神經，她的血管。她忍住那份炙燒的痛苦，又打開了第四封。她知道那裡面盡是些卑污、下流、無恥的話。她已經可以測知兩人間可能發生的密切的程度，但她要明瞭真相，也許多少還存一點僥倖心……

然而，真相究竟還是給了她最後致命的一擊！

如果說前幾封信曾灼傷了她的心，那麼這封信像一把毒火，燒毀了她心靈中最尊貴、崇高、堅貞的感情，燒毀了她生命的憑藉，生存的重心，像一幢只依侍一根支柱建立的房子，柱子一倒，房子也垮了。她整個地癱瘓下來，剛才那股怒火、激情，似乎都隨著生命之火熄滅。面前只剩下一片空白，一片虛渺，一片灰暗，她喊不出聲音，哭不出眼淚，伸出手攀緣不到任何可以支持的東西。

造物既對她如此殘忍，人間復對她這樣的醜惡！

那醜惡的罪狀，毫不放鬆她，盤踞在她腦中……

信內赤裸裸地描寫著一段回憶：回憶他們在日月潭涵碧樓上定情的一夕，如何纏綿，如何甜蜜，又如何蝕骨難忘……

他們已經彼此占有過彼此，喬鵬對自己無限恩愛，萬種柔情，卻在一夕間被另外一個女人占去！身上的任何創傷，都可以由時間醫治，愛情上卻不能有半點瑕疵，哪怕只一次變節不忠，便再也無法求得完整，而失去了完整，在一個女人比失去了生命還更不能忍受。

兩人什麼時候一同去了日月潭？她記起來了，一次喬鵬出差台中，早一日葉琳便說看她姨母，去了嘉義，他們一定是事先安排好了，在那裡約會。涵碧樓一夕，多美！她跟喬鵬結婚這許多年，還不曾一同去過。只是有這樣的願望。這懷了多年的美麗的願望，卻一旦被一個毫不相干的女人輕易掠奪，世上還有比這個更使人傷心悲憤的事！

靜妤又記起了那害她焦待的一天，那天深夜，喬鵬回家時那副尷尬狼狽的神情。也就是那天晚上，喬鵬送給她那瓶名貴的香水「快樂回憶」！

她急促地向梳妝台上的藍瓶子投射一眼，卻像忽然被蜂刺螫了一下——喬鵬那天忍餓受苦買下那瓶香水確是為了她。但他又是在怎樣一種情況下買的，他買來送她只是在一種做了虧心事的負疚心理下，做為補償的。而當他聞到那特殊的香味時，引起他回憶的該是那次叛棄了她所做的無恥行為！

她的一腔熱血又陡地湧升上來，眼睛裡迸出憤恨的火花，凝注著那寶石瓶子，像要把它燒熔……

樓梯上一陣輕疾的腳步聲，靜妤本能地提起件睡衣蓋住了那些信，挺一挺背脊，像一隻刺蝟豎起牠渾身的硬刺般，全身都戒備著。她收斂起悲憤的神情，只有眼睛裡的火焰仍在陰鬱的睫毛下不住地閃熠。

房門推開了，進來的是葉琳，跟平常一樣，臉上帶著習慣性的淺笑，聲音總是那麼地富有感情：「嗨！在做什麼？檢箱子——啊！是喬鵬的……。」磁性的聲音突然轉成了高亢的顫音，那抹淺笑被一個哀傷的表情遮奪了。她情不自禁地向箱子奔過去——但衝了一半，似乎感到空氣的僵凝，立刻驚覺地放緩腳步，朝那幾乎被她忽略了的女主人望去，靜妤正凝視著她，像獵犬監視著在牠視線下的兔子，神態非常古怪。

「靜妤，我替妳難過。」葉琳換上同情的口吻，掩飾自己的激動。

靜妤不動也不作聲，葉琳投過去的眼光，正碰著她眼中迸射出來的火花，焰痛了她的神經。

「妳不舒服嗎？」葉琳局促地眨著眼睛，像要吞下什麼。「噢！為什麼這樣看我？」

「為什麼這樣看妳？看妳究竟有多美、多賤、多狐媚！」靜妤陰沉的聲音裡充滿了如許怨毒、仇恨、失望、悲痛，就像一個巫婆在黑夜裡吐播她的咒誓。

「妳瘋了！」葉琳又驚又氣，大聲呵責著。

「妳美得就會穿了那身運動裝賣弄大腿，妳賤得家裡擺著個丈夫還到處勾引男人。妳，妳假情假意對我，原來目的在誘引喬鵬！」

「妳，妳胡說！」葉琳嘴裡在抗辯，聲音卻已是軟弱無力。

「還有臉賴，妳看看，這是什麼？」靜妤像完全變了個人，從溫柔賢淑的主婦一變而成為粗野兇悍的村婦，她抓起兩把信狂亂地朝葉琳鼻子底下搖著，端正的臉扭曲得失了原形。一面尖厲地嚷著：「證據！妳親筆招供的罪狀，還要什麼證明妳勾搭別人的丈夫？」

葉琳一眼看到那些信，臉上的紅潮倏地褪去，蒼白得像個紙人。她搖搖欲墜地向後退了兩步，嘴唇顫抖著卻沒有發出聲音來。

「我真是瞎了眼睛，一直把妳當朋友，當人，誰曉得是披了衣服的狐狸精，專門偷人家丈夫，破壞人家婚姻，好不要臉……。」

靜好像抖口袋似的，抖出滿肚子的氣惱、妒恨。激情使她失去了理智和教養，只是口不擇言地謾罵著——但這一份傷痛是世上沒有任何言語可以抵消的，越罵，越是血往上湧，氣往上升。罵些什麼，連自己都不知道。葉琳一手托著頭部，靠牆木然倚立著，許久，等那一陣襲擊得她昏頭顛腦的風暴略一停頓，才抬起哀求的眼睛，幽幽地說：

「不管怎麼樣，現在人已經不在了，過去的錯，不能再犯，也不能彌補。請妳忘記這事，讓時間埋葬這一切吧！」

「我不會忘記，我一輩子忘不了，化了灰也不會忘記！喬鵬跟我完整的愛情多麼可貴，完整的幸福多麼美滿！全是妳這騙子，誘騙了喬鵬，破壞了完整。我絕不放過妳，我會要妳付出代價！」

「那麼妳說要怎麼辦？」

「我會告訴妳那個木頭丈夫，把妳的信給他看，我要向大家揭露妳的醜事，看看妳還有臉做人不？」

「好吧，隨便妳高興怎麼做就怎麼做！」葉琳收斂了哀求的眼光，薄薄的嘴唇一翹，換了一副撂出去不在乎的神氣。「告訴妳，喬鵬和我彼此相愛，一個月的感情，勝過妳和他相處十年。」

「妳，妳無恥！」靜妤氣得聲音都岔了。葉琳卻一臉夷然不屑只顧說她的：

「妳口口聲聲說多麼愛妳的丈夫，但妳一點都不了解他，只曉得安排一個家，給他休息，替他生孩子，全不理會他的需要和愛好。如果他還活著，他可以告訴妳，我給了他青春、歡樂、活潑的精神。妳給過他這些沒有？妳所得的愛，是最愚蠢最庸俗不過的，妳實在不懂也不配……。」

「住嘴！妳給我滾出去！馬上滾……。」靜妤跳起來怒喝著，一手指著門，一手緊按在胸前，彷彿不按緊就要爆炸開來。灰白的嘴唇哆嗦著，身上也在哆嗦著，葉琳瞅著她冷冷地一笑。

「別急，我本來就要走了。至於妳要到我丈夫那裡去告狀，儘管去告，我相信他不至於會跟我離婚。妳要告訴別人，也儘管去告，我曉得別人怎樣看法：人家會說：喲！平常老聽喬太太說他先生對她如何專情，他們的愛情又如何完整，原來是這麼一檔子事。她還抱緊了牌位想立貞節牌坊哩！」葉琳走到房門口，拉開了門又回過頭來向靜妤挑釁地擲了一句：

「快去當眾宣布吧，宣布妳親愛的喬鵬如何對妳不忠！」

靜妤像隻被逗瘋狂的猛獸，噴著怒焰的眼睛迅速地向四周掃去，一眼看到梳妝台邊上的那瓶香水，便一把攫住擲鐵餅般擲了過去，隨著房門砰一聲關上，又是清脆的一聲，寶藍色的碎玻璃在門上飛濺開來，一下子滿房間就洋溢著一股濃郁的、令人難忘的香味。

瓶摔碎時，比清脆的碎聲更響更撕裂人肝腸的，是一個女人心靈俱碎裂的慟哭聲，震盪在充滿芳香空氣中。

防禦性的、感情上的長堤傾坍了。她終於被那個噩音，以及噩音以外的醜聞，擊落在絕望的無底深淵。當她支離破碎的身心不停地往下沉時，神經上還不時受到「快樂回憶」那特殊味道的刺激、撩惹……

《皇冠》．民國五十二年十月

編註：本文原刊於《皇冠》第二十一卷第二期，一九六四年四月，頁四十四～五十四。

老人與牌

小小的院子裡，那株榕樹像巨傘似的，覆蓋了三分之二的空間。風過處，蒼勁的枝椏傲然挺立，濃密的樹葉沙沙作響，隨著，撒下幾片落葉在黑地裡。

初秋的夜，有著比秋意更多的岑寂。

當樹葉在晚風中磨擦得索落索落響時，樹下一間亮著燈的屋子裡，也不時傳出嘩啦嘩啦的聲音，那是吳老太太又在摸弄著她的三十二張骨牌「過五關」了。

這是她的晚課，也是老人唯一的消遣。那幾十張骨牌在她乾瘦而筋骨凸出的十指下搓得的溜滾熱，很快便砌了六行——五張一行的五行，最後一行是七張。排列得整齊劃一，有似檢閱的陣營。她按次序翻開前面那五排，視線透過老花眼鏡一行行掃視下來，手指也跟著熟練地行動著。「不同」、「分相」、「順子」、「十四點」、「小元寶」……三張一順、三張一順的拿下來放在末一行後面。又從末一行前端取了五張，一一加上去。不一會行列便參差不齊，成為不規則的了。再拿，再添，動作成了機械式的。第二關終於先通了，還有四關……又通了一關，只剩三關了……哎，剩二關了。但這兩關卻展開了拉鋸戰，添添拿拿半天，最後還是不通。不通，搓掉了又重砌。反正是消磨時間。

消磨時間，磨掉了青春，又來磨掉兩鬢斑白的老年。

不停地搓、砌、拿、添。這單調而重複的動作，這小小的三十二張骨牌，不知伴隨她打發了多少寂寞的黃昏，多少深靜的夜！命運給予她這一輩子的，彷彿憂患多於辛酸，而寂寞又更多於憂患。如今，她已經是兒孫繞膝的老太太了，人家當面都稱讚她有福氣，然而福氣也敵不過寂寞，尤其到了晚上，一切聲響都安靜了，一切代表生命的活動都停止了，寂寞便向她展開了更大的攻勢：像一團濡濕的霧，包圍著她衰憊的身軀，滲入她脆弱的神經。她無助地在心裡伸出了求援的手——只要一點關切、一點溫情。可是，在這個世界上，似乎人人都是吝嗇的、冷漠的，把感情和金錢一樣收藏得嚴密。每個人永遠忙著自己的事，誰也不會顧恤到一個老人感情上的需要。她所能抓住勉強對抗寂寞的，便只有那沒有生命的三十二張骨牌了。

牌雖沒有生命，但卻變化無窮。她來過數不清次數的過五關，不管通與不通，相信其中沒有一副會是相同的。這比起她的生活內容來，還比較繁複一點。過五關並不費腦筋，只是有點東西占去了注意力，便不會前朝後代地胡思亂想了。而坐在桌前，也免得自己有那種身體沒處安頓的感覺。究竟，她什麼時候與骨牌結了不解緣，曾經伴她消磨過多少寂寞的黃昏和黑夜？追索起來，彷彿已有一世紀那麼悠久的歲月！

記得自己比現在的小孫子還小時，也就老看到她的祖母在玩骨牌。每天晚飯以後，她總是端坐在她房裡那張笨重的紅木方桌前，慢條斯理地擺弄著那三十二張小巧玲瓏的牙牌，手腕上的翠玉鐲子不時發出清脆的撞擊聲，一面跟陪侍一旁的媳婦們閒聊著。那朦朧的光線，沉悶的氣氛，低微斷續的語聲，常使她小小的心靈感受到太重的壓力。想要開溜，又害怕外面黑黝黝的長廊和陰暗空曠的廳堂。無奈，只得伏在母親膝上偷偷地打一會瞌睡。她一直不明白祖母老是把幾張牌擺布來擺布去的，又有什麼好玩？誰又料到自己年齡還不及祖母的四分之一，便也無聊得用骨牌來消磨時間了。

哎！這裡一副五子怎麼漏掉拿，本來可不就通了！這下軋得死死的，眼睛真不中用。不過也難怪，當初不及祖母四分之一的年紀，如今自己也早做祖母了，眼睛還能不老花？唔，想起剛學著拈骨牌的那個時候，多年輕！那以前，什麼都不懂。只是懵懵懂懂，做著春天的夢。坐在繃架前，把美麗的夢想一針針繡進鴛鴦牡丹裡，然後帶著這些編織了美夢的枕頭被褥，投進另一個陌生的世界。在那個世界裡展開她生活的另一階段，但彷彿曇花一現，也在那個世界裡輾碎了她的美夢。嫁奩上的油漆還閃亮如新，枕上繡的鴛鴦還色彩鮮豔，栩栩如生，而她將終身依靠的良人，卻已厭倦了他的新娘。夜夜讓她獨守空幃，等他冶遊歸來。婆婆責她沒有用，看不住丈夫。出去冶遊會壞身體。妯娌譏笑她大方，把丈夫拱手讓給外面人。她只有一串串熱淚默默流在心裡。夜深人靜，她獨自繞室徘徊，與憂懼、焦慮、寂寞苦苦掙扎。有一晚，她偶然在雜物櫥裡找到一副棄置不用的骨牌，便在記憶中追索著老祖母玩的方法，自己過起五關來。當她覺得這是使自己寧靜和消磨時間的唯一方法時，這三十二張牌就像雨水滴落土中般滲入她的生活中。

她的生命，從絢爛的春天進入陰暗的梅雨季節。

她的青春在梅雨季憔悴、凋萎，像早謝的花朵。

漫漫長夜中，她不停地搓、砌、添、拿。過了一關又一關。明知良人回來時不是醉醺醺的要她服侍，便是賭得精疲力盡，一肚子輸了錢的怒氣，找她發洩。但是，一面過關，心裡還是一面在許願，這三副中通了一副，他一定會回家了。三副中沒有一副通的，她又寄託在另一個三副，再一個三副……通了，終於五關都順利地打通了。停止搓牌，凝神諦聽著；廊上有沒有腳步聲？回答她的只有風吹簷鈴。敲更的敲著竹拆小鑼，一遍又一遍，悲涼地響徹在沉寂的夜空……

她永遠忘不掉那悲涼的更拆聲，不是敲在她的耳膜上，而是敲在她脆弱的神經上，敲在她怔忡的心頭。縱使事隔數十年，她依稀還能體會到那更拆聲引起的心悸。還好，現在再沒有那種聲音聽見了。只是，在深靜的夜晚，鐘聲嘀嗒不停，也有點教人心煩。她抬起頭來望了一眼牆上的掛鐘，那隻鸚鵡隨著擺聲嘀嗒，骨碌骨碌盡朝她轉動著眼珠。當年望著它時，那裡彷彿有一股魔力吸住了她。轉得她眼花目眩，視線卻像被黏住了似的。忽然，「噹」的一聲，她才一驚。嗯，九點半了！傭人已經走了半天，家裡大大小小這一刻還不會回來。還是再過幾副五關罷。

「分相」，「順子」，「不同」……這一會真靜得連壁虎叫都讓人心驚。台灣的壁虎也真奇怪，聲音那麼大！家鄉的壁虎好像從來就不叫。台灣的天氣也特別，夏天好像老過不完。而春天，短促得就像她的青春。你說那是一杯香甜的醇酒吧，只讓人聞到那股芬芬，便給端走了。別說陶醉，連酒味還不曾嚐到哩！

春天雖然短促，一年四季的日子並未減少，青春雖然易逝，活著的歲月還是很長。那一段陰暗慘澹的梅雨時節熬過去了，生命裡又照耀著陽光——一個兒子的誕生。兒子是遺腹子，她終生所望的良人，不僅厭倦了他的新娘，似乎還憎嫌自己的生命；色情、賭博、酗酒，戕害了健康。把妻子折磨夠了，自己也就撒手走了。遺下責任和感情的重負，讓她荏弱的雙肩獨力承擔。

奇怪的是她居然肩起了這重負，而不覺得艱苦。那一個生命中的太陽，給了她新的活力、希望和生存的目標。她生活得忙碌而起勁，全副心力用在照料孩子上，再也沒有多餘的時間需要用三十二張牙牌來打發。孩子在愛的灌溉下慢慢地長大，會笑了，會牙牙學語了。會走路，開始上學了……。他生長的過程中，每一個時期都成為她生活的一個新階段。他的一點不快，是她最陰暗的日子，他的一點病痛，在她似乎是世界末日的來臨。有時，當她生活中有了挫折，受了別人的欺侮，或是勞累得精疲力盡，再沒有支撐的力量，只要摟著孩子親暱地問答一番：

「寶寶，這世界上最疼你的是誰？」

「是媽媽。」孩子毫不猶豫地回答。

「寶寶最愛誰呢？」

「也是媽媽。」

於是，她立刻又像獲得了整個世界般地高興起來，振奮起來。

她活著唯一的任務是為了保護孩子，而她最大的滿足是自己在孩子心中的重要。

人上了年紀，就喜歡像佛教徒不住地播數手上的佛珠般，把往事串起來，反反覆覆地數著，在回憶中，那一段生活最凸出而鮮明。有一份辛酸的甜蜜，一份淒涼的喜悅，以及那份親情的融洽。那一段時候，是她生命的旅程中一盞燈，照亮了她全程三分之二的路。

她把兒子看作生命中的陽光、燈亮，不知道他現在把她看作什麼？人還是做孩子的時候最單純，感情最真摯。想想他那時偎倚在自己膝前，親暱地喚著「媽長媽短」，雖說自己是個「半邊人」，在她心裡卻比誰都感到幸福。後來就是他念完書開始去做事了，也還是什麼話都跟她說；有什麼不愉快的事，疑難的問題，或是同事間一些可笑的事情，全都一五一十地向她傾訴，或把來當作飯餘的消遣。因此，她熟悉他的工作情形和環境，一如她和他在一起。她知道他的主管是個怎樣的人，他平時結交的是哪些同事，他們的為人又如何。她和他談起這一切來，有說有笑，十分歡洽。她很高興自己跟兒子如此接近、如此融洽。是的，他們是母與子，骨肉相連，血液相通，沒有什麼能使他們隔閡——但是，另一個女人介入其間，這個她認為不會變的情況，卻很快就變了。

兒子結了婚，替她娶了個媳婦。這個人口簡單的家庭從兩個人加成三個人。只是，這一增加，彷彿不曾替她增加熱鬧，而反給增添了一份落寞的感覺。

對兩個女人來說，製造彼此相處的感情是必須有一段過程的。他們過去並不相識，她因為她是她兒子的妻子，自然便從對待兒子的關切中分潤一些；她由於她是她丈夫的母親，所給她婆婆的是一份適度的尊敬和禮貌。

她並不是那種苛求的婆婆，想把自己身受的向別人取得報復。媳婦要上班，同時也不喜歡搞瑣碎的家務事。自然，那份當家的責任又落在她身上。她不怕負這個責任，顯得自己重要些遠比閒置著更生活得有意思。兒子下班回來，依舊有說有笑，不過說笑的地點慢慢地由客廳移向自己房裡，說笑的對象換了一個人。她使自己忙碌一些，更可以減少那份被冷落的感覺。是的，忙碌是最有效的良方，對於治療寂寞、煩惱、憂鬱等症。雖然那就像任何止痛藥之類只是治標不治本的，但至少在服用期間十分靈驗。一天到晚，她不停地指使小下女整理屋子，清潔環境，親自上菜場挑選兒子愛吃的菜，又親自下廚房烹炒。她一天安排這，安排那，忙得像頭牽磨的驢子，只在屋裡打轉轉，有時轉得自己心跳的毛病發起來，才歇下手休息，但是，儘管這樣，一到晚上，已沒有什麼事好做的了。兒子與媳婦不是出去玩樂，便是兩口子躲在房裡唧唧噥噥。她一個人悄悄地從廚房踅到客廳，從客廳踅回房裡，恍惚若有所失。她低著頭進去，低著頭出來，似乎在找尋什麼，但自己也不清楚在找些什麼。有好幾次，她想喚兒子出來，陪自己聊聊，但聲到喉頭，又咽住了。她知道這樣做會引起他們討厭，尤其是媳婦。不願人家把她看成一個不識相的婆婆，一個自私的母親。一個愛兒子的母親，就該讓兒子有自己的愛惡，享受他自己喜歡的生活。

對著幽暗的燈光，她在自己的小屋裡默默地坐著，好像在漆黑的夜空覓見一顆小星，對那曾陪她消磨過多少漫漫長夜的骨牌的懷念，螢光般閃亮在她寂寞的心胸。

「要是有一副骨牌在手邊，就可以打發不少寂寞了！」

但是他們來台灣時，並沒有把牌帶來。

想起了留在老家的牌，自然而然又想起在上面生活了大半輩子的家園。寂寞加上鄉愁，更難排遣！

三十年半個甲子，又要開始捱受過去那種熬夜的日子了麼？她有點惶恐，但並不太懼怕。三十年中她體驗過不少生活，她一定要想方法安排自己，想方法……

天保佑！她還沒有想出什麼方法來排遣寂寞的漫漫長夜，另一樁事彌補了她由於兒子的疏淡而感到的空虛——媳婦替她添了個孫子！

又是一度陽光照耀在她生命的暮年！她的高興，她的快樂，是無法比擬的。把整個世界給她，也抵不上這份滿足。一股幾乎被堵住的泉流拔開了。她的無盡的慈愛，似泉水般源源不絕地注入新的第三代。這是她骨肉中的骨肉，血液中的血液，生命中的生命。她的精神，她的感情，從此又有了新的寄託。人活著，畢竟是美妙的。

媳婦說自己要上班，抽不出時間餵奶，只有讓孩子吃牛奶了。她知道那不過是理由的一半，另一半是為的要保持她自己身材的美好。她很不贊成放著孩子最補於母奶不叫吃，反來吃煉製過的奶粉。她更不了解現代的心理和感情，為了自己好看，甘願放棄一個女人生命中最神聖的責任，也是最微妙的一種享受。當那花瓣般柔潤、嬌嫩的嘴唇，在乳房上輕輕啜吮時，當自己的血液變成乳汁，像大地吸收著甘霖般，被吸進那小小的嫩軀中，新的生命藉此生長時，做母親的該有著怎樣的驕傲、欣慰，以及滿足！

想想自己早年抱嬰兒在懷中餵奶的那份樂趣，她覺得媳婦有點蠢——所有這樣的女人全不聰明！然而，乳房長在媳婦的身上，她卻無法替她的孫子爭取權利。

媳婦不能餵奶，那餵牛奶的工作自然大半落在她身上。她很樂於做這件事，如同做其他洗澡、換尿布、抱著哄他睡覺什麼的一樣。做這些，全是一種樂趣。

本來，她們婆媳倆一直客客氣氣，彼此保持著一定的距離。但添了個孩子，為了彼此對孩子哺育問題有著不同的意見，便開始引起了爭執和磨擦，常常弄得大家不愉快。

她還記得，第一次爭執便是為了餵孫子牛奶的事。

媳婦規定四小時餵一次，她認為那是毫無道理的規矩。可憐的孩子已經被剝奪了偎在母親懷中吮奶那份溫暖和舒適，還要限制他時間，未免太不公平了。因此，在四小時之間，嬰兒哭了。娃娃哭，沒有病痛就是要吃。她又一次把沖滿的奶瓶送到他粉紅的嘴上。小嘴吮著橡皮奶頭，果真就不哭了。等到他母親回來餵時，嬰兒啜了幾口，便不感興趣，一任白色的乳汁從嘴角緩緩淌出來，媳婦便怪她不該不按時間亂來。

「娃娃嫩骨嫩腸的餓不起，餓了就要讓他吃。早點晚點有什麼關係？從前我餵克強還不是這樣餵大的！」

「從前是從前，現在是現在，現在什麼都講究科學方法，講究效率，從前那種瞎撞瞎碰的老方法又怎麼能比？」

媳婦的話，傷了她的心。從前難道不是十個月懷胎，不是她小小心心一手撫養克強的？把兒子帶大了，做了她的丈夫，卻對做母親的這樣看不起，這真太沒有良心了。那天，她氣得胸口作痛，過了幾天才好。

那年冬天，天氣似乎特別冷，她看到才學會走路的孫子總是穿幾件薄薄的絨線衣，裹得緊緊的，像隻「打拳猢猻」，便翻箱倒籠，把收藏了幾十年的一塊棗紅織壽字的緞子找出來，悄悄地偷空裁製了一件背後扣扣的長棉襖。她記得克強小時候也縫了那麼一件，周歲時穿了，人人都讚他穿得好看，長得富泰。揀一個最冷的日子，她替孫子穿上了新棉襖，讓下女帶著在客廳裡，想等他們下班回來給他們一份驚喜。

「哎！我的天！」先進來的是媳婦，大聲嚷著：「榕榕這一打扮，簡直成了小土包子嘛！」

「哪裡來的小古董、小木偶！」

夫婦兩人只顧你一句我一句地嘲笑著，完全忽視了她裁製所費的一番苦心，和一針針縫上衣服的慈愛。他們的笑聲如潮水湧來，使她驟然間手腳發冷發軟。她放下手裡的鏟刀，悄悄回到自己房裡，怔怔地坐著。媳婦卻抱了孫子進來，帶著笑說：

「媽，這是妳替他做的吧？真是白費了料子和精神，台灣天氣暖和，哪裡用得著穿棉襖嘛。再說，我要鍛鍊他，一定要讓他從小就少穿衣服。」

她沒有說什麼，等榕榕睡了，便抱著那件還帶有孩子體溫的新棉襖，打開箱子，擱在箱子底裡。

為了孫子，她不知道嘔了多少氣，受了多少委屈，但最傷她心的，是這兩樁事。

不過嘔氣儘管嘔氣，傷心儘管傷心，只要一聽見孫子親親熱熱地喚一聲：「婆婆！」便什麼氣惱都忘到九霄外去了。

孫子榕榕兩歲的時候，媳婦又跟她添了個孫女蒨蒨。這下，做祖母的更高興，也就更忙不過來了，疼了這個要哄那個，抱了那個要牽這個。晴好的日子，她喜歡帶著他們去附近街上走走，見到了的人都讚她這個做祖母的福氣好，有這樣一雙可愛的孫兒女！在家的時候，她就陪著他們玩。摺了數不清的紙船、紙鳶、紙猴子。挖空腦筋，把從前跟他們父親講過的老故事，一遍又一遍地講給他們聽。接著，孩子們又開始上幼稚園，上小學了，一回家，做哥哥的結結巴巴搶著向祖母報告學校裡的事情，做妹妹的便載歌載舞，表演一套剛學會的唱遊，等著祖母頒給他們犒賞——最可口的點心。

幸福的日子彷彿總是短促的。不知從什麼時候起，她漸漸感到有時腰痠，有時背痛。早上梳頭，黑頭髮一綹一綹地掉下來，新長的都是短短的白髮。釘顆扣子，補個補丁，一定要戴起老花眼鏡。記性也越來越差，拿樣東西，一轉身就忘記了在哪裡。她那時不太擔心自己老之將至，只要孫兒女依然嬌憨地偎依膝前，她卻忘了生長的原理：當她漸呈老態時，孩子們也正在長大——

他們慢慢地不再要講故事。妹妹說：

「婆婆講來講去只會那幾個故事。」

哥哥說：「而且什麼報應啦，菩薩顯靈啦，全都是迷信！」

他們也不再吵著要婆婆帶他們上街去逛。孫兒說：

「婆婆在外面老是大聲講話，引得別人都在注意。」

「而且總是東問西問的，問了又不買，像鄉下人進城。」孫女說。

放學回來，兄妹倆更少向她報導學校裡的事情。蒨蒨說她：

「最會瞎纏了！」

榕榕說她：「妳又不懂！」

她再也沒有料到，第三代比第二代跟她疏遠得更早，是時代，時代進步得太快，人的感情也改變得更快了麼？

——還是那句話：人還是做孩子時的感情最真摯！她翻掉桌上的牌，重新搓著，卻又驀地停住了——門外有腳步聲，該是兩個孫孫補習回來了。差不多有他父親那麼高的榕榕走在前面，嘴裡哼著「爺爺，爹爹」的，一側身便鑽進自己房裡，接著進來的是蒨蒨，把手裡的課本往她桌上一放，奔到茶几旁邊，撈起開水壺就仰著頸脖子往嘴裡灌。

「看妳什麼樣子！妳媽看見又要罵妳太不衛生了。」

蒨蒨咕嚕咕嚕吞了幾口，用手背一擦嘴角流下的水，哼了一聲。

「我又沒有碰到壺嘴！這比大家公用幾只茶杯還衛生得多哩。」

「妳就是嘴兇！」做祖母的癟起嘴笑著，一手托起老花眼鏡，慈藹地望著小孫女：「肚子餓不餓？」

蒨蒨嘟著嘴直搖頭。

「做數學都做飽了，哪裡會餓？」她拿起課本用力拍打了一下。「這麼晚，還給人家留下二十題！」

蒨蒨嘀咕著走進房去，接著房裡便拉椅子，開關抽屜的響成一片。

吳老太太憐惜地望著孫女的背影，不禁輕輕搖頭歎息，也難怪孩子跟家人都疏遠了，白天上學，晚上全要補習，簡直壓得他們的小腦袋抬不起來！從前他們爸爸哪有這樣念書的？真是時代不同，什麼都不同！

鐘又敲了一下，十點半了。那兩個大概也快回家了吧？白天上班，晚上又忙著交際應酬。就跟孩子們白天上課，晚上又忙於補習一樣，這個時代的人好像都嫌自己生命太短促了，活著時就拚命趕、趕、趕：那種可貴的悠閒，細緻的感情，美麗的想像，都趕得乾乾淨淨。難道這就是他們平常說的時代在進步？

其實他們早回家晚回家與自己都不相干，門是司必零鎖，都配有鑰匙，不用自己等門。回來，也不見得會問問自己這一天的生活起居，聊上幾句家常。但是，只要有人在外面，總有份牽掛，就像院子裡還有晾的衣服，爐子上還燉著羹湯，安不下心來。

安不下心！這一輩子就是樣樣都安不下心。從前算命的就說過她是勞碌命。她不否認她喜歡勞碌，能夠做事總比不會做事強。實際上，她也從來沒有轉過那種享福的念頭：什麼茶來伸手，飯來張口，一天有人侍候著，像菩薩供奉神龕裡一般，做個專門納福的老太太。她覺得一個人要是身體好，腿腳健全，只吃不做是可恥的。怕的是到時候「心有餘力不足」，想勞碌不能勞碌才是真正的悲哀。

嫁給一個不愛自己的丈夫是悲哀，年紀輕輕就守寡是悲哀，如今兒孫齊全，不愁吃，不愁穿，沒有人給氣受，再說悲哀，別人一定會罵這個老太婆太不知足？她真的是那種不知足的苛求的老人嗎？不，她不是。她很珍視這個家的成就。她愛全家的人，愛這個受下輩親友們尊敬的地位。但是，她毫無辦法阻擋寂寞和悲哀的來訪。它們亦居留在這個屋頂下，廝守在她身旁，比任何親人都更接近，更密切，當她越來越老邁的時候。

是的，就在三年以前，她在洗澡間滑跌了一跤，傷了股腿，在牀上休養了二個月起來，就感到自己的體力已大不如前了。想做什麼做不動，廚房裡的粗活只好完全交託給下女。掃個地會頭暈，抹抹拭拭便心跳。整天不離手的掃帚抹布也只得放了下來。做點針線，好不容易費了半天勁把針穿上，但縫了幾針眼睛就痠痛得要命。再檢查縫上的。哈，那一排歪歪扭扭的針腳，真笑死人！找本書來看看呢，看不了兩頁，白紙上一個個黑字全慢慢地串起來，擠攏來，最後擠成一片黑糊糊的，再也看不清，而看了下截，常常忘了上截，究竟書裡說了些什麼，想不起來。挪動著小腳，這間屋子走到那間屋子，又悄悄地下了台階，獨自在院裡石墩上坐著，榕樹葉子一片片飄落在她腳畔。望著老榕樹那根莖盤虬的樹幹，很像自己筋出骨凸的手臂。榕樹不停地掉下黃葉又換上新綠，自己的頭髮掉了，可再也長不出黑的。而榕樹似乎越老越健朗，自己呢……她拂掉襟上的落葉，巔巍巍地站起來，又黯然踅回屋裡——日子越來越難打發：每一個岑寂的白天，都像漫長的一年。每一個深靜的夜晚，更像悠久的一世紀。但是，當捱過了一年，一世紀，又不由得感歎活著的日子又少了一天。是老人，就有老人的矛盾。

做兒子的還算得孝順，老聽見她嘮叨著：可惜沒把牌帶出來，有副牌消磨消磨時間，也可以解掉不少寂寞！那一年她生日，他果然找到了一副牌來送她。自然，這副遠抵不上老家那副精緻，一張有兩張那麼大，加倍的厚，又笨又重，只是點子大，看得清楚。從那時起，她伸出乾瘦多骨的手，抓住那三十二張牌，有似抓住生命最大的歡樂，最好的安慰。

開始她只在晚上過過五關。慢慢地，白天也在摸，而摸的時間越來越延長。搓著，砌著，彷彿都成了機械的動作。有一天，下女在門口跟她的朋友聊天，就聽她告訴別人說：

「我家老太太最喜歡玩牌，白天玩到晚上，從來就玩不厭。」

說她「最喜歡」玩牌！不錯，在阿秀眼光中應該有這種看法。她真的是喜歡麼？她熱愛的是生命，是人生，是家人的融洽，孩子的歡笑……。但是，當有生命的都有自己活躍的天地，跟她有著一大截距離時，她唯有退而抓住這三十二張沒有生命的骨牌來消磨她的餘生了。

下女不會了解她，沒有人會了解她，老人的寂寞和悲哀，只有做了老人才能體會。

這一陣皮鞋聲，可真是他們回來了。她用熱烈的眼光歡迎著他們，兩人都帶著疲憊的神色。

「媽還沒有睡！」兒子淡淡地打了個招呼。媳婦只漠然地望了她一眼，便先進房去。

「人老了瞌睡少，早睡也睡不著。」有人講話，使她高興起來，就像半天悶在一只瓶子裡，這下給拔開了塞子，她很想多講幾句。做兒子的在她桌旁轉了一轉，隨口問：「孩子們都回家了？」

「嗯，回來好一會了。蒨蒨直埋怨功課太多。這年頭孩子念書也可憐，讓功課壓得簡直抬不起頭來。哪像你從前……。」

但是，兒子的嘴裡唔唔哦哦敷衍著，人已經進房去了。接著，房裡有一陣子響動，兩人說了幾句，燈一黑，顯然都睡下了。

「太晏了！通了這副，也該去睡了。」吳老太太喃喃地自語著，手裡輕輕搓著牌。究竟夜太深沉，人靜後的屋子也顯得更空虛，儘管是輕微的聲音，也激盪起一些回聲，在澄清的空氣中，傳播得遠遠的。

「媽！」兒子隔著牆壁在喚。「已經很晚了，妳還不去休息？」

「打通這盤五關，馬上去睡。」她知道兒子提醒她，並不是出於關切，而是嫌她的牌聲攪了他的睡眠。本來嘛，也太晚了些，人到了老年就是那麼怪！要像年輕人那樣能睡，就稀裡呼嚕睡一個黑夜白天，也少受點寂寞的圍困。偏偏瞌睡越來越減少，常常瞪著眼看天黑，瞪著眼盼天明。一天，長過別人兩天！

最後一副五關還是不通，要收攤子了，她把牌撿進盒子，放在壁櫥角落裡，按著藤椅扶手緩緩站起來，坐久了，這左腿股就有點僵硬，一定要搓揉一頓才能行動。她輕輕關好窗子，又檢查了一下門鎖。走到榕榕房門口，推開一條門縫往裡面探望：榕榕仰天躺著，嘴巴微微張開。一條毛巾氈香腸皮似的捲在身上。她拉上門，又到蒨蒨房裡：蒨蒨蜷縮著身子側臥著，氈子便扔在地下。她躡手躡足地走進去，輕輕拾起氈子，輕輕蓋在蒨蒨身上，唯恐重一點驚醒了她，會使氣地嚷：看人家熱都熱死了，還蓋什麼氈子！腳一蹬，氈子又給踢在地上。這孩子醒了彆扭，睡熟了卻還像個娃娃。真想摟著她親親！多少年都不曾親過孩子們了。

關了燈，又摸索到廚房裡，從桌子底下拿一只洋瓷碗一雙竹筷，推開紗門，一面輕輕敲著碗，一面低低地喚著：「咪咪，咪咪！」喚聲未畢，驀地「妙嗚」一聲，一隻三色玳瑁貓從黑地裡竄出來，身體擦著她的腿肚，尾巴豎起像旗杆。

「咪咪，你從哪裡竄出來的？可真嚇了我一跳！」吳老太太放下碗筷，閂上廚房門，然後一把抱起貓咪往房裡走。貓咪側著頭在她胸前擦著，喉嚨裡咕嚕咕嚕地唸著佛。她俯下下巴，在牠頭上輕輕摩挲著，那柔滑綿軟的感覺，使她涼透了的心頭感到一份溫暖。這裡有一個生命，還需要她的照顧和愛護，下女拌的飯牠不肯吃，別人喚牠牠不來，只服她一人，跟她一個人親熱。

「乖咪，這半天都在哪裡？看你腿上還沾著泥，一定是在逗青蛙，再不就捉蜥蜴，你真頑皮！現在要睡覺了，洗洗乾淨睡覺，曉不曉得！嗯，真乖！」她把貓咪放在牀上，貓伸出前掌用粉紅的小舌頭舔了又舔，接著舉起腳掌，從耳朵後面直抹到嘴上，牠從容而又優雅地重複著這兩個動作，直到自己認為滿意了，才蜷緊身子安穩地睡下來。

「咪咪，好好睡吧！夢裡沒有惡狗，只有一大盤鮮魚。」

吳老太太一手摸著身旁的貓咪，喃喃地說。她的身體蓋在薄薄的氈子下顯得那麼瘦小，微亂的白髮散在十字布的枕頭上，除了眼睛和嘴，臉上的骨架都更凸出了。她茫然地望著黑暗的虛空，雙唇顫動著像跟貓咪，又像跟自己在說話：「乖咪，你曉不曉得，人家都說我是有福氣的老太太。我是有福氣！我有兒子、媳婦、孫兒、孫女，還有貓咪你，和一副牌。噯，我是有福氣的老，太，太……。」她癟著嘴在黑暗裡笑了。就是那點笑，也彷彿滲透了深沉的寂寞。她緩緩地閉上眼睛，凹下的眼眶中，似乎泛起一抹潤濕……

寂靜的夜空中飄過一個低微的聲音，分辨不出是老人在歎息，抑是園裡榕樹上又墜下了一片落葉。

《文藝沙龍》・民國五十二年八月十六日

編註：本文原刊於《文藝沙龍》新一卷第一期，一九六三年十月十日，頁一七二～一七八。

手

季珩破天荒隨著大夥兒到了醉月樓。

他原來不肯去。不是假道學，而是他的教養本能地使他覺得涉足這種場所，有瀆自己人格的尊嚴。但經不住大家的慫恿，逢場作戲，也開開眼界嘛。何況他們這一課一共七個人，六個人都接受林經理的邀請。如果他一個人堅持不去，就顯得白命不凡。好吧，逢場作戲就逢場作戲，只此一次，下不為例。

一團耀眼的色彩，一片嬌聲嗲腔，一陣撲鼻子的香味。季珩糊裡糊塗跟著眾人被擁上了樓梯，擁進一間掛著白布門簾房間。色彩、聲音、香味，濃縮在更小的空間，像一團光霧一陣浪潮，一下子淹沒了他，坐停下來，等眼睛和耳朵稍微習慣了這騷亂，他才朝周圍的那些鶯燕觀察一番。首先先闖入他眼中的是最凸出的部分，赫然隆起的胸脯和高聳的頭髮。一張張在日光燈下顯得蒼白失血的臉龐，卻都配著一張紅豔欲滴的厚唇，身上繃著勒得緊緊的旗袍，像端午節裡的枕頭粽，還在一段一段扭動著，他覺得有什麼從胃裡往上冒，不敢再多看，但不經意的，垂下的視線卻被另外一樣東西吸住了。就似一塊磁石吸住了兩枚針。他漠然的瞳仁閃過一道新的虹光，凝注在一點上。有人在斟茶，一隻手執著壺，一隻手執著壺蓋，茶壺是天藍色細瓷的。藍得像雨後的晴天，襯著那雙白嫩的手，鮮紅的指甲，似一列玫瑰花瓣，纖巧地貼在壺上。無名指上一枚枚紅的寶石戒指一亮一閃的，閃到了季珩面前。他不禁為之砰然心跳，緩緩地捲起眼簾，沿著手腕向上看去，剛看到一張紅豔的嘴，半截扁扁的鼻子。又倏地落了下來——只有手和壺單獨在一起，才是一件美好的藝術品。在這裡，似乎應該說是最好的商標，不知有多少瘟生，被這樣的手給灌醉了出去。

那雙白嫩的手已從季珩面前移開，但它們卻並沒有從他心中移走——另一個違隔久遠的印象。許多年來，原已被現實生活中塵垢所湮埋。如今無意間一撥，撥開了遮蔽的灰屑，竟依稀鮮活如昔。那是一雙白皙、纖柔，像象牙雕刻般美好的手，沒有搽寇丹的指甲，泛著天然的紅暈，有如剛綻開的海棠花瓣，微微上翹，徐徐舒展。就是那雙手，供奉在他初戀的聖壇。在他生命的弦琴上，撥動了「愛情」一根弦線。

菜上來了幾道。調笑的聲音逐漸放浪，有人嬲著酒女鬧酒。戴著寶石戒指的手又幾次移近季珩面前，執著的不過已換了酒壺。紫紅的液汁斟入透明的玻璃裡，他端起來啜了又啜，好讓她斟了又斟。仔細辨認，他已分得出這雙手和記憶中的那雙不同之外；這雙胖而厚實，稍短的手指留著太尖的指甲。那一雙卻纖柔靈巧。修長的手指顯示著主人的聰慧，想起那雙手，更不會忘記第一次遇見手的主人那段奇妙的經過。那時他剛畢業不久，在一家規模很大的國營事業機構服務，一天下午，他去員工福利社喝一杯冷飲，坐在櫃台一端的高腳凳上，一面拆讀剛收到的信。他叫的檸檬水放在櫃台上，正待伸手去端，卻被鄰座一個突兀的舉動驚呆了——她比他早一步手握著那杯檸檬水，正緩緩地往自己面前移近。季珩先是驚訝，繼之覺得好笑，最後卻怔怔地望著。他從來不知道一個女孩子的手，扣在泛著綠光的玻璃杯上會有那麼美，那麼好看。似乎是感到空氣的凝結，那隻手和杯子停在唇畔，手的主人從雜誌上轉過臉來，發現自己面前擱了杯檸檬水，手裡又有一杯。忙不迭把手裡那杯放回季珩面前，歉疚而羞慚地看了他一眼，白皙的臉上，飛起兩朵紅雲。

「喝哪杯都一樣，沒有關係。」季珩很抱歉自己使她受窘，輕輕地說。

她低下了頭，一綹披拂的短髮掩住臉的表情，只露出渾圓的下頦和忍住笑的嘴角。接著，她一仰脖子喝完了檸檬水，便匆匆地走了。

季珩深刻地在腦子裡留下了那雙手的印象，也打聽出她是購料科的一個登記員。

他想盡方法找機會去認識她。

他們一起參加了口琴合奏，他望著她握琴的手，吹岔了音階。

他們一起參加了話劇演出，他凝視著拿劇本的手，忘記了自己的台詞。

最使他激動的是第一次他握住她的手。

最使他難忘的是她讓他在手指上套上一枚白金戒指。

噢，白金戒指怎麼會閃耀著紅的光芒，只在他眼前晃動著，越來越迫近，眩眼……唔，是另外那雙執壺的手，替他斟酒來了。他端起了酒杯——驀地有什麼撞著他的嘴唇，他一驚，頭一偏，卻似一顆石投擲在池塘裡，四周激發起一陣哄笑，掉下去的一塊雞翅膀，是那隻戴寶石戒指的手挾餵到他嘴上的。

「哈，老季，面對秀色，怎麼只顧自己獨斟呀！」

「別做老饕嘛，看人家小姐殷勤照顧你，也該敬她兩杯。」

「本來嘛，叨了主人的情，來這裡只看不吃才是傻瓜！好，我敬妳這杯，雞翅膀我也領情了。」季珩掩飾自己的窘態便自嘲地舉起杯子乾了一杯，又挾起桌上的雞翅膀來啃著。

「美雲，妳把季先生敬妳的乾了。再回敬一杯，要喝個雙杯。」做主人的林經理又吩咐著。

暗紅的酒液從杯裡氾濫著，白皙的手指上紅寶石的光彩氾濫著，氾濫在心底，氾濫上雙頰。季珩感到頭裡暈暈的，滿房都在閃爍著光彩。摸摸臉上，熱辣辣地發燒，也不知喝了多少。今天是怎麼回事，他自己也有點詫異。

季珩醉醺醺地回到家裡，圍著方桌做功課的四個孩子一聲：「爸爸回來了！」接著，蘇蕙的聲音便在浴室裡抱怨著：

「怎麼不回來吃飯也不跟我講一聲，人家等你可等苦了！」

「是臨時請的嘛，沒有辦法回來通知。」季珩婉轉地解釋著，卻懷著前所未有的心情，急於看到向自己抱怨著的妻子。一路上，那個心念迅速的滋長、擴大，此刻已上漲到喉嚨頭。那樣迫切而渴念，就像一個把一件心愛的寶貝忘懷了許久的人，一時想起，便急不容待地要去找出來。

季珩一面換衣服，一面豎起耳朵傾聽：蘇蕙一出現在門口，他急切的眼光立刻似同捕獲獵物般捉住了她——她雙手托著一大堆燙洗好的衣服，放進他背後壁櫥裡。

「什麼人請客？」

「一家建築公司的經理。」季珩的視線捕了個空，仍舊固執地停在那裡，蘇蕙轉過身來，手裡又換了幾件衣服。

「看你的扣子掉了，襯衣破個洞，也不先講一聲，等穿的時候又來鬧……。」

「蘇蕙！」

「嗯。」蘇蕙似乎被他那帶著感情的喚聲一震，立刻停止譴責，抬起眼睛來，正碰著他那彷彿要射穿什麼的視線，固定在自己身上。「噯，你喝醉了！」

「稍微喝了一點，沒有醉。」季珩掩飾地一笑，又對著她手裡的一堆衣服微微皺眉。

「唔！勞駕替我泡杯濃茶行嗎？」

「好吧！我的大爺。」蘇蕙一走出去，季珩便跌坐牀前的藤椅中，叉手腳地閉上眼睛養神。在平常，這是他身心鬆弛，最舒坦的時刻。但這會腦中卻怎麼也不能澄清，亂嘈嘈地，彷彿依舊乘著計程車疾駛在夜的大街上，只見燈光明滅閃爍不停，一會紅似火焰，一會亮似閃電，驀地一隻纖纖玉手從火焰中探伸出來，又倏忽不見了，接著電光中也伸出一隻纖纖玉手，直指到他鼻尖上……

「茶泡好了。」什麼幻象都不見了，面前是那隻熟悉的竹筒式茶杯，直冒著熱氣。他先不伸手去接杯子，卻熱切的眼光攫住了那雙端杯子的手。

茶杯是淨白素瓷，最易收烘托之效。襯著那雙手——一隻扣著把柄，一隻托著杯底，在黯淡的光線下一眼望去，彷彿稜角顯然的浮雕。不是細緻的象牙雕刻，而是米蓋朗基羅遒勁有力的石刻，凸出的骨節，光禿禿的指甲，手背上隱隱暴露著青筋，和褶起一條條皺紋。不用手觸摸，只用眼睛瞄一下，便可以感覺到它表皮的粗糙。

季珩瞪著眼頹然倒進椅子裡，一顆心猛地從熱血中沉入冰窖，這雙陌生而難看的手，豈又是他記憶中晶瑩柔潤白嫩美好的纖纖玉手！

但那雙陌生的手卻更移近了他。

「怎麼啦？你。」

季珩勉強接過茶杯。小心翼翼的，唯恐碰到了那雙手。卻不小心碰到了茶杯燙得他皺眉咧嘴的。

「看，燙到了吧？」

「還好。」季珩不願她加以援手，忍燙端在手裡。「噢，妳手上的結婚戒指呢？」

「嘿，不是好幾年以前，手指就粗得戴不下去了。怎麼現在想起來查問？」

「我不過隨便問一聲罷了。」

「你今天的樣子有點怪。」蘇蕙瞅了他一眼，過去端出針線筐，便坐在他對面補起孩子的衣服來。

季珩又閉上了眼睛。

一路上，他急於回家的心意比車輪轉得還要快，他為自己這些年的疏忽充滿了懊悔和愧疚。只想趕著回家，捧著他的寶貝，重溫舊情。然而，想不到事實卻是那樣可怕！

這像一個人原以為自己埋藏了一箱黃金，掘開來，不料都成了一箱黃銅。

連結婚戒指都戴不下了，想想這雙手變得有多粗多笨！當然這不會是一朝一日變的，只為平常從來不留心，驟然發覺，就像天地都忽然變了顏色。但是她自己天天看到，時時接觸，難道就毫無感覺嗎？做為一個女人，對自身美好部分竟不知道好好珍惜、保養，想不到蘇蕙會變得那麼愚蠢！

愚蠢的女人！這想法使季珩自己微吃一驚，結婚多少年來，雖然那些讚美阿諛之詞早已忘得乾乾淨淨，連好聽的話也難得對她說，但像這樣貶損她卻還不曾有過。他不安地半睜開眼睛望望對面，蘇蕙正專心一意在對付一條卡其布褲子。湊得那麼近，褪了色的卡其布和臉上的膚色彷彿相似，手指拈著針使勁在布上扎著。這不由得又使他記起若干年前的另一幅情景：是在蘇蕙家精緻的客廳裡，她悠然靠在一把搖椅中愛搖不搖地，手裡捧著一只小繃架，繡著美麗的圖案。那柔美如玉的手指，靈活地在布面上一挑，又在布底下一撩，挑得他眼花心跳，撩得他意亂神迷，恨不得自己便是繃架上那塊枕頭布，而此刻，他連多看兩眼都不敢看。

「媽！妳總給哥哥縫衣服，人家表演小村姑的衣服，校慶那天要穿的嘛。」他們才念一年級的么女兒，捱到母親身邊來撒著嬌。

「可是，明天讓妳小哥上學時露出一個膝蓋來，是不是難為情？」

「我最倒楣啦！老是撿哥哥的破爛衣服。」老三用鉛筆敲著桌子，不甘心地嚷著。

「媽！上次告訴妳學校換季，一律要穿釘藍條子的運動褲，人家好多人都做好了。」老二也嬲進來搶著說。

聽孩子們你一句我一句的要求，季珩憤然在肚子裡哼了一聲；原來都是幾個小傢伙把蘇蕙折磨的，老大怎麼倒不作聲？他睜開眼睛，老大正朝他這邊窺望著哩，像要說什麼有顧忌。父子倆的視線碰個正著，他立刻轉了開：

「爸！我有一題代數做不出來。」

「多做二遍，先把容易做的做掉再說。」季珩不耐地推宕，連站都不想站起來。

那顆頭髮剃得平平的頭顱低了下去，瘦長的手臂環繞著半張桌子，有似章魚的肢體。這孩子只竄高不肯長橫，十四歲幾乎就趕上他媽一樣高了。十四年，不算短的日子。也不知蘇蕙在他們身上費了多少心力！從餵奶、把尿、學步到吃飯、穿衣……哪一樣不靠她的雙手？而實際上，這個家也全虧她一手安排、粗細一把抓，他自己所能貢獻的，只是一個不太厚的薪俸袋。接受了他的求婚，她曾偎在他肩頭羞怯地說：「我要用我的手和心，建立一個溫暖的家。」她許諾的，全做到了。但卻糟蹋了那雙纖纖玉手，而自己竟無能維護它的美麗——從失望、懊惱、貶損、到自責，求得的結論是自己做丈夫的能力薄弱。這個結論再硬給塞進他原來混淆的頭腦，塞進他發酵的胃裡，頓時覺得腦殼像要漲裂開來，胃中火燒似的一陣痙攣，他忍不住踉蹌地跑到廚房裡，俯在水池上嘔吐起來。

「還說沒有喝醉，看你吐成這個樣了！」蘇蕙在他後面埋怨著，接著，伸過手來遞給他一塊毛巾，一杯冷開水。

人的思想，有時候是很奇怪和固執的，當你不曾想到某些事物時，它似乎根本就不存在。可是為你一旦挑撥了它，卻再也不能揮走。過去季珩下班回家，總是逕自看報、休息、吃飯、洗澡，跟孩子們鬥一會，問問他們功課。對蘇蕙的忙進忙出，就像對壁上的鐘擺滴嗒滴嗒一樣；不用眼睛，也可以知道那機械的動作，早就熟視無睹了。平常蘇蕙穿些什麼衣服，臉上是未經梳洗還是化了妝，胖點抑或瘦點，他一向就未加注意。但打從醉酒那天起，他一進門，總不由得先瞥一眼蘇蕙——不，應該說瞥一眼她的手。在家時，有意無意地瞥的次數更多，而那雙手，常常以各種姿勢各種動作向他展現，有時濕淋淋地在洗菜淘米，有時血斑斑的在殺魚切肉。有時在肥皂水裡搓揉衣服，有時抓著一團污穢的破布在擦地板。有時在敲煤炭、有時在掃地通溝！手的主人並無怨言，但手的本身卻彷彿以動作來默默申訴：「看我為了生活，受到怎樣虐待，怎樣的摧殘！」這無言的申訴像一把鏽了的短刀，一次一次戳著季珩的胸口，使他十分難受，也十分慚愧，是他不能給蘇蕙較好的生活，盡到保護的責任。「一定要設法改善生活！」他狠狠地下著決心，要鞭策自己，像一個嚴酷的主人役使他眷養的騾子。但是，他在本身工作上原來很認真，很盡責，就像跟騾子多轉幾圈磨，多負重一些，依舊吃的是那份秣糧一樣；他的待遇並不因為努力而提高，做為公務人員，又不能去兼職兼商，像某些特殊人物的弄幾個顧問名義，拿點車馬費津貼，他更不夠資格，儘管絞盡腦汁，只是心有餘而力不足，依然故我。他那一股奮發的勁兒，漸漸消淡而變成沮喪。蘇蕙操作不息的手，像電影中的特寫鏡頭般在他面前晃來晃去，歉疚、憐惱而使他覺得難堪，它證明他的無能，處處在威脅他的精神。

「妳不可以少做一點嗎？」有時他竟忍不住向蘇蕙叫喊，明知自己無理，卻抑制不住那股憎厭。

「你只會說風涼話，少做一點，留給誰做？」蘇蕙一面反駁他，一面手底下做得更使勁，讓季珩感到那簡直是對他嘲弄，他只有躲開雙手，索性閉上了眼睛。

閉上了眼睛，另外那雙手卻似出水菡萏般，盈盈地從一片灰色的霧中顯露出來，蘭花瓣般微微翹起的手指，挑逗地指著他，他一陣心跳，連忙睜開眼睛，視線接觸的，又是蘇蕙不停忙碌的手。

季珩受到從未有過的困擾，在他那刻板、平凡，沒有野心但不失寧靜的生活中，彷彿摻入了一撮發粉，在無聲地發酵。

上面新交下來一件工作，派季珩和梁課員一起驗收一批建築材料。到了工地，他才知道承包這次工程的，就是那天請他們客的林經理開的建豐營造廠。

季珩與梁課員分兩部分驗收，他看著他一貫的工作態度，謹慎而認真地審查來料的尺寸、品質，一點也不含糊。一天下來，他覺得很累。人累了，脾氣總比較煩躁。看不順眼的也顯得更不順眼，拖著疲乏的身心回家裡，只想有寬敞而涼爽的地方坐下來靜靜地休息，有人為他送來一把手巾，一杯新泡的清茶。然而，狹隘而擁擠的屋子裡四個孩子鬧嘈嘈地。蘇蕙料理家務，孩子還忙不過來，她的手，是不會專為他服務了。

但是有一雙手曾執著壺，殷勤地為他斟茶斟酒！

驗收工作進行到第三天，為了一批材料與表上列的規格不符，季珩堅持拒收，與對方蘑菇了半天，很不愉快。離開工廠時，身心困瘁，腳步滯澀。但後面一陣輕快的皮鞋橐橐聲，追上了他。

「看你。怎麼像隻打敗的公雞似的！」趕上與季珩並行的梁課員調侃著他。

「難道你不累？」

梁課員兩手插在褲袋裡，聳聳肩膀淡淡地說：

「麻煩都是自己去找的嘛。」

「依你這樣說，本來並不存在？」季珩惱了。

「別那麼衝動麼，我是說房子又不是替自己蓋的，何必那麼認真。你就是賣命，也不見得會加你幾文薪水。」

「公家事也不能馬虎啊，做事總得憑良心。」

「嚇，良心，這年頭值幾文一斤？不少人蓋高樓，跑國外，過奢侈的生活，你以為都是憑良心換取的嗎？留著良心餓肚子吧！」

「餓肚子就餓肚子吧，要我把良心貼上封條或收進冷藏庫裡，還沒有這份修養。」

「也不是一定要你昧卻良心做事，譬如手底稍微通融一點，給了人家方便，省了自己精神，豈不是兩全其美！」

季珩懶得再答理，低下頭去趕路，一眼卻發現兩個強烈的對照：一雙灰撲撲，脫線，裂底，變了形的皮鞋，和一雙漆黑發亮，式樣新穎的皮鞋，正齊步前進，怪不得一個腳步滯重，一個步履輕快。這一轉念間，兩人的腳步便稍微參差了。

「你看這雙皮鞋式樣如何？」梁課員看到他在注意腳上，故意炫耀地抬高腳步，看自己的腳尖。「這是最好的德國紋皮，你要買的話我可以介紹你去做一雙，那家老闆我熟。」

「謝謝你，我沒有這個打算。」季珩推說要買點東西，擺脫了梁課員，他並不介意那些諱論。在課裡他一向講話與做事原是不太實際的。但心裡卻更煩。經過一家皮鞋店，他不由得停下來有意無意地瀏覽著陳列在櫥窗裡的各式皮鞋，想起自己足下那雙公教皮鞋已換過二次鞋掌，馬上又得進醫院了，就感到重得似乎提不起腳來，憑能力，梁課員趕不上他，拿薪水，彼此差不多。可是他一直就比他穿著得考究。是他更有經濟頭腦，還是他更控制「良心」！季珩就不清楚了。

接連幾次都是不符規定的材料，季珩都拒收了。驗收工作無形中停頓下來。梁課員過來跟他打招呼，說林經理要請他的客，被他謝絕了。

梁課員又轉達了處長的口信，叫他晚上去公館一趟。他在工廠工作幾天沒去上班，不知道處長有什麼事要交辦，那天吃過晚飯便匆匆地趕去。

處長公館，嵌玻璃的磚牆，紅漆大門，與自家的竹籬板門氣派完全不同。傭人來開了門，寬敞的客廳一邊正展開一桌方城戰，他就在靠門的沙發上坐下來，那邊一陣陣笑語吸去了他的視線，只見炯亮的燈光下，雪白的桌布上，八隻塗著深淺寇丹的手，在翠綠色的雀牌上不停地搓著，其中最顯目的一雙，戴著一隻鑽戒的，便是屬於處長太太的。眼看些鮮豔如花瓣的手指靈活地在牌上搓來搓去，縱橫交錯，鑽光閃耀，季珩不禁看呆了……

「季先生！讓你等久了。」

「噢！處長……。」季珩窘迫地站起來，一時有點手足無措。

「你坐，你坐，不必拘禮。」處長就在他身旁坐下來，顯得比平常和藹、親切。他用低沉的聲音問了季珩一些生活狀況，又誇獎他辦事能力很強，最後，問到他驗收工作的情形，說工程正在進行中，最好，不要有阻滯。

處長輕拍他肩膀的一聲勉勵的「好自為之」送了季珩出來。燈光、笑語、紅指甲與綠雀牌繽紛的色彩，都在他的眼前耳畔消失了。獨自浸在小巷的黑暗和沉寂中，彷彿才跨出雲霧腳踏實地。再冷靜地思索處長剛才對他說那一番話的用意，似乎得不到要領，既誇他辦事認真，又提到不要阻滯了工作進行，那麼，那麼……越想越迷亂，好像幾十支豔麗的手指正在搓著他的腦神經。拐了兩個彎走出巷子，投入夜的另一個世界：華燈、人潮、車流，交織成一片波動的海洋。季珩信步走去，覺得自己像小小一個泡沫，不是在走，而是隨著無形的波動在飄浮。飄過店鋪，一個個女店員伸出塗著寇丹的手指在那裡指點比劃。更多的是迎面而來，一隻隻扣在男士臂上的手，也是那麼白皙柔潤，塗著鮮豔的寇丹。彷彿除了蘇蕙，他看到女人的手，全是那麼白皙而鮮豔如花瓣。

如果這時也有一隻那樣的手，扣著他的臂膀，偕同他緩緩散步在這夜的城市！那麼這女人不是蘇蕙——噢，不！這未免太荒唐了。如果蘇蕙能不做粗事，好好地保養，她的雙手還不是可以恢復昔日的白皙柔嫩！他記得老家的客廳裡桌上長年供著一對蠟台，油積、塵染得黑黜黜的，非常難看，不想過年時仔細一磨，顯出原來高貴的品質，竟光燦燦地比銀子還亮。

自然，要讓蘇蕙的手恢復美麗，就是改善生活，就是錢！

季珩似乎從來就沒有像這一刻那樣，對錢迫切的感到需要，有如口渴的人急於獲得一杯清水。「五十萬」，「五十萬」，前面一家獎券行上三個忽明忽滅的大字向他打著招呼，獎券女郎手裡的彩券像一把羽扇輕擺。他趨前去，在口袋裡兩張鈔票中掏出了一張，換取那不管是畫的還是真的梅，止一止徹頭的渴。驀地，橫裡伸過一隻手來，抓住了他那隻拿著獎券的手用力搖撼：

「啊！季先生，真是幸會幸會！剛拜訪了你們處長，說你去過。不想在這裡碰見。揀日不如撞日，機會難得，讓我做一次小東，去喝幾杯！對了，咱們就去醉月樓。還記得那天侍候你的美雲？那妮子對你很有意思，向我打聽你好幾次哩，嘿嘿嘿！」像一陣旋風，林經理不知從哪裡竄出來，熱情萬分地撲向季珩，滔滔不絕的說話四面八方繞著他灌注，季珩好不容易等一個空隙謝了他的盛意，臉上卻不知為什麼感到有點發熱。扯了半天，林經理見實在請不動他，立刻又轉了風向說：「那麼喝一杯咖啡，這一點光，總可以賞吧！」

季珩也覺得太過拒人於千里之外，不大好意思。勉強答應了一起走進一家冷飲店。林經理叫了兩杯咖啡接著說是去買包香煙，走了出去。季珩喝完了他的一份咖啡，賣晚報的進來，又買了一張看過幾則新聞，還不見林經理回來。他很想付掉帳先走，一看兩杯咖啡二十四元，而他口袋裡一共還不到二十元。正等得十分不耐煩，才見林經理挾著個紙包匆匆進來，一面道歉，一面向他敬煙。他沒有接受他的煙，便急著告辭了。林經理又趕著送出來，替他叫計程車。

「不要，不要，過去兩步就有公共汽車。」季珩忙不迭攔阻，但一輛計程車已在他面前停了下來，林經理連推帶拉地把季珩送上車廂，又將手裡的紙包擱在坐墊上，說是給孩子們的一盒糖，不容季珩推拒，接著又以他的旋風動作搶付了車資，一聲「以後請季先生多多關照！」「砰」的關上車門汽車便開動了。

季珩在林經理一陣擺布下，來不及有動作，便讓計程車載著走，心裡很不是味兒。覺得人家似乎殷勤得過分一點。看看身旁那盒糖，忽然一個衝動抓了起來。外面包著招牌，看起來沒有什麼破綻。解開來，裡面是一只長方形咖啡色的鐵盒子，每一塊凸起的格子上都印著

CARRO幾個英文字母，他知道那是一種英國製的名牌巧格力。揭開蓋子，雪白的襯紙底整齊的排列著一層錫紙包的糖塊。他舒了口氣，暗笑自己未免多疑，無意識地，他又輕輕掀起了一層糖底下的襯紙——他驀地抽出手指，彷彿被什麼毒蟲螫了一口似的，手一震，幾乎把整盒糖都抖翻了，他惶恐地瞥了一眼前面的司機。隨手蓋上盒子，挺直了身軀。

第二層不是包著錫紙糖塊，而是紫色的五十元大鈔，鋪得厚厚地。

從驚愕中平靜下來，季珩第一個反應是憤怒，一種被人侮辱了的氣憤：「想來賄賂我！簡直是門縫裡看人，把人都看扁了！」接著，他想起了梁課員那天的嵌骨頭話，以及處長剛才的叮囑，原來他們都是沆瀣一起，就想把他拖下水去。可是，憑什麼認為他季珩也同他們一樣出賣人格的人！憑什麼？……啊！就在上一刻，他曾荒謬地想到女人的手，想到改善生活，想到了錢，只那麼些莫名其妙地動了一下心念，難道便那麼巧惹來了罪惡？車子在他住的巷口停了下來。季珩下車拿著那盒糖，彷彿拿了塊熱鐵，又重又燙手，他胡亂用報紙包了，回到家裡悄悄往五斗櫃抽屜裡一塞。但是，儘管表面上做出若無其事的樣子，內心卻惶恐不安，倒像真的做了什麼昧心事。不管怎麼處置這筆賄款，他已經把那份污濁的穢氣帶進了家中，就像蒼蠅帶進了細菌一樣。他的煩躁瞞不過蘇蕙，晚上，當孩子們都睡熟了，他正在輾轉不能入睡，她悄悄地在枕畔問他，聲音清醒得似根本不曾睡過。

「是剛才去處長家，發生了什麼事麼？」

「不是，是，是……。」季珩雖然講到這件事有點困窘，還是把真相告訴了她。

「也用不著氣惱，明天去退回他不就沒事了！」蘇蕙簡潔明瞭地說，一句話就解決了問題。季珩像在黑暗裡衝闖了半天，忽然發現一道出口的光亮，原來就在前面。但，那樣簡單的對策，為什麼自己卻早不曾想到？是他的潛意識中還有不簡單的意識潛在？是……他想到處長設備豪華的住宅，處長太太戴著鑽戒的纖纖玉手，想到粱課員闊綽的衣著，他現在才知道什麼是這些優裕生活的條件來源。而這隱祕的來源，此刻正展現在他面前，唾手可得……

「我今天才知道，」他吶吶地說：「原來處長他們早就有來往了。」

「濁者自濁，清者自清。你犯不著跟人家同流合污。」

「不過……不過，蘇蕙，妳不覺得我們生活得太苦了麼？」

「苦與不苦是另外一椿事。」蘇蕙忽然撐起上半身神色嚴肅地，盯著他的臉。「你總不會是說拿出賣自己人格的錢來改善生活吧？」

「那當然不會。」季珩拍拍她的手臂，肯定地說。說過這句，心裡懸宕了半天巨石忽然無聲無息地放下了。一切蕪雜的念頭也都澄清了。一陣倦意襲來，他闔上眼，坦然睡去。

第二天早上，季珩騎了腳踏車繞道建築公司，他進去時，林經理正怔怔地坐在桌前，他放下那個紙包，只說了聲：「謝謝你的好意，我家的孩子不吃這些糖。」不等他有所表示，便轉身又跨上了車子，眼角裡卻瞥見那個林經理仍舊茫然地坐著，與昨晚那副圓滑靈活的樣子完全不同。

工地上看還是堆著那些他拒絕驗收的材料。新的沒有來。季珩等了半天，覺得無聊，想到已好些日子沒上辦公廳，便乾脆上班去，彷彿陣雨前先感到那股令人窒悶的低氣壓，他感到課裡的氣氛似乎與往日有點不同。有人在嘰嘰喳喳，看見他進來，忽然都停止了。平常跟他最談得來的張技佐覷個空湊到他旁邊咬著耳朵：

「出事了！希望你老兄沒沾邊兒。」

「什麼事？」

「處長同營造商勾結舞弊，牽涉了好幾件工程，被人檢舉了！」

「啊！」季珩張開嘴半天闔不攏。背脊裡一陣麻，直麻得每個汗毛孔都寒伶伶地豎起來。見張技佐正驚訝地盯著自己，連忙鎮定一下，笑著拍拍他的肩說：

「老兄放心，我季珩絕不是那樣的人！」心裡卻暗暗叫聲好險！是禍是福，中間只隔了紙那樣薄的一層。一個念頭，可能就身敗名裂，貽害妻兒！他悄悄地放鬆剛才不知不覺握緊的拳頭，手心裡已漬滿了黏濕的冷汗！

下了班，季珩懷著從未有過的輕鬆心情，騎車馳行回家的路上。他沒有望一眼兩旁皮鞋店的大廣告，也沒有理會經過他面前的女士們挽著皮包那鮮豔纖柔的玉手。他像一股來自原野的清風，穿過小巷，穿進那熟悉的破籬笆門，停在自家矮矮的屋簷。隨著孩子們的喚聲，蘇蕙匆匆從廚房裡迎出來，用詢問的眼光凝望著他。

季珩亦用眼光給了她一個肯定的答覆，眼看滿意的笑在她臉上像波般輕輕漾開。他的視線滑上來，迅速地捕獲了她的手。那雙粗糙的手濕淋淋地在身體兩旁微微揸開著，手背上還沾著些烏黑的煤灰，但它在季珩眼光中不但毫不醜陋，反顯得前所未有的可愛。那雙手，不僅給一個家製造了溫暖、安樂；同時象徵著堅忍的意志，刻苦的精神，正直的性格，它築成一道無形的藩籬，隔絕在正與邪，善與罪之間。

它們不是美，而是一股創造的力量！

「我的手怎麼啦？盡盯著看。」蘇蕙被他看得忸怩起來，一面習慣地拉起圍裙來拭著手，轉過身去。

「等一等，」季珩趨前一步，握住了她的手臂。「讓我向這雙偉大的手致敬！」說著，他捧起那雙手，低下頭去，嘴唇觸著溫熱而濡濕的手心，一股肥皂和蔥、油煙混雜的氣味竄入他鼻子裡。他索性把臉埋進去，深深地吸嗅著，有如小時候埋入新收割的稻草堆裡，聞著那股親切，熟悉而又教人舒服的草香。他忽然感到眼眶潤濕了。

《作品》・民國五十二年八月六日

編註：本文原刊於《作品》第四卷第九期，一九六三年九月，頁九～十四。

在迷茫的遠方

「噢，何等幽靜，又何等潔淨！美麗的綠潭，我終於來到妳面前瞻仰妳的丰姿神采，我將從妳掐一掬水，滌清思想上的塵瑕，心中的俗念，還我赤子一般的真純！」余青站在教師會館頂層的陽台上，面對著腳下一碧千頃的潭水，從心底發出歡呼。似乎像要擁抱愛人般，他向石欄外伸出了雙臂。周圍，溟濛的晨霧正悄然散開，綽約地顯露出參差重疊的山巒，濃鬱茂密的叢林，簇擁拱環著那一片幽邃的盈盈綠水，煙雲縹緲，波光瀲灩。美妙中有一種和諧，一種莊嚴。余青被這份情景所融懾。喜悅感動中不禁也摻入一份虔誠的心意。他默默地欣賞了一會，舉起那只心愛的照相機，鄭重地攝了幾個鏡頭，便離開陽台。帶著無比輕鬆的心情，盤旋著走下那座大螺絲釘似的圓梯，經過軒敞的長廊，進入優雅的餐廳。吩咐過了僕僮自己所要的早餐。縱目廳內，只見已經有不少旅客在吮著牛奶或呷著稀飯，同桌的輕輕交談著，微笑著，卻全不喧譁吵鬧。他覺得這裡最特出的長處就是清淨。如果是倦於繁冗的俗務，這裡可以獲得最有效的休息，如果是心靈受創或精神打擊，這裡可以作最佳的調養。自然，如果是詩人文士，這裡盡可以培養最豐富的靈感。余青自己也許可以說屬於第一類，因為他正好辦完一件上面交代的任務後，獲得了一週的假期，而攝影是他唯一的嗜好，他相信在這景物如畫的潭上，一定能攝得一些難得的好景致。此刻，他從餐廳的長窗望出外面，映入他眼中的是幽雅的庭院一角，他想起昨天上山時，由於陰天，暗得特別早，車行在山陰叢樹間，一刻比一刻昏。忽然一片彩色繽紛的燈光，一座美侖美奐的大廈呈現在眼前，那感覺，真有點像童話中描寫的，一個在深山中迷途的騎士，突然發現了一座宮殿，而經過一夜舒適的安睡，這騎士精神煥發，活力充沛正待出發去探幽尋勝。

當余青抵達碼頭時，一艘載乘了四五個遊客而座位尚空的人汽艇正升火待發，船夫一兜徠，他便不加選擇地坐了上去。船便輕捷地駛行在平靜如鏡的潭上，彷彿進入另一個不沾半點塵瑕的玻璃世界，藍天白雲，青峰翠巒全安嵌在綠玻璃中，船尾在碧綠的水面剪出兩條雪白的浪花，宛似兩串花環。船一停，立刻便又幻滅了，不留一點痕跡。隨著船每一次攏岸，遊覽了浮漾在水中央的小小光華島，攀登了紅磚綠瓦，掩映在翠叢中的玄光寺，和古木參天，石級連雲的文武廟。最後，船停舶在德化社。余青隨著眾人跨上那豎著牌坊的水泥碼頭，穿過一條兩邊開著土產店的小街，有人引他們到一處毛家花園，裡面一排平房，建築陳設都跟平地一般普通人家相仿，後面一座園子裡種了些花木，搭兩間草亭。一個戴鴨舌帽穿花襯衣的人迎上前來，一面殷勤地招呼他們在亭子裡坐了，一面堆著笑說：

「請休息休息，我去請毛酋長和公主出來跟大家見見。」不一會，便從那一排平房裡同了一夥人出來。余青看那毛酋長佩著腰刀，赤著雙足，粗粗壯壯的還有點威風，而所謂公主卻都燙著頭髮，穿了皮鞋，只身上穿一套印花布的山地裝，跟遊客們點頭微笑，握手寒暄，出人意料的大方。趁大家正好奇的打量、搭訕，那鴨舌帽動作機靈的在一架矗在那裡的照相機後面一站，諂媚地說：

「大家跟酋長照張相留個紀念吧！」余青這才知道他原來是個職業照相師。在那種場合，有人便由他安排著跟酋長公主們擠在一起作照相狀。也有人索興在亭子裡出租衣服處化了妝。望著那些做為背景的簡陋的小茅屋、假老虎、石臼石杵什麼的，余青覺得像是平劇裡畫的布景。只是一種象徵，引不起一點真實的感覺。他拒絕了鴨舌帽的兜徠，隨便替酋長和公主照了兩張。正要離開，只聽見鴨舌帽冷冷地在他旁邊說：

「你自己付他們照相的錢。」

余青愕然望著他。究竟是不是在同自己說話。

「一個人五元，一共十五元。」坦然向他伸出手來的是那個小公主。余青沒想到這也是職業性的。他連看也不敢看便照數付了錢，心裡總覺得自己沾辱了什麼。走出毛家花園，一路上還有許多別的花園。都不過用竹子圈一個範圍，裡面種一點花木，堆放兩堆石頭，架一間小茅亭，擺一隻假鹿假虎。門口不是站一個像鴨舌帽那樣的男人，便是倚一個嘴唇塗得又厚又紅的山地姑娘，向遊客不斷地招徠：

「來這裡坐，來這裡照相。」

「請進來看看黑牡丹、紅牡丹，最漂亮的山地之花。」

余青失去了光顧的興趣，走進一處歌舞場，裡面正開始要表演，他便在一條長凳上坐下來，只見一群山地女人在那土台上拉著圓圈咿咿呀呀地跳了一會，又換了兩個山地姑娘上來，一開口，唱的卻是流行歌曲〈小癲痲〉。另外一個還在旁邊插科打諢。余青心裡想真是好笑，在都市就是聽煩了這種靡靡之音，出來想換換空氣，欣賞一點單純而清新的民間藝術，一些帶點原始意味的樸實而粗獷的風俗人情，但他所看到的卻全是些被文明社會和商業味渲染得不倫不類的東西。

懷著些微失望的心情，走出了化番社，跨上停泊著的汽艇，一剎那，又進入了晶瑩透澈的玻璃世界，余青深深地舒了口氣，從船舷伸出手去，讓清涼湍急的水流沖激著，真正不沾半點塵瑕，永遠不會改變的，大概還是這潭幽邃的綠水。他望著遠遠那座玲瓏的光華島，忽然想起這半天船只在島這邊盤旋，尚未去過那邊，而這一刻駛行的方向卻是對著一排建築物，他忍不住問掌舵的：

「我們的船好像沒有去那邊？」

「那邊是月潭，沒有什麼好玩的。」

「不能開過去看看麼？」

「遊覽的航線只規定了在日潭，船票上印得有。」

不錯，票後面是這樣印了，余青想到船不是自己一個人包的，便默不作聲，讓它一直駛向碼頭。

睡過一個午覺，余青又重新出發。這次他一個人租了一艘小划子，自己划著槳，悠然地在平靜的水面上滑過去，比起汽艇的風馳電掣來，小舟猶如一片竹葉，隨風浮泛水上，輕盈飄忽。余青一面領略著潭上的風光，一面緩緩地打著槳。慢慢地繞過了光華島，繞向兩潭的彎角處，他覺得水的顏色漸漸地綠得更深更暗。槳放下去，彷彿切入濃稠的溶漿中。一路遇見的船隻也越來越少，轉了彎，就沒有再看到別的遊船，那一片蒼茫的雲水，只他一個人獨自遨遊其間。這一邊面積遠比那邊狹小。因此蒼鬱的山林綠屏似地圍繞著，也就更顯得幽邃了。余青將小船划到一處山崖下，便停下槳任它自己隨波盪漾。山崖上密密叢叢地長滿了樹。崖上的全指向天空，崖下的卻有些斜斜地俯衝到水面上。余青仰臥在船裡，望著龍船展伸在頭頂的巨樹，聽微波輕扣船舷，心裡有說不出的舒暢。

正當余青悠然自得地享受那份野趣時，忽然從風裡飄來一縷幽悠的歌聲，輕柔地似一根絲在空中顫動，斷斷續續。彷彿來自樹隙，又彷彿發自水底，余青訝然四顧：潭上煙霧縹緲，樹靄溟濛，哪裡又有半隻船影？難道真的有什麼會唱歌迷人的水仙麼？但那是神話啊！

那麼是德化社傳來的歌聲？然則按情推測，隔了一重山，無論如何是不可能的。

幽悠的歌聲仍在空中迴盪，神祕而扣人心弦，余青抬起頭來疑惑地仰望著面前的山崖，崖壁十分陡削，樹木又參差叢生。這深山中還會有人居住麼！他從上面望到底下，又從左面看到右面，在一邊山腳下彷彿有一個缺罅，水在那裡轉了個小彎，旁邊卻也有一株斜生的樹蔭蔽著。他把小船划了過去，只見缺罅大約有一個半人寬，一支山澗從凹進去的崖壁上細細地流入水裡，另一邊岩石相疊，野草蔓生，看那傾斜的坡度，似乎可以攀登上去。余青打量了一會山勢，決計上去探幽。他把小船繫住在伸出的樹幹上。脫下皮鞋握在手裡，赤腳探著水底的岩石，涉過一小段水路，再穿上鞋子開始爬山。一進那山坳，歌聲果然顯得清晰了一點。這更增加了余青的勇氣，他手腳並用地一路抓著草根樹枝，一步一步向上爬去。上到半山時，漸漸地沒有那麼陡了。上面，好像給巨斧鑿掉了一塊般露出了一角藍天，他再爬上幾步，卻發覺自己正置身在山腰中一帶斷崖上，後面是高山。前面，是一座小小的山谷。他望入谷中，一口氣還不曾喘過來，卻驀地屏住了呼吸。

平常總是說：「美景如畫！」但，他從來就未曾見過這樣生動美麗的畫。

平常總是說：「空谷生幽蘭。」他這才第一次深深地體會到這句話所含蘊的真實意義。

展開在余青眼底的山谷中，一條淺淺的澗流橫貫著，水清澈得露出水底白色的鵝卵石，澗畔一小塊綠潤潤的草坡，斜斜地銜接著崖岸，三五叢野生的紅杜鵑在綠草間開得十分鮮豔。就在一簇杜鵑旁邊的草坡上，坐著一個山地女郎。烏黑如雲的披肩長髮襯出半邊姣好的側影，穿一身粉藍鑲黑邊的衫褲，褲腳捲得高高地，赤著腳浸在澗水裡，她一面編著髮辮，一面悠悠地唱著歌，那好像是一支山地情歌，余青曾聽表演歌舞的山地姑娘唱過，但不及她唱得自然、嘹亮，感情充溢而不帶半點矯揉，而她那副閒雲野鶴似的神態，也同纏綿的歌聲一樣地使人入迷。

余青隱身在樹叢間，盡量放大照相機的鏡頭。但還是嫌遠了點，有極美的畫面，卻照不清臉的輪廓。他覺得自己不弄一個伸展的鏡頭，真是天下第一大笨瓜！

山地女郎拆拆編編終於把辮子編好了。頭一昂，像條大蝮蛇般滑到背後去。她順手摘了一朵杜鵑，插在鬢邊，俯身對著澗水端詳了好一會。這才站起來抖一抖腳上的水，挑起放在旁邊的水桶，循著那陡狹的斜坡走上來。余青連忙迎著她上來的路繞過去。

他唯恐自己在這荒山深谷中突然出現驚嚇了她，故意把腳步踩得重重的，底下砂礫嚓嚓地響。腳尖踢著一顆石子，骨落落向崖下滾去……

像一支繃緊了的弦線猛地一下震斷，悠揚的歌聲戛然停止了。那女郎便站在她剛上來的懸崖邊上，驚愕地望著余青，兩桶水在她前後不住地晃動著。

余青這才看清了她有多美！尤其是那雙一見難忘的眼睛，潭水似的深邃，澗水似的瑩澈，那兩排長長的睫毛，就似潭畔茂密的叢林，深籠著兩泓盈盈流波。又似黑蝶的薄翅，不住閃眨斂合，透著幾分山野中人的狡黠和野氣，挺直的鼻樑下，豐潤的嘴唇微微上翹著，又顯得稚氣而天真。淺棕色健康的皮膚，像紅熟的蘋果般呈露著一種鮮豔的光澤。她那樸實自然的美，那清新飄逸的氣質，是這山地中任何庸脂俗粉，以及公主牡丹之流所比擬不上的。

她挑了兩桶水爬上一道陡坡，微微有點喘氣，結實的胸脯在寬大的短衫下急遽地起伏著。

「小姐，我，我口很渴，能不能給我一點水喝！」余青趨前兩步，笑著向她搭訕，又怕她聽不懂國語，做著手勢指指水桶，又指指自己的嘴。

她默默地放下水桶，便用椰瓢舀了一瓢清水，大方地遞給他。

余青覺得自己從來沒有喝過這樣清涼甘冽的水，從喉嚨一直甜到肺腑。他從瓢沿上抬起眼睛來看那位山地姑娘時，不料她也正瞪著那雙黑亮的大眼睛在打量著他，流露在眼中的那點神情，就像一頭天真淘氣的小貓，好奇地觀察著另外一種動物。她並不避開余青的視線，余青卻被她看得有點不知所措，只是不停地喝著——忽然聽到她笑起來，像一串鈴鐺抖動在山谷裡，他怔了一怔，這才發覺自己喝水時不知水竟從下巴上流下來，胸前冷冰冰的，已淋濕了一大塊。他忙把水瓢還給她，摸出手帕來拭著。心裡直抱怨自己：今天怎麼那麼窩囊！一個大男人，竟會被一個女孩子看得羞怯起來！豈不可笑，但她那雙眼睛可真是……他定一定神，再舉起眼睛，迎著他閃耀的是一排珍珠般光潔的貝齒。像菡萏初放般燦麗的笑容！他連忙端起照相機，映在顯示鏡中的她，笑容未斂，眼睛淘氣地閃眨著，美極了的一個特寫景頭。正當他對準光圈，要按下開關時，她忽然像想起了什麼般，手一舉，手裡拿著的椰瓢正好遮住了臉部。

「小姐，請妳放下那個瓢來好麼？」

「就讓我照一張吧，有什麼關係？德化社那些女孩子都還搶著給人照呢！」

山地女郎也不知道是聽不懂話還是怎樣，儘管余青低聲下氣的請求，反正給他一個不動不理睬。於是，余青也只得默默地與她對立著，山風迎面吹來，夾著松濤和澗聲。隔了半晌，也許以為余青已走開了，她放下手裡的椰瓢，就在這時，「卡嚓」一聲，余青得意笑著說：

「謝謝妳，照得很好！」

像晴好的三月天突然掠過一片陰雲，她覺得自己受了騙，生氣地向余青揚起手裡的水瓢——他不禁倒退了兩步，接著又使勁把瓢往水桶裡一擲，濺了余青一身的水，頓一下腳，便挑起水桶逕自走了。余青連忙亦步亦趨的跟上去，一面不住向她道歉和解釋：

「對不起！我照相並沒有一點惡意，只因為妳太美麗了！妳比公主牡丹她們都美得多。我到任何地方，總是找著最美的留下印象。來日月潭，就只發現了那一泓潭水和妳。不玷一點塵垢，不帶一點俗氣。我回去一定會把照片寄給妳，只要告訴我妳的名字，妳肯不肯把妳的名字告訴我？」

她依然保持著沉默，沒有答理余青。只是臉上的怒氣已漸漸消退。他們走的是從荊棘莽草中踏出來的，一條狹窄的山徑，崎嶇而多砂礫。但她挑著兩桶水赤足走著，卻顯得身手矯捷，步態輕靈。余青忍不住落後一截，又悄悄地偷拍了一張相——只敢照一張，別看她嬌美如花，他可真怕她生氣時會一瓢打碎他的照相機。

走完山徑面臨著一道很深的山壑，中間空懸著一條狹小的吊橋，在山風裡搖晃著，山地姑娘一腳跨上去，橋晃得更厲害，她卻依然神情自若，如同走平地似的走著，那身肢的款擺，水桶的搖晃，吊橋的簸盪，反合成一致的韻律，彷彿在高空中表現一種神妙的藝術。等她到達對岸時，余青小心翼翼地走上去，原來橋並不是鋼纜鐵索的，只是用粗藤麻繩什麼的捆綁著，底下鋪兩塊粗糙的木板，寬不過一尺。他雙手扶住攬繩，一腳一腳慢慢地試探著，仍被搖得有點頭暈目眩。好不容易過去了，只見這邊也還是莽莽蒼蒼一片山林，全不像有人居住的樣子。

前面，那婀娜的身影移動在這幽僻的荒山中，顯得那麼渺小而伶仃。

「好荒涼的山！妳住在這裡不害怕，也不感到寂寞麼？」余青大聲在後面說著話。聽到他的聲音，她遲疑地放慢了腳步，回過頭來望了他一眼，似乎想說什麼，又止住了。

「妳同什麼人在一起？帶我去看看妳住的地方，那裡是一個部落，還是一個村子……。」他的說話和他的腳步一起踉蹌地來了一個煞車，因為那女郎忽然停住腳步，放下水桶，轉過身來，面對面地，用她那雙瑩澈的眼睛望著他，然後舉起手來指指天邊，再用兩手按著閉上的眼睛，又指指余青，指指他身後來時所經過的路線，她的舉動和表情，在莊重中仍不脫那份嬌憨和天真。余青做出一副完全領悟的神情，學她那樣比劃著手勢：指指天際，按按眼睛，又指指自己，指指身後的路。這逗得她滿意的笑了。一笑，滿天雲彩都比不上她燦爛。余青迷惑地看看她，又看看天邊，夕陽剛墜下著那邊的山脊，山高林密，坳壑裡已到處涵滿了陰影，他想到還有一大截必須靠記憶來辨認的路程，以及茫茫的水程，覺得自己的確應該馬上下山了。

「謝謝妳提醒我，天色不早，真的該下山了。可是，妳還沒有告訴我妳的名字……還是不肯?好吧，那麼再見！」余青戀戀不捨地凝視了她最後一眼，於是無可奈何地轉身向下山的路走去，剛走過吊橋，忽然長長的一聲：「啊！」響自身後，接著左右前後全迴盪著那個聲音，像隱隱的旱雷起自天際。他吃驚地轉過身去，卻見吊橋的那一端站著山地姑娘，正把手圈成喇叭擱在嘴畔作跟喊狀。看見他轉過身來，又向他指指自己的鼻子，拍拍自己的胸脯，大聲說：

「伊娜！伊娜！」

余青懂得了她的意思，高興得不住點頭。

「伊娜！」他一面熱情地喚著，一面指著自己的頭和胸口，表示已把她的名字牢記在腦中和心裡。「伊娜！明天再來看妳！」

看她一轉身像隻小鹿竄進了叢林，余青一路跌跌撞撞下得山時，暮色已籠罩潭上，美山更顯得蒼鬱幽深。再晚一步，就摸不著下山的路了。他用力划著槳，小船在無人的水上像梭子般穿過去。這一段水程著實不短，儘管潭上夜風獷厲，還是汗濕了脊背。碼頭上所有的船都靜靜地停泊著，站在浮橋上的一個黑影看見他回來，過來拉住纜繩帶著點抱怨地說：

「你先生回來這麼晚，好教人擔心！」

「莫要緊，我划船的技術頂高明。」余青不等他繫上便一躍上來，塞一疊鈔票在他手裡。「明天我還是租你的船。」

這一晚上，也不知是在夢裡還是醒著，余青眼前總是閃熠著一泓深邃瑩澈的潭水，波光瀲麗，盈盈流盼，他恍惚感到自己像一片羽毛，正載浮載沉輕飄地浮在水上隨波逐流而去，又恍惚是一顆從山上墜落的石子，一直向幽邃無底的水深處沉，沉，沉……這飄浮，這沉落，使他心醉神迷，但願這般載浮載沉，永不停留——驀地睜開眼睛，朝陽卻已從和合窗上湧進牀頭。他立刻一陣風似的起牀，盥洗，用早點，然後又整裝出發。

航線是熟悉的，不太費事便找到了那個掩蔽的缺罅。余青攀緣上去時，只見四面一片靜寂，不聞歌聲，也不見人影。這天沒有太陽，山谷裡顯得有點陰鬱。他過了吊橋，走到昨天回頭的地方，不覺躊躇起來，前面密密的叢林沿著山勢迤邐而上，不知道該走哪一邊——他選擇了正面，筆直向上走去，走到上面，才發覺是處斷崖，又轉回頭走左邊，一面試著喊了幾次「伊娜」，但回答他的只有山風穿過樹隙，打著唿哨。偶然遠遠地傳來幾聲山鷓鴣的叫聲，在岑寂中，好像特別淒厲。

「這分明是沒有人住的荒山嘛！」余青越來越懷疑，他靠在一株樹幹上拭汗喘氣，望上去枝葉參差，陰森森的。他有點沮喪。但在葉叢間似乎又出現了那泓深邃瑩澈的潭水，那盈盈的眼波。那一聲悠悠的「伊娜」，這一切不會是幻覺——於是，他又鼓勇向前，那些亂樹漸漸疏朗，在小塊比較平整的山地上，露出一座簡陋的草寮，原來裡面養了四五隻水鹿，更後面，一些果樹掩映下，還有一角屋頂。顯然這便是山上唯一的人家了。

「伊娜！」余青用雙手作成喇叭套在嘴上興奮地呼喚：「伊娜！」

山風吹著，背後彷彿有悉索的腳聲，余青猛轉過身去，卻什麼也不見。他又回過身來——忽然一下給驚呆了——就在他對面不過五六尺，彷彿從地底下竄出來的，站了一個山胞，他一手執一支獵槍，一手按在腰間的佩刀上，裸著半身古銅色的肌肉，一尊銅像似的矗立著，瘦骨嶙峋的臉上布滿了怒氣。那雙深陷的、灼灼逼人的眼睛裡，更流露出冷酷、固執，充滿仇恨的表情，虎視眈眈地凝望著余青。

在那蛇一般陰冷的凝視下，余青不由打了個寒噤，他強自鎮定著，裝出友善的態度，笑著說：

「你好！我只是來這裡看看……。」

但那山地人並不理會他的解釋，冷冷地走近兩步，一伸手便攫住了他胸前的照相機，余青本能地伸手攔護著，卻被山地人橫著槍桿猛地向他胸口一撞，照相機上的皮帶扯斷了，隨著那一撞一鬆的勁勢，余青踉蹌地向後倒退了幾步，腳跟又在石頭上一絆，身體便向後跌下去，在滿是砂礫的山坡上滾了好幾個滾，才讓一叢矮樹卡住了。在他旁邊有一個金屬的聲音也同時滾落下來，接著，那山地人在上面用山話惡狠狠地罵了一陣，走開了。這才一切復歸於沉寂。

余青跌得昏頭昏腦地，從草石堆裡慢慢坐起來，後腦、胸脯、腰肢都麻辣麻地作痛，尤其是左腿，褲腳不知被石鋒什麼的割破了一道，隱隱的透出血跡來。他剛把小腿微微一抬，便不由得低低喚了一聲。只得提起褲腿，輕輕地向上一點一點地拉……忽然，那麼靜悄悄地，像一朵雲飄落在他身畔，一片耀眼的藍停在他面前，抬起頭來，接觸到的是那潭水般深邃瑩澈的一雙眸子。

「哦！伊娜！」余青驚喜地歡呼著，剛才苦惱得還像墜入了地獄，一剎那心靈上又像長了翅膀。「伊娜！真的會是妳，我就是特地來看妳的，誰想得到……。」他潤水似的說話被伊娜的手勢阻住了，她把手按在嘴上，又指指上面，瑩澈的大眼睛裡閃露著歉意和不安。膝一彎，便在他旁邊蹲下來，輕輕地替他捲起褲腿，露出小腿上二三寸長一道割破的創口，便向他要了手帕，替他裹起。當她這麼做時，余青望著她那溫柔的動作，完全忘記了自己的疼痛，倒恨不得多割幾道，好有更多親近的機會。

伊娜又在不遠的草叢中拾起他的照相機來交還他，上面的玻璃鏡頭已完全摔破，余青捧在手裡只覺得無限心痛和懊傷。不僅是痛惜照相機，更痛惜昨天替伊娜攝的幾張珍貴的鏡頭。而此刻，伊人就在身邊，那麼接近，那麼親切，卻無法再攝取一張半張。

伊娜輕輕地按按他的肩膀，是的，該試著站起來了，不能為貪戀親近伊人的芳澤，老是賴在地上，他一手抓住樹枝，緩緩地站起來，左腿一用力痛得他咧著嘴，伊娜伸過手來扶著他。

「伊娜！伊娜！」從上面山上傳來喊伊娜的聲音，一定是那個兇狠的山地人。余青望望伊娜，她仍舊鎮靜地牽扶著他走了幾步，指著底下要他看看。

余青看見遠遠的山腳下有房子，有草亭，有人在走動。

「那好像是德化社──一點都不錯，從這裡下去就是了。」他轉過臉來，脈脈地望著旁邊的伊娜。「我們一起下去好嗎？」

也不知是做為答覆，還是聽不懂他的話，伊娜只是默默地搖著頭，瑩澈的眼睛裡似乎掠過一片陰霾。

「為什麼妳不去——對了，妳原是不屬於她們一起的，她們都不及妳，那樣純潔，那樣樸實自然，一塵不染——不過，這荒山，對妳不太寂寞了麼？」

「伊娜……伊娜！……。」喊的聲音似乎漸漸近來。伊娜放開牽扶他的手，示意他等一下，便轉身敏捷地跑上山去，隔了不久，又飛奔下來，將一根打磨得十分光滑的、藤製的手杖遞給余青。

「謝謝妳，伊娜，妳真好！」余青激動地凝視著伊娜，剛跑了急路，她健美的臉上泛著紅暈。眼睛更水盈盈似漲滿春水的溪流。她坦率的視線接觸到余青的眼光，第一次顯出羞澀的神情，低下頭去捻著衣角。「伊娜！伊娜……。」

「伊娜！伊娜！」叫喊的聲音不但更近，而且更粗厲了。伊娜抬起頭來，迅速地向余青注視一眼，旋即又像小鹿般跑上山去，跑出了余青的視野。

天上沒有了雲彩，樹木失去了光澤，沒有了喊聲，也沒有了瑩澈的眼波。世界似乎一下子便陰暗了下來。靜寂的山莽中，只遠遠傳來一兩聲山鷓鴣的叫聲，也比以前更淒厲。

余青一手拄著手杖，一手提著破照相機，三步一頓，五步一歇，狼狽不堪地走下了山，這是在德化社後面，他就近揀一座最小的花園踅了進去。這時沒有遊客，只一大一小兩個山地姑娘閒散地守著草亭中一堆出租衣服。看見他走後面進來，兩人似乎都感到詫異。

「先生，你的腿……摔倒了？」

「嗯。」余青點點頭，就她們讓出來的唯一一把藤椅中癱了下去，接著小姑娘端來的茶連喝了三杯，這才有了說話的力氣，他指指後面。「在那山上摔的。」

「那是座沒有人住的荒山，從來沒有遊客上去過。」

「可是我去了，我去看伊娜。」

「伊娜？你怎麼會知道伊娜？」大的山地姑娘不信地搖著頭。「那是不可能的。」

「你真的看到了伊娜？她有傳說中那麼美麗麼？」小的山地姑娘好奇地搶著問。

「我看到了伊娜。我不知道妳們的傳說怎麼說，但她的確很美麗，像日月潭一樣的美麗。」

「你看到她？她的父親怎麼會讓你去看她？」

「那個兇狠的人便是她父親麼？」

大的山地姑娘望著他受傷的腿，忽然領悟了什麼似的笑起來：「那麼，你的腿不是摔的，一定是被伊娜的父親揍了一頓。」

余青苦笑著，也不予分辯。

「伊娜為什麼不同妳們在一起，住在那樣荒涼的山上？」

「要是伊娜在這裡，照相的錢會使她發財。但是她父親絕對不會讓她來這裡的。」

「為什麼？」

大的山地姑娘望望外面，這天遊客稀少，更沒有輪到她們這偏僻小園的。她又望著那堆衣服，懶洋洋地說：

「這裡面有個故事，說起來很長……。」

「等妳講完故事，再租妳們的衣服，請妳們照相。」

大的山地姑娘立刻答應了，翻動那兩片塗抹得又紅又厚的嘴唇，開始講下去。她的國語不很完全，因此很多地方要小的那個加以翻譯和補充。底下便是她們講的故事：

伊娜的父親叫阿山，年輕時是個健壯活潑的青年，打獵是頭一把好手，唱歌也非常出色。而且慷慨熱誠，很愛交朋友。伊娜的母親阿美娜，更是山地的牡丹，漂亮、聰明，喜歡跳舞唱歌。兩人真是天造地設的一對。阿山愛他的妻子遠甚於愛他自己。阿美娜喜歡吃雉肉，他常常翻過好幾座山去獵取。阿美娜喜歡花，他打獵回來總帶上一束。他們結婚不久，便生下了伊娜，兩人都非常寵愛她。

那時，德化社還不像現在這樣，常常有遊客來參觀，也還沒有人把跳舞、照相當作職業。有一天，來了一個平地裝束的年輕人，卻說得一口山地話，據他說他的父母原來也是潭畔的山地人，日月潭擴大時，他們便遷移到平地去了。他這次回來是要幫助發展化番社。他說的幫助，就是帶來一只方方的照相機，代客攝影。憑他的能說善道，立刻就獲得毛酋長的同意，讓他住下來。也很快就和熱誠的阿山做了好朋友，他常常從平地帶些煙酒送給阿山，也帶些花布針線什麼的送給阿美娜。彼此來往得很密切。一天，阿山打獵回來，老遠便聽到伊娜的哭聲，他趕進屋子，只見伊娜被一條布帶綁住在搖籃裡，屋前屋後，卻都不見阿美娜的身影。他抱起伊娜，一路找去，最近的鄰居便是攝影師家，裡面亦是闃無一人——阿美娜竟跟攝影師私奔了！

阿山像發了瘋，他把伊娜寄在親戚家裡，自己便跑到平地去尋找，一去去了一年，回來又瘦又蒼老，完全變了個人，變得冷漠、乖戾，不與任何人交往，更仇視那些平地來的，和所有揹照相機的人。他帶了小伊娜，遠遠地離開人群，住在那座荒山上，已經一、二十年了。

「伊娜自己不會下山來麼？」

「不會，她是個乖女兒，最孝順她父親。」

「她不要嫁人？」

「阿山說，說要娶他女兒的，就得同他一樣；一輩子住在山上，不許下來。」

「就沒有人願意？」

「知道伊娜的青年，都愛慕她，把她看成天仙。但是，有人怕她父親，也有人不願意一輩子住在荒山裡，就是能見到她的，也不容易跟她接近。她正像那山林中的仙子，總是獨自來往。」

……正像那山林中的仙子，總是獨自來往……余青低頭撫著手裡的手杖，眼前恍惚又看到那個淺藍的倩影。她悄悄地照著溪水梳妝，悠悠地伴著澗聲歌唱，她赤著足獨自在叢林中飄忽來去，她偎著那馴鹿，低低地絮語。她站在山崖，望著曉雲彩霞，默默沉思。她那深邃瑩澈的眼睛裡，時而晴日燦輝，時而薄雲微掩……他忽然想起了不久讀過的一首詩，一首非常美麗而帶點憂悒的小詩（註）：

在遠方，在遠方
在迷茫的遠方。
她坐著，她站著，
像一朵花，在幽谷裡。
獨自發著難掩的芬芳。
在遠方，在遠方，
在迷茫的遠方。
她微笑著，她微喟著，

註：徐訏著，《我的愛人》。

像一朵雲，在山峰上，
獨自縹緲地來往。
…………

「先生，故事已講完，現在可以照相了。」山地姑娘催請著。余青打開那只破照相機，引起她們一陣失望的歎息：「一定是伊娜的父親給你摔壞的，不過，他沒有摔斷你的頭頸，還算你運氣。」

余青支著手杖緩緩地站起來，把兩張鈔票放在山地姑娘手裡：

「謝謝妳們為我講伊娜的故事，這就算我已經照了相。」

她們高興地道謝著，啟開鮮紅的嘴，露出金的和銀的牙齒。

余青在德化社另外僱了一隻小船，要船夫划到月潭，他原來那隻船還在崖樹下孤零零地飄蕩著。他叫船夫把它解下來繫在後面帶著走，但是帶不走的是他戀慕的心，船划走了，它們仍被繫住在那山罅、那樹下……。他對著那山，仰靠在船上，悵望著它漸漸遠去，剛才那首詩的後半首又湧現在腦中：

在遠方，在遠方，
在不可捉摸的遠方，

她徘徊，她徬徨，
她來時像潭上的清風，
去時像雲層裡的月光。
在遠方，在遠方，
在無人知道的遠方，
她憂愁，她歡笑，
她像一首小小的詩歌，
永遠寂寞地留在我心上。

船不停地划著，山更遠、更小了，山巔上白雲悠忽來去，山腳下綠水盈盈迴繞，一霎時都迷失在煙雲縹緲中。余青茫然四顧，不知道自己究竟在這潭上尋到了什麼，又失落了什麼？去時卻比來時有一份更惆悵的心情。

《文壇》・民國五十一年十一月三十日

編註：本文原刊於《文壇》第三十一號，一九六三年一月，頁八十～八十五。

一年將盡夜

儘管把舊曆年改成春節，儘管提倡節約不許過年鋪張，但是，幾千年沿傳下來的風俗習慣還是改不掉的，到了除夕這一天，就連吳秉誠辦公室裡的氣氛也自然而然與平時不同，大家雖然仍舊來上班簽到，卻沒有一個有心思正式辦上一件公事，審稿的慢條斯理地鋪開公文，彷彿那是一篇極深奧的文章，眼睛在上面掃視了一遍又一遍。核帳的攤開了厚厚的帳簿，撥著算盤的手指像是凍僵了的蟲蛹，遲緩蠕動著。打字小姐一個字一個字地輕按慢撳，倒像在練習音階。認真在字斟句酌擬稿的也許就只吳秉誠一個人，他幾乎是故意地讓自己浸沉在工作中，一個人只有在集中思想於一件事上時，才能忘記不願觸及的現實，可是……

「老吳，過年還這樣賣力，何苦來哉！」吳秉誠肩上被拍了一下，說話的是在他面前的老楊，說著已越過他桌端坐到自己座位上，吳秉誠悻悻地瞥了他一眼，心裡很不愉快，覺得自己辛辛苦苦圍起一堵薄薄的牆，要把某些感情圍鎖在其中，卻被他不經意的一指頭就戳了個洞，正當他重新運用思想要把它補起來時，祕書室的工友又捧了本通報簿進來，大家立刻等不到輪自己傳閱，便搶著發問：

「是不是通知自由辦公？」

一待證實猜測無誤，頓時又似風捲殘雲般，收拾了辦公桌上的拆字攤，一個個精神為之一振，只待腳底裡搽油。打字小姐第一個，跟大家說了聲：「明年見！」裙裾飄揚處，幾個狐步舞的步式便滑走了。緊接著匆匆忙忙往外走的是繪圖員小錢，他新婚不久，趕著回去打點年禮，乘火車上岳家去。出納員老楊早就約了胡同周去他家打通宵守歲，連袂而出。末了，跟吳秉誠比較接近的張會計走了兩步，見他還沒有動身的意思，又走到他桌邊誠懇地作第二次邀約。

「老吳，還是去我家裡吃頓年夜飯算了，何必一個人孤零零的。」

「謝謝！我不願意在這種團圓的日子打擾人家。」吳秉誠搖著頭，手裡的筆在紙上下意識地塗抹著。

「說什麼打攪打攪，在一起熱鬧點嘛。」

「不嘍！」吳秉誠執拗地拒絕著，心想熱鬧什麼，借來的熱鬧，一還掉，不更加寂寞淒清！「你快回去吧，嫂子怕在等著哩！說我明天去給她拜年。」

「這樣好了。吃年夜飯還有大半天哩，你再考慮考慮。想定了什麼時候都可以。反正鹹魚鹹肉都是現成的，只要添一副杯箸，回頭見！」

張會計不等他回答，便撇下他走了，平時覺得很擠的辦公室，這下剩了吳秉誠一人，忽然顯得空空蕩蕩，而他經過這一番騷擾，腦筋就似攪混了的水，再也不能澄清下來，只是一味地信筆亂塗。

「大家都走啦，吳先生你還不休息？」工友老李拿了把雞毛帚似撣非撣的在桌沿拂了拂，吳秉誠只在鼻子裡「唔」了一聲，頭也沒有抬——驀地「砰碰」一響，使他從一種「浸沉」的狀態中驚覺，定睛看時，紙上卻不知不覺已寫滿了一些斷句：一年將盡夜，萬里未歸人……寄書長不達，無家問死生……每逢佳節倍思親……看罷自己不禁慘然苦笑，把筆一擲抓起紙來揉作一團，便向字紙簍擲去。忽然聽得「砰碰」之聲，他轉過臉去。這才看見老李正在關玻璃窗，實際上用不著用這樣猛的力氣，顯然是故意的，心想大概是因自己賴在這裡，害得他不能早回家。看看鐘，十一點剛過一刻，去吃飯嫌早了點，但在辦公室再也賴不下去了。他草草收拾起公文鎖進抽屜裡，晃了出來，預備到常去的一家書店裡去消磨半小時，等他走到那裡，才知道書店今天根本就沒開門，真的大年三十，不是忙吃的，就是忙玩樂的，誰還有那份興趣啃書本子！

吳秉誠剛一腳跨進他包飯的飯館，跑堂的便笑著迎上來說：

「吳先生真體恤人，今天提早用飯！」

吳秉誠一看四周，也不知是早了還是沒人光顧，飯廳裡又就只他一個，他按著老位子坐下來，照例先端起剛斟上的淡而無味的茶漱了漱口，飯菜開出來，除了一菜一湯都比平常豐盛外，另外還添了一條頭尾俱全七八寸長的紅燒鯉魚，和一盤蛋餃。胖墩墩一臉油光的老闆隨著也走到吳秉誠桌前，嘴一咧，疊起的頰肉上堆滿了笑意：

「吳先生，多謝你一年光顧，這兩色菜算是表示一點意思，祝你招財進寶，年年有餘。」

吳秉誠連忙道了謝，可是，面對佳餚，他卻不知其味，也難以下嚥。喉嚨以下，胸膈之上，彷彿有什麼東西堵塞著，這樣子已經好幾天了，起初還只一點點，他還強自壓制著，故意的忙碌，故意的不讓自己靜下來想。但是壁上的日曆一張張減少，人們嘴裡不住的提及，以及街上怵目驚心的殘年急景，急驟的使那一點發酵、漲升，到今天更堵得他失去了任何胃口——。

「……年飽，年飽，這是上一輩子的子孫在供祀，所以過年嘿就吃勿下東西……。」一個親切熟悉的聲音忽然在他耳畔迴盪，那正是在家時他母親常說的話。他心裡一驚又一陣酸緊，幾乎把手裡的飯碗震落，惶然張望，正又碰上胖老闆殷勤的眼光，他略一斂神，勉強挾起一只蛋餃一口塞在嘴裡，沒有嚼爛便又去挾第二只，胡亂把一頓飯吃完，擦擦嘴剛站起來走，胖老闆又陪笑過來：

「吳先生，今晚上除夕，小店備了些粗菜慰勞夥計們，你若不嫌棄，請賞光來參加。」

「哦！」吳秉誠不禁立停了腳，顯然老闆說這話暗示他晚上不做生意，他已謝絕了好幾個同事的邀約，焉能接受他的。「你這裡還有什麼滷菜沒有？」

「有，有，另外還有臘味。」

「那就給我隨便包一包回去，晚上我在宿舍裡吃，不想出來了。」

「對！宿舍裡找幾位同事的一起喝兩杯，也滿有意思，我替你多準備點菜！」老闆像解決了什麼問題，高高興興地自己下廚房去動手了。

回到宿舍裡，吳秉誠把一包滷菜往中間那張兩人合用的桌子上一丟，便倒在牀上，隨手扯過枕邊一本破舊的，不知翻過多少遍的新聞雜誌，讓那一串串黑鉛字毫無意義地滑過眼底，他原不想看下去，只是為使眼睛有一點東西逗留，腦筋不能思索，慢慢地，字跡模糊了，像一隻螞蟻在蠕動，他的一縷意識也迷糊上升……。他還不願意醒來，但睡意一會便消失了，他很想再懶在牀上，可是心潮又波動欲升，一掀被子起來，只見陽光還照在朝西那扇給煤煙薰黑的窗上，好長的一個下午！

好難打發的時間！對面小方的牀鋪一直空著，大概早便去他姑媽家過年了，連聊天都沒有個對手。他真有點厭恨放假，寧可像平時樣忙到下班，去飯館裡吃一頓晚飯，馬路上逛逛，書店裡揩揩油，回到宿舍裡扯談一陣，納頭便睡。渾渾噩噩，一天也就過去了。這一刻，他卻覺得這空房子裡有一種使他窒息的氣氛，密密圍襲著他，越來越甚，逼得他只有逃避疫氣似的又溜上了街。

該準備年貨的，到這時候都已準備得差不多了，街上已不及上午那樣熱鬧。大多數店鋪雖仍開著門，已等於停止營業。只有南貨臘味和糖果店，還有些主顧，看那匆促的神情，也許是剛張羅著錢，趕著辦一份年禮去送上司的。倒是那些應時的對聯，香紙爆竹攤，還在馬路兩旁點綴著。

到底是歲腳年尾了，天說黑就黑下來，儘管陽光下暖得像春天，一斷黑，便勁風刷臉，寒氣襲人。吳秉誠在街上毫無目的的蕩了一會，已是萬家燈火。夜風吹在身上冷得直打哆嗦，他覺得自己就像一個漂泊無羈的孤鬼遊魂。

「一點不錯，飄過了海的無主遊魂！」吳秉誠慘笑著嘲弄自己：「不僅是今世裡的親人，不能團聚，連下輩子的子孫供祀，我都不能去享領——。」

「鄉心新歲切，天涯獨潸然……唉！一醉解千愁，就去買他一醉罷。」吳秉誠順腳跨進一家店鋪買了瓶特級清酒，三腳兩步回到宿舍裡，全宿舍的人統統都出去了，整幢房子像一隻啞默的巨獸，孤寂地蹲在黑暗中，他摸索著開亮了房裡的電燈，氣都不透一口，便打開酒瓶在茶杯裡斟了一杯，又解開那包滷菜一個人獨酌起來。他先喝了口酒，眉頭一皺。

「這酒的味道真怪！又有點鹹又有點酸，比花雕差得太遠了。」他不由得想起了家鄉的花雕，每年夏初，他母親便用大玻璃瓶盛滿遠年的花雕，從賣花的買來新鮮摘下的玫瑰，摘去蒂托，浸在酒裡密密地封上。到過年開封，芳香四溢，醇厚沁甜，不喝，光聞聞那香味就教人醉。

他咬了一口香腸，幾乎想吐掉。

「甜不甜，鹹不鹹，這是什麼臘腸！」他又想起了他母親自製的臘腸，味道鮮美可口，正是他最喜歡吃的。

酒一口一口地下肚，酒性似電鑰觸動了他的心頭那張閘門的開關，立刻心潮湧升、沖激，再也阻遏不住。更分不清楚是鄉愁，是憂思，還是憶念，整個地浸淹了他的身心，不能自拔。

他也就隨著那潮浪，載浮載沉，一想起家和親人，家裡過年的盛況又恍惚如在眼前：這時候，正是緊張的時候，母親和妻還在廚房忙出忙進，妹妹專做零星工作，用紅紙剪出吉祥花樣蓋在乾果碟上，用紅紙裹了木炭屑，到每個門角落裡去放「撐門炭」。他自己幫忙弟弟捧著父親寫的對聯到處張貼，大門上貼上「爆竹一聲除舊，桃符萬象更新」。二門貼上「神荼」、「鬱壘」，父親自己在一旁背著手欣賞貼到客廳裡門楣上的「福」字斗方，便連聲關照弟弟：「貼倒的，福到，福到！」客廳裡已掛好祖先的「喜神」，供上「萬年糕」，做起「守歲燭」，客廳中間燒著一盆熊熊的炭火，蠟梅水仙的幽芳與檀松子的清香滿室繚繞，炭火燭光，與雪亮的錫器相映成趣，那份安詳和穆的氣氛，顯示著對過去一年的滿足和感謝，那份煥然一新的氣象，對即將來臨的一年表示著期待和歡迎，歌舞升平，普天同慶……一陣冷風吹散了吳秉誠腦中的花香燭光，西邊那扇小窗不知何時被風吹開了，吹得中間那盞「懸膽」似的燈泡不住搖晃，照著桌子上凌亂的書報雜物，牆上東一張西一張的明星風景照，牀腳箱蓋亂堆的衣服和襪子，還有昏暗的燈光照射不到的角落涵滿了陰影。黯淡、淒涼、寂寞——吳秉誠慘然閉上眼睛，喝了一大口酒。隨手拿起一只滷蛋，一口咬了半個，酒是冷的，菜是冷的，斗室裡的空氣更冷，「十二月裡吃冷水，點點滴在心頭。」心，失去了十年的溫暖，也快冰凍了。能夠解凍的，只有重享一次團圓夜飯的溫情，他還清晰地記得最後那餐年夜飯的情形，如同每一個新年一樣，燈燭輝煌的客廳裡擺開了豐盛的團圓宴，大家圍坐一桌，與往年不同的是他旁邊多了個新婚不久的嬌妻，而一家七個人卻擺了八副碗筷，母親照例第一個站起來給大家布著菜，嘴裡一面說著每一樣菜的好聽的名字：什麼「事事如意」、「安安樂樂」、「步步青雲」、「親親熱熱」……布完菜，她坐下來端起了酒杯，卻用充滿了歡欣和期待的眼光，從那虛設的一座望到他身旁笑吟吟的妻說：「明年吃年夜飯，又多一個人了。」大家聽說全把眼光轉到妻臉上，他也側過臉去！只見她苗條的身材裹在金紅的綿緞皮袍裡，腰部仍顯得微微隆起，分不清是嬌羞抑是燭光，臉上一片紅暈，更襯得嬌豔無比……他抑止不住那份得意和高興，端起杯裡的花雕便連喝了好幾口……忽然覺得腿上輕輕地挨了兩下，妻在暗示他。

「不要緊，」他忘形地大聲說：「我不會喝醉。」

大家先微微一怔，接著理會到是怎麼回事，全望著他倆哄笑起來，笑得她的頭俯得更低、臉更紅，只覺得腿上又被重重地掐了一下，他不好呼痛，便忍住笑又舉杯呷下了一口酒……噢，這酒怎樣變了味，像誰摻了水……唔，那不是他的淑嫻！在那裡望著她嬌羞地微笑……不，不對，淑嫻沒有那樣妖嬈，那是小方從畫報上剪下的什麼女明星，怎樣，他真的醉了嗎？頭裡暈暈的，眼睛都花了……不，他沒有醉。

「還說不會醉，這不喝醉啦！」

妻站在他面前嬌嗔著，一手端著一只描金盅。

「誰說我醉了？」

「不醉為什麼躺著？等一會媽還要你去封井，接灶神，弟妹們也等著你去擲狀元紅。快把這盅湯喝下去。」

「什麼湯？」

「醒酒的。」

「噢，我頭裡昏昏的，」他故作慵懶狀。「妳餵我吃。」

妻瞪了他一眼，但還是去找了把銀匙，坐在牀沿上一匙一匙餵到嘴裡，他根本不辨那是什麼滋味，只嗅到淡淡的幽香出自她袖底，他喃喃地囈語著。

「妳越餵我可越醉了。」

「那我就不餵了！」妻佯嗔著把手一縮，卻被他握住了，按在鼻上嘴上嗅個不住，一面涎著臉望著妻。

「嫻，我們的小寶寶什麼時候出世？是小淑嫻還是小秉誠，嗯？」……驀地，像颱風颳倒了一株大樹，房門外嘩然爆發起一陣笑聲，又是弟妹們躲在門外偷聽取笑……「嘩啦」、「嘩啦」！笑聲還在繼續不停。唔，這不大像笑聲，怎麼這樣低啞淒涼……但這聲音似乎也不太生疏，多少失眠的清夜，使他聽得心煩生厭，那是小院裡的兩叢芭蕉，每當有風的日子便這般聒噪個不停，明天，噢，應該說是明年，他一定要找人砍掉。

真是，只有風吹芭蕉，又哪來的妻，哪來的弟妹！不是在做夢麼？這是個人在外面過第十個寂寞的年了，整整十年，好長的日子！離家時，妻的肚子在薄薄的夾衣下，隆起像個西瓜，媽說在家生產好有個照料，等孫孫好抱一些，便送她來……誰料得到紅禍比洪水氾濫還猖狂，人與草木一起遭受浩劫。十年了，鐵幕裡傳出來的只有令人髮指和教人痛心的消息，雙親、弟妹、妻，還有不知是小淑嫻還是小秉誠，他們還……唉唉，簡直不敢想像……剛才說要砍掉什麼？對了，芭蕉，是那魔匪，是那人民的公敵……唉唉，臉上濡濕冰涼的是什麼？淚水，我什麼時候哭了？

怎麼房子好像在打轉，真醉了？不會，酒，還有酒沒喝完哩……他拿起酒杯來，已經空了，索性抖簌簌地舉起了酒瓶，仰著脖子直灌，酒汁從嘴角漏出來，流到了頸子裡……屋頂在旋轉，電燈也在旋轉，一團光影中，顯出了雙親安詳的慈容，弟妹親切的臉，妻的笑靨，還有一個可愛的嬰兒……他低低地呼喚著，伸出雙臂迎上去，但他剛剛搖晃著站起來，立刻天旋地轉恍如地球陸沉，身子頓時失去了重心，直往下墜——眼前一片濃霧越來越昏黑，最後終於什麼也看不見，什麼也不知道了。

酒瓶在他傾倒時跌落在地上也碎了。

昏黃的燈光照著桌子上的殘餚，地下蜷縮著的人。沉濁的呼吸中不時還摻著斷斷續續的囈語：

「淑嫻！我，我沒有，醉。」

風吹著小院中的芭蕉，「嘩啦」、「嘩啦」，響個不停。

遠處，傳來零零落落的爆竹聲，像關著鍋蓋在爆豆子。

編註：本文原刊於《作品》第一卷第二期，一九六〇年二月，頁四十七～四十九。

繡繃子的姑娘

蓬門未識綺羅香，擬託良媒亦自傷，誰愛風流高格調，共憐時世儉梳妝，敢將十指誇鍼巧，不把雙眉鬥畫長，苦恨年年壓金線，為他人作嫁衣裳。

〈貧女〉秦韜玉

屋裡的光線一點一點黯淡下來，金寶勾著頸子，俯身在繡繃上，想趁天黑前繡完手頭那一朵牡丹花，靜寂的空氣中，只聽到繡花針穿過繃得緊緊的軟緞，發出輕微的「吧」「吧」聲，但那粉紅色的軟緞底子和淺緋色的花瓣，在她的凝視下卻逐漸分辨不清，針腳也就顯得遲緩了。她只得歇下手閉一會眼睛，再抬起頭來看看天色，明知堂屋前就那狹狹一條「一線天」，也被屋簷擋住了，但總想看一看。視線落下來，不經意地停在小天井角落裡一叢海棠花上。海棠又開了二三朵粉紅的花，平平地展著四個橢圓形的花瓣，很像她刺繡在緞子上的花。只是她繡出來的花不管顏色配得多生動、嬌豔，總是假的、死的。海棠卻生長在那陰濕的一角，悄悄地開了又謝，謝了又開。在她們這沉寂而簡陋的家裡，就算它最生意盎然了。

金寶喜歡這株海棠，當她的眼睛繡花繡倦了時，便望著它出一會神。記得有一年海棠花開得特別茂盛，她好玩地摘了一朵插在自己辮子梢上，給姆媽看見了，馬上就叫她扯下來，說是海棠是微賤的花，姑娘家不能戴。

為什麼海棠是微賤的花？難道就因為它生長在見不到陽光的陰濕的角落裡嗎？金寶不禁為它抱屈。

「金寶，天黑哉，再做眼睛要壞咯，到門口去散散罷！」金寶娘在後面灶間裡叮囑，金寶柔順地答應著，一面便抖開那幅遮綳子的白布，小心地蓋好了。這才立起來欠伸一下腰背，按了按鬢角，又拉拉平坐皺了的淺藍竹布衫，轉身姍姍地走幾步，跨過二個門檻，便站在門口那三級石階上了。

門外究竟與屋子裡不同，太陽剛下去一會，半邊天燃著絢麗的彩霞，映照得那些白粉牆，青灰瓦，飛簷照壁全沾著些紅光。一群群歸鴉聒噪著麕集在對面潘家院裡一株大榆樹上，陣陣晚風，涼沁透襟。金寶打從心底舒了口氣，頸子微微一扭，背上那條油光烏黑的大辮子就像條靈蛇般滑到了胸前，她習慣地用手纏繞著辮梢，悠然閒眺。巷子裡不少都是那種「庭院深深」的大戶人家，高高的風火圍牆，常年關著的四扇或六扇黑漆大門，更給沉寂的長巷添上些陰鬱的氣氛。這一刻小巷兩端靜悄悄的，只有三二個小童在一家牆門間裡滾銅錢，好一歇，巷子東端才一搖兩擺地踱過來一個瘦瘦的行人，一截白袖子翻出在蛋青綢長衫外面，手裡提著鳥籠，神態悠閒，腳步散漫，金寶認識他就是對面潘家的少爺，照例又是泡了一天茶館回來。她不願意讓人家錯認她在注視他，正待轉臉，驀地右側裡一陣急驟的喇叭和著鈴聲，一輛擦得雪亮的私家黃包車已打從她面前飛馳過去，車上端坐著一個穿淺灰短衫藏青裙的少女，齊整的一排「前留海」下覆著一張白皙的鵝蛋臉，右襟上懸一枚三角形徽章，隨著車輪在鵝卵石上輾過，微微晃搖。金寶不由得從心坎中羨慕著，只見那個潘少爺趁側身貼著牆，讓車子過去，兩隻眼睛便直愣愣地瞪著車上人，等走遠了，這才返身灑開腳步，看見金寶，似笑非笑地瞅著她說：

「嗨，金寶姑娘越來越俏哉！」

「潘少爺真會取笑人……。」金寶臉一紅，把一條辮子甩過去又拉過來。那裡咯咯地笑著，已叫開門進去，黑漆門一開一閉，就像一頭巨獸一口吞下了牠的食物。

長巷又落入岑寂中，金寶感到有點無聊，將重心從這隻腳換到那隻腳，懷著微妙的恍惚有所等待的心情，頻頻向西端眺望，隨著一個人影出現，她一瞥之下馬上轉過臉去，但心頭卻捺不住泛起一陣喜悅的漣漪，直等一個親切的聲音低喚著：

「金寶！」

「噢，榮生，」她裝作才看見的樣子，欣然望著面前那個外貌誠樸，穿一身灰色對襟短衫的青年說：「才歇工！」

「今朝生意忙一點，晏轉來。」他站在石階下面矮一截，仰起頭來微笑對著金寶，忽然想起了什麼，忙從袖管裡掏出整整齊齊的一個小紙包，有點靦腆地遞上去。

「送妳。」

「啥麼事？」

「一雙鞋面。」

金寶迅速地拆開紙包，一眼就看見一小塊黑底金花的織錦緞，不禁高興地讚美：

「哦！真好看！真漂亮！」

「我曉得妳會歡喜這花色。」

「榮生，你想得真周到。」

「我……。」年輕人眼睛發著亮，吶吶地，只是望著金寶笑，金寶也笑盈盈的，卻被他望得嬌羞地低下頭去，不住玩弄著手裡的紙包。兩人越是想說話，越是不知道說什麼好，默默相對間，卻被一聲高亢的叫賣：「臭——豆腐！」嚇了一跳，兩人都覺得好笑。

「金寶，買幾塊臭豆腐過夜飯吃。」金寶娘在屋子裡喊。金寶答應著，輕輕地向榮生道了謝，說了聲：「明朝會！」便轉身進去，等她再拿了盆子出來，榮生已經走遠了。巷子裡洋溢著煎臭豆腐特有的氣味，小擔子旁邊圍了好幾個主顧，等著老人熟練地把一塊塊上了霉的豆腐投進一鍋滾油裡。滾幾滾便挾出來濾掉油，用絲草串起，也有人拿碗拿盆來裝的，煎得黃鬆鬆的豆腐搽上薄薄一層鮮紅的辣油，放在潔白的碗碟裡，看起來確也好看而使人流饞涎。

金寶端了臭豆腐進去，她母親已在灶間小桌上擺好一盆雪裡紅炒毛豆子，二碗白飯，母女倆便就著灶頭上油淺裡那點昏黃的燈光，草草吃了頓簡單的晚餐。飯後，金寶娘洗碗擦鍋，金寶便端出一盞美孚燈來，除下玻璃罩，一手按住這一端，一面便用嘴對著另一端呵氣。然後，用一塊柔軟的破布塞進去輕輕拭著，直拭到晶瑩發光，才用紙煤燃著燈芯，罩上燈罩，端到堂屋裡去小心地放在繃子上，準備開始趕夜工。

金寶娘一早上跑公館，專替那些太太奶奶們梳頭。料理家事之餘，也抽空繡幾朵花，她繡的不是金寶那種細活，只是繡一銅板一朵的粗花，或者盤金——就是用粗粗的金線盤出龍鳳來，這多半是製佛袍和戲裝的。到了晚上，因為目力不好，也只能湊著煤油燈補補襪底，一半也是給女兒作伴。母女倆隨口閒聊著，時間也好過些。

「姆媽，」金寶眼睛凝集在花朵上，一隻手在繃子上，一隻手在繃底下，熟練地運用著繡花針，一面帶點稚氣地問她母親：「對面潘少爺天天泡茶館，那能泡勿厭格？」

「一日到夜，吃飽嘞飯嘸不事體做嘤。」

「俚篤屋裡格銅錢阿是用勿完？」

「也勿見得！坐吃三年山還空，祖上遺下來一眼眼產業也快吃光哉，現在外強裡乾，還勿是燈籠殼子撐門面。」

「上次倷好像說過，俚篤靠賣古董勒浪生活？」

「就是嚜，據說祖上傳下來勿少值錢格古董字畫，統統三錢不值二錢格賣脫，倒挑換舊貨格發了財，勿挑擔子，在護龍街開了一爿古董店。」

儘管談的是敗落縣紳，金寶心目中，總認為是得天獨厚的人，不然為什麼自她稍微懂事的時候起，父親一去世，她們母女倆就全賴十隻手指來維持最簡單的生活，而別人什麼都不做，卻生活得那樣優裕？還有那個坐自家包車上學的吳家大小姐，又多麼寫意！想到自己只念了三年小學，那時父親還在清微道院打雜，兼照管果園，她便在道院附設的小學念書。父親一撒手，除了這二間屋子道院裡仍讓她們母女住下去，便再無依靠。那時她只十歲，從十歲起就開始學繡花，算算看，現在已經十年的歲月，在繡花針的起落中，悄然逝去，她並不怨命，命運是生下來就註定的。但現實卻不能限制一個少女不做綺麗的夢，美妙而說出來會臉紅的夢，也不能阻止她感歎韶華易逝，芳心寂寞。——思想一分散，繡花線便打了個疙瘩抽不過來，金寶使氣剪斷了，重新劈開一根絲線穿在針上。

「剛才吳家大小姐放學轉去，潘少爺一直釘牢子伽看——真惡形！」金寶向地下啐了一口，吐掉黏在唇上的線頭。

「有錢人家的少爺也忒勿成器。只曉得吃吃，白相相，啥格事體也勿會做。真正是繡花枕頭。」

「吳家裡阿是高中快畢業哉？」

「還有一年多，伲娘說一畢業就要結婚哉，女婿是個大學生，也是蘇州望族……燈芯哪能有毛病！」金寶娘似乎觸到了心裡什麼忌諱，忽然岔轉話題，放下針線筐，過去捩了幾捩煤油燈，一回頭，看見了金寶放在繃子角上的小紙包。

「啥？」一面問，一面已拿在手上。

「榮生送格一塊鞋面布。」說到這個名字，金寶自心底泛上一絲溫暖，像一縷陽光射進了陰暗的角落。懶洋洋的聲音也變得活潑了：「花樣阿是蠻好看格？留到做雙鞋子過年穿。」

「看倒是蠻好看。」金寶娘很快地打開又包好，有點勉強地附和著稱讚。

「姆媽，榮生在顧繡莊不是做得好好格，作啥要調到布店裡去？」

「唔！大概布店裡薪水多點。」

布店裡做個爬櫃台的夥計能有多少薪水，金寶弄不清。但是他調到布店裡對她們不方便多了，她們接的就是顧繡莊的「生活」，一直由榮生接送交涉，現在換了個新的「放生活」的，不是弄錯日子，就是缺線少料的，常常害她們自己跑到店裡去。自然，最遺憾的就是他不能常常來她家，只有他在歇工回家時在門口碰一碰面。

榮生從小就同金寶玩得來，他們住在一條巷子裡，又同過幾年學，他不像別的男孩子那樣頑皮、淘氣，對女孩子不是欺侮就是不理，性情柔順而帶點羞怯，在一起白相，總是處處依她，金寶還記得他是不敢上樹的，但有一次她想要看看鳥窠裡的雛鳥，他居然勇敢地爬了上去……

「榮生小辰光真聽話，還記得有一次到樹上去替我捉小鳥，不小心跌下來撕破了褲子，腿上也扯掉一大塊皮，看見我嚇壞哉，還笑著說勿痛、勿痛。」

「小辰光格事體倷還記得格樣清爽！」看見金寶說得起勁，金寶娘也笑了笑。

怎麼會記不清？還有一次做「拜堂」的遊戲，榮生扮新郎，她就扮新娘，頭上兜了紅巾，手裡牽一根許多手帕結起來的紅綠綵帶，由扮喜娘的扶著磕了不少頭。後來「挑方巾」，榮生拿了根秤桿簌簌抖，只怕戳到她的臉孔……

「現在想起來，小辰光格事體真好笑，也真有趣！」金寶幸福地歎了口氣，在黯淡平凡的生活中，一點點心靈上的愉悅。也會像螢光在無星月的晚上，照耀著黑夜。

「睏吧！早點睏早點起來。」金寶娘收拾好針線筐，便幫著女兒來收拾，金寶把一包鞋面放進臥室的箱子裡，母女倆一上牀，便把燈吹熄了。金寶娘輕輕地歎了口只有自己聽得見的氣，闔上了眼睛。睡在另一端的金寶，卻獨自在黑暗中睜大了眼睛，追索那一點螢光。

天井角落裡的海棠花悄悄地一度凋謝，又一度開放。

潘家院裡的榆樹一度落盡了黃葉，又一度萌了新芽。

永遠沒有變動的是金寶家，堂屋裡的破方磚地，縫縫角角總是剔掃得乾乾淨淨，天然几上供奉的觀音大士，總是擦拭得纖塵不染，還有那個一貫的輕微的「吧」「吧」聲，彷彿就是那連續不斷的聲音，才給了這陰暗沉寂的房子生命和活力。

金寶默默地俯首在繃架上，她那單純的心靈融貫在刺繡中，而那「吧」「吧」聲也就是她脈息的跳動。煤油燈把她纖小的身子照成巨大的黑影，投射在堂屋裡，以致她背後的半間屋都浸沒在陰暗中。燈光下，她的鼻尖上微微沁出油汗，額上一排瀏海也顯得凌亂，她嫌悶氣，把領上的鈕扣全解開了翻過來，露出一截白嫩的脖子，好像象牙雕刻。

她這次繡的不是顧繡莊上固定的「生活」，而是金寶娘去梳頭的吳家，特地委託她繡的嫁衣。花式都是吳大小姐自己設計的，一色蜜黃底子拖腳背的軟緞長旗袍。繡的「鳳穿牡丹」——左襟上一株鮮牡丹，右襟上一隻彩鳳，彎曲有致的長尾巴一直垂到旗袍角上。金寶平常繡到的新娘禮服總不外是大紅和粉紅的滿花裙襖，換上這新穎的款式，也繡得特別用心，那株牡丹鮮豔如沾露盛開，那隻彩鳳更斑爛絢麗，栩栩如生，彷彿一待完成便真個會振翼飛去。金寶對著自己的精心傑作，也不由得從心底感到得意，像這樣出色的一件禮服穿在身上，不知給新娘子增加多少嬌豔！

「哪時候，我替自家也繡這樣一件……。」金寶這麼想著，卻又突然感到臉上一陣發熱：「哪時候，那是啥格『時候』呀？」她輕輕在心裡嘲笑著自己。「女小囡想格種事體，真不害羞！」她偷偷瞥了一眼旁邊的母親，幸好她正埋頭納一隻鞋底，沒有注意。

「女小囡總歸要有那一天咯……好在放在心裡偷偷格想想，嘸不啥人會曉得。」儘管那樣的事一想起來就會讓人心跳、臉紅，羞澀不安，但又不由得使人不想，那種使人想下去的衝動實在是難以抗拒的誘惑。「那時我替自己繡一件水紅底子咯，穿，就是海棠紅也好，鳳凰多配點金……自然，那要勿少銅錢，不過我可以多繡點生活積起錢來……那樣咯料子軟棉棉，滑篤篤，穿在身上一定很舒服，就勿要講有多美哉，要讓榮生看了……嗨！真是咯，怎麼又扯上他來哩！」金寶一陣羞慚，幾乎亂了針腳，可是，她活了這麼大，交往的年輕男人就只有榮生，心目中也只有他一個，雖然他的家境比她家好得有限，但如果拿潘家那種遊手好閒，無所事事的輕浮少爺來比，她寧可取榮生，人品也敦厚，好歹總是靠自己謀生……可是，他既然對自己有意，怎麼一直都不挽人來說親……她想起最近有二三天在門口都不曾碰見榮生，不知他在忙些什麼？人可好？……金寶腦筋裡胡思亂想，越想越遠，不知怎麼手肘一滑，那塊擱手板向斜裡猛地一翹，正打在洋油燈上，倒翻下來，火焰差點燒著金寶的臉……金寶娘手腳快，跳起來一把搶住了燈。可是煤油已洩漏出來，浸濕了繃子，而且很快地漫延開來，一瞬眼功夫，鮮豔的牡丹，絢麗的彩鳳全浸透了油而黯然失色，慘淡無光。

金寶娘急得又是跳腳，又是嚷：

「天老爺！格哪能辦要賠也賠勿起！還說好後日一早要格……。」

金寶咬著嘴唇楞在一旁，望著那狼藉的殘局，心裡的傷痛，不僅是對這意外的損失，更使她難過的是她覺得自己就像摧毀了一些生命……她親手培植起來的藝術生命。曾經那樣生動可愛，美麗光輝，轉眼便成一堆污穢的廢物。

只因自己胡思亂想闖下的禍。金寶真恨不得打自己一頓。

母女倆煩惱了半夜，才想出一個彌補的辦法。第二天由金寶去顧繡莊賒來料子和絲線，金寶娘便向吳老太太請求延期二天。又推說鳳凰尾巴畫得不清楚，要來了花樣，足足花了二頓飯工夫，金寶才比劃著把花樣描在緞料上。上好繃子，氣都沒有透一口，便又埋頭苦繡起來。她惱恨自己都只為胡思亂想壞了事，索性像關閘門似的把思潮堵住了，全心貫注在針腳的起落上。除了吃飯，她便一直這樣繡個不停，脖子彎疲了，扭一扭，眼睛睜痛了，閉一下，繡完了白天的陽光，又繡得捻上好幾次燈芯。夜深了，金寶娘在一旁眼看女兒這樣辛苦，心裡疼得緊，待要催她休息，又怕到時繡不完再失信於人。要睡不睡，只在旁邊東摸摸西弄弄地旋轉著，有似一頭磨著空磨的騾子。直等金寶催了幾次，才拗不過，先和衣去牀上靠著打盹。

深靜的夜，每個人都去尋好夢去了，獨在這岑寂的一室，昏黃的燈光下，這纖弱的少女猶自抑制住渴睡，一針一針趕繡別人的嫁衣，萬籟無聲「吧」「吧」的聲音響得更清晰，也不知夜有多深，耳畔雖聽得柝聲「篤」「篤」，也沒有細數是敲過了一遍，二遍，還是三遍……

第二天金寶還是頭也不抬地從早繡到晚，哪怕街上活獅子出現，也不會使她離開座位。眼睛沒有休息，左邊的那隻開始有點發癢，到後來又漸漸地淌起淚水來，她也只預備了一塊舊手帕，不時按一按，不曾為眼睛擔心，卻怕淚水沾污了衣料。——好不容易趕繡完工，已經是第三天下午了。金寶深深地吐了口氣，猶如獲赦的囚犯。從繃子前站起來，一面摩著痠痛的脖子，捶著僵直的腰肢，一面望著母親把她繡料拆卸下來，疊好，拿出一塊百子包袱包上。

「我要燒夜飯哉，傍去吳家跑一趟吧。」

金寶實在很累，不想走動，只捶著腰肢不則聲。

「去，在家裡關了幾天，走一趟也散散心，喜事人家走走好咯。」

金寶娘連勸帶說，金寶想了想也就答應了，進房去拿起鏡盒裡的黃楊木梳，梳梳額前的瀏海，又蘸點鉋花水光了光頭，鏡子裡照出左眼有點紅腫，嘴唇淡淡的，沒有一點血色，她輕輕用牙齒咬了一會再放開來，薄薄的嘴唇立刻顯得紅潤了，像一隻剛摘下的紅菱，嵌在那勻淨的瓜子形的臉上，顯得小巧可愛。她滿意地微微一笑，便甩著辮子，拿起包袱，走出大門，卻又停下腳步，先習慣地向巷子端探望了一眼。這才下了石階，朝東邊走了一會，踅進一條橫巷，便跨進巷底那一家敞開的牆門，在四扇白漆二門上敲了二下，一個傭人來開了門，問明原委，才領了她進去。經過一座空敞的轎廳，一道沿著天井的走廊，又是一座陳列著紅木家具的正廳，再一腳跨進內客廳，金寶便被那堆在桌上彩色繽紛的綾羅綢緞耀花了眼睛，二個裁縫正熨斗針尺地在那裡忙碌。隨著傭人通報，東邊廂門口懸著的紅呢簾子一掀，吳老太太和吳大小姐都迎了出來，吳小姐接過包袱便匆匆地打開，抖出那段繡花料子鑑賞一會，披在身上比劃一會，連傭人裁縫都讚賞地望著，不住發出「嘖嘖」的讚美聲，吳老太太推著一臉慈祥的笑，親切地拍拍金寶的肩膀說：

「金寶，倷格一雙手真巧！鳳凰都被倷繡活哉。」

金寶羞澀地只是撫弄辮子，卻抑制不住那份內心的高興。笑得抿不攏嘴唇。那損失，那辛勞在這一會兒都像水蒸氣般蒸發在空中了。

接過吳老太給她紅紙包著的工錢，金寶正要告退，吳老太又叫她等一等，一面叫傭人去取了兩盒喜果，笑瞇瞇地遞在她手裡。

「吃兩盒喜果，甜甜蜜蜜，喜事沖沖，今年得一個好女婿。」

金寶紅著臉低低的道了謝，仍隨著傭人出來，跨出那森森的大門，才發覺暮色已像一層薄霧般籠罩了小巷，她踏著比來時更輕盈的步子，剛走出橫巷，瞥見直巷那端過來一個人，她遲疑間，那人已走近來了，果然是榮生。

「榮生！」金寶欣然地站住了，等他走到面前。

「噢，金寶！」

「咦，倷那能走這一頭呢？怪勿得好幾天都勿曾看見倷。」

「我，我有點別格事情要彎一彎路。」榮生吶吶地解釋著，跟她並肩走一路：「倷從啥場化來？」

「到吳家送生活去！哪，把倷。」金寶從包袱裡掏出一盒喜果遞給榮生。

「喜果！是倷格？」

「瞎三話四！是人家吳老太太送格。」

「哦！」榮生訕訕地鬆了口氣。「謝謝，倷留著自家吃吧。」

「我還有嘛。」金寶硬把喜果塞在榮生手裡，榮生再要推辭，忽然朝她臉上看了兩眼，關切地問：

「倷格眼睛那能？」

「晚上趕活熬格。」

「金寶，儂也真苦……。」榮生激動的聲音裡充滿了憐惜，金寶感激地瞥了他一眼，低低地說：

「人總是要生活格嘛。」

「人也總是被迫著做些自己不願做格事體！」榮生好像有無限悲憤似的，抑抑地說。

「我不懂儂格意思。」

「我是說……譬如，譬……如，儂要勿是為了生活所迫，也用不著這樣一天到晚格繡繃子……還有，還有交關莫名其妙格理由，偏偏迫得人放棄自家願意格，而去做那勿願意格……。」說到這裡，榮生突然哽住了，急驟地把上身扭過去。金寶感到十分驚疑，不禁輕輕地扳住他的肩頭，關心地看著他：

「榮生，儂今朝啥場化勿對？」

「金寶！」

「嗯。」

「我，我想告訴儂……。」榮生轉過臉來深情地注視了金寶一眼，又驀地低下頭去，在黯淡的暮色中，金寶依稀看到他的臉被一種極複雜的感情扭曲著，眼角隱隱地含著淚光，她不由得焦急地催他：

「快點說嘛，啥事體？」

「倷早晏會曉得……記得我說的……人總是被迫著做他不願做的。金寶！我！我金寶……。」榮生結結巴巴說了這二句，忽然聲音哽住了，他轉過身子便踉蹌地奔向他自己家裡。金寶驚愕地望著他像隻受傷的野獸般，頭也不回地竄進洞窟中，心裡充滿了疑惑，想不透究竟為了什麼？獨自怔怔地木立在巷中。直到點街燈的巷口燃起了昏黃的煤油燈，這才發覺夜色已像一襲修道女的寬大黑袍罩住了她。回家的那幾十步路，她猶如小舟盲目行駛在濃霧裡，到家，金寶娘早已燃上煤油燈，把晚飯開在小廳裡等她了。

「去了格半天，看我特地為倷煎格荷包蛋都冷脫哉。」金寶娘抱怨著，金寶不分辯也不作答，把包袱往她娘手裡一塞，便默默地盛了碗飯，機械地向嘴裡扒，眼睛也不望著菜，胡亂扒完一碗飯，就往灶前端碗，擦嘴。

「作啥只吃一碗飯？」做娘的停下筷子關切地勸問。

「吃勿落。」一面簡短地回答，身子已進了裡屋，金寶娘困惑地望著女兒辮子一晃進去了，不由得皺起眉頭搖頭：

「這妮子，脾氣越來越大哉。」

●

那天黃昏在路上邂逅榮生的事，一直在金寶心裡打了個疙瘩，就像清早吞食了冷的糯米粽子，堵在胸頭，吐又吐不出，吞又吞不下，只是梗在那裡作怪。她沒有把這個疙瘩告訴娘，她自己解不了，告訴她也解不了，可以解開的人，卻終不見面，彷彿大地一下裂開來把他吞沒了。

春暖花開，春天裡多的是嫁娶的好日子，大街小巷常常有迎親的行列經過，人都喜歡趕熱鬧，尤其是那些沿街淺戶，只要老遠聽見吹鼓手「咪哩嗎啦」一陣吹奏，立刻引得老的小的一起蜂擁到門口來，一面看，一面批評嫁妝豐儉，新郎美醜，猜測花轎裡的新娘什麼模樣，行列過去了半天，隔壁嬸嬸，面對阿姊，還有半天好議論。

這一天下午金寶娘不在家，金寶一個人悶悶地繡著綳子，只覺得心裡堵得慌。這時門外傳來爆竹聲劈拍，接著「咪哩嗎啦」吹得一片價響，攪得她更心煩，索性把針一插，推開凳子站起來，扣起領上的鈕扣向門口走去。一腳跨出門檻，便看見一對大油紙燈籠搖搖晃晃迎頭過來，燈籠上漆的陳王兩個大字紅得耀眼。這後面是一隊吹鼓手，吹打得十分起勁，再後面是新郎坐的綠呢轎。迎親回來的新郎戴紅頂子黑絲緞的瓜皮小帽，穿著長袍馬褂，菩薩似的端坐轎中。當金寶的視線落在他身上時，驟然彷彿觸了電似的，全身神經猛地一陣收縮，她一手抓住了門框，才算穩住了沒跌下石階，這似乎是不可信的，但拭拭眼睛再看：那坐在轎子裡眼觀鼻，鼻觀心的新郎不是榮生還有誰？他也許看見了她，卻連眼角裡瞥一眼都不敢。她緊緊地握著拳頭，並不感到指甲掐進了掌心裡，轎子緩緩地從她面前抬過，隔得那麼近，可以看出榮生的臉發著青，正努力克制著什麼，始終沒有掀一下眼皮。

「嘻，陳榮生做新郎官了！」

「聽說討格是鄉下姑娘。」

「咦！伲勿是搭金？……。」

左右隔壁你一句我一句的閒話，像一支支冷箭射在金寶心裡，鬧嘈嘈的鼓笛聲又似無數利刃，向她心坎亂戮，驀地開道鑼「鏘」的一聲巨響，她感到她的心已被震得碎成片片，再也無法撐持，搖搖欲墜地轉身朝屋裡跑去……

當金寶娘從外面回來時，堂屋裡靜悄悄地，繃子撒在那裡也不曾用布蓋上，她喚了兩聲「金寶」不聞答應，便踅進了內屋，首先映入她眼中的是房裡凌亂的情形，滿地擲著砸爛和踩壞的，全是金寶小時玩過的小玩意：花玻璃彈子、竹篾編的小花籃、泥菩薩、糯米珠子、香煙畫片、過年戴的剪絨花，還有她一直收藏著捨不得做的那塊織錦緞鞋料也剪成一塊一塊，斑爛地摻雜在廢物中。金寶自己卻俯伏在揉皺的被褥上，臉埋在枕頭裡，身子像僵直了似的，一動也不動。

金寶娘把一切看在眼裡，立刻領悟到剛才發生了什麼事。她不禁心頭湧上一陣酸楚，眼眶也潮濕了，她輕輕坐在牀沿，伸出手去愛撫著金寶的肩背。

「金寶，」那溫柔的聲音充滿了無限的憐愛，但仔細辨認，又彷彿添著有點歉疚。一聲聲喃喃地喚著：「阿囡，金寶……。」

金寶不動也不作聲。

「金寶，倷聽我說：勿要恨別人，格是命，是爺娘害勒倷……。」

「姆媽！……。」金寶從枕頭裡迸出梗塞的聲音，抗議她母親再往下說。金寶娘忍著眼淚，還是顫顫地往下說：

「小痛不如大痛，橫豎倷早倷晏總要曉得格，怪只怪倷早勿出世，只晏勒三天，就屬勒羊。」

「屬羊又那能？」金寶一翻身，氣憤地反詰。

「相書上說過，女人屬羊，剋夫敗家。倷想想看，做爺娘格哪能肯替兒子娶格媳婦！」

「勿要說下去了，姆媽，我格命那能格樣兇，格樣可怕啊！」金寶柔弱的心靈經不住這一再的打擊，一個翻身滾在娘懷裡，再也忍不住傷心而軟弱地慟哭起來，把鬱積在心頭的悲痛化作滿腔熱淚，傾瀉不住。金寶娘摟著她不停地流著眼淚——光線逐漸陰暗下來，暮色和淒涼情緒瀰漫了狹窄的斗室。

「阿囡，勿要難過哉，勿管那能，倷總關是姆媽格心上肉，會照應倷一輩子。」金寶娘一面哄勸，一面眼淚還是簌簌地落下來。還是金寶慟哭了一陣，先收住了眼淚。

「我一點也勿難過勒，姆媽，」她撩起衣襟來拭乾了面孔，聲音變得出奇得冷峻：「既然是命，我就認了命。」

「格末，倷起來先拭把面，休息休息，我去弄夜飯倷吃。」金寶娘總算寬了一半心，拍拍女兒的手，站起來待去灶間。

「倷一個人吃吧，我勿想吃。」

「吃一點點好吠？」

「一點點也吃勿下——讓我一個人靜一歇。」

金寶娘只得悽惶地退出去，跨出門檻，才不讓女兒聽見，沉痛地歎了口氣，剛乾不久的眼眶，又酸溜溜地一陣發熱……

●

金寶病了三天——沒有發燒也不曾服藥，但心靈上無形的傷痛比身體上的病疾，更嚴重，躺了三天起牀，不僅清癯了不少，雙頰的紅暈，唇上的顏色，也都被這一病從此褪蝕了。她彷彿換了一個人，不再望著海棠凝思，不再停下針線遐想，也不再站在門前石階上閒眺晚霞，她越來越吝嗇她的聲音，似乎覺得說話是多餘的。生活中唯一不變的是繡綳子，她沉默地繡著被面、新娘禮服、枕頭套……像是一架轉動不歇的機器。

金寶娘不時暗暗地窺探著她的一舉一動，背著她偷偷地傷心流淚，又悄悄地跪在觀音菩薩面前上香、許願，如果幸福可以換取的話，她願以她的一切，來換取女兒日後的生活……

金寶姑娘的針下繡活了牡丹，繡活了龍和鳳，但她的青春活力卻一天比一天減退，那雙秀美的眼睛長日盯著綳子，逐漸變得近視了，穿一枚針便得瞇細著眼，瞇成了習慣，眼皮眼角平添了不少皺紋，成天低著脖子，彎著背，肩背有點向裡佝僂，再也挺不直了。——猶如一枝含苞待放的蓓蕾，沐浴在溫暖的春風陽光中，突然間氣候驟變，霜雪交加，嬌嫩的枝葉受不住打擊便將慢慢地開始萎謝……

一天下午，金寶正繡著綳子，門口一陣風似的，細碎的小快步加著脆亮的笑語聲，一齊捲到金寶身邊：

「哎唷，金寶姑娘長遠勿見，愈加出落得漂亮哉！」

金寶一抬頭，看見進來的是穿戴得俏伶伶的趙喜娘——專門伴送新娘和說媒的，不知為什麼，聽見她那做作的嗲聲音，金寶覺得有點討厭，勉強嗯了聲：「趙嬸嬸。」

「噢，倷格雙手巧是真巧！」趙喜娘一面誇讚，一面便抓起金寶的手翻覆端詳，金寶要縮回又不能，十分窘迫。好在這時金寶娘出來招呼著兩人寒暄去了。像平時一樣，來了找金寶娘聊天的姆姆嬸嬸，金寶總是自顧自繡她的花，但這一天金寶娘還沒說上幾句話，卻打發她到街上去買點心待客，金寶奇怪她娘今天為什麼待這個客人特別客氣，不大願意地提了點心籃跨下階級，劈面就碰到對面三好婆出來倒垃圾，拉住了問：

「金寶姑娘，來勒啥格大客人，要買點心？」

「嘸不啥大客人，就是趙喜娘趙嬸嬸。」

「趙喜娘？」三好婆睜大了陷下去的老眼，好像聽見天上落下米來似的，朝著金寶臉上端詳了半天，忽然神祕地癟了癟嘴：「哦，喜娘上門有喜事……。」

金寶被她說得臉上一紅，心裡也怦然一跳，趙喜娘難道真的是……真不怕難為情！這是不可能的——她立刻又斥責著自己。誰不曉得她屬羊，敢冒這個險？……

趙喜娘吃過金寶買回來的蟹殼黃就告辭了。金寶娘忽然顯得特別忙似的，一會弄弄這個，一會摸摸那個，卻又一樣事沒有做成，湯罐蓋擱在鍋子裡，放醬油又倒了菜油，一副心不在焉的樣子，金寶料著她娘肚子裡一定擱著什麼要抖出來，她也偏不開腔。吃完晚飯。她果然用充滿感情的聲音喚了聲：

「金寶。」

「嗯。」

「倷阿曉得趙喜娘來作啥？」

「還勿是搭啦講閒話。」金寶淡淡地回答。

「人家誠心誠意來搭倷說親阿好。」

「姆媽，」金寶恚然阻止。「倷勿要講哉。」

「男家在鄉下，交關遠。只要拿倷格時辰八字改一改，嘸个人會曉得。」金寶娘只管喜孜孜地講下去，沒有注意金寶因感到屈辱而痛苦的臉色，金寶咬著下唇，冷冷地頂了一句：

「可是，改了時辰總改不了命。」

「這點倒勿要緊，男格是續弦，命也是硬格，只是年紀大了一點，不過年紀大格男人倒懂得體貼，子女也都大了，不用操心……。」

「姆媽，我這一輩子勿預備嫁人，就跟倷一淘勿分開。」金寶堅決表示。

「阿囡，我曉得你這片孝心，只是我已經土齊肚臍，勿能再陪倷一生一世哉，到格辰光剩倷一個人又那能辦？我現在還有倷這樣一個囡，等倷老起來，自家又做勿動哉，再有個三病四痛，又去靠啥人？倷也要想想——。」金寶娘沉痛地說到這裡，聲音梗住了。金寶聽她母親這麼一說，想起將來真地過那種孤苦伶仃，無依無靠的日子，那種淒涼黯慘的景況，簡直不堪設想，如果許嫁呢？屈辱地瞞了時辰八字，一個人充軍似的發配得遠遠的，去和一些陌生人生活在一起，那不可預卜的命運同樣地渺茫可怕——怔了一會，竟不自覺地掛了兩串清淚。

「哎，這是喜事，有啥好傷心格？都怪我這老背時的說錯了話。」金寶娘立刻收起愁容自責著，一面強顏歡笑，溫柔地問女兒：「到底想通了嘸不，嗯？」

「我捨勿得離開妳。」

「哈，要戇哉，囡嚜總要嫁格吪，倷看見啥人家格囡跟勒娘做一輩子格老小姐！」

「剩倷一個人要冷靜煞哉！」

「勿會格，腳生勒人身上，倷可以常常轉來看看我，我也可以到女婿屋裡走動走動。」

「倷說是續弦。」金寶未說先紅臉，好不容易掙出這一句。

「嗯，說是男格交關重感情，家小死勒二年勿肯再娶，還是兒女替伲作主要續格。」

「年紀勿是大得可以做我格爺？」

「大是大一點，大一點格男人才曉得疼家小，再說，過三年倷也滿三十哉。」金寶娘最後一句像枚針，在金寶的自尊心上戳了一下，從前她常常聽別人用那種混合著憐憫，輕蔑和諷刺的口吻，背地嘲笑過了結婚年齡還待在家裡的女孩子是：「嫁勿出去格老小姐！」如今，怕不亦在譏笑自己了？她咬了咬牙，以那種把自己豁出去的心情，悲痛地說：

「姆媽，倷說那能就那能，隨便倷做主好了。」

金寶娘歡喜地說：

「只要倷終身有靠，做娘格也就放心哉，明朝我再向趙喜娘打聽打聽清爽，總勿會叫倷吃虧格。」

趙喜娘嘴裡說親的男方是鄉下財主，有田地房產，長工短工，五十歲左右，身體還很健朗，性情脾氣十分溫和，二房兒子都已娶媳婦，很孝順，嫁過去做現成家婆，勿愁吃著，坐著享福。

金寶娘一答應，男家很快就下了定，聘禮很豐，雖然聘禮多少還是要新娘帶回男家，女方總覺得在親友間掙了面子，很光彩，金寶娘喜得那天在神龕前多磕了三個頭，認為是菩薩保佑金寶擇得好歸宿。

下聘不久，馬上又送了日子過來，迎親的日子近得出乎金寶娘意外。她推說來不及製嫁妝，男家卻說不在乎嫁妝，只要娶人。到了吉日那天一早，天色剛剛微明，一乘花轎就來到金寶家門口，說是因為路遠，要走早路要乘船，縱使這樣早動身，回去時已黑更天了。來迎親的一位新郎的堂弟，一位鄉下老嫗，二個抬轎的長工和幾名吹鼓手，新郎自己沒有出馬，說是三朝回門再拜見岳母。

做新娘子的金寶並沒有穿上希望中自己親手刺繡的，鳳穿牡丹的繡花旗袍，而穿一襲普通的大紅對襟襖裙。帶了一雙哭腫的眼睛，和一顆充滿難捨難分的依戀之情，以及對未來無限惶懼的心，被挾扶著上了密不通風的花轎鎖轎門，的鎖「克嚓」一響，彷彿就鎖在她心坎上。過去二十多年來相依為命的慈母，二十多年來習慣了的生活，熟悉的住屋、街巷、鄰居以及一狗一貓，一草一木，都將從此鎖斷隔絕，而她就像又誕生一次，重新再開始投入另一個完全陌生的世界。

一聲聲悲涼的啜泣摻雜在鼓笛聲裡，匆匆地經過早晨清冷的街巷，逐漸遠了。

●

女兒有了歸宿，金寶娘總算了結一樁心願。但是，失去了愛女剩下來的空虛，卻再沒有什麼能夠彌補，她白天裡盼著太陽落山，晚下又盼著太陽上升，只指望三天過去，又可以見到女兒一面。還有那位東牀快婿。三天過去了，卻不見一個人影，金寶娘失望了一陣，又自己寬慰：也許三朝走不開，大概等滿月再回門，這一個月裡，她做什麼都沒情沒緒，天天只是扳算指頭，一個還有二十天，還有十天，三天……一個月又過去了，還是沒有消息，金寶娘想瘋了，就忍不住跑去找做媒的趙喜娘要人：

「我是嫁囡，勿是寫賣身契，六親斷絕。倷究竟拿金寶弄到啥場化去哉？賠我格囡來！」

趙喜娘實在對男家也不清楚，只有搬出她的一套甜言蜜語來勸慰：

「倷勿要朝歪路上想，金寶嫁過去享福還享勿盡，那能會到別格場化去！倷也想想，人家是鄉下大財主，田地房屋上格事體享簡單，金寶過去就做當家奶奶，總攬大權，自然忙得抽勿出工夫轉來。再說路末也實在遠一點，來一趟勿容易，好得勿到二個月就要過年哉，我想過年新姑爺，新姑奶奶總要來拜年格。倷還是安安心心去預備見面禮吧。」

聽了趙喜娘的勸慰，金寶娘又把希望寄託在過年上，老早便省吃儉用掙擋著醃些鹹魚臘肉，好招待嬌客，又推磨蒸粉，印了些金寶歡喜吃的棗糕，心裡算計著年初頭上他們大概走不開，要來總得過了初三，眼看著就到了小年夜，那天金寶娘正在灶前忙碌，忽然來了個鄉下客人，提著二隻雞，一條醃豬腿，說是老爺跟新太太叫送來的，並且向老人家請安。因為過年事情忙，不能給老人家拜年了。

又一次失望像一座冰山壓在金寶娘心頭。但總算看到了一個知道女兒情況的人，她忙不迭向他提出了一連串的問題：新太太的身體好不好，有沒有身孕？老爺是怎樣的人，待新太太怎樣？兒媳是不是孝順？誰在當家？客人的回答卻是瞪眼搖頭，乾脆地說：「我是長工，只管莊稼的事，屋裡的一切全不清楚。」

金寶娘的一股熱情全被冰水澆熄了，年三十反而灶裡連個火都沒起，孤零零一個人望著蕭條四壁，坐在屋裡悄悄地淌眼淚，還是對面三好婆拖了去她家吃了頓年夜飯。

年過去不久，金寶娘忽然間變得衰憊了，行動遲緩，眼睛再也看不見繡花盤金，梳頭的也只剩下附近的二三家。春去夏來。漫長的日子，她便以想念女兒來打發時間，或者就搖著芭蕉扇到左右鄰舍去聊天，扯了半天，話還是轉到金寶身上，別人說：

「金寶一定在過好日子，快活得忘記爺娘哉。」

她笑笑，又歎口氣。

「但願倷真格這樣，記勿得我這窮娘倒隨便。」接著又無限懷念地，幽幽地訴說：「不過我只想看看倷……路格樣遠，我是越來越勿能去哉……。」說著，癟嘴微微顫抖著，白髮的頭沉重地低垂到胸前，顯示出額上深深的紋印——憂念使人老，遠超過歲月的鑿工。

夏天快過完，一天黃昏，一輛黃包車在煎臭豆腐的氣味中拉進小巷，停在金寶家門口，下來的正是金寶，陪著她的是二件行李。看見娘只顫抖地喊了聲「姆媽」便咽住了，撲過去伏在她肩上，泣不成聲。

「阿囡！阿囡！」金寶娘喜出望外，猶疑是在夢中，如重獲至寶般，激動地緊摟住女兒……但驀地又猛然一把推開金寶，像看到了魔鬼似的，倒退二步恐懼地瞪著她，從她腳上的白鞋，身上的灰布衫褲，到髻上的白絨花！

「啊！難道？……。」

金寶噙著淚默默點頭，金寶娘打了個寒噤，從脊骨一直涼到腳心，不由得又摟著金寶哭著：

「噢！苦命格囡……」傷心了一會，抑住哭聲問：

「是幾時格事體？」

「昨日剛剛斷七。」

「哪能信息都勿通報一個？」

「大概是搶著分遺產，勿管哉。」金寶輕蔑地說，從悲傷中冷靜下來，露出一臉的怨恨。

「啥格病死格？」金寶娘心裡又掠過女兒那屬羊的命運的陰影……

「倷說啥格病？」金寶冷冷地衝了她娘一句，眼睛裡閃著無限悲憤。「我嫁過去一直到他死，就勿曾下過牀。」

「為啥？」

「老早就風癱哉！」

「哎！」

「老頭子癱勒牀上，吃勒㾓統統要別人服侍，討啥格家小？根本就是個貼身老媽子，專門服侍伲……我仍舊還是嫁過去辰光格我。」

「哦！苦命格囡！倷為啥早勿說！」

「生米已經煮成熟飯，告訴倷，也只有讓倷替我傷心。」

「全是娘聽信趙喜娘格一派花言巧語，害勒倷格終身，我一定要找伲算帳！搭伲拚格條老命！」金寶娘又是疼惜女兒，替她傷心，恨自己糊塗不察，又恨趙喜娘只貪圖媒金，葬送了女兒一生，一時悔恨悲痛交集，氣喘喘渾身發抖，手腳冰冷。軟癱在椅子裡。還是金寶替她撫著胸口，一面沉痛地說：

「姆媽，倷現在又何必生格樣大格氣？當時我恨起來也恨不得找著趙喜娘咬下伲一塊肉來，但是，想想咬下來勒對我又有啥補償呢？……現在好好壞壞事體已經過去了，我只當是做了一場惡夢——大概是命裡註定格，我情願忘記格場惡夢。姆媽，倷也幫我忘記吧！」

金寶做了小寡婦被打發回家的消息，第二天就傳遍了對面隔壁，幾天中，大家當作一件新聞談論批評：

「金寶轉來哉！」

「年紀輕輕就做勒寡婦，阿要作孽！」

「嫁過去勿到一年，就剋煞勒男人。女人屬羊，剋夫敗家，相書上說格一點也勿錯。」

「真是，瞞得脫時辰八字，瞞勿脫命！」

別人說的閒話，金寶聽不到也許想得到。但她已變得冷漠和麻木，全不理會那些。回家第二天，便搬出塵封已久的綳架，要金寶娘去通知顧繡莊送生活。

寂靜了許久的小客堂裡，又開始響著單調的、繡針在綳子上穿上穿下的「吧」「吧」聲。金寶仍和從前一樣，默默地俯首在綳架上替人繡著嫁衣，繡著龍鳳合歡被，只是，腦後那支烏光水滑搖來晃去的大辮子，已換上了一個婦人梳的髻。

牆角裡的海棠花不知悄悄地開了謝了多少次，偶然，也會有一道漫不經心的視線在它身上，但那不是從前那脈脈含情充滿了少女的夢幻和遐想的眼光，而是冷漠、茫然，越來越顯的厭倦的視線。

海棠花似乎也精力殆盡，一天比一天瘦弱、憔悴。這悄然生長在陰暗的角落裡，不見陽光的微賤的生命，終將奄然萎落，被人遺忘。

《文學雜誌》・民國四十八年十二月一日

編註：本文原刊於《文學雜誌》第七卷第五期，一九六〇年一月二十日，頁三十七～五十四。

艾雯全集9【小說卷・四】

作　　者　艾雯
編輯顧問　張瑞芬　陳芳明　應鳳凰（依姓氏筆劃排序）
主　　編　封德屏
執行編輯　王為萱
美術設計　不倒翁視覺創意

編輯製作　文訊雜誌社
10048台北市中山南路11號6樓
02-2343-3142
出　　版　朱恬恬
11147台北市忠誠路二段50巷8號
02-2832-1330

排　　版　浩瀚電腦排版股份有限公司
印　　刷　松霖彩色印刷事業有限公司
初　　版　民國101年（2012）8月
定　　價　全10冊（不分售）平裝新台幣4,600元整
ISBN　978-957-41-9327-1（第9冊平裝）
978-957-41-9318-9（全套平裝）

◎財團法人｜國家文化藝術｜基金會 贊助
台北市文化局 Cultural Affairs Bureau of Taipei 贊助

國家圖書館出版品預行編目資料

艾雯全集 / 艾雯作. -- 初版. -- 臺北市 : 朱恬恬, 民
101.08
冊 ; 公分

ISBN 978-957-41-9318-9(全套 : 平裝). --
ISBN 978-957-41-9319-6(第1冊 : 平裝). --
ISBN 978-957-41-9320-2(第2冊 : 平裝). --
ISBN 978-957-41-9321-9(第3冊 : 平裝). --
ISBN 978-957-41-9322-6(第4冊 : 平裝). --
ISBN 978-957-41-9323-3(第5冊 : 平裝). --
ISBN 978-957-41-9324-0(第6冊 : 平裝). --
ISBN 978-957-41-9325-7(第7冊 : 平裝). --
ISBN 978-957-41-9326-4(第8冊 : 平裝). --
ISBN 978-957-41-9327-1(第9冊 : 平裝). --
ISBN 978-957-41-9328-8(第10冊 : 平裝)

848.6 101013788